Dictionnaire technique
de l'aéronautique
Anglais-français
Français-anglais

Technical dictionary
of aeronautics
English-French
French-English

3e édition

CÉPADUÈS-ÉDITIONS

CHEZ LE MÊME ÉDITEUR

Le Vol à voile à la Montagne Noire	*R. Alby*
Aéroports du futur	*ANAE*
Le Système transport aérien : intégration équipage et contrôleurs	*ANAE*
Colloque international sur la sécurité aérienne	*ANAE*
Avenir du transport aérien à haute vitesse	*ANAE*
Gestion de la circulation aérienne	*ANAE*
Sécurité de l'aviation légère	*ANAE*
L'Avenir de l'aviation de transport de fret	*ANAE*
Le Guide du pilote : les Alpes et le Massif central	*R. Barrier*
Regards sur l'aviation civile. Histoire d'une administration	*D. Brimeur et al.*
Dictionnaire des sports aériens ultralégers	*R. Dalla-Costa*
Facteurs humains en aéronautique	*Campbell, Bagshaw*
Le Premier tour de France en planeur	*M. Floriot*
Histoire du vol à voile français	*R. et A. Jouhaud*
Le Guide du pilote : les Pyrénées	*A. Mathon*
La Légende des Guppy	*D. Méchain*
La Maîtrise du vol	*M. Messud*
Logiciel QCM du pilote privé (PC – 3,5")	*M. Messud*
Manuel de radiotéléphonie en langue anglaise – QRRI – 2e édition	*J.-P. Montraisin*
Initiation à l'aéronautique	*Th. du Puy de Goyne, T. Plays, P. Lepourry, J. Besse*
Théorie élémentaire de l'hélicoptère – Initiation par l'image	*R. Raletz*
Radiotéléphonie pour navigants professionnels QRI (2 tomes)	*Y. Rengade*
Manuel d'anglais parlé du pilote de ligne	*Y. Rengade*
Guide de l'instructeur vol à voile – 2e édition	*SEFA*
Guide pratique du pilote remorqueur	*SEFA*
Manuel du pilote d'avion — Vol à vue	*SFACT*
Manuel du pilote — Vol à voile	*SFACT*
Manuel du pilote — ULM	*SFACT*
Le pilotage des montgolfières	*SFACT*
Guide des épreuves pratiques – PP/IFR	*Jury des examens, SFACT*
Guide des épreuves pratiques de secourisme (CSS)	*Jury des examens, SFACT*

Série « Formation pilote »

Réglementation aérienne	*D. Casanova, P. Carme, P. Vacher*
Avionique de la navigation aérienne – PP/IFR	*M. Combes*
Propulseurs aéronautiques – PP/IFR	*P. Lepourry, R. Ciryci*
Technique du vol – PP/IFR	*Y. Plays*
Météorologie – PP/IFR – Mise à jour	*M. Renaudin*
Cellule et circuits associés – PP/IFR	*J.-C. Ripoll*
Navigation et pratique de la radionavigation – PP/IFR	*J.-L. Sicre*
Bases d'électricité avion — Protection contre les incendies – PP/IFR	*M. Valentin*

Dépôt légal : octobre 1996   N^o Editeur : 422

René LAMBERT

Dictionnaire technique de l'aéronautique

Anglais-français
Français-anglais

Technical dictionary of aeronautics

English-French
French-English

3ᵉ édition

CÉPADUÈS-ÉDITIONS
111, rue Nicolas-Vauquelin – 31100 TOULOUSE
Tél. : 05 61 40 57 36 – Fax : 05 61 41 79 89
http://www.editions-cepadues.fr

Première partie
Anglais-français

First part
English-French

INTRODUCTION

La troisième édition du DICTIONNAIRE TECHNIQUE DE L'AÉRONAUTIQUE contient plus de 20 600 mots ou expressions relatifs à l'aéronautique tant civile que militaire et aux divers domaines qui s'y rattachent. Un grand nombre de termes en rapport avec l'électricité, l'électronique, l'espace, la météorologie, les missiles, le radar, la radio ou les satellites figurent donc dans cet ouvrage.

Comme c'était le cas dans les éditions précédentes, la plupart des mots sont inclus dans un contexte qui en rend la signification plus explicite et plus proche de la réalité. Ainsi, le vocable anglais « helicopter » n'est pas traduit car il s'agit d'un mot « transparent ». Par contre, ce même mot figure dans une vingtaine d'expressions qui lui donnent une sens : «Helicopter approach path indicator : indicateur de pente d'approche d'hélicoptère », etc.

La mise à jour de cet ouvrage a permis d'ajouter plus de 2 100 termes à l'édition précédente, dont certains néologismes de création récente.

Tel qu'il se présente aujourd'hui, le DICTIONNAIRE TECHNIQUE DE L'AÉRONAUTIQUE est le plus complet et le mieux documenté des ouvrages de ce type. Ils constitue sans aucun doute le manuel de base des techniciens, traducteurs et jeunes gens désireux de garder le contact avec l'évolution de l'aéronautique ou d'actualiser leurs connaissances. Enfin, le pilote privé en déplacement à l'étranger se fera mieux comprendre lors d'une escale sur un terrain peu fréquenté, car tout le monde n'est pas parfaitement bilingue et il peut être utile de savoir que « boulon fileté » se traduit par « threaded bolt » en anglais.

A

Abandoned take-off : Décollage interrompu.

Abbreviated test language for all systems (ATLAS) : Spécifications de test (Simplification de la lecture et de la compréhension des).

Ablative material : Matériau érodable.

Aborted launch [computer-controlled cutoff of launcher engines as a result of a failure detection] : Tir avorté [extinction des moteurs du lanceur commandée par ordinateur à la suite de la détection d'une défaillance].

Aborted take-off : Décollage manqué.

Above ground level (AGL) : Niveau du sol (au-dessus du).

Abradant : Abrasif. Poudre à roder.

Abrade (to) : Meuler. Roder. User par frottement.

Abrasion : Abrasion. Frottement. Grippage. Usure.

Abrupt pull-up : Ressource brusque.

Absolute ceiling : Plafond absolu. Plafond théorique.

Absolute pressure in pounds/sq.in (PSIA) [1 PSIA = 0,07 kg/cm2] : Pression absolue en livres par pouce carré.

Abutment : Aboutement. Arc-boutant. Butée. Contrefort.

AC/DC inverter : Convertisseur ca/cc.

Accelerate-stop distance available (ASDA) : Distance accélération-arrêt disponible.

Accelerated stall : Décrochage en accélération.

Acceleration control unit (ACU) : Dispositif de contrôle de l'accélération.

Acceleration governor : Régulateur de survitesse.

Accelerator rod assembly : Tringlerie du carburateur.

Accelerometer : Accéléromètre.

Accelerometer unit : Boîtier de mesure accélérométrique.

Acceptable quality level (AQL) : Niveau de qualité ou de fiabilité acceptable.

Acceptance certificate : Certificat de réception.

Acceptance check : Contrôle de recette. Visite d'arrivée d'un avion [venant du constructeur].

Acceptance flight : Vol de réception. Vol de recette.

Acceptance requirements : Conditions de réception.

Acceptance specification : Clause technique de réception.

Acceptance test : Contrôle de réception.

Acceptance test-bench : Banc de contrôle final.

Acceptance test specifications (ATS) : Conditions de réception.

Accepting board : Contrôle de mise en fabrication. Contrôle final.

Access plate : Porte de visite.

Access port : Orifice d'entrée.

Access stairway : Escalier d'accès.

Accessories : Accessoires. Appareillage auxiliaire.

Accessory drive gearbox : Boîtier d'entraînement de l'appareillage auxiliaire.

Accessory drive shaft : Arbre de commande des accessoires.

Accessory gearbox : Boîte de commande d'accessoires.

Accessory log book : Livret des accessoires.

Accessory socket : Fiche pour accessoires.

Accessory unit : Bloc d'accessoires radar.

Accurate position finder (APF) : Radar directeur de tir.

Achieved overhaul life (AOL) : Intervalle effectif entre deux révisions.

Acoustic systems operator (ASO) [maritime surveillance] : Opérateur chargé des systèmes acoustiques de bord [surveillance maritime].

Across flats (A/F) dimension : Cotes sur plats. Dimension d'ouverture [clés].

Across the line starting : Démarrage direct d'un moteur [USA].

Activated diffusion healing (ADH) [repair of turbine blades by diffusion of materials] : Réparation d'aubes de turbine par diffusion de matériaux.

Active clearance control (ACC) : Contrôle actif des jeux [turbine].

Active control of structural response (ACSR) [vibration limiter] : Contrôle actif des réactions structurales [réduction des vibrations].

Active control technology (ACT) : Conception automatique généralisée (CAG).

Active maintenance cost : Coût de l'entretien actif.

Active maintenance downtime : Immobilisation de l'avion pour maintenance.

Active maintenance time :
Temps d'entretien actif.

Active matrix liquid crystal display :
Ecran de visualisation à matrice active

Active noise control system [toning down of unwanted noise by generation of sound waves with same amplitude but opposite phase] : Système d'atténuation du bruit dans le cockpit et la cabine passagers [par génération d'ondes sonores de même amplitude mais de phase opposée].

Active self-protect jamming system :
Brouilleur actif d'autoprotection.

Active thermal control sub-system (ATCS) :
Sous-système de contrôle thermique actif.

Actual airspeed : Vitesse vraie (VV).

Actual time overflight :
Heure de passage à la verticale.

Actual zero fuel weight (AZFW) :
Masse totale réelle sans carburant.

Actuated support ring of nozzle :
Anneau porte-tuyère.

Actuating rod :
Bielle d'attaque. Bielle de commande.

Actuation test :
Essai de relevage du train d'atterrissage.

Actuator : Actionneur. Moteur de commande. Vérin de commande.

Actuator control valve :
Distributeur de servodyne.

Actuator rod : Bielle-vérin.

Adaptive clutter rejection : Système adaptable d'élimination d'échos parasites [radar].

Adaptive tactical navigation (ATN) :
Navigation tactique souple.

Additional center tank (ACT) :
Réservoir central supplémentaire.

ADF antenna : Antenne ADF.

Adhesive tape : Chatterton. Ruban adhésif.

Adjustable nozzle : Tuyère à section variable.

Adjustable-pitch propeller :
Hélice à pas réglable.

Adjustable pitch trim :
Compensateur de tangage réglable.

Adjustable power supply :
Alimentation électrique réglable.

Adjustable roller plunger :
Plongeur réglable à galet.

Adjustable short take-off stop lever :
Levier de réglage pour décollages courts.

Adjustable trim tab : Tab commandé.

Adjusting arm : Bras de réglage.

Adjusting plate : Lyre.

Adjustment quadrant : Secteur de réglage.

Adjustment test : Essai de mise au point.

Advance ratio :
Paramètre d'avancement. Paramètre de glissement.

Advanced aerospace plane [manned, recoverable, designed to replace the US shuttle of the '80s] : Navette aérospatiale habitée, récupérable [destinée à remplacer la navette spatiale américaine des années 80].

Advanced air-to-air missile (AAAM) :
Missile air-air de conception avancée.

Advanced amphibious aircraft (AAA) :
Avion amphibie de conception avancée [projet Aeritalia/Dornier].

Advanced attack helicopter (AAH) :
Hélicoptère d'appui-feu.

Advanced booking charter (ABC) :
Vol affrété avec réservation.

Advanced composite airframe program [a programme recommending large scale utilization of composite materials in the structure of American military helicopters] (ACAP) : Programme préconisant l'utilisation massive de matériaux composites dans la structure des hélicoptères militaires américains [USA].

Advanced concept joined wing : Voilure principale reliée par ses extrémités à une deuxième voilure prolongeant la dérive.

Advanced crew ejection seat (ACES) :
Siège éjectable de conception moderne.

Advanced cruise missile (ACM) :
Missile de croisière de conception avancée [USA].

Advanced ducted propeller (ADP) :
Propfan caréné à haut rendement.

Advanced fighter technology integration (AFTI) : Avion de combat américain à courbure variable.

Advanced gas reactor (AGR) :
Réacteur à CO_2 et U enrichi.

Advanced geometry blade :
Pale à géométrie de technique avancée.

Advanced ground proximity warning system (AGPWS) [GPWS enhanced version] : Système avertisseur de proximité de sol [GPWS amélioré].

Advanced interdiction weapon system (AIWS) [USA] : Missile polyvalent air-sol [USA]

Advanced light helicopter (ALH) :
Hélicoptère léger de conception avancée.

Advanced manned strategic aircraft (AMSA) :
Bombardier supersonique pour vol à basse altitude.

Advanced medium-range air-to-air missile (AMRAAM) :
Missile air-air à moyenne portée.

Advanced on-board signal processor (AOSP) :
Calculateur embarqué de traitement du signal.

Advanced orbital test system (AOTS) :
Satellite de démonstration de l'ESA [lancement prévu en 1995].

Advanced pilot-system interface (APSI) :
Interface pilote/systèmes [composé de cinq équipements de visualisation].

Advanced radar test bed (ARTB) [American project] :
Banc d'essai pour radars [projet américain].

Advanced rotorcraft technology integrator (ARTI) program [definition of the workload to be borne by the pilots of the future US attack and reconnaissance helicopter LHX] : Programme ARTI [étude de définition de la charge de travail des pilotes du futur hélicoptère d'attaque et de reconnaissance américain LHX].

Advanced scout helicopter :
Hélicoptère moderne de reconnaissance.

Advanced self-protect (ASP) missile :
Missile d'autoprotection aéroporté.

Advanced short-range air-to-air missile (ASRAAM) : Missile air-air à courte portée.

Advanced short take-off vertical landing (ASTOVL) : Avion de combat à décollage court et atterissage vertical.

Advanced signal processing unit (ASPU) :
Calculateur de traitement du signal radar.

Advanced solid rocket motor (ASRM) [intended for US space shuttle] : Moteur d'appoint à poudre amélioré destiné à la navette spatiale américaine.

Advanced strategic penetrating aircraft (ASPA) : Avion de pénétration stratégique de conception avancée.

Advanced supersonic transport (AST) [a future supersonic transport expected to take over from Concorde early next century] : Avion de transport supersonique [devrait prendre la relève de Concorde au début du siècle prochain].

Advanced synthetic aperture radar system (ASARS) :
Radar moderne à ouverture synthétique.

Advanced tactical airborne reconaissance system (ATARS) : Système aéroporté de reconaissance tactique.

Advanced tactical aircraft (ATA) :
ATF (version navale de l'-).

Advanced tactical bomber (ATB) [a flying wing-type American bomber, virtually undetectable by radar] : Avion de bombardement américain de type « aile volante » [pratiquement indétectable par radar].

Advanced tactical fighter (ATF) [USAF air superiority aircraft of the '95s] : Avion américain de supériorité aérienne des années 95.

Advanced tactical low arresting system (ATLAS) : Filet d'arrêt mobile pour pistes sommairement aménagées.

Advanced technologies testing aircraft system (ATTAS) [a flying test-bench designed to study state-of-the-art technologies applicable to civil aircraft] : Banc d'essais volant [destiné à l'étude des technologies de pointe applicables aux avions civils].

Advanced technology bomber (ATB) :
Avion de bombardement de technologie avancée.

Advanced technology demonstrator engine :
Moteur de démonstration de technologie avancée.

Advanced technology engine (ATE) :
Moteur de technologie poussée.

Advanced technology tactical transport (ATTT) : Avion de transport militaire tactique de technologie avancée.

Advanced terrain following/terrain avoidance (ATF/TA) :
Suivi de terrain et évitement d'obstacles.

Advanced timing : Avance à l'allumage.

Advanced turbo-prop (ATP) [UK] : Avion de transport de deuxième niveau [GB].

Advanced vertical speed indicator (AVSI) :
Variomètre nouvelle génération.

Advancing blade concept (ABC) :
Concept de pale avançante.

Advancing blade concept (ABC) rotor :
Rotor de concept dit à pale avançante.

Aerial lead-in tube : Pipe d'entrée d'antenne.

Aerial refueling (refuelling) :
Ravitaillement en vol [carburant].

Aerial refuelling system (ARS) :
Système de ravitaillement en vol [carburant].

Aerial switching unit :
Unité de commutation d'antenne.

Aerodynamic aspect ratio :
Allongement aerodynamique.

Aerodynamic control tab : Servotab.

Aerofoil flutter : Flottement.

Aerofoil profile : Profil d'aile.

Aerofoil section :
Configuration des filets d'air. Profil de voilure.

Aeronautical armament :
Matériel d'armement aéronautique.

Aeronautical Radio Inc. (ARINC) :
Organisme de gestion des télécommunications aéronautiques.

Aft : Arrière. En arrière.

Aft crossbrace : Barre arrière habillée.

Aft fan : Soufflante arrière.

Aft-fuselage section :
Tronçon arrière de fuselage.

Aft main frame :
Cadre fort arrière. Cadre principal arrière.

Aft ramp door hydraulic jack :
Vérin hydraulique de porte-rampe arrière.

Aft section : Section arrière.

After-bake : Recuit [matériaux composites].

Afterburner : Chambre de postcombustion.

Afterburner control gear :
Pignon de commande de postcombustion.

Afterburner control shaft :
Arbre de commande de postcombustion.

Afterburner cooling air intake :
Prise d'air de refroidissement de la chambre
de postcombustion.

Afterburner diffuser fan-duct :
Diffuseur du canal de postcombustion.

Afterburner fuel control unit :
Régulateur carburant de postcombustion.

Afterburner ignition solenoid valve :
Electrorégulation d'allumage de postcombustion.

Afterburner jet pipe :
Canal de postcombustion. Canal PC.

Afterburner relay box :
Boîte de relais de postcombustion.

Afterburner tailpipe : Canal de postcombustion.

Afterburner take-off :
Décollage en postcombustion.

Afterburning : Postcombustion (PC). Réchauffe.

Afterglow :
Rémanence de l'écran radar. Traînage lumineux.

Afterimage :
Image différée. Persistance [écran radar].

Ag aircraft : Avion de travail agricole.

Agility : Manœuvrabilité.

**Aided target acquisition and classification
(ATAC)** : Système assisté de classement et de
localisation des cibles.

Aileron bellcrank and push-pull assembly :
Ensemble d'embiellage et de tringlerie d'aileron.

Aileron booster : Commande d'aileron.

Aileron bracing wire : Câble d'aileron.

Aileron circuit linkage :
Timonerie de commande d'aileron.

Aileron control : Commande d'aileron. Commande de gauchissement.

Aileron control rod :
Bielle de commande d'aileron.

Aileron control wheel :
Volant de gauchissement.

Aileron drop :
Braquage d'aileron en position basse.

Aileron follow-up :
Transmetteur de gauchissement.

Aileron gust lock : Blocage d'aileron.

Aileron hydraulic actuator :
Actionneur hydraulique d'aileron.

Aileron hydraulic compensator :
Compensateur hydraulique d'aileron.

Aileron hydraulic power control unit :
Commande hydraulique d'aileron.

Aileron mass-balance weights :
Contrepoids d'équilibrage d'aileron.

Aileron position indicator :
Indicateur de position de gauchissement.

Aileron power control unit :
Servocommande d'aileron.

Aileron servo-actuator :
Servocommande de gauchissement.

Aileron servo-loop :
Servocommande de gauchissement.

Aileron spoiler flap drive actuator :
Vérin d'entraînement des volets.

Aileron trim tab : Compensateur d'aileron.
Tab d'équilibrage d'aileron.

Aiming device : Dispositif de visée. Viseur.

Aiming equipment : Equipement de pointage.

Air Base : Base Aérienne [GB].

Air bleed system : Circuit de prélèvement d'air.

Air bleed valve : Clapet de prélèvement d'air.

Air breather assembly :
Canalisation de mise à l'air libre.

Air-breathing engine : Moteur aérobie.

Air charging valve : Clapet de gonflage.

Air conditioning plant :
Groupe de conditionnement d'air.

Air cooling unit outlet blanking cover :
Obturateur d'évacuation d'air du refroidisseur.

Air-cushion vehicle (ACV) :
Aéroglisseur. Véhicule à effet de sol.

Air cycle installation :
Groupe turborefroidisseur.

Air-cycle machine (ACM) :
Groupe de réfrigération de bord. Groupe turborefroidisseur de bord.

**Air data and inertial reference system
(ADIRS)** :
Centrale de référence inertielle [intégrant les
fonctions de la centrale anémobarométrique].

Air data and motion sensor : Centrale de paramètres air et de détection de mouvements.

Air data computer (ADC) :
Centrale anémobarométrique.

Air data package : Centrale aérodynamique.

Air data sensor : Sonde anémobarométrique.
Capteur aérodynamique.

Air data system : Système anémobarométrique.

Air data unit : Centrale aérodynamique.

Air defense variant (ADV) :
Version « Défense Aérienne ».

Air deflection and modulation (ADAM) :
Ejection des gaz par l'arrière de la voilure.

Air display : Meeting d'aviation.

Air force base (AFB) : Base Aérienne [USA].

Air-fuel ratio : Rapport air-carburant.

Air gage (Air gauge) : Micromètre pneumatique.

Air gap : Hauteur de fuite [hélicoptère]. Entrefer [entre pièces métalliques]. Distance dans l'air [entre isolants].

Air gills : Prise d'air de refroidissement.

Air hostess : Hôtesse de l'air.

Air humidifier system :
Circuit d'humidification de l'air.

Air inlet : Entrée d'air. Prise d'air.

Air inlet anti-icing : Dégivrage de prise d'air.

Air inlet ball with droop restrainer :
Carter butée.

Air inlet cock : Robinet d'admission d'air.

Air inlet regulating system : Système de régulation d'entrée d'air.

Air intake : Entrée d'air. Prise d'air.

Air intake case : Carter d'entrée d'air.

Air intake cover : Obturateur d'entrée d'air.

Air intake screen : Grille d'entrée d'air.

Air intake valve : Vanne d'admission d'air.

Air-launched anti-radar missile (ALARM) :
Missile antiradar lancé par avion [GB].

Air-launched cruise missile (ALCM) :
Missile de croisière aéroporté.

Air manifold : Collecteur d'air.

Air mapping : Cartographie aérienne.

Air mass flow : Débit d'air massique.

Air National Guard (ANG) : Garde Nationale des USA.

Air-no-fuel vent valve :
Clapet de mise à l'air libre étanche au carburant.

Air-oil ratio (AOR) : Rapport air-huile.

Air position indicator (API) : Indicateur de position. Radar intégrateur de position.

Air pressure indicator :
Indicateur de pression d'air.

Air refuelling boom (ARB) [fuel] : Perche de ravitaillement en vol [carburant].

Air refuelling control point (ARCP) :
Point convenu de ravitaillement en vol.

Air refuelling group (ARG) :
Unité de ravitaillement en vol.

Air route surveillance radar (ARSR) :
Radar de contrôle de vol.

Air scoop : Prise d'air de refroidissement.

Air sensor : Capteur dynamique.

Air start unit :
Groupe de démarrage pneumatique.

Air support operation centre (ASOC) :
Centre opérationnel d'appui aérien.

Air terminal : Aérogare.

Air-to-air missile (AAM) : Missile air-air.

Air-to-surface automated maneuvering attack system (AMAS) : Système de pilotage automatique avant le largage d'un projectile sur une cible identifiée.

Air-to-surface missile (ASM) : Missile air-sol.

Air traffic control (ATC) :
Contrôle de la circulation aérienne.

Air traffic control (ATC) clearance :
Autorisation du contrôle de la circulation aérienne.

Air traffic control radar beacon system (ATCRBS) transponder :
Système de balises radar répondeuses du Contrôle de la Circulation Aérienne.

Air traffic control (ATC) transponder :
Emetteur-récepteur du contrôle de la circulation aérienne.

Air traffic controller : Aiguilleur du ciel.

Air traffic flow management (ATFM) : Gestion et régulation des flux du trafic aérien.

Air traffic management (ATM) : Gestion du trafic aérien.

Air transport pilot license (ATPL) : Licence de pilote de ligne [USA].

Air-turborocket (ATR) : Turbo-statoréacteur.

Air valve : Clapet d'air.

Air way bill (AWB) :
Lettre de transport aérien (LTA).

Airborne battlefield control and command center (ABCCC) :
Centre de contrôle du champ de bataille et de commandement aéroporté.

Airborne collision avoidance system (ACAS) :
Système anticollision embarqué.

Airborne control post (ABCP) :
Poste de commandement aéroporté.

Airborne early warning (AEW) :
Détection et identification d'avions lointains.

Airborne early warning and control (AEW and C) : Plate-forme volante d'alerte lointaine et de poste de commandement.

Airborne equipment : Equipement de bord.

Airborne fire-control laser ranger :
Télémètre à laser aéroporté de conduite de tir.

Airborne flight information system (AFIS) :
Système aéroporté d'informations de vol.

Airborne integrated data system (AIDS) :
Ordinateur de bord. Système d'acquisition de données en vol. Système intégré d'enregistrement des paramètres.

Airborne interception radar :
Radar d'interception aéroporté.

Airborne low frequency sonar (ALFS) :
Sonar à basse fréquence embarqué.

Airborne radar warning system : Système aéroporté de protection contre les mesures radar.

Airborne search radar :
Radar de veille aéroporté.

Airborne self-protection jammer (ASPJ) :
Brouilleur embarqué d'autodéfense.

Airborne stand-off radar (ASTOR) : Radar aéroporté utilisable à distance de sécurité.

Airborne support equipment (ASE) :
Equipement de support de bord.

Airborne targeting, low altitude navigation, thermal imaging and cueing (ATLANTIC) [a pod-mounted FLIR system for combat aircraft] : Système FLIR monté en nacelle [destiné aux avions de combat].

Airborne transceiver :
Emetteur-récepteur aéroporté.

Airborne vibration monitor (AVM) :
Dispositif aéroporté de contrôle des vibrations.

Airborne warning and control system (AWACS) : Radar volant. Système aéroporté d'alerte avancée. Système aéroporté de détection lointaine.

Airbrake : Aérofrein.

Airbrake flap : Volet d'aérofrein.

Airbrake hydraulic jack :
Vérin d'aérofrein hydraulique.

Aircraft (A/C) : Appareil. Avion.

Aircraft armament equipment :
Matériel d'armement de bord.

Aircraft battle damage repair (ABDR) :
Réparation sommaire et provisoire des dégâts subis par un avion au cours d'opérations militaires.

Aircraft bonding [electrical connections between the aircraft metal parts to increase mass effect] : Ensemble des connexions électriques entre les parties métalliques de l'avion visant à augmenter l'effet de masse.

Aircraft centerline : Axe de l'avion.

Aircraft communication, addressing and reporting system (ACARS) : Système de transmission de données numériques entre l'avion en vol et le sol et inversement.

Aircraft condition monitoring system (ACMS) : Système de surveillance de l'état des équipements de bord.

Aircraft de-icing circuit :
Circuit de dégivrage planeur.

Aircraft documentation retrieval system (ADRES) :
Système informatique d'accès aux données relatives à la maintenance d'un avion [Airbus].

Aircraft equipment : Lot de bord.

Aircraft flightpath : Trajectoire de l'avion.

Aircraft fluid system : Circuit de bord.

Aircraft in commission : Avion disponible.

Aircraft information management system (AIMS) : Système de gestion des informations avion.

Aircraft maintenance manual (AMM) :
Manuel de maintenance avion.

Aircraft management simulator (AMS) :
Simulateur de vol.

Aircraft monitoring system (ACMS) computer : Calculateur d'enregistrement et de surveillance de l'état de l'avion.

Aircraft-on-ground (AOG) : Appareil immobilisé. Immobilisation de l'avion au sol.

Aircraft-on-ground (AOG) order :
Commande de dépannage d'urgence.

Aircraft on production line :
Avion en chaîne de montage.

Aircraft parts manufacturer : Avionneur.

Aircraft power-up [first check on the aircraft circuitry] : Mise sous tension de l'appareil [premier essais des circuits de l'avion].

Aircraft status : Etat de l'appareil.

Aircraft tail warning (ATW) :
Radar d'avion logé dans l'empennage.

Aircraft troubleshooting aid :
Aide au dépannage avion.

Airfield lighting : Balisage d'aéroport.

Airfield proximity light : Feu d'approche.

Airfield surface movement indicator (ASMI) :
Radar de contrôle des mouvements d'avions au sol.

Airflow : Ecoulement d'air.

Airflow meter : Débitmètre.

Airfoil de-icing valve :
Vanne de dégivrage planeur.

Airfoil profile : Profil d'aile. Profil de voilure.

Airframe : Cellule. Planeur.

Airframe accessory transfer gearbox drive shaft : Arbre de commande des accessoires.

Airframe bonding lead : Fil de métallisation.

Airframe de-icing air outlet :
Sortie d'air de dégivrage planeur.

Airframe equipment : Equipement cellule.

Airframe manufacturer : Avionneur.

Airlifter : Avion-cargo.

Airliner transport pilot (ATP) : Pilote de ligne.

Airmiss : Collision aérienne évitée de justesse.

Airplane-type control surfaces : Gouvernes de type avion.

Airport and airways surveillance radar (AASR) : Radar de surveillance d'aéroport et des lignes aériennes.

Airport authorities : Autorités aéroportuaires.

Airport charges : Redevances aéroportuaires.

Airport crash fire rescue vehicle :
Véhicule aéroportuaire de sécurité incendie.

Airport flight information service (AFIS) :
Service d'informations de vol d'aéroport.

Airport surveillance radar (ASR) :
Radar de veille d'aéroport.

Airspeed indicator (ASI) : Anémomètre. Badin.

Airspeed indicator reading (ASIR) :
Affichage de la vitesse indiquée.

Airspeed sensor : Détecteur de vitesse.

Airstair : Escalier d'accès incorporé à l'appareil.

Airstream separation :
Décollement des filets d'air.

Airway beacon :
Balise lumineuse de route aérienne.

Airway marker : Balise d'entrée de piste.

Airworthiness certificate :
Certificat de navigabilité.

Alarm flag : Drapeau d'alarme ou d'avertissement [sur instruments].

Align reaming box : Palier d'alignement.

Aligner : Mécanisme d'alignement.

All-commission aircraft (ALL-COM) :
Tout appareil [liste de pièces].

All light levels television (ALLTV) :
Télévision à tous niveaux de lumière.

All-moving horizontal tailplane :
Empennage horizontal entièrement mobile.

All-moving tailplane : Stabilisateur monobloc.

All-purpose :
Polyvalent. Universel. Usage général.

All-through trainer :
Avion d'entraînement complet.

All-up weight : Masse maximale.

All-weather capability : Capacité tout-temps.

All-weather landing : Atterrissage tout-temps.

Alligatoring :
Formation de frisures [peinture craquelée].

Allowable stress : Contrainte (ou tension) admissible.

Allowable take-off weight :
Masse autorisée au décollage.

Alochrome treatment : Alodinage.

Alpha-floor [a device to increase the engine power when the aircraft is flying with a critical incidence angle] : Dispositif permettant d'augmenter la puissance du moteur quand l'avion vole avec une incidence critique.

Alpha hinge : Articulation de traînée.

Alpha shaft : Arbre alpha.

Alternate airport :
Aérodrome de dégagement ou de déroutement.

Alternating current (AC) :
Courant alternatif (ca).

Alternating current generator :
Alternateur de bord.

Alternative current power supply system :
Circuit de génération de courant alternatif.

Altigraph : Altimètre enregistreur.

Altimeter : Altimètre.

Altimeter control equipment (ACE) :
Commande altimétrique.

Altitude compensator : Correcteur altimétrique.

Altitude encoder :
Codeur d'altitude. Alticodeur.

Altitude pre-select : Présélection d'altitude.

Altitude sensing unit (ASU) :
Contrôleur d'altitude.

Aluminium-lithium alloy :
Alliage aluminium-lithium.

Ammunition feed chute :
Rampe d'alimentation en munitions.

Amphibious hull : Coque amphibie.

Amplifier pipe overheat :
Amplificateur de surchauffe tuyère.

A.N. specifications :
Spécifications US Army et US Navy.

Ancillary equipment : Accessoires. Servitudes.

Ancillary equipment bench :
Banc de servitudes.

Angle of approach : Angle d'approche.

Angle of approach indicator :
Indicateur d'angle d'approche.

Angle of attack (AOA) : Angle d'incidence. Incidence. Angle d'attaque.

Angle of attack indicator :
Indicateur d'angle d'attaque.

Angle-of-attack probe : Sonde d'incidence.

Angle-of-attack vane :
Prise d'angle d'incidence.

Angle of climb : Angle de montée. Angle de vitesse ascensionnelle.

Angle of downwash :
Angle de déflexion des filets d'air [vers le bas].

Angle of glide : Angle d'inclinaison.

Angle of lag : Angle de retard.

Angle of lead : Angle d'avance.

Angle of pitch : Angle de tangage.

Angle of sight : Angle de site.

Angle of stall :
Angle d'incidence critique. Angle de décrochage.

Angle of upwash :
Angle de déflexion des filets d'air [vers le haut].

Angular rate of yaw : Vitesse angulaire de lacet.

Angular three-axis rate sensor : Détecteur angulaire à trois axes. Détecteur de gyromètre.

Annular combustion chamber [gas turbine] : Chambre de combustion annulaire [turbine à gaz].

Annular combustor engine : Moteur à chambre de combustion annulaire.

Antenna array : Réseau d'antennes.

Antenna scanning assembly : Ensemble du dispositif de balayage de l'antenne radar.

Anti-backlash gearing : Engrenage anti-jeu.

Anti-balance tab : Anti-tab automatique.

Anti-ballistic missile (ABM) : Missile antibalistique.

Anti-clutter (AC) : Dispositif éliminateur de signaux parasites [radar].

Anti-flapping restrainer : Butée centrifuge.

Anti-glare shield : Visière [anti-éblouissement].

Anti-jamming : Antibrouillage.

Anti-jamming module : Bande antibrouillage.

Anti-misting kerosene (AMK) : Kérosène contenant un additif anti-vaporisation.

Anti-radar missile (ARM) : Missile antiradar.

Anti-satellite (ASAT) : Missile antisatellite aéroporté [USA].

Anti-submarine warfare (ASW) : Lutte anti-sous-marine (ASM).

Anti-submarine warfare (ASW) mission : Mission de lutte anti-sous-marine.

Anti-submarine warfare operation center (ASWOC) : Centre opérationnel de lutte anti-sous-marine [USA].

Anti-surge baffle : Cloison anti-ballast.

Anti-surge valve : Relais hydraulique. Relais manométrique.

Anti-tactical ballistic missile (ATBM) : Missile antimissile balistique tactique.

Anti-tank guided weapon (ATGW) : Missile guidé antichar héliporté.

Anti-tank helicopter : Hélicoptère antichar (HAC).

Anti-torque rotor : Rotor anti-couple [hélicoptère].

AOA transmitter : Transmetteur d'angle d'attaque.

Apogee and maneuvering system (AMS) : Système d'injection de satellites en orbite circulaire géosynchrone.

Applied maintenance burden : Frais généraux applicables à l'entretien direct.

Approach beacon : Radiophare d'approche.

Approach control centre : Centre de contrôle d'approche.

Approach control radar (ACR) : Radar d'atterrissage ou d'approche.

Approach light : Balise lumineuse d'approche.

Approach marker : Borne de balisage.

Approach radar : Radar d'approche.

Approach regulation control : Commande de régulation d'approche.

Approach speed : Vitesse d'approche.

Approval certificate : Certificat de conformité ou de type.

Approved maximum rate of descent : Vitesse de descente maximum autorisée.

Apron : Aire de manoeuvre ou de stationnement.

Apron/ramp equipment : Matériel de servitude utilisé sur les aires de manoeuvre ou de stationnement.

APU health monitoring system (AHMS) : Système de surveillance de l'état de l'APU [groupe auxiliaire de puissance].

Aramid aluminium laminate (ARALL) : Stratifié aluminium-aramide.

Arch : Arceau-support de réacteur.

Arch panel : Panneau de voûte.

Arcing test : Essai de claquage.

Area control center (ACC) : Centre de contrôle régional.

Area navigation system (RNAV) : Système de navigation de zone.

Ariane extended stage (ARIES) : Etage supplémentaire de la fusée Ariane 5.

Armament control and monitoring system : Programmateur de tir.

Armature bar : Barre d'induit.

Armature casing : Blindage d'induit.

Army and Navy drawings (AND) : Normes USA pour profilés extrudés.

Arrester hook : Crosse d'appontage.

Artificial feel system : Circuit de sensation musculaire.

As-found repairs : Réparations selon l'état.

Aspect ratio : Allongement [aile].

Assemble (to) : Assembler. Monter.

Assembly : Assemblage. Ensemble. Montage.

Assembly bolt : Boulon (ou broche) d'assemblage.

Assembly drawing : Plan de montage.

Assembly hall : Atelier de montage. Hall de montage.

Assembly jig : Bâti de montage.

Assembly line :
Chaîne d'assemblage. Chaîne de montage.

Assembly line trolley : Chariot de chaîne.

Asymmetric spin : Vrille dissymétrique [en vol].

Asymmetric thrust : Poussée dissymétrique.

Atmospheric reentry demonstrator (ARD) [experimental version of CTV] : Démonstrateur de la capsule de transport de personnel.

Attach tab : Patte d'attache.

Attached pressurized module (APM) [Columbus programme] : Module pressurisé raccordé à la station spatiale du programme Columbus.

Attachment :
Attache. Equipement. Fixation. Liaison.

Attachment [pylon loads] :
Accrochage [charges sous voilure].

Attachment lug : Ferrure de fixation.

Attitude : Assiette. Attitude.

Attitude angle : Angle de présentation.

Attitude control system : Chaîne de pilotage.

Attitude director indicator (ADI) : Horizon directeur de vol. Indicateur directeur d'attitude.

Attitude gyro : Gyroscope d'assiette.

Attitude heading reference system (AHRS) :
Système de référence de cap et d'assiette.

Attitude indicator : Indicateur d'attitude.

Attitude of flight : Assiette de l'avion en vol.

Audible Doppler enhancer (ADE) :
Traducteur audible de l'effet Doppler [radar].

Audible machmeter :
Avertisseur sonore de Mach.

Augmented thrust engine : Réacteur à poussée augmentée.

Augmentor wing :
Aile soufflée. Surface portante supplémentaire.

Auto bank control : Compensateur automatique d'inclinaison latérale en vol.

Auto-feathering propeller :
Hélice à mise en drapeau automatique.

Autoflare [automatic landing system] : Exécution automatique de l'arrondi précédent l'atterrissage.

Auto lock/follow target tracker (ALF) :
Système de poursuite d'objectifs à verrouillage/poursuite automatique.

Autoland : Atterrissage automatique [par système installé à bord].

Autoland approach : Approche automatique.

Automated flight line analysis :
Analyse automatique de trajectoire de vol.

Automated maneuvering and attack system (AMAS) : Système d'attaque au sol totalement automatisé.

Automated radar terminal system (ARTS) :
Système ARTS [radar anticollision automatisé].

Automated weather observation (AWO) unit :
Dispositif automatisé d'observation météo.

Automatic amplitude control (AAC) :
Contrôle automatique d'amplitude. Réglage automatique d'amplitude.

Automatic blade-folding system :
Système de repliage automatique des pales.

Automatic coupled ILS approach :
Approche automatique avec couplage à l'ILS.

Automatic data acquisition (ADA) :
Saisie automatique des données.

Automatic direction finder (ADF) :
Radiocompas automatique. Radiogoniomètre automatique.

Automatic direction finder (ADF) loop :
Cadre ADF. Cadre radiocompas.

Automatic direction finder (ADF) loop aerial cover : Cache-antenne de cadre ADF.

Automatic direction finder (ADF) mount :
Support de radiogoniomètre automatique.

Automatic direction finder (ADF) reversal :
Inversion de l'indicateur de direction.

Automatic "direct-to" nav. :
Navigation automatique "droit devant".

Automatic engine trim :
Réglage automatique du ralenti.

Automatic flap-retraction mechanism :
Mécanisme de rentrée automatique des volets.

Automatic flight control and augmentation system (AFCAS) : Système automatique de gestion des commandes de vol, de l'amortissement en lacet, de l'automanette et de la compensation longitudinale.

Automatic flight control system (AFCS) :
Commandes automatiques de vol (CADV).

Automatic flight management system (AFMS) :
Système automatique de gestion du vol.

Automatic flight system (AFS) [flight management, autopilot and engine thrust control] :
Système automatique de vol [contrôle de la gestion du vol, du pilote automatique et de la poussée des moteurs].

Automatic frequency control (AFC) :
Contrôle automatique de fréquence (CAF).

Automatic ground-controlled approach (AGCA) : Approche automatique contrôlée du sol. GCA automatique.

Automatic guidance system :
Système de guidage automatique.

Automatic landing system (ALS) :
Dispositif d'atterrissage automatique.

Automatic leading edge slat :
Bec de bord d'attaque automatique.

Automatic logistics vehicle (LOVE) :
Véhicule logistique automatique.

Automatic negative thrust sensor :
Capteur automatique de poussée négative.

Automatic play-taker :
Dispositif de rattrapage de jeu automatique.

Automatic programmable riveting complex :
Complexe de rivetage automatique programmable.

Automatic radar terminal system (ARTS) :
Système ARTS [radar anticollision automatisé].

Automatic recovery of remotely piloted aircraft (AURORA) :
Récupération automatique des RPV.

Automatic release :
Déclenchement automatique.

Automatic riveting :
Rivetage automatique.

Automatic speech recognition (ASR) system :
Système de reconnaissance automatique de la parole.

Automatic stabilization equipment (ASE) :
Equipement de stabilisation automatique.

Automatic suction relief door :
Clapet d'aspiration automatique.

Automatic target hand-off system (ATHS) :
Système automatique d'acquisition de cibles.

Automatic terminal information service (ATIS) : Service automatique d'information de région terminale.

Automatic test equipment (ATE) : Contrôleur automatique. Equipement d'essai automatique.

Automatic test equipment complex (ATEC) :
Système d'essai automatique de maintenance de l'avionique numérique.

Automatic throttle : Automanette.

Automatic tracking laser illumination system (ATLIS) : Système automatique de poursuite et d'illumination laser.

Automatic tracking system : Système de poursuite automatique.

Automatic transfer vehicle (ATV) : Véhicule de transfert automatique.

Automatic transition to hover and subsequent hold : Transition automatique et tenue de vol stationnaire [hélicoptère].

Automatic trim : Trim automatique.

Automatic trouble-shooting : Détection automatique des pannes.

Automatic voice alert device (AVAD) :
Dispositif d'alerte automatique par message vocal.

Automatic wear-taker :
Dispositif de rattrapage automatique d'usure.

Automatic wing-sweep actuator :
Actionneur automatique de système de flèche variable de voilure.

Automatically controlled variable-pitch propeller : Hélice à pas variable à régulation automatique.

Autopilot (A/P) : Pilote automatique (PA).

Autopilot controller :
Régulateur de pilote automatique.

Autopilot cut-out switch : Commande de PA.

Autopilot disengage : Débranchement du PA.

Autopilot disengage push-button :
Bouton de débrayage rapide du PA.

Autopilot engage switch :
Commutateur d'engagement du pilote automatique.

Autopilot lateral accelerometer :
Accéléromètre transversal.

Autopilot trim motor :
Moteur de compensation du PA.

Autopilot turn knob : Bouton de virage de PA.

Autopilot unit : Bloc de pilotage.

Auto-radar plot : Report d'images de radar PPI sur carte géographique.

Autorotation transition time :
Temps de passage en autorotation.

Autostabilizer pitch/roll test button :
Bouton d'autostabilisation en roulis et tangage.

Autothrottle : Automanette.

Autotrack antenna :
Antenne de poursuite automatique.

Auxiliary gear-box : Boîtier d'accessoires. Boîtier de commandes auxiliaires.

Auxiliary hydrazine thruster :
Propulseur auxiliaire à hydrazine.

Auxiliary linkage : Tringlerie intermédiaire.

Auxiliary power plant :
Groupe moteur auxiliaire.

Auxiliary power unit (APU) :
Groupe auxiliaire de puissance.

Auxiliary rotor :
Rotor anticouple. Rotor de queue.

Auxiliary tank : Réservoir supplémentaire.

Available payload :
Charge marchande disponible.

Available thrust : Poussée disponible.

Average outgoing quality level (AOQL) :
Niveau limite moyen de qualité.

Aviation electronics :
Equipements électroniques.

Aviation gasoline (AvGas) : Essence aviation.

Aviation jet fuel : Carburéacteur. Kérosène.

Aviator's night vision imaging system (ANVIS) : Jumelles fixées sur le casque du pilote intensifiant la lumière de la lune ou des étoiles.

Avionics :
Avionique. Equipement électronique de bord.

Avionics bay : Soute électronique.

Avionics compartment : Compartiment électronique. Compartiment avionique.

Avionics equipment rack :
Râtelier d'équipement électronique.

Avionics flight evaluation system (AFES) :
Système d'évaluation des équipements électroniques de bord.

Avionics integrated maintenance expert system (AIMES) : Système expert embarqué d'identification des pannes d'avionique.

Away from the centerline :
A l'écart de l'axe de centrage.

Axial engine : Turboréacteur à écoulement axial.

Axial-flow transonic compressor : Compresseur axial transsonique.

Axial flow turbine : Turbine à écoulement axial.

Axial flow turbojet :
Turboréacteur à écoulement axial.

Axial nozzle : Tuyère axiale.

Axial play : Jeu axial.

Axis gimbal : Anneau de suspension [gyro].

Azimuth and range : Alidade de l'indicateur.

Azimuth control :
Commande cyclique [hélicoptère].

Azimuth drive : Moteur d'azimut.

Azimuth gyro : Gyroscope azimutal.

Azimuth marker : Marqueur de route.

Azimuth radar : Radar d'azimut.

Azimuth selector : Sélecteur de cap.

Azimuth setting : Orientation en gisement.

Azimuth stabilized PPI [true North above display] : PPI à alignement automatique [nord vrai en haut de l'écran de visualisation].

Azimuth strobe : Indicateur d'angle azimutal.

Azimuthal display : Intégrateur altitude-azimut.

B

Babbit metal : Métal antifriction.

Back-azimuth (BAZ) unit :
Poste de guidage inverse en azimut.

Back-balanced : En porte-à-faux.

Back beam : Faisceau inverse (ILS).

Back fitting : Contre-ferrure.

Back off (to) : Débloquer [écrous, vis].

Back-pressure : Contre-pression.

Back pressure valve :
Clapet antiretour. Clapet de retenue.

Back-up device : Dispositif de secours.

Backfire :
Retour de flamme. Allumage prématuré.

Backing piece : Pièce d'appui.

Backing plate : Plaque d'appui.

Backing pump :
Pompe auxiliaire. Pompe de suralimentation.

Backlash : Jeu de denture. Battement.

Backplate : Contre-plaque.

Backstay : Câble tendeur.

Backup aircraft :
Avion d'appoint. Avion de rechange.

Backup facilities : Services techniques.

Backup system : Réseau de secours.

Baffle [to reduce sloshing of fuel in a tank] :
Chicane antiballottement [dans un réservoir de carburant].

Bag moulding :
Moulage au sac [matériaux composites].

Bag tank : Réservoir souple.

Bail out (to) : Sauter en parachute.

Balance : Equilibre. Centrage.

Balance and centering : Masse et centrage.

Balance flap : Volet d'équilibrage.

Balance horn : Corne de compensation aérodynamique. Bec de compensation.

Balance jig : Bâti d'équilibrage.

Balance tab : Volet de compensation.

Balance washer : Rondelle d'équilibrage.

Balance weight : Masse d'équilibrage.

Balanced aileron : Aileron compensé.

Balanced control surface :
Gouverne compensée.

Balanced surface :
Plan de gouverne compensé.

Balancing circuit : Circuit d'équilibrage.

Balancing spring : Ressort d'équilibrage.

Balancing stand : Banc d'équilibrage.

Balancing tail load :
Charge d'équilibrage d'empennage horizontal.

Balancing test : Essai d'équilibrage

Balked approach : Approche interrompue.

Balked landing : Atterrissage manqué.

Balking engine : Moteur dont l'allumage est défectueux.

Ball and socket joint : Joint à billes.

Ball bearing : Roulement à billes. Palier à billes. Coussinet à billes.

Ball bearing assembly : Palier équipé.

Ball bearing cage :
Cage de roulement à billes.

Ball-bearing plate : Plateau à billes.

Ball bearing race :
Chemin de roulement à billes.

Ball bearing retainer :
Demi-cage de roulement à billes.

Ball bearing rod end : Embout à rotule.

Ball cock assembly :
Robinet d'arrêt automatique.

Ball cup : Coussinet sphérique.

Ball joint : Articulation à rotule.

Ball joint cage : Cage de rotule.

Ball knob : Bouton sphérique.

Ball-lock : Broche à billes.

Ball-mat : Tapis à billes.

Ball-park estimate : Estimation grossière. Estimation "à vue de nez".

Ball race : Cage (ou chemin) de roulement.

Ball-screw actuator : Actionneur à vérin à vis.

Ball self-aligning bearing :
Palier à alignement automatique.

Ball stop unit :
Butée à billes [volets de courbure].

Ball thrust bearing : Palier de butée à billes.

Ball valve : Clapet à billes.

Ballast : Ballast. Lest.

Ballast tank :
Réservoir (ou compartiment) de lestage.

Ballasted : Lesté.

Ballistic missile defence (BMD) : Système de défense contre les missiles balistiques.

Ballistic missile defence organization (BMDO) [USA] : Organisation de défense contre les missiles balistiques [USA].

Ballistic missile early warning system (BMEWS) : Système de détection avancée des missiles balistiques intercontinentaux.

Band coupling : Accouplement à ruban.

Band of wear : Bande d'usure.

Band selector :
Commutateur de gammes d'ondes.

Band-stop filter : Filtre coupe-bande.

Band width : Largeur de bande.

Banjo bolt : Boulon creux de raccord.

Banjo union : Raccord banjo.

Bank : Inclinaison latérale. Inclinaison transversale.

Bank angle :
Angle d'inclinaison latérale. Angle de roulis.

Bank indicator :
Indicateur de pente transversale.

Bank turn : Virage incliné.

Banking : Gauchissement. Mise en virage.

Barber pole : Index bariolé. Voyant mobile.

Barometric altimeter : Baro-altimètre.

Barometric altitude data generator :
Centrale altibarométrique.

Barometric control : Commande barométrique [sur régulateur carburant].

Barometric controller : Régulateur altimétrique.

Barometric corrector aneroid :
Capsule de correcteur barométrique.

Barometric pressure control (BPC) :
Correcteur barométrique.

Barostat : Régulateur barostatique.

Barostatic device : Diffuseur barostatique.

Base check "C" : Petite visite.

Base check "D" : Grande visite.

Base extension : Nez de base.

Base plate : Plaque d'assise. Socle. Semelle.

Baseline : Ligne "O" [graphique].

Baseline vehicle : Véhicule de base.

Basic empty weight :
Poids brut initial. Masse à vide de base.

Basic engine : Moteur sec.

Basic failure : Défaillance intrinsèque.

Basic layout : Version de base.

Basic military training aircraft :
Avion d'entraînement militaire de base.

Basic operating weight :
Masse à vide en ordre d'exploitation.

Basic part : Pièce élémentaire.

Basic radio facility :
Aide radioélectrique de base.

Basic six [airspeed indicator, vertical speed indicator, altimeter, heading indicator, gyro horizon, turn-and-bank indicator] : Instruments de bord fondamentaux [anémomètre, variomètre, altimètre, indicateur de cap, horizon gyroscopique, indicateur de virage et d'inclinaison latérale ou bille-aiguille.

Basic utilization : Rotation réelle.

Basic version : Version d'origine.

Batch : Lot. Série.

Bath-tub curve : Courbe en baignoire. Courbe en cloche. Courbe en chapeau de gendarme.

Battery temperature monitoring : Dispositif de surveillance de la température des batteries.

Bay :
Compartiment. Soute. Travée. Empochement.

Beaching gear [a detachable trolley allowing a seaplane to be run on and off the shore] :
Chariot amovible [pour mise à l'eau et à terre d'un hydravion].

Beacon : Phare. Radiophare. Balise. Radiobalise.

Beacon airborne "S" band (BAS) :
Radioguidage d'avion sur bande "S" [entre 2 et 4 GHz]].

Beacon slip ring : Joint tournant de balise.

Beam : Longeron. Poutre. Poutrelle. Faisceau lumineux. Faisceau radio. Axe balisé.

Beam and altitude amplifier : Amplificateur de faisceau et d'altitude [pilote automatique].

Beam hole : Fenêtre [réacteur].

Beam interception :
Attaque d'un faisceau [pilote automatique].

Beam width : Largeur de faisceau radar.

Bearing : Roulement. Palier. Coussinet. Galet. Azimut. Gisement. Relèvement.

Bearing block :
Support de palier. Support d'appui.

Bearing bracket : Chaise de palier.

Bearing bushing : Coussinet cylindrique.

Bearing cage : Cage de roulement. Cage à billes.

Bearing cap : Chapeau de palier.

Bearing deviation indicator (BDI) :
Indicateur d'erreur de gisement.

Bearing drift : Dérive en gisement.

Bearing handle :
Poignée de pointage en gisement.

Bearing housing : Boîte de roulement.

Bearing latch : Verrou de gisement.

Bearing locking nut :
Ecrou de blocage de roulement.

Bearing speed :
Vitesse de défilement de gisement.

Bearing support :
Chaise de palier. Support de palier.

Bearing surface : Palier. Portée. Surface d'appui. Surface portante.

Bearing surfaces : Parties en contact.

Bearing to way-point : Relèvement en direction du point de passage.

Bearingless main rotor [BMR] : Rotor principal sans articulation.

Beat frequency oscillator (BFO) :
Oscillateur à battement de fréquence.

Beep-switch : Poussoir à impulsions. Interrupteur pas-à-pas [sur manche cyclique].

Beeper trim :
Rappel de manche. Compensateur pas-à-pas.

Bellcrank :
Guignol. Levier coudé. Renvoi. Basculeur.

Bellcrank block : Relais mécanique.

Bellcrank rib : Nervure de guignol.

Bellmouth : Buse d'entrée. Pavillon.

Bellow vent duct :
Gaine de ventilation à soufflet.

Bellows : Soufflet. Membrane.

Belly compartment : Compartiment ventral.

Belly landing : Atterrissage sur le ventre.

Belly stores : Charges militaires sous le fuselage.

Belly tank : Réservoir auxiliaire fixe ou largable monté sous le fuselage [carburant].

Bellyhold : Soute à marchandises sous plancher [avions-cargos].

Bench check : Contrôle au banc.

Bench check removal :
Dépose pour contrôle en atelier.

Bench test : Essai au banc.

Bending : Cintrage. Pliage. Cambrage.

Bending jig : Gabarit de cintrage.

Bending machine : Cintreuse. Machine à cintrer.

Bending press : Presse de pliage.

Bending strain : Déformation due à la flexion.

Bending strength : Résistance à la flexion.

Bending stress : Contrainte de flexion.

Bent-over edge : Bord tombé.

Bent-over edge plate : Tôle à bords tombés.

Bent section : Cornière en tôle pliée.

Bent-tip blade : Pale à extrémité recourbée.

Best angle of climb (Vx) :
Angle de montée optimal.

Best-range cruising speed :
Vitesse de croisière économique.

Best rate of climb (Vy) :
Taux de montée optimal.

Bevel gear : Couple de renvoi d'angle. Couple conique. Engrenage conique.

Bevel joint : Assemblage en fausse coupe. Assemblage en onglet.

Bevel pinion : Pignon conique. Pignon d'angle.

Bevelled washer : Rondelle biseautée.

Beyond-the-horizon (BTH) : Radar de repérage de cibles au-delà de l'horizon.

Beyond visual range (BVR) :
Au-delà de la portée visuelle.

Bezel : Lunette [d'instrument].

Bias : Polarisation. Tension de polarisation. Pente. Biais.

Bias cell : Pile de polarisation.

Bias check : Contrôle de la polarisation.

Bias rod : Bielle oblique.

Biased relay : Relais polarisé.

Bifilar vibration absorber :
Amortisseur de vibrations bifilaire.

« Big Ugly Fat Fellow » (BUFF) [humorous name given to the long-range, heavy American bomber B-52] :
« Grand et gros type minable » [surnom humoristique du bombardier lourd à long rayon d'action américain B-52].

Bill of material processor (BOMP) :
Traitement automatique des listes de matériel.

Bimetal strip : Bilame.

Binding : Grippage. Blocage. Coincement.

Bipropellant : Propergol à deux composants ou diergol [carburant et comburant].

Bipropellant rocket : Fusée à diergol.

Bird impact : Impact d'oiseau.

Bird's eye view : Vue à vol d'oiseau.

Bird-strike : Impact d'oiseau [en vol].

Bismaleimide (BMI) :
Bismaléimide [matériau composite].

« Bizjet » : Avion d'affaires à réaction.

Black box : Boîte noire.

Bladder tank : Réservoir souple.

Blade : Pale. Aube. Ailette de compresseur.

Blade and rotor-folding pressurizing block :
Collecteur de repliage des pales et du rotor.

Blade and vane radial clearance change :
Variation du jeu des aubes et grilles.

Blade angle : Pas cyclique [moteur]. Angle d'attaque de pale [hélicoptère].

Blade angle check gage :
Vérificateur d'angle de pale.

Blade angle of attack :
Angle d'incidence de pale.

Blade antenna :
Antenne sabre. Antenne à profil laminaire.

Blade assembly : Lame équipée.

Blade attach bar : Manchon de reprise des pales.

Blade attaching pin : Broche de fixation de pale.

Blade attachment fitting :
Ferrure de fixation de pale.

Blade back : Extrados de pale.

Blade balance washer :
Rondelle d'équilibrage de pale.

Blade balance weight :
Masse d'équilibrage de pale.

Blade chord : Corde de pale.

Blade containment casing :
Carter de retenue des aubes [moteur].

Blade control system :
Système de commande de pale.

Blade cross-section : Section de pale.

Blade cuff : Ferrure de pied de pale. Fusée (ou manchon) de pale.

Blade damper : Amortisseur de pale.

Blade-deicing system :
Système de dégivrage de pale.

Blade droop restrainer : Butée de pale.

Blade elastic return device :
Rappel de pale élastique.

Blade fixing unit : Bloc d'attache de pale.

Blade folding : Repliage de pale.

Blade folding control lock : Verrouillage de commande de repliage de pale.

Blade folding cylinder : Vérin de pliage de pale.

Blade folding motor :
Moteur de repliage de pale.

Blade horn :
Bras (ou levier) de pale. Levier de pas.

Blade hub contact switch :
Contacteur de pied de pale.

Blade incidence : Angle d'incidence de pale.

Blade leading edge : Bord d'attaque de pale.

Blade leading edge cap :
Chapeau de bord d'attaque de pale.

Blade lift/drag ratio : Finesse de la pale.

Blade loading : Charge de pale.

Blade loading distribution :
Répartition des charges de pale.

Blade lock : Verrou de pale.

Blade lower surface : Intrados de pale.

Blade nozzle : Tuyère d'éjection sur pale.

Blade pitch : Pas de la pale.

Blade pitch angle :
Angle d'attaque (ou incidence) de la pale.

Blade pitch control compensator :
Compensateur de commande de pas.

Blade pitch control horn :
Guignol de changement de pas [tête de rotor].

Blade pitch control rotating swashplate :
Plateau rotatif de réglage du pas des pales [hélicoptère].

Blade pitch indicator : Indicateur de pas de pale.

Blade pitch setting : Réglage du pas de pale.

Blade pitch transmitter :
Transmetteur de pas de pale.

Blade pocket : Caisson de bord de fuite de pale.

Blade root :
Emplanture de pale. Pied d'aube [moteur].

Blade root cuff : Manchon de pied de pale.

Blade shank : Pied de pale.

Blade sleeve : Manchon de pale.

Blade spacing system :
Système de calage des aubes. Tierçage.

Blade spar : Longeron de pale.

Blade spindle : Fusée de pale.

Blade spindle bearing :
Roulement de fusée de pale.

Blade stall : Décrochage des pales.

Blade stalling speed :
Vitesse de décrochage des pales.

Blade stop : Butée de pale.

Blade tip : Bout de pale.

Blade tip cap : Saumon de pale.

Blade tip fairing : Carénage de bout de pale.

Blade tip nozzle :
Tuyère d'éjection de bout de pale.

Blade tip speed :
Vitesse en bout de pale [hélicoptère].

Blade-to-hub attachment :
Fixation des pales au moyeu [hélicoptère].

Blade trim tab :
Tab de réglage d'incidence de pale.

Blank : Pièce brute. Ebauche. Flan.

Blank casting : Ebauche coulée.

Blank die : Matrice à découper.

Blank forging : Ebauche forgée.

Blank off (to) : Obturer.

Blanking : Découpage à la presse.

Blanking cap :
Capuchon (ou bouchon) obturateur.

Blanking cover : Couvercle d'obturation.

Blanking effect :
Effet de masque. Ombre aérodynamique.

Blanking plate :
Plaque d'obturation. Tôle d'obturation.

Blast area [engine] :
Zone de soufflage [moteur].

Blast fence :
Déflecteur de souffle [infrastructure].

Blast slot position :
Position de la fente de soufflage.

Blast suppressor : Limiteur de souffle.

Bleed-air heat exchanger :
Echangeur thermique d'air de prélèvement.

Bleed air precooler :
Echangeur de prérefroidissement.

Bleed-air system blow-off valve :
Valve de prélèvement d'air au compresseur.

Bleed air tap : Prise d'air de ventilation.

Bleed hole : Orifice de prélèvement d'air.

Bleed plug : Bouchon de purge.

Bleed valve : Clapet de purge. Robinet de purge.
Soupape de purge. Vanne de décharge.

Blended wing : Aile raccordée au fuselage.

Blind approach : Approche sans visibilité.

Blind approach beacon system (BABS) :
Système d'atterrissage sans visibilité.

Blind flight : Vol sans visibilité.

Blind flying : Pilotage sans visibilité.

Blind flying hood :
Ecran pour pilotage sans visibilité.

Blind landing : Atterrissage sans visibilité.

Blip : Top d'écho [radar].

« Blisk » **[contraction of « blade » and « disk »]** : Aubes et disque combinés.

Blister : Carter profilé d'antenne radar.

Block diagram : Schéma de principe. Schéma simplifié. Ordinogramme.

Block overhaul : Révision en une seule fois.

Block time [number of flight hours between the moment an aircraft leaves its parking station and comes to a standstill after landing] : Temps bloc [nombre d'heures de vol d'un avion depuis le moment où il se déplace par ses propres moyens jusqu'à son arrêt après l'atterrissage].

Block-to-block speed : Vitesse commerciale.

Block-to-block time :
Temps de vol de cale à cale.

Blocker door :
Porte de reverse [inverseur de poussée].

Blow-in door :
Entrée d'air auxiliaire. Porte additionnelle.

Blow-off pipe : Tuyauterie de purge.

Blow-off valve : Clapet de décharge.

Blow-up view : Vue éclatée.

Blower : Soufflante. Ventilateur.

Blown flap : Volet soufflé.

Blueprint : Croquis [de mise au point]. Photocalque. Tirage [Ozalid]. Bleu.

Board kit : Lot de bord.

Body : Fuselage. Corps.

Body drag : Traînée générée par le fuselage.

Body-hugging flat panel antenna :
Antenne plate épousant la forme du fuselage.

Body-stabilized satellite :
Satellite stabilisé sur les trois axes.

Bog down the engine (to) : Noyer le moteur.

Bolting : Assemblage par boulons.

Bomb delivery : Largage de bombes.

Bomb door : Trappe de soute à bombes.

Bomb rack : Soute à bombes.

Bombing gunsight : Viseur de bombardement.

Bomblet : Sous-munition.

Bonded-glass cloth : Tissu de verre imprégné.

Bonded honeycomb : Nid d'abeille collé.

Bonded joint : Assemblage collé.

Bonded sandwich panel pod :
Réservoir à panneaux sandwich collés.

Bonded structure : Structure collée.

Bonding : Mise à la masse. Métallisation. Liaison. Collage. Soudage.

Bonding diagram : Schéma de métallisation.

Bonding lead : Fil de métallisation.

Bonding strip : Bande (ou tresse) de métallisation. Tresse de mise à la masse.

Bonding tab : Patte de métallisation.

Bonding test : Essai d'adhérence.

Boom : Longeron. Poutrelle.

Boom tail : Empennage à poutre.

Boomer [crew member in charge of refuelling operations] : Membre de l'équipage de l'avion ravitailleur qui effectue l'opération de ravitaillement en vol.

Boost gauge :
Indicateur de pression d'admission d'air.

Boost motor :
Moteur d'accélération. Accélérateur.

Boost pressure :
Pression d'admission d'air [moteur].

Booster : Propulseur. Lanceur. Impulseur. Charge propulsive. Amplificateur de puissance. Booster.

Booster coil : Bobine de démarrage.

Booster control : Servocommande.

Booster engine :
Propulseur additionnel. Moteur d'appoint.

Booster pump : Pompe de gavage.

Booster unit : Servocommande. Préservo.

Bootstrap cold air unit :
Groupe de réfrigération.

Bootstrap cooling system :
Système turboréfrigérateur auto-entretenu.

Bootstrap gyro : Gyroscope de stabilisation.

Borescope : Endoscope [inspection de moteurs sans démontage].

Boring machine : Machine à aléser. Aléseuse. Machine à forer. Foreuse.

Boron-doped solid ramjet :
Statoréacteur à carburant solide dopé au bore.

Boron-reinforced plastic :
Plastique renforcé au bore.

Borsic : Matériau composite en fibres de bore enrobées de carbure de silicium.

Bottom dead center (BDC) : Point mort bas.

Bottom panel : Panneau de barque.

Bottom section : Barque.

Bottom structure :
Partie inférieure de la coque. Barque. Baquet.

Boundary layer :
Couche limite [aérodynamique].

Boundary layer bleed duct : Conduite de prélèvement d'air de couche limite.

Boundary layer controlled blade :
Pale commandée par la couche limite.

Boundary layer separation :
Décollement de la couche limite.

Boundary layer spill duct :
Système d'aspiration de la couche limite.

Boundary layer splitter plate : Plaque brise-jet de couche limite. Séparateur de couche limite.

Boundary light : Feu de balisage. Balise d'extrémité d'aérodrome.

Boundary lubrication :
Graissage par film d'huile.

Boundary marker : Radioborne intérieure. Balise de délimitation. Borne de balisage.

Bowser : Camion-citerne de ravitaillement. Avitailleur. Bowser.

Box : Boîte. Boîtier. Caisse. Caisson.

Box beam : Poutre de caisson.

Box cap : Semelle de caisson.

Box construction : Construction caisson.

Box coupling : Accouplement à manchon.

Box rib : Nervure-caisson.

Box spar : Longeron-caisson.

Box structure : Caisson.

Box-type stiffener : Caisson raidisseur.

Box-type structure : Structure caisson.

Box-type support : Support caisson.

Brace : Entretoise.

Brace (to) : Haubaner. Croisillonner.

Braced high-wing monoplane :
Monoplan à aile haute haubanée.

Braced rib : Nervure triangulée.

Braced spar : Ame de longeron en biellette.

Braced wing : Aile haubanée.

Bracket :
Ferrure de support. Console. Taquet. Support.

Bracket pulse :
Impulsion d'encadrement [radar].

Bracket rim : Anneau porteur.

Braided all-metal hose : Boa [tuyau métallique flexible pour carburant].

Braided strap : Bande de connexion à la masse.

Braiding : Gaine tressée [électricité].

Brake : Frein.

Brake-and-steer by wire :
Dispositif de commandes électriques des freins et de guidage au sol.

Brake-by-wire : Système de freinage intégré.

Brake change-over selector : Sélecteur de frein.

Brake chute :
Parachute de freinage. Parachute de queue.

Brake control valve : Répartiteur de frein.

Brake disc : Disque de frein.

Brake disc alignment jig :
Dispositif de centrage de disque de frein.

Brake drum : Tambour de frein.

Brake friction pad : Patin de frein.

Brake horse power (BHP) : Puissance au frein.

Brake mean effective pressure (BMEP) :
Pression moyenne effective au frein.

Brake parachute housing :
Logement de parachute de queue.

Brake pressure indicator :
Indicateur de pression des freins.

Brake release gross weight (BRGW) :
Masse totale au lâcher des freins.

Brake steering control unit (BSCU) :
Dispositif de contrôle des freins et de la séquence de roulage sur piste.

Brake temperature monitor (BTM) :
Indicateur de température des freins.

Brake temperature sensing and indicating unit : Boîtier de détection et d'indication de température des freins.

Brakes, undercarriage, mixture, pitch, flaps (BUMPF) : Vérification des freins, de l'atterrisseur, de la richesse du mélange, de l'angle d'incidence et des volets.

Braking flap : Volet de freinage.

Breadboard construction :
Montage sur table. Montage de laboratoire.

Breadboard model :
Maquette sur table. Modèle de laboratoire.

Breadbox : Multimètre.

Breakdown voltage (BDV) :
Tension de rupture. Tension de claquage.

Breaker strip : Cloison de décrochage [déflecteur d'écoulement].

Breather : Reniflard. Purgeur d'air.

Briefing : Rapport. Briefing.

Brightness ratio : Contraste [écran radar].

Brinell hardness number (BHN) :
Valeur de dureté Brinell.

Brinelling : Indentation d'usure de roulement. Empreinte de bille.

British Experimental Rotor Programme (BERP) [a programme aimed at optimizing blade profiles] : Programme BERP [visant à optimiser le profil des pales].

British standard specifications (BSS) :
Normes standardisées britanniques.

Broach : Broche d'usinage.

Broadcasting-satellite service (BSS) :
Services de télédiffusion par satellites.

Bubble canopy : Verrière bombée.

Buckling : Déformation. Gondolage. Gauchissement. Flambage. Voilage.

Buffer : Amortisseur. Butoir.

Buffeting : Battement. Tremblement. Vibration.

Build error : Erreur de montage.

Built-in : Incorporé. Intégré.

Built-in monitoring system :
Système de surveillance incorporé.

Built-in navigation computer :
Calculateur de navigation incorporé.

Built-in self-test facility :
Dispositif d'autovérification incorporé.

Built-in tank : Réservoir structural.

Built-in test equipment (BITE) : Equipement d'essai incorporé. Contrôleur intégré.

Bulk cargo hold door : Porte de soute à marchandises en vrac.

Bulk item : Pièce de consommation courante.

Bulkhead (BLKD) : Cloison. Cadre fort. Cadre étanche. Cadre renforcé.

Bulkhead passage : Traversée de cloison.

Bulkhead rib : Nervure forte.

Bulkhead ring : Couple de fuselage.

Bulkheads : Voiles structuraux.

Bull gear : Couronne principale d'engrenage.

Bumper :
Amortisseur caoutchouc. Tampon élastique.

Bumpy torus : Tore bosselé.

Bungee : Sandow de rappel. Ressort tendeur.

Bunk [in a crew compartment] :
Couchette [dans un poste d'équipage].

Burner flange of turbojet : Bride de brûleur.

Burn-out :
Extinction [par épuisement du carburant].

Burnout : Fin de combustion.

Bush : Bague. Douille. Embout.

Bush grinding machine :
Machine à rectifier les coussinets.

Bushing nipple : Douille de traversée.

Business twinjet : Biréacteur d'affaires.

Butt plate :
Couvre-joint. Plaque de recouvrement.

Butt riveting : Rivetage à couvre-joint.

Butterfly valve : Papillon des gaz.

Button assembly : Bouton équipé.

Button cover : Cache de poussoir.

Buzz : Vibrations de grande amplitude pouvant affecter une gouverne au cours d'un vol supersonique.

By-pass adapter : Raccord de dérivation.

By-pass air : Air de dilution. Flux secondaire.

By-pass engine : Réacteur à double flux.

By-pass flow engine fan :
Soufflante flux secondaire.

By-pass line : Tuyau de dérivation.

By-pass ratio : Taux de dilution [réacteur].

By-pass turbojet : Turboréacteur à double flux.

By-pass valve :
Clapet (ou soupape) de dérivation.

C

C-band [between 5 and 6 GHz, radar] :
Bande C [entre 5 et 6 GHz, radar].

Cabin air distribution duct :
Conduit de distribution d'air cabine.

Cabin crew :
Personnel navigant commercial (PNC).

Cabin intercommunication data system (CIDS) : Système de gestion des communications de bord [annonces aux passagers, diffusion d'ordres, etc...].

Cabin layout :
Aménagement intérieur de la cabine.

Cabin overpressure indicator :
Indicateur de surpression cabine.

Cabin pressure computer (CPC) :
Calculateur pression cabine.

Cabin pressure control system (CPCS) :
Système de contrôle de la pression cabine.

Cabin pressure control valve :
Clapet de réglage de pression cabine.

Cabin pressure relief outlet valve :
Clapet de décharge de pression cabine.

Cabin pressurization system :
Circuit de pressurisation cabine.

Cabin space : Volume habitable.

Cabin subdoor : Portillon de cabine.

Cabin window panel :
Panneau de hublot de cabine.

Cable angle indicator :
Indicateur d'angle du câble de sonar.

Cable channel : Gouttière de câble.

Cable clamp : Collier de câble.

Cable control : Commande par câble.

Cable harnessing : Faisceau de câbles.

Cable routing : Cheminement des câbles.

Cable trough : Passage de câble.

Calculated airspeed : Vitesse calculée.

Calibrated airspeed (CAS) :
Vitesse propre corrigée.

Calibrated indicated airspeed (CIAS) : Vitesse lue corrigée. Vitesse indiquée corrigée.

Calibration facility : Banc d'étalonnage.

Calibration flight : Vol d'étalonnage.

Call signal : Indicatif d'appel.

Camber : Flèche. Courbure. Cambrure.

Cambered blade : Pale à profil cambré.

Cambered wing design :
Aile à courbure variable.

Camera-gun : Ciné-mitrailleuse.

Camshaft : Arbre à cames.

Camshaft casing : Carter d'arbre à cames.

Camshaft gear : Roue d'arbre à cames.

Canard foil system : Configuration "canard".

Cannibalization removal :
Dépose pour cannibalisation.

Cannibalize (to) :
Enlever des pièces d'un appareil pour les remonter sur un autre. Cannibaliser.

Cannon muzzle : Bouche de canon.

Cannular combustion chamber : Chambre de combustion tubo-annulaire [moteur].

Canopy : Verrière. Dais. Calotte.

Canopy emergency release :
Commande d'ouverture d'urgence de verrière.

Canopy external latch :
Poignée d'ouverture extérieure de verrière.

Canopy jettisoning gun :
Canon d'éjection de verrière.

Canopy seal : Boudin d'étanchéité de verrière.

Cantilever beam : Poutre en porte-à-faux.

Cantilever wing :
Aile en porte-à-faux. Aile cantilever.

Captain call : Appel du commandant de bord.

Carbon-fibre bypass duct :
Canal de dérivation en fibres de carbone.

Carbon-fibre composites (CFC) : Matériaux composites à base de fibres de carbone.

Carbon-fibre reinforced plastic (CFRP) :
Matière plastique renforcée par fibres de carbone.

Carbon laminate : Stratifié au carbone.

Carburettor : Carburateur.

Carburettor air intake :
Prise d'air du carburateur.

Carburettor float chamber :
Cuve de carburateur à niveau constant.

Carburettor jacket :
Enveloppe de réchauffage du carburateur.

Carburettor jet : Gicleur de carburateur.

Cardan-hinged :
Articulé par cardan. Articulé à la cardan.

Cardan joint : Joint de cardan.

Cargo bay : Soute à marchandises.

Cargo compartment : Soute cargo. Soute à fret.

Cargo compartment door actuating cylinder :
Vérin de commande de porte de soute.

Cargo compartment rail : Rail de soute.

Cargo door warning light :
  Voyant de porte de soute.

Cargo hoist : Monte-charge.

Cargo ramp-door : Porte-rampe de soute.

Cargo release hook : Crochet délesteur de fret.

Cargo sling : Elingue de chargement.

Carrier-based version of the future US advanced tactical fighter : Version navalisée du futur avion américain de supériorité aérienne des années 95.

Carrier-borne helicopter :
  Hélicoptère embarqué.

Carrier-free radar [pulses without carrier frequency] : Radar sans porteuse [dont les impulsions n'ont pas de fréquence porteuse].

Carrier-protection helicopter :
  Hélicoptère de protection des porte-aéronefs.

Cascade : Déflecteur à volets multiples. Grille de déviation [moteur].

Case : Carter. Carter réacteur. Boîte. Boîtier. Caisse. Coffret.

Case assembly : Cage équipée.

Case hardening : Cémentation.

Casing : Boîte. Boîtier. Capot. Capotage. Carter. Chemise.

Casing cap : Chapeau de carter.

Casing cover : Capot de carter.

Castellated nut : Ecrou crénelé.

Castellated wrench : Clé à cran.

Castor landing-gear :
  Train d'atterrissage à diabolo.

Catapult strop : Câble de catapultage.

Catastrophic failure : Panne totale et brusque.

Cathode-ray direction finder (CRDF) :
  Radiogoniomètre à oscilloscope.

Cathode-ray oscilloscope (CRO) :
  Oscilloscope cathodique.

Cathode-ray tube (CRT) :
  Tube cathodique. Ecran de visualisation.

Ceiling and visibility OK (CAVOK) :
  Plafond et visibilité OK.

Cellular : Alvéolaire. Cellulaire.

Center of gravity (CG) :
  Centre de gravité. Centrage.

Center of gravity (CG) caution light :
  Voyant lumineux de centrage.

Center of gravity change :
  Transfert de carburant modifiant le centrage.

Center of gravity control computer (CGCC) :
  Calculateur de contrôle automatique de la position du centre de gravité.

Center of gravity (CG) limits :
  Centrages limités.

Center panel : Panneau central.

Center section :
  Section centrale. Tronçon central.

Center spar : Longeron central.

Center-to-center distance : Entre-axes.

Center wing : Voilure centrale.

Centerline : Axe géométrique. Axe principal. Axe de centrage.

Central casing : Carter central. Bride de brûleur.

Central casing locating lug :
  Patte de positionnement du carter central.

Central casing oil drain housing :
  Boîtier de retour d'huile du carter central.

Central control console :
  Pupitre de commande central [volant de trim].

Central failure warning panel :
  Tableau lumineux d'indicateurs d'alarme.

Central flap drive motor :
  Moteur de commande des volets.

Central integrated test system (CITS) :
  Ensemble central de surveillance des systèmes de bord.

Central processing unit (CPU) :
  Unité centrale d'ordinateur.

Central tactical electronic display :
  Ecran central de situation tactique [appelé à remplacer l'indicateur cartographique].

Central warning panel (CWP) : Panneau avertisseur central. Panneau central d'alarmes.

Central wing box : Caisson central de voilure.

Centralized fault detection interface unit (CFDIU) : Système centralisé enregistreur des données de fonctionnement des équipements et de détection des pannes.

Centralized fault display system (CFDS) :
  Système de visualisation centralisée des pannes.

Centralized lubrication :
  Lubrification à partir d'un réservoir unique

Centre case : Carter central.

Centre control pedestal :
  Pupitre de commande central.

Centre fuselage frame and stringer :
  Cadre et lisse de fuselage central.

Centre of gravity (CG) : Centre de gravité.

Centre of pressure shifter : Dispositif de changement de centre de pression.

Centre-section end rib :
  Nervure d'extrémité de section centrale.

Centre wing box : Caisson d'aile centrale.

Centre wing section : Section centrale de l'aile.

Centreline pylon : Pylône central de fuselage.

Centrifugal compressor impeller :
  Rotor de compresseur centrifuge.

Centrifugal flyweight speed sensor :
  Détecteur de vitesse à masselottes centrifuges.

Ceramel : Cermet [céramique et métal].

Certificate of airworthiness (C of A) :
  Certificat de navigabilité (CDN).

Certificate of compliance (C of C) :
Certificat de conformité.

Certificate of maintenance (C of M) :
Certificat de maintenance.

Certification :
Homologation. Certification. Validation.

Certification aircraft : Avion de certification.

Certification engine : Moteur de validation.

Certification requirements :
Conditions d'homologation.

Certification test : Essai d'homologation.

Certification weight : Masse totale.

Certified power : Puissance homologuée.

CG computation : Détermination du centrage.

CG computer : Calculateur de centrage.

Chaff : Paillette. Chaff [feuille d'aluminium enduite de mylar pour brouillage des radars].

Chaff dispenser [radar jamming] : Ejecteur de paillettes [brouillage des radars ennemis].

Chafing : Ecaillage. Eraflure.

Chafing ring : Bague de protection.

Chafing strip : Bande de frottement.

Chamfer (to) : Chanfreiner. Abattre un angle.

Chamfered : Chanfreiné. Biseauté.

Chamfered angle : Angle coupé.

Channel electron multiplier (CEM) :
Multiplicateur d'électrons.

Channel-flow wing : Aile à débit canalisé.

Channel section :
Cornière en U. Poutrelle en U. Profilé en U.

Chart : Carte. Tableau. Abaque.

Charter aircraft : Avion affrété.

Chase aircraft : Avion d'escorte.

Chase plane : Avion d'accompagnement.

Chassis assembly : Châssis équipé.

Chatter mark : Trace de broutage.

Check A : Inspection de type A [après 330 heures de vol].

Check B : Inspection de type B [après 950 heures de vol].

Check C : Inspection de type C [après 3400 heures de vol].

Check D : Inspection de type D [après 8 ans d'exploitation].

Check circuit continuity (to) :
Sonder un circuit.

Check-list : Liste de vérifications. Check-list.

Check valve :
Clapet antiretour. Valve antiretour.

Checking fixture : Gabarit de contrôle.

Checking template : Gabarit de vérification.

Chemi-etch (to) : Usiner chimiquement.

Chemical etching line :
Chaîne d'usinage chimique.

Chemical milling : Fraisage chimique.

Chemical stripping : Décapage chimique.

Chemical vapor deposition [surface treatment] : Dépôt de carbure de tungstène sous vide à basse température [traitement des surfaces].

Chemically-milled centre section skinning :
Décroutage section centrale chimiquement fraisée.

Chilldown propellant :
Ergol de refroidissement.

Chine : Quille d'angle. Bordé de coque.

Chinese Airworthiness Research and Management office (CARMAO) :
Homologue chinois du Bureau Véritas.

Chip detector : Détecteur de limaille.

Chipping : Ebrèchement.

Chock : Cale [de roue de train d'atterrissage].

Choked jet : Gicleur bouché.

Choked nozzle : Tuyère en régime sonique.

Chop the throttles (to) : Couper les gaz.

Chopper : Hélicoptère [argot].

Chordwise blade balance :
Centrage en corde de pale.

Chromic acid anodizing :
Chromage anodique. Anodisation chromique.

Chuffing : Combustion irrégulière ou intermittente des blocs de poudre [moteurs à propergols solides].

Chute : Parachute de freinage. Toboggan d'évacuation.

Circuit breaker panel : Panneau de contacteurs.

Circuit diagram : Schéma électrique.

Circuit flow : Schéma d'alimentation des prises.

Circular error probability (CEP) :
Probabilité d'erreur circulaire.

Circular orbit : Orbite circulaire.

Civil Aviation Authority (CAA) :
Direction Générale de l'Aviation Civile [GB].

Clamp (to) : Attacher. Fixer. Epingler. Serrer. Brider. Bloquer.

Clamp ring : Bague de serrage.

Clamping flange : Bride de serrage.

Clamshell : Coquille de capot.

Clangbox [deflector fitted to jet engine to divert gas flow for e.g. V/STOL operation] :
Déflecteur fixé sur réacteur pour dévier le flux des gas, par exemple V/STOL.

Clean configuration : Avion lisse. « Tout rentré ». Configuration lisse.

Clear a button (to) : Mettre un bouton à zéro.

Clear air turbulence :
Turbulence en air limpide.

Clearance : Jeu [d'un mécanisme]. Espacement. Garde. Autorisation [contrôle de la circulation aérienne].

Clevis pin : Broche d'assemblage.

Climb at sea level :
Vitesse ascensionnelle au niveau de la mer.

Climb duct : Canal de montée [moteur].

Climb gradient : Angle de montée.

Climb indicator : Variomètre.

Climb rate : Taux de montée.

Climbing speed : Vitesse ascensionnelle.

Clinometer :
Indicateur angulaire de pente. Clinomètre.

Clip-in unipolar push/push circuit breaker :
Disjoncteur à commande "pousser/pousser"
unipolaire embrochable.

Clip-on night device (CND) :
Dispositif de visée nocturne.

Clockwise (CW) :
Dans le sens des aiguilles d'une montre.

Clogged up : Encrassé. Gommé.

Clogging indicator : Indicateur de colmatage.

Close air support aircraft :
Avion d'appui tactique rapproché.

**Close air support/battlefield air interdiction
(CAS/BAI) mission** : Mission d'appui tactique rapproché et d'interdiction du champ de
bataille.

Close air support (CAS) mission : Mission
d'appui tactique rapproché. Mission CAS.

Close-support aircraft :
Avion d'appui rapproché. Avion d'appui-feu.

Closed cell :
Alvéole fermée [matériaux composites].

Closure rib : Nervure de rive.

Cloud unlock switch :
Bouton de décrochage nuages [radar].

Cloudiness [meteorology] :
Nébulosité [météorologie].

Cloudy sky [meteorology] :
Ciel nuageux [météorologie].

Cluster bomb : Bombe à dispersion.

Clutch unit : Prise de mouvement [hélicoptère].

Clutter : Image de fond [radar].

Clutter-free display :
Ecran exempt de tout écho parasite.

Coaming : Encadrement [tableau de bord, pare-
brise, etc.].

Coarse pitch : Grand pas [hélice à pas variable].

Cock : Robinet.

Cockpit : Poste de pilotage. Cabine de pilotage.
Habitacle. Cockpit.

Cockpit accss door : Porte d'accès au cockpit.

Cockpit air conditioning plant : Système de
conditionnement d'air du poste de pilotage.

Cockpit canopy hinge :
Articulation de la verrière du cockpit.

Cockpit console : Tableau de bord.

**Cockpit emergency directed action program
(CEDAP) [detection and identification of
faults in controls, systems and engines]** :
Système de détection et d'identification informatisé des anomalies de fonctionnement
[commandes, systèmes et moteurs].

Cockpit floor level :
Plancher du poste de pilotage.

Cockpit frame construction :
Structure de l'habitacle.

Cockpit pressure bulkhead :
Cloison étanche de cockpit.

Cockpit pressurization system :
Système de mise en pression du cockpit.

Cockpit resources management (CRM) :
Système de gestion des ressources humaines
au cours du pilotage.

Cockpit seal : Boudin d'étanchéité de cockpit.

Cockpit system simulator (CSS) :
Simulateur de cockpit.

Cockpit television sensor (CTVS) :
Capteur de télévision de poste de pilotage.

Cockpit voice recorder (CVR) :
Enregistreur de conversation dans le cockpit.

Cockpit weather information needs (CWIN) :
Système aéroporté de centralisation et de visualisation des données météorologiques émises par les stations terrestres.

Coefficient of drag (CD) :
Coefficient de traînée (Cx).

**Coefficient of friction [the ratio of the friction
between two surfaces to the pressure between them]** : Coefficient de friction [rapport
de la friction entre deux surfaces à la pression
entre elles].

Coefficient of lift (CL) :
Coefficient de portance (Cz).

**Coherent lidar airborne shear sensor
(CLASS)** : Détecteur embarqué de cisaillement du vent par lidar cohérent.

Coil loading : Krarupisation.

Coke-bottle fuselage :
Fuselage pincé. Fuselage "taille de guêpe".

Cold air unit : Groupe de réfrigération.

Cold gas jet system : Système de tuyère à gaz
froid.

Cold-shrink fit : Ajustage à froid.

Cold-weather trial : Essai par temps froid.

Collapsible storage tank :
Réservoir de stockage repliable.

Collective pitch : Pas général. Pas collectif.

Collective pitch control :
Commande de pas général.

Collective pitch indicator :
Indicateur de pas général.

Collective pitch lever :
Levier de pas général. Manche de pas général.

Collective pitch torque tube :
Arbre de conjugaison de pas général.

Collective stick : Manche collectif.

Collector ring : Bague collectrice.

Collision avoidance system (CAS) :
Système anti-collision.

Color-display radar :
Radar à visualisation couleur. Coloradar.

Color touch-sensitive screen :
Ecran couleur sensible [pour opérateurs ATE].

Color weather radar :
Radar météo à affichage couleur.

Columbus orbital facility (COF) : Module d'expériences en microgravité de la station Columbus

Combat air patrol (CAP) :
Patrouille de combat aérien.

Combat air patrol mission :
Mission de reconnaissance armée.

Combination aircraft : Avion de transport passagers et fret. Avion combi.

Combined radar and projected map display (CRPMD) : Affichage combiné cap et image radar.

Combustion chamber heat shield :
Cloison pare-feu de chambre de combustion.

Combustion chamber inner shell :
Partie intérieure de la chambre de combustion.

Combustion chamber outer shell : Partie extérieure de la chambre de combustion.

Combustor : Chambre de combustion.

Combustor casing : Tube à flamme.

Command and stability augmentation system :
Système automatique de contrôle du vol et d'amortissement des mouvements angulaires autour des axes de l'avion.

Command, control and communication (C3) :
Commandement, contrôle et communications.

Command smoother :
Amortisseur de commande.

Command stick : Boîte de pilotage manuel.

Commercial pilot licence (CPL) :
Licence de pilote professionnel.

Commercial turbojet engine :
Turboréacteur civil.

Common anti-tank helicopter with mast mounted sight (CATH-M) :
Hélicoptère anti-char commun [franco-allemand] à viseur monté sur mât.

Common opto-electronic laser detection system (COLDS) : Système de localisation des émissions de faisceaux laser.

Commonality : Communalité. Communauté.

Communication management unit (CMU) :
Equipement de gestion des communications

Communications, navigation and identification (CNI) system : Système de communication, navigation et identification.

Commuter aircraft :
Avion de transport régional. Commuter.

Commuter airline : Compagnie régionale. Compagnie de troisième niveau.

Commuters [USA] : Services aériens locaux.

Comparator-warning monitor :
Comparateur-moniteur d'avertissement.

Compass : Compas. Boussole.

Compass bearing :
Relèvement magnétique. Azimut.

Compass heading : Cap compas.

Compass heading angle :
Angle de route au compas.

Compass locator :
Balise radiocompas. Phare radiocompas.

Compensated control surface :
Gouverne compensée.

Compensated pitot-static pressure probe :
Sonde Pitot statique compensée.

Compensation rod :
Bielle de compensation [train d'atterrissage].

Complementary expendable launch vehicle :
Lanceur complémentaire non réutilisable.

Complete aircraft power loss :
Panne électrique totale de l'avion.

Complete overhaul : Révision générale.

Component : Composant. Elément. Organe. Pièce. Accessoire.

Composite fin-box :
Caisson de dérive en matériau composite.

Composite material : Matériau composite.

Compound helicopter : Hélicoptère combiné.

Compound main rotor :
Rotor principal combiné.

Compressibility drag [the sharp increase of drag as airspeed approaches the speed of sound] : Traînée de compressibilité [brusque augmentation de la traînée observée quand la vitesse indiquée approche celle du son].

Compression ratio : Taux de compression.

Compressor air bleed :
Prélèvement d'air sur compresseur.

Compressor air intake casing :
Carter d'entrée d'air du compresseur.

Compressor casing : Carter de compresseur.

Compressor casing cylindrical nut :
Ecrou cylindrique du carter de compresseur.

Compressor drive shaft :
Arbre d'entraînement du compresseur.

Compressor impeller : Rotor de compresseur.

Compressor inlet temperature (CIT) : température entrée compresseur.

Compressor outlet casing :
Carter de sortie de compresseur.

Compressor rotor balancing setscrew :
Vis d'équilibrage de rotor de compresseur.

Compressor rotor blades :
Aubage de rotor de compresseur.

Compressor stage : Etage de compresseur.

Computer : Calculateur. Ordinateur.

Computer-aided balancing (CAB) system :
Système d'équilibrage assisté par ordinateur.

Computer-aided design (CAD) :
Conception assistée par ordinateur (CAO).

Computer-aided design and manufacture (CAD/CAM) : Conception et fabrication assistées par ordinateur (CFAO).

Computer-aided ground test system :
Système d'essais au sol assisté par ordinateur.

Computer-aided manufacture (CAM) :
Fabrication assistée par ordinateur (FAO).

Computer-assisted aircraft trouble shooting (CAATS) : Système informatisé de détection de pannes avion.

Computer-assisted tomography (CAT) :
Tomographie assistée par ordinateur.

Computer-based training (CBT) :
Entraînement au pilotage assisté par ordinateur.

Computer display : Visuel d'ordinateur.

Computer-generated image visual system (CGIVS) : Système de visualisation de l'environnement par images synthétiques [simulateur de vol].

Computer-generated imagery (CGI) : Système de génération d'images par ordinateur.

Computer reservation system (CRS) :
Système de réservation par ordinateur.

Condition analysis removal :
Dépose pour vérification de l'état.

Conditioned air duct :
Gaine de conditionnement d'air.

Cone trail : Traînée de condensation.

Configured control vehicle (CCV) :
Contrôle automatique généralisé (CAG).

Conformal flat-plate phased array antenna :
Antenne plate à éléments en phase.

Conformal fuel tank (CFT) :
Réservoir auxiliaire semi-encastré muni d'un système d'emport de bombes ou de missiles.

Conformal phased-array antenna) :
Antenne latérale à balayage électronique.

Conformal radar :
Radar aéroporté encastré dans la cellule.

Conformity certificate :
Certificat de conformité.

Connection diagram : Schéma des connexions.

Connection panel : Panneau de raccordement.

Constant failure rate period :
Durée de vie utile.

Constant false alarm rate (CFAR) :
Taux constant de fausses alarmes.

Constant-mach cruise (CMC) :
Croisière à Mach constant.

Constant RPM, L/G and flap extended speed (VSO) :
Vitesse de configuration atterrissage (VSO).

Constant RPM, specified configuration speed (VS1) : Vitesse de configuration croisière, décollage et approche (VS1).

Constant speed drive (CSD) :
Entraînement à vitesse constante.

Constant speed propeller :
Hélice à vitesse constante.

Construction drawing : Plan de montage.

Contact flight rules (CFR) :
Règles de vol à vue du sol.

Contact flying rules (CFR) :
Conditions du vol à vue.

Continental US (CONUS) area [satellite telecommunications network] :
Partie continentale des Etats-Unis [circuits de télécommunications par satellites].

Contingency intermediate power (CIP) :
Puissance intermédiaire d'urgence.

Continuous wave radar :
Radar à émission continue.

Contour drawing : Plan de forme.

Contour flying : Vol suivant le profil du sol.

Contour line :
Courbe de niveau. Ligne de niveau.

Contour mapping : Découpe iso-altitude.

Contra-rotating direct-drive turbine and fan assembly : Moteur à deux hélices contrarotatives directement entraînées par la turbine.

Contra-rotating propeller :
Hélice contrarotative.

Control : Commande. Gouverne. Régulation.

Control and display unit (CDU) :
Boîte de commande et d'affichage.

Control and locking housing :
Carter de commande et de verrouillage.

Control cable compensator :
Tendeur automatique de la commande de trim.

Control cable pulley :
Poulie de câble de commande.

Control column : Manche à balai. Manche. Levier de commande.

Control column boss : Tête du manche pilote.

Control configured vehicle (CCV) :
Commande automatique généralisée (CAG).
Contrôle automatique généralisé.

Control damper : Amortisseur de commande.

Control display unit (CDU) :
Boîte de commande et d'affichage.

Control fairlead : Guide-câble de commande.

Control gyro :
Gyroscope de commande [sur mât rotor].

Control knob : Bouton à index. Bouton de commande. Bouton de réglage.

Control lever stop : Butée de manche.

Control linkage : Timonerie de commande. Tringlerie de commande des gaz.

Control panel :
Tableau de commande. Pupitre de commande.

Control pedestal : Pupitre de commande du poste de pilotage. Pylône de commande.

Control position sensor :
Détecteur de position de commande.

Control quadrant : Secteur de commande. Bloc-manette de commande.

Control reversal : Inversion des commandes.

Control stick : Manche à balai.

Control surface : Gouverne. Gouvernail.

Control surface actuator :
Actionneur de gouverne.

Control surface balancing weight :
Masse d'équilibrage de gouverne.

Control surface drive : Commande de gouverne.

Control surface horn :
Guignol de gouverne. Corne de dérive.

Control surface locking system :
Système de blocage de gouverne.

Control surface position indicator :
Indicateur de position de gouverne.

Control surface spar : Longeron de gouverne.

Control tower : Tour de contrôle.

Control unit : Boîtier de commande.

Control wheel steering (CWS) :
Pilotage transparent.

Control yoke : Commande de gauchissement.

Controllable landing light :
Phare d'atterrissage orientable.

Controllable tab :
Volet compensateur commandé.

Controlled airspace : Espace aérien contrôlé.

Controlled impact demonstration (CID) :
Essai d'impact contrôlé.

Controlled twist rotor (CTR) :
Rotor à vrillage d'extrémité de pale.

Conventional take-off and landing (CTOL) :
Décollage et atterrissage classiques.

Convergent-divergent (CD) exhaust nozzle :
Tuyère convergente-divergente.

Convertible laser designation pod (CLDP) :
Pod convertible de désignation laser.

Convertiplane [an aircraft capable of vertical take-off and landing and flying like a conventional aircraft] : Avion convertible [décollage et atterrissage verticaux et vol en palier].

Coolant : Fluide de refroidissement.

Cooling air louvre :
Ouïe d'air de refroidissement.

Cooling air unit : Groupe turborefroidisseur.

Cooling flange : Ailette de refroidissement.

Copilot instrument panel :
Planche de bord du copilote.

Copter : Hélicoptère [argot].

Core aerodynamics :
Aérodynamique du générateur de gaz.

Core engine : Générateur de gaz.

Coring : Nodulation. Noyautage.

Corporate aircraft : Avion d'affaires.

Corrected indicated airspeed (CIAS) : Vitesse lue corrigée. Vitesse indiquée corrigée.

Corrected outside air temperature (COAT) :
Température corrigée de l'air ambiant.

Corrective maintenance :
Maintenance corrective [non planifiée].

Corrosion pitting : Piqûre de corrosion.

Corrosion protective finish :
Finition anticorrosion.

Corrugated inner skin :
Revêtement intérieur ondulé.

Corrugated wing-cover :
Revêtement d'aile ondulé.

Cosmic background explorer (COBE) [USA] :
Satellite d'étude de la formation et de la structure du cosmos [USA].

Cotter : Clavette [transversale].

Countdown : Compte à rebours.

Counterclockwise (CCW) :
En sens inverse des aiguilles d'une montre.

Counter-insurgency helicopter (COIN) :
Hélicoptère anti-guérilla.

Counter-rotating integrated shrouded propfan (CRISP) : Propfan double caréné.

Counter-rotation propeller (CRP) :
Propfan contrarotatif.

Countersunk bolt : Boulon à tête fraisée.

Course angle : Angle de cap. Angle de route.

Course computer : Calculateur de cap.

Course deviation indicator (CDI) :
Indicateur de déviation de cap. Dérivomètre.

Course indicator :
Conservateur de cap. Indicateur de route.

Course selector : Sélecteur de route.

Course to steer (CTS) : Route optimale à suivre.

Course tracer : Traceur de cap. Traceur de route.

Cover assembly : Couvercle équipé. Capot.

Cover plate : Plaque de fermeture. Fixe-capot.

Cowl : Capot. Capot moteur. Auvent.

Cowling : Capotage.

Crack : Crique. Fêlure. Fendillement. Crevasse. Fissure.

Crack detection through dye-penetrant inspection : Détection de criques par ressuage.

Crack initiation : Amorce de crique.

Cradle : Berceau-moteur. Support.

Crank the engine (to) : Dégommer le moteur.

Crankcase : Carter moteur.

Crankshaft : Vilebrequin. Arbre coudé.

Crankshaft bearing : Palier de vilebrequin.

Crash (to) : S'écraser.

Crash fire rescue (CFR) : Véhicule de sécurité incendie.

Crash landing : Atterrissage forcé. Atterrissage en catastrophe.

Crash-resistant fuel system (CRFS) : Circuit carburant à l'épreuve des chocs.

Crashworthy fuel system : Circuit carburant anti-crash.

Crazing : Craquelage. Craquelure. Fendillement.

Creep resisting Ni-base alloy : Alliage à base de nickel résistant au fluage.

Crescent-shaped rib : Nervure en arc.

Crew operation manual (COM) : Manuel de l'équipage (ME).

Crew transport and rescue vehicle (CTRV) : Véhicule de transport et d'évacuation d'urgence des stations orbitales.

Crew transport vehicle (CTV) [Earth/orbital station/Earth] : Capsule de transport de personnel [Terre/station orbitale et retour].

Critical design review (CDR) : Revue critique de définition.

Critical engine failure speed (V1) : Vitesse critique.

Critical Mach number : Nombre de Mach critique.

Cropped fan : Soufflante de diamètre réduit.

Cropped-fan engine : Moteur à soufflante réduite.

Cropped rotor : Rotor à pales tronquées.

Cross bar : Barre transversale. Palonnier.

Cross bleed valve : Vanne d'intercommunication.

Cross-crew qualification (CCQ) [pilots transferred to another type of aircraft] : Qualification simplifiée [pilotes transférés d'un type d'avion à un autre].

Cross fitting : Raccord en croix.

Cross section : Coupe. Section transversale.

Cross stiffener : Raidisseur transversal.

Cross-wind landing : Atterrissage par vent de travers.

Cross-wind take-off : Décollage par vent de travers.

Crossed-coil antenna : Radiogoniomètre à cadres croisés.

Cruise Mach number : Nombre de Mach en vitesse de croisière.

Cruise power : Puissance de croisière.

Cruising power : Régime de croisière.

Cruising speed : Vitesse de croisière.

Crushable belly : Barque écrasable [hélicoptère].

Crusher : Manomètre à écrasement.

Cryogenic propellant : Ergol cryotechnique.

Cryogenic stage : Etage cryotechnique.

Cure date : Date de polymérisation. Date de péremption. Date limite de montage.

Curing : Polymérisation. Vulcanisation.

Cursive radar display : Système de visualisation radar à balayage cursif.

Cursive scan : Balayage cursif [radar].

Cushion chute : Parachute-siège.

Cut-off device : Dispositif de coupure [électrique].

Cut-off switch : Disjoncteur.

Cut-out : Coupe-circuit.

Cut to length (to) : Couper à la longueur.

Cutaway view : Vue en coupe. Ecorché. Vue coupée.

Cutlet : Bras de tête de rotor. "Côtelette" [argot].

Cutting-edge technology : Technologie de pointe.

Cutting jig : Gabarit de coupe.

Cycle-rate counter : Compteur de cycles [radar].

Cycles between overhaul (CBO) : Cycles entre révisions.

Cycles since installation (CSI) : Cycles depuis la pose.

Cycles since last shop visit (CSV) : Cycles depuis la dernière visite en atelier.

Cycles since new : Cycles de fonctionnement.

Cycles since overhaul/rework : Cycles depuis révision/réparation.

Cyclic pitch : Pas cyclique.

Cyclic pitch control : Commande de pas cyclique.

Cyclic pitch stick : Manche cyclique.

Cyclic redundancy check (CRC) : Vérification cyclique de redondance.

Cyclic swashplate : Plateau cyclique.

Cylinder block : Groupe de cylindres.

Cylinder bore : Alésage du cylindre.

Cylinder head : Tête de cylindre. Culasse.

Cylinder-head temperature indicator :
Indicateur de température de culasse.

Cylinder-head washer : Joint de culasse.

Cylinder rod : Tige de vérin.

D

Damper : Amortisseur.

Damper assembly : Diffuseur.

Dark cockpit [warning lights off, indicating all systems are OK] : "Cockpit sombre" [voyants éteints quand tous les systèmes fonctionnent normalement].

Dash-board : Tableau de bord. Planche de bord.

Dash-pot : Pot de détente. Amortisseur à fluide.

Dash speed : Vitesse de pointe.

Data-bus technology :
Technologie des bus de données.

Data link control (DLC) : Contrôle de liaison.

Data management unit (DMU) : Dispositif de traitement des données de vol collectées par le DFDAU.

Data recorder :
Enregistreur de paramètres de vol.

Data relay satellite (DRS) :
Satellite-relais de données.

Data sheet [acquisition and storage of technical features peculiar to a component, part or structure] : Liasse de données [acquisition et mise en mémoire par ordinateur des caractéristiques d'un élément, d'une pièce ou d'une structure].

Datum line : Cote de référence.

Day sight : Viseur de jour.

Dead-reckoning :
Détermination d'un cap. Navigation à l'estime [en fonction de la distance et de la vitesse].

Dead-stick landing :
Atterrissage avec moteur coupé.

De-aerator circuit : Circuit de dégazage.

Debris : Débris d'usure.

Debris guard :
Grille de protection d'entrée d'air.

Deburr (to) : Ebavurer.

Deburring : Ebavurage.

Deburring and radiusing machine :
Machine à ébavurer/chanfreiner.

Decarbonizing : Décalaminage.

Deceleration :
Accélération négative. Décélération.

Decimeter height-finder (DMH) : Radar de sol [pour déterminer l'altitude des avions].

Deck landing [seaplane] :
Appontage [hydravion].

Decoy dispenser : Lance-leurres.

Decoy launcher : Lance-leurres.

Dedicated anti-tank helicopter :
Hélicoptère spécialisé de lutte antichar.

Deep-chute forced mixer : Mélangeur forcé à lobes de grande profondeur.

Deep-groove ball bearing :
Roulement à billes à gorge profonde.

Deep-space network (DSN) :
Réseau de communications entre la Terre et l'espace lointain (NASA).

Deep stall : Super décrochage à plat.

Deep strike fighter : Chasseur-bombardier de pénétration lointaine.

Defense support program (DSP) :
Satellite militaire [USA].

Deflectable fin flap : Volet de dérive braquable.

Deflection in landing position :
Braquage en position d'atterrissage.

Defog control lever :
Levier de commande de désembuage.

Defuel (to) : Vidanger [carburant].

Degauss (to) : Démagnétiser.

De-icing boot : Dégivreur pneumatique.

De-icing fluid : Liquide antigivre.

Delamination : Délamination. Destratification.

Delayed flaps approach (DFA) :
Sortie des volets retardée.

Delayed opening :
Ouverture retardée [parachute].

Delivery line : Tuyauterie de refoulement.

Delta connection :
Montage en triangle [électricité].

Delta wing : Aile delta.

Demisting equipment :
Dispositif de désembuage.

Demonstration and validation (DEM/VAL) :
Démonstration et validation.

Demonstration flight :
Vol de présentation. Vol de démonstration.

Demonstrator [experimental aircraft designed for studying modern techniques and checking their reliability] : Démonstrateur [avion expérimental destiné à l'étude des techniques modernes et à la vérification de leur fiabilité].

Density altitude : Altitude densimétrique.

Dent : Enfoncement. Impact. Entaille.

Dent (to) :
Bosseler. Entailler. Enfoncer. Ebrécher.

Depart holding pattern (to) :
Quitter le circuit d'attente.

Department of Defense (DOD) [USA] :
Ministère de la Défense.

Department of Energy (DOE) :
Ministère de l'Energie.

Department of Environment (DOE) :
Ministère de l'Environnement.

Departure noise level :
Niveau de bruit au décollage.

Deployable solar array :
Panneau solaire déployable.

Derated thrust : Poussée réduite.

Derated version : Version détarée [réduction volontaire des performances d'un moteur].

Derating : Détarage.

Deregulation :
Déréglementation [suppression de l'exploitation réglementée d'une ligne aérienne].

Descaling : Détartrage. Décalaminage.

Design :
Conception. Etude. Calcul. Définition. Dessin.

Design airspeed : Vitesse de calcul.

Design cruising speed (VC) :
Vitesse de calcul en croisière.

Design department : Bureau d'études.

Design diving speed (VD) : Vitesse de calcul en piqué. Vitesse limite en piqué.

Design features : Caractéristiques de conception.

Design flap speed : Vitesse limite avec volets.

Design flaw : Défaut de conception.

Design landing speed :
Vitesse de calcul à l'atterrissage.

Design life : Durée de vie théorique.

Design load : Charge théorique.

Design manœuvering speed (VA) :
Vitesse de calcul en manœuvre. Vitesse théorique de manœuvre.

Design Office : Bureau d'études.

Design power : Puissance nominale.

Design service life (DSL) :
Potentiel théorique de durée de service.

Design speed for maximum gust intensity :
Vitesse de calcul en atmosphère turbulente.

Design-to-cost :
Conception en fonction du coût convenu.

Design weight : Poids de calcul. Masse de calcul.

Desired track : Route à suivre.

Despin [rotation decrease aiming at the stabilization of satellites, space vehicles, probes] :
Ralentissement de la rotation [stabilisation des satellites, véhicules spatiaux, sondes].

Destructive test : Essai destructif.

Detachable leading edge :
Bord d'attaque démontable.

Detail drawing : Plan de détail.

Detail part (DP) :
Pièce primaire. Pièce élémentaire.

Detection and tactical alert of radar (DATAR) : Dispositif de détection et d'avertissement d'émissions radar.

Detector balanced bias : Polarisation automatique [réduction de brouillage antiradar].

Detector package : Ensemble de détection.

Detented knob : Bouton cranté.

Development : Mise au point. Développement. Evolution. Perfectionnement.

Development aircraft : Avion de mise au point. Avion expérimental. Avion de présérie.

Development flight : Vol de mise au point.

Development in flight : Essais en vol.

Diabolo : Diabolo [roue avant ou arrière du train d'atterrissage].

Diagnosis lost time (DLT) :
Temps perdu avant découverte de la panne.

Diagonal truss :
Bielle diagonale [train d'atterrissage].

Diagram of connections :
Schéma des connexions.

Diagrammatic layout : Présentation synoptique.

Dial a flap : Positionnement continu des volets.

Die forging : Matriçage.

Dielectric fin tip :
Saumon de dérive diélectrique.

Dielectric nose cone :
Cône de nez diélectrique. Cône avant isolant.

Dielectric radome : Radôme diélectrique.

Dielectric test : Essai d'isolement.

Differential aileron : Aileron différentiel.

Differential blade angle control :
Commande de pas différentiel.

Differential global positioning system (DGPS) [precision approaches] : Système de positionnement mondial différentiel [approches de précision].

Differential pinion :
Pignon satellite [hélicoptère].

Diffuser vane : Aube de diffuseur [moteur]. Pale de diffuseur [structure].

Diffusion bonding [metallurgy] :
Soudage par diffusion [métallurgie].

Digital air pressure transducer :
Transducteur numérique de pression d'air.

Digital automatic stabilization equipment (DASE) : Equipement de contrôle automatique des commandes.

Digital autopilot :
Pilote automatique numérique.

Digital autothrottle : Automanette numérique.

Digital avionics : Avionique numérique. Electronique de bord numérique.

Digital avionics information system (DAIS) :
Affichage numérique d'informations.

Digital cockpit : Poste de pilotage à instrumentation numérique.

Digital color map unit (DCMU) : Indicateur cartographique couleur de type numérique.

Digital display : Affichage numérique.

Digital electronic engine control (DEEC) system : Système de régulation électronique numérique du groupe propulseur.

Digital engine control system (DECS) :
Système numérique de régulation moteur.

Digital engine control unit (DECU) :
Système numérique de contrôle moteur.

Digital engine pressure ratio transducer (DEPRT) : Capteur numérique d'EPR.

Digital finding (DF) : Radiogoniométrie.

Digital fire-control computer :
Calculateur numérique de conduite de tir.

Digital fire detection system (DFDS) :
Détecteur numérique d'incendie moteur.

Digital flight control system :
Système numérique de commandes de vol.

Digital flight data acquisition unit (DFDAU) :
Dispositif numérique de collecte des données de vol relatives à la sécurité de l'avion.

Digital flight data recorder (DFDR) :
Enregistreur numérique de données de vol.

Digital fly-by-wire controls :
Commandes de vol électriques numériques.

Digital machmeter : Machmètre numérique.

Digital map display :
Indicateur cartographique numérique.

Digital map generator (DMG) :
Générateur cartographique numérique.

Digital multimeter (DMM) :
Multimètre numérique.

Digital readout (DRO) : Affichage numérique.

Digital voltmeter (DVM) :
Voltmètre à affichage numérique.

Direct access radar channel (DARC) :
Canal radar à accès sélectif [affichage sur écrans de contrôle du trafic aérien.

Direct-acting two-way solenoid-controlled valve : Clapet de commande à solénoïde à deux voies et action directe.

Direct current (DC) : Courant continu (cc).

Direct current power supply system :
Circuit de génération de courant continu.

Direct drive high gear :
Engrenage de prise directe.

Direct drive propeller : Hélice sans réducteur.

Direct-feed tank :
Réservoir d'alimentation directe.

Direct lift control (DLC) :
Commande directe de portance.

Direct maintenance cost :
Coût d'entretien direct.

Direct operating cost (DOC) :
Coût d'exploitation direct.

Direct sideforce control :
Commande latérale directe.

Direct TV broadcasting by satellite (DBS) :
Télévision directe par satellite (TDS).

Direct vision window :
Glace coulissante [côté pilote].

Direct voice input (DVI) :
Système d'entrée vocale directe.

Direct voice output (DVO) :
Système de sortie vocale directe.

Directed energy weapon (DEW) : Arme à énergie dirigée disposée sur un grand satellite.

Direction finding (DF) : Radiogoniométrie.

Directional antenna : Antenne directrice. Antenne à rayonnement dirigé.

Directional control : Commande de direction.

Directional control support box :
Caisson support de commande de direction.

Directional cross bar : Palonnier.

Directional gyro :
Gyroscope directionnel. Centrale de cap.

Directional homing : Radioralliement.

Directional localizer : Radiophare directionnel.

Directional loop : Cadre radiogoniométrique.

Directional trim : Compensateur de direction.

Directional trim tab switch :
Commande de position des flettners.

Disassembly : Dégroupage. Démontage.

Disc area :
Disque (ou cercle) balayé par l'hélice.

Disc loading : Charge au disque.

Disc plane : Plan d'extrémité de pale.

Disc rotor servomotor :
Servomoteur à rotor hélicoïdal.

Disconnector : Sectionneur [USA].

Discrete address beacon system (DABS) :
Radar secondaire mode S.

Discrete variable camber :
Cambrure variable pas à pas.

Disengage push-button :
Bouton de débrayage du pilote automatique.

Disk loading :
Charge du disque balayé [hélicoptère].

Dismantle (to) : Démonter.

Display, attack, ranging and inertial navigation (DARIN) system : Système de navigation par inertie associé à un collimateur tête haute et à un indicateur cartographique.

Display overload :
Saturation [d'écran d'affichage].

Distance measuring equipment (DME) :
Dispositif de mesure de distance.

Distant early warning (DEW) line :
Réseau de stations radar terrestres d'alerte lointaine [Canada].

Distribution unit : Boîte de dérivation.

Distribution valve : Vanne de répartition.

Ditching [forced landing of a land aircraft on water] : Atterrissage forcé d'un avion sur une surface liquide.

Ditching hatch :
Ecoutille d'évacuation [amerrissage forcé].

Dive angle indicator :
Indicateur d'angle de piqué.

Dive bomber :
Avion de bombardement en piqué.

Dive bombing : Bombardement en piqué.

Dive brake : Frein de piqué.

Dive brake control valve :
Clapet de commande de frein de piqué.

Dive braking flap : Volet-frein de piqué.

Dive recovery flap : Volet de ressource.

Diving speed : Vitesse en piqué.

DME fix : Repère DME.

DME interrogator :
Interrogateur DME [mesure de distance].

Dock (to) : S'amarrer [à un vaisseau spatial].

Docking mechanism [spacecraft] :
Système d'arrimage [véhicule spatial].

Dogfight :
Combat aérien rapproché. Combat tournoyant.

Dogtooth [gap in the leading edge permitting to activate the boundary layer] : Décrochement de bord d'attaque [discontinuité du bord d'attaque permettant l'activation de la couche limite].

Domestic air traffic : Circulation aérienne intérieure. Trafic aérien intérieur.

Domestic line : Ligne aérienne intérieure.

Dominant obstacle allowance (DOA) : Marge de franchissement de l'obstacle dominant.

Donkey pump : Pompe d'alimentation.

Door flap : Volet de porte.

Door ground release handle :
Poignée d'ouverture de porte [au sol].

Door lock switch :
Microrupteur de verrouillage de porte.

Door-mounted escape chute :
Toboggan d'évacuation encastré dans la porte.

Door open pressure :
Pression d'ouverture de porte.

Door unlatch and L/G unlock control bellcrank : Guignol de décrochage de trappe et de train d'atterrissage.

Doppler navigator system [automated dead reckoning system] : Système aéroporté de détermination automatique d'un cap.

Dorsal anti-collision beacon :
Balise dorsale anticollision.

Dorsal fairing : Carénage de raccordement.

Dorsal fin : Arête de dérive. Dérive dorsale.

Double annular combustor (DAC) engine :
Réacteur à chambre de combustion annulaire double.

Double-bubble fuselage cross-section :
Section de fuselage bilobée.

Double directional coupler :
Coupleur directionnel double.

Double-flow engine : Moteur à double flux.

Double-slotted aileron : Aileron à double fente.

Double-slotted inboard flap :
Volet interne à double fente.

Double-slotted outboard flap :
Volet externe à double fente.

Double-slotted wing flap :
Volet d'atterrissage à double fente.

Downburst : Rafale de vent descendante.

Downdraft wind : Vent rabattant.

Down-draught carburettor :
Carburateur inversé.

Download : Couple à cabrer.

Down lock roller :
Galet de blocage en position basse.

Down locking :
Verrouillage en position train sorti.

Downward looking infra-red (DLIR) camera [sighting, target acquisition and laser guidance] : Caméra IR aéroportée à visualisation verticale vers le bas [visée, acquisition de cibles et guidage laser].

Downwash :
Déflexion des filets d'air vers le bas.

Downwind take-off : Décollage par vent arrière.

Drag absorber : Amortisseur de traînée.

Drag-chute cover :
Gaine de parachute de queue.

Drag indicator : Indicateur de traînée.

Drag strut : Contre-fiche [train d'atterrissage].

Drain cock : Robinet de vidange.

Drain plug : Bouchon de vidange.

Drain valve : Clapet de vidange.

Drainable unusable fuel :
Carburant non utilisable récupérable.

Draping machine : Machine à draper.

Drawing : Croquis. Dessin. Plan. Etirage.

Drawing dimension : Croquis coté.

Drawing package : Liasse [plans, croquis].

Drawing score : Rayure d'étirage.

Drawn section : Profilé étiré.

Dressing table : Marbre de dressage.

Drift : Dérive.

Drift angle : Angle de dérive.

Drift compensation switch :
Commutateur de compensation de dérive.

Drift indicator : Indicateur de dérive.

Drift landing :
Atterrissage en ripé. Atterrissage ripé

Drift meter : Dérivomètre. Cinémodérivomètre.

Drift orbit [spacecraft] :
Orbite de dérive [véhicule spatial].

Drift pin : Cheville d'assemblage.

Drift punch :
Poinçon. Chasse-goupille. Chasse-clavette.

Drill : Foret. Fraise. Mèche.

Drill (to) : Percer. Forer.

Drill template : Gabarit de perçage.

Drilling and milling machine for the machining of fuselage panels :
Machine à percer et à fraiser pour l'usinage de panneaux de fuselage.

Drive : Entraînement. Transmission. Commande.

Drive (to) : Entraîner. Transmettre. Commander. Conduire. Attaquer.

Drive bearing : Palier moteur.

Drive belt : Courroie d'entraînement.

Drive mechanism : Mécanisme d'entraînement.

Drive shaft : Arbre d'entraînement. Arbre de transmission. Arbre de commande.

Drive shaft housing : Logement de l'arbre d'entraînement, de transmission ou de commande.

Driving gear : Pignon d'entraînement. Engrenage de commande ou de transmission.

Driving geared motor :
Motoréducteur d'entraînement.

Driving input bevel gear :
Pignon conique d'entraînement ou d'attaque.

Driving shaft : Arbre menant. Arbre moteur.

Drogue chute :
Parachute stabilisateur. Parachute-frein.

Drone : Engin télépiloté. Engin téléguidé. Avioncible. Drone.

Drone anti-submarine helicopter (DASH) :
Hélicoptère téléguidé de lutte anti-sous-marine.

Droop leading edge : Bec basculant.

Droop lever :
Levier de basculement de bord d'attaque.

Droop nose : Nez basculant.

Droop restrainer :
Butée basse. Butée d'affaissement.

Droop snoot [Concorde] :
Nez basculant [Concorde].

Droop snoot rotor blade :
Pale à bord d'attaque cambré.

Drop container : Réservoir largable.

Drop forging :
Pièce matricée. Ebauche matricée.

Drop tank : Réservoir largable.

Drop zone : Zone de largage [parachutage].

Droppable emergency unit :
Issue de secours largable.

Dropping zone (DZ) : Zone de parachutage.

Drum altimeter : Altimètre à tambour.

Drum self-aligning bearing :
Roulement à rotule à tonneaux.

Dry engine : Moteur sec. Réacteur sec.

Dry lease : Location d'un avion sans équipage.

Dry run capability [bearings, gears, etc.] :
Capacité de fonctionnement sans huile [roulements, engrenages, etc.].

Dry thrust : Poussée sans réchauffe [réacteur].

Dry weight : Masse à sec.

Dual-arm bellcrank : Guignol double.

Dual axial compressor :
Compresseur double corps.

Dual control : Double commande.

Dual flow jet engine : Réacteur à double flux.

Dual glideslope antenna :
Antenne double d'alignement de descente.

Dual gyro platform : Centrale bigyroscopique.

Dual load paths in the rotor hub :
Moyeu rotor à deux directions de transmission d'efforts [hélicoptère].

Dual-propellant grain : Bloc de poudre composé de deux propergols différents.

Dual-redundant central computer system :
Calculateur central à double redondance.

Dual rotary actuator :
Actionneur rotatif double.

Dual rotor helicopter : Hélicoptère birotor.

Dual-slot flap : Volet à double fente.

Dual strap-down inertial system :
Double système inertiel à composants liés.

Dual wheels : Roues jumelées.

Duct : Canalisation. Conduite.

Ducted anti-torque rotor : Fenestron.

Ducted fan :
Soufflante canalisée. Soufflante carénée.

Ducted-fan turbine engine :
Turboréacteur à soufflante canalisée.

Ducted prop : Hélice carénée.

Ducted propfan investigations (DUPRIN) :
Programme d'étude des soufflantes canalisées.

Ducted rocket : Moteur-fusée canalisé.

Ducted tail rotor :
Fenestron [rotor]. Rotor anticouple caréné.

Dummy run : Essai à blanc.

Dump : Vide-vite.

Dump chute : Manche de vide-vite.

Dump valve :
Clapet de décharge. Clapet de vidange.

Dumper : Déporteur.

Dumping : Vidange de carburant en vol.

Duo-triplex active control system :
Système de commandes de vol actives à trois voies doublées.

Duplex bearing : Roulement à double rangée.

Duplex burner : Brûleur à double débit.

Duplex carburettor :
Carburateur à double corps.

Duplex spray nozzle : Injecteur à double débit.

Dupoff : Passager en surnombre.

Duralumin : Duralumin. Dural.

Dust seal : Joint étanche à la poussière.

Dutch roll : Roulis hollandais.

Duty runway : Piste en service.

Dwell meter : Contrôleur d'angle de came.

Dye check : Ressuage.

Dye-penetrant inspection :
Inspection par pénétration. Ressuage.

Dynamic air intake : Prise d'air dynamique.

Dynamic air-pressure detector :
Détecteur de vitesse critique (V1).

Dynamic anti-resonant vibration isolator (DAVI) : Amortisseur de vibrations du siège pilote [hélicoptère].

Dynamic balancing : Equilibrage dynamique.

Dynamic hardness test :
Essai de dureté au choc.

Dynamic lift : Sustentation dynamique.

Dynamic pressure : Pression dynamique.

Dynamic sailplane : Planeur dynamique.

Dynamic simulation bench :
Banc de simulation dynamique.

Dynamic vibration absorber (DVA) :
Absorbeur de vibrations dynamiques.

Dzus fastener : Agrafe DZUS [fixation]. Verrou à fermeture rapide.

Dzus grommet : Oeillet DZUS.

E

Ear defender : Casque antibruit.

Early-warning radar : Radar d'alerte avancée.

Early-warning satellite (EWS) :
Satellite d'alerte avancée.

Earmuff : Protecteur d'oreilles. Casque antibruit.

Earphone : Casque téléphonique. Ecouteur.

Earphone inset : Pastille d'écouteur.

Earth bonding plate : Plaquette de métallisation.

Earth observation satellite (EOS) :
Satellite d'observation de la Terre.

Earth observation test system : Système pour l'observation de la Terre (SPOT).

Earth resources satellite (ERS) : Satellite d'observation et de localisation des ressources naturelles de la Terre.

Earth sensor : Capteur terrestre.

Earthing : Mise à la masse. Mise à la terre.

Earthing lug : Languette de métallisation.

Earthing strip : Tresse de mise à la masse.

Ease nose-gear off the runway (to) :
Faire décoller la roue de nez.

Ease the stick forward (to) :
Rendre la main après le décollage.

Easy nav computer (ENC) :
Calculateur de navigation simplifié.

Echo area [radar] :
Surface réfléchissante [radar].

Echo-ranging : Télémétrie par l'écho.

ECM bay :
Soute CME [contre-mesures électroniques].

Eddy : Tourbillon. Remous. Turbulence.

Eddy current : Courant de Foucault.

Eddy current brake :
Frein à courant de Foucault. Frein magnétique.

Edge box member :
Caisson de bordure [nacelle].

Edge ring : Jonc de bordure.

Edge tracker sensor : Capteur d'horizon.

Edging :
Profilé de bordure. Plinthe de cockpit. Arêtier.

Edging panel : Panneau de bordure.

Effectively perceived noise decibels (EPNdB) :
Nombre de décibels effectivement perçus.

Efficiency of wing (CL/CD) :
Finesse de l'aile (Cz/Cx).

EFIS display : Tube EFIS.

Eggbeater : Hélicoptère [argot].

EGT divergence monitoring :
Détection des problèmes de flux de gaz.

EGT indicator : Indicateur de température de sortie des gaz d'échappement.

Eject unit assembly launch tube :
Ensemble de largage.

Ejectable cover : Capot éjectable.

Ejection seat : Siège éjectable.

Ejection-seat footrest :
Repose-pieds de siège éjectable.

Ejection-seat headrest :
Appui-tête de siège éjectable.

Ejection seat launch rail :
Rail d'éjection de siège.

Ejection-seat pan : Baquet de siège éjectable.

Ejection seat rocket pack :
Fusée de siège éjectable.

Ejector lift/vectored thrust (ELVT) :
Ejecteur aérodynamique/poussée orientée.

Elapsed time (ELT) :
Délai d'exécution [d'une opération].

Elastic coupling : Accouplement élastique.

Elastic instability : Tendance au flambage.

Elastic stop nut :
Ecrou autofreiné. Ecrou indessérable.

Elastomeric bearing : Palier en élastomère.

Elastomeric gasket : Joint en élastomère.

Elastomeric gimballed rotor head : Tête de rotor à articulation à la cardan en élastomère.

Elastomeric lead lag damper :
Amortisseur de traînée en élastomère.

Electric actuator : Vérin électrique.

Electric circuit-breaker panel :
Panneau de coupe-circuit.

Electric circuit diagram :
Schéma de circuit électrique.

Electric fan : Electroventilateur.

Electric flap actuator :
Commande électrique des volets.

Electric fuel booster pump :
Pompe d'amorçage électrique [carburant].

Electric generator : Génératrice électrique.

Electric power generating unit :
Groupe électrogène.

Electric trim motor : Moteur électrique de trim.

Electrical bonding : Métallisation. Fil de masse.

Electrical equipment bay :
Soute à équipements électriques.

Electrical ground power unit :
Groupe électrogène de piste.

Electrical limit : Butée électrique.

Electrical power unit :
Banc de génération électrique.

Electrical propulsion system [spacecraft] :
Système de propulsion électrique [véhicules spatiaux].

Electrical protection panel :
Tableau de protection électrique.

Electrical shut-off valve :
Robinet coupe-feu électrique.

Electrical system servicing panel : Panneau de visite des équipements électriques de bord.

Electrically-actuated trim tab :
Tab de trim à commande électrique.

Electrically-driven rudder : Gouvernail de direction à commande électrique.

Electro-chemical etching :
Attaque électrochimique.

Electro-chemical grinding (ECG) :
Attaque électrochimique.

Electro-chemical machining (ECM) : Polissage électrochimique. Usinage électrochimique.

Electrodeposition : Galvanoplastie. Déposition électrolytique. Dépôt électrolytique.

Electro-forming : Electroformage.

Electro-hydrostatic actuator (EHA) :
Actionneur électro-hydrostatique.

Electrolytic coating : Revêtement électrolytique.

Electrolytic grinding (ELG) :
Attaque électrolytique.

Electrolytic jet machining :
Usinage par jet électrolytique.

Electrolytic plating : Placage électrolytique.

Electrolytic stripping : Décapage électrolytique.

Electromagnetic coupling :
Accouplement électromagnétique.

Electro-magnetic crack detection : Détection de criques par dispositif électro-magnétique.

Electro-magnetic interference (EMI) :
Interférence électromagnétique.

Electron beam : Faisceau d'électrons [métallisation, usinage, soudage].

Electron beam whose shifting is computer-aided (E.BEAM) [manufacture of integrated circuit masks] : Faisceau d'électrons dont les déplacements sont gérés par ordinateur [fabrication de masques pour circuits intégrés].

Electronic attitude direction indicator : Indicateur électronique d'assiette. ADI électronique.

Electronic attitude director indicator (EADI) :
Indicateur électronique directeur d'attitude.

Electronic attitude indicator (EAI) :
Indicateur électronique d'attitude.

Electronic centralized aircraft monitor (ECAM) : Ecran d'affichage de messages d'alarme et de la check-list associée.

Electronic cockpit display :
Indicateur électronique de poste de pilotage.

Electronic combat and reconnaissance (ECR) version : Version "guerre électronique et reconnaissance".

Electronic control : Régulateur électronique.

Electronic counter-countermeasures (ECCM) : Contre-contre-mesures électroniques (CCME).

Electronic countermeasures (ECM) : Contre-mesures électroniques.

Electronic countermeasures officer (ECMO) : Officier de contre-mesures électroniques.

Electronic countermeasures resistant information transmission system (ECMRITS) : Système de communications radioélectriques discrètes résistant au brouillage.

Electronic engine control (EEC) : Système de régulation électronique numérique à pleine autorité [moteur].

Electronic flight instrument system (EFIS) : Ensemble d'instruments de vol électroniques.

Electronic fuel control : Système de régulation électronique du carburant.

Electronic ground-automatic destruction sequencer (EGADS) [destruction of flying rockets] : Destruction automatique de fusées en vol à partir du sol (Dispositif électronique de).

Electronic horizontal situation indicator : Indicateur électronique de situation horizontale.

Electronic intelligence (ELINT) : Engins, satellites ou avions espions.

Electronic library system (ELS) : Système de documentation électronique.

Electronic metering of fuel injection : Injection de carburant par dosage électronique.

Electronic scanning radar system : Radar à faisceau orientable électronique.

Electronic support measures (ESM) : Mesures de renseignements électroniques (MRE).

Electronic warfare (EW) : Moyens de guerre électronique (MGE).

Electronic warfare operator (EWO) : Opérateur de guerre électronique.

Electronic war officer (EWO) : Officier de guerre électronique.

Electronically agile radar system (EARS) : Antenne radar fixe à balayage électronique.

Electronically-coupled sidestick controller : Manche de contrôle latéral couplé électroniquement.

Electronically-scanned antenna : Antenne à balayage électronique [radar].

Electronically scanning radar (ESR) : Radar à balayage électronique.

Electronics bay : Soute électronique.

Electronics compartment : Soute électronique.

Electronics equipment rack : Baie d'équipements électroniques.

Electro-optical forward looking infra-red (EO-FLIR) pod : Nacelle optronique.

Electro-optical target acquisition and designation system (EOTADS) : Système optronique d'acquisition et de désignation de cibles.

Electro-optical viewing system : Système de visualisation optronique.

Electroplating : Galvanoplastie. Electrodéposition. Electroplastie.

Electropump compartment door : Porte de compartiment d'électropompe.

Electrovalve : Electrovalve. Electrovanne.

Electrovalve unit : Boîtier d'électrovanne.

Elevation-position indicator (EPI) : Radar indicateur de distance et de position.

Elevation radar : Radar de site.

Elevator : Gouverne (ou gouvernail) de profondeur. Gouverne horizontale de tangage [hélicoptère].

Elevator aileron computers (ELAC) : Calculateurs de profondeur et d'aileron.

Elevator anti-balance tab : Tab de compensation de gouverne de profondeur.

Elevator booster : Servocommande de profondeur.

Elevator control : Commande de profondeur.

Elevator control rod : Bielle de commande de profondeur.

Elevator control tab : Servotab de profondeur.

Elevator gust lock : Dispositif de blocage de gouverne de profondeur.

Elevator hinge control : Commande articulée de gouverne de profondeur.

Elevator hoist : Dispositif de hissage des volets de profondeur.

Elevator hydraulic actuator : Actionneur hydraulique de gouverne de profondeur.

Elevator locking mechanism : Mécanisme de verrouillage de gouverne de profondeur.

Elevator position indicator : Indicateur de position de gouverne de profondeur.

Elevator rib : Nervure de gouverne de profondeur.

Elevator servo-actuator : Servocommande de profondeur.

Elevator tab : Flettner de gouverne de profondeur.

Elevator trim : Compensateur de profondeur. Trim de profondeur.

Elevator trim indicator : Indicateur de trim de profondeur.

Elevator trim tab : Tab de compensation de profondeur.

Elevator trim wheel :
Roue de compensation de profondeur.

Elevon : Elevon.

Embedded beam : Poutre encastrée.

Embodied engine : Moteur avionné.

Embodiment of modification :
Exécution de modification.

Emergency equipment : Equipement de secours.

Emergency escape slide :
Toboggan d'évacuation.

Emergency exit : Sortie de secours.

Emergency landing : Atterrissage de détresse.

Emergency landing ground :
Aérodrome de secours.

Emergency locator transmitter (ELT) :
Emetteur/localisateur de détresse.

Emergency medical service (EMS) helicopter :
Hélicoptère d'assistance médicale d'urgence.

Emergency overload take-off weight :
Masse maximum en surcharge au décollage.

Emergency power unit (EPU) :
Groupe de secours.

Emergency pull-out : Ressource brutale.

Emergency regulation switch :
Commande de secours régulation.

Emergency supply tank : Nourrice de secours.

Emergency visual assurance system (EVAS) :
Système d'amélioration de la vision en cas de
fumée dans le cockpit.

Empennage box : Caisson d'empennage.

Empty weight equipped : Poids à vide équipé.

Enclosed tail rotor : Rotor de queue caréné.

End box section : Caisson d'extrémité.

End fitting : Chape. Embout.

End of travel : Fin de course.

End rib : Nervure d'extrémité. Nervure de rive.

Enurance test : Essai d'endurance.

Energetic particle analyser (EPA) : Compteur
de particules énergétiques. Instrument de mesure de l'énergie des électrons et des protons
et de leur distribution dans l'espace.

Energy efficient engine (E3) :
Moteur à faible consommation spécifique
[programme NASA].

ENG helicopter :
Hélicoptère de retransmission TV.

Engine : Moteur. Réacteur. Propulseur.

Engine air bleed : Prélèvement d'air du réacteur.

Engine air flow valve :
Clapet de débit d'air [moteur].

Engine air inlet : Prise d'air du moteur.

Engine air intake :
Entrée (ou prise) d'air du réacteur.

Engine air intake extension :
Raccordement d'entrée d'air du réacteur.

Engine air intake particle separator :
Filtre d'entrée d'air du moteur.

Engine anti-icing valve :
Vanne de dégivrage du réacteur.

Engine bearer :
Berceau moteur. Support du moteur.

Engine bearer strut :
Entretoise de support du moteur.

Engine bleed air inlet duct :
Gaine d'admission d'air prélevé au moteur.

Engine bleed air supply : Alimentation en air de
prélèvement du réacteur.

Engine boom : Poutre de moteur.

Engine breakdown : Panne de moteur.

Engine bypass air : Flux secondaire [réacteur].

Engine case :
Carter de moteur. Carter de réacteur.

Engine coasting downtime :
Durée d'autorotation du réacteur avant l'arrêt.

Engine compartment firewall :
Cloison pare-feu de compartiment moteur.

Engine condition monitoring (ECM) :
Surveillance de l'état des moteurs.

Engine control cable :
Câble de commande des gaz.

Engine control unit (ECU) :
Dispositif de régulation numérique du moteur.

Engine cowl : Capot moteur. Capot du moteur.

Engine cowling : Capotage du moteur.

Engine cowling panel :
Panneau de carénage moteur.

Engine cradle : Bâti-moteur.

Engine cut-off : Arrêt du moteur. Moteur coupé.

Engine de-icing system :
Système de dégivrage du réacteur.

Engine diagnostic unit (EDU) :
Dispositif de détection et d'enregistrement de
l'état du moteur.

Engine efficiency : Rendement du moteur.

Engine exhaust : Echappement du moteur.

Engine exhaust duct :
Tuyau d'échappement du moteur.

Engine exhaust gas temperature indicator :
Indicateur de température de sortie des gaz
d'échappement.

Engine failure : Panne de moteur.

Engine fan blade :
Aube de soufflante de réacteur.

Engine feed pump :
Pompe d'alimentation à basse pression.

Engine fire detector :
Détecteur d'incendie réacteur.

Engine fire-suppression bottle :
Extincteur d'incendie moteur.

Engine firewall : Tôle pare-feu moteur.

Engine flame-out : Extinction du réacteur.

Engine front fan :
Soufflante frontale de réacteur.

Engine front suspension :
Attache avant de moteur.

Engine fuel shutoff handle :
Robinet coupe-feu du moteur.

Engine health monitor :
Système de surveillance du groupe propulseur.

Engine ignition control unit :
Dispositif de contrôle d'allumage de réacteur.

Engine indication and crew-alerting system (EICAS) : Système de contrôle des paramètres moteur et d'alerte équipage.

Engine instrument system (EIS) :
Système d'instruments moteur.

Engine intake cover :
Cache d'entrée d'air du moteur.

Engine limiter unit (ELU) :
Ensemble électronique limiteur de couple et de température de tuyère.

Engine log book : Livret du moteur.

Engine malfunction :
Mauvais fonctionnement du moteur.

Engine manufacturer : Motoriste.

Engine monitoring and recording equipment : Équipement de surveillance et d'enregistrement du fonctionnement des moteurs.

Engine monitoring system :
Système de surveillance du groupe moteur.

Engine mount : Berceau-moteur. Bâti-moteur. Support de turbine.

Engine mounting ring :
Anneau de montage moteur.

Engine nacelle :
Fuseau-moteur. Fuseau-réacteur.

Engine nacelle stub : Mât-réacteur.

Engine nose dome :
Cône d'entrée d'air réacteur.

Engine oil tank : Réservoir d'huile moteur.

Engine-out approach :
Approche avec un moteur en panne.

Engine pad : Bride de moteur.

Engine pivot point :
Centre d'ancrage du moteur.

Engine pod : Fuseau-moteur.

Engine pressure ratio (EPR) :
Rapport de pression moteur.

Engine pylon : Mât-réacteur. Pylône.

Engine relight push-button : Bouton de rallumage du réacteur. Bouton de démarrage.

Engine RPM : Régime moteur.

Engine run-down : Autorotation du réacteur [après coupure de l'alimentation].

Engine run-up : Point fixe.

Engine run-up thrust : Poussée au point fixe.

Engine seal : Boudin d'étanchéité de réacteur.

Engine self-contained lubricating system :
Circuit autonome de graissage du réacteur.

Engine shutdown : Arrêt d'un moteur.

Engine shut-off stop : Butée de réacteur éteint.

Engine speed indicator :
Indicateur de vitesse de rotation du moteur.

Engine spool : Corps de réacteur.

Engine stall : Calage du moteur.

Engine starter push-button :
Bouton-poussoir de commande de démarrage.

Engine starter ring :
Couronne de démarrage du moteur.

Engine starting control box :
Boîte de démarrage de réacteur.

Engine support arch :
Arceau-support de réacteur. Faucille.

Engine support strut : Mât support de moteur.

Engine test facility (ETF) :
Installation d'essais de moteurs.

Engine test stand :
Banc d'essai moteur (ou réacteur).

Engine throttle lever : Manette des gaz.

Engine thrust : Poussée du réacteur

Engine thrust line :
Axe de poussée du réacteur (ou du moteur).

Engine trend monitoring (ETM) :
Surveillance des tendances du moteur.

Engine turbine : Turbomoteur.

Engine turbine section :
Section turbine de réacteur.

Engine vibration indicator :
Indicateur de vibrations du moteur.

Engine vibration monitoring (EVM) : Dispositif de surveillance des vibrations du moteur.

Engine windmilling : Autorotation du réacteur.

Engineering and design department :
Bureau d'études.

Engineering follow-up document :
Document de suivi technique.

Enhanced vision system (EVS) : Système d'amélioration de la vision par mauvais temps.

En-route charges :
Frais relatifs aux prestations de service en vol.

Entry pull-up : Ressource d'entrée.

Environmental control system :
Climatisation du poste de pilotage et de la cabine des passagers.

Equatorial orbit : Orbite équatoriale.

Equipment bay : Soute à équipements.

Equipment manufacturer : Equipementier.

Equipped empty weight (EEW) :
Masse à vide équipé.

Equivalent airspeed (EAS) :
Vitesse équivalente au sol.

Equivalent isotropic radiated power (EIRP) :
Puissance isotrope rayonnée équivalente (PIRE).

Equivalent radar cross-section :
Surface équivalente radar (SER).

Equivalent shaft horsepower (ESHP) :
Puissance équivalente sur l'arbre.

Erratic firing : Allumage irrégulier du moteur.

ESA remote sensing satellite mission n° 1 (ERS-1) [a satellite designed to study and evaluate the Earth's agricultural and geological features] : Satellite de télédétection destiné à l'étude et à l'évaluation des particularités agricoles et géologiques de la Terre [mission n° 1 du satellite de l'ESA].

ESA remote sensing satellite mission n° 2 (ERS-2) [ERS-1 upgraded version] : Satellite de télédétection destiné à l'étude des dimensions de l'ozonosphère [version modernisé d'ERS-1].

Escape capsule : Capsule d'éjection.

Escape chute : Manche d'évacuation. Toboggan.

Escape slide : Toboggan. Rampe d'évacuation.

Escape velocity [allowing to escape from the Earth's gravitational field] :
Vitesse de libération [permettant d'échapper au champ gravitationnel de la Terre].

Escort-support aircraft] :
Avion d'appui-protection.

Estimated heading : Cap estimé.

Estimated normal payload (ENP) :
Charge marchande normale estimée.

Estimated service life :
Potentiel de vie. Durée de vie estimée.

Estimated time of arrival (ETA) :
Heure d'arrivée prévue.

Estimated time of departure (ETD) :
Heure de départ prévue.

Etching : Attaque acide. Attaque chimique. Décapage. Gravure.

Etching agent : Décapant.

European fighter aircraft (EFA) :
Avion de combat européen [GB; Allemagne; Espagne; Italie].

European future advanced rotorcraft (EURO-FAR) programme [a research programme for designing a "convertible" aircraft, i.e. taking off and landing like a helicopter and flying like a plane] :
Programme de recherches en vue de la réalisation d'un appareil "convertible" [c'est-à-dire décollant et atterrissant comme un hélicoptère et volant comme un avion].

European future large aircraft group (EURO-FLAG) programme [a study programme for designing the transport plane due to replace the C-130 and C-160] :
Programme d'étude de l'avion de transport prévu pour remplacer les C-130 et C-160.

European laminar flow investigation (ELFIN) programme : Programme de recherches européen sur les problèmes relatifs à l'écoulement laminaire naturel.

European retrievable carrier (EURECA) [a European recoverable instrument-carrying platform designed to conduct biological and metallurgical experiments in microgravity] : Plate-forme européenne porte-instruments récupérable destinée à des expérimentations biologiques et métallurgiques en microgravité.

European Space Agency (ESA) :
Agence Spatiale Européenne.

European supersonic research program (ESRP) [France, GB, Germany] : Programme de recherches européen en vue de la réalisation d'un avion de transport supersonique [France, GB, Allemagne].

European Transonic Windtunnel (ETW) :
Soufflerie transsonique européenne.

Eutectic bonding :
Liaison par diffusion. Soudage par diffusion.

Evacuation slide : Toboggan d'évacuation.

Evacuation slide actuating lever : Levier de commande de toboggan d'évacuation.

Evaluation test : Essai d'évaluation.

Evolved expendable launch vehicle (EELV) :
Lanceur spatial non-réutilisable amélioré.

Excimer laser : Laser chimique utilisant des gaz nobles ou faiblement réactifs.

Exducer :
Trompe à air. Grille conductrice de sortie.

Executive aircraft : Avion d'affaires.

Exhaust : Echappement. Evacuation. Sortie.

Exhaust air duct : Tuyau d'évacuation d'air.

Exhaust bullet : Cône d'éjection [moteur].

Exhaust case :
Carter d'échappement. Carter de sortie.

Exhaust collector : Collecteur d'échappement.

Exhaust-collector ring :
Anneau de collecteur d'échappement.

Exhaust cover : Obturateur d'échappement.

Exhaust ducting : Conduite d'échappement.

Exhaust gas temperature (EGT) :
Température de sortie des gaz d'échappement.

Exhaust gas temperature (EGT) indicator :
Indicateur d'EGT.

Exhaust manifold : Tubulure d'échappement. Collecteur d'échappement.

Exhaust nozzle : Tuyère d'échappement.

Exhaust nozzle actuator :
Actionneur de tuyère à section variable.

Exhaust plume : Fumées d'échappement.

Exhaust shroud : Carénage d'échappement.

Exhaust stub : Buse d'échappement.

Exhaust valve : Soupape d'échappement.

Exit gas temperature (EGT) :
Température de sortie des gaz.

Exit nozzle : Buse d'évacuation.

Expansion joint : Joint de dilatation.

Expansion stroke : Temps d'expansion.

Expansion tank : Bâche d'expansion.

Expansion valve : Soupape de détente.

Expendable launch vehicle (ELV) :
Lanceur non-réutilisable.

Expendable space vehicle :
Véhicule spatial non-récupérable.

Experimental aircraft programme (EAP) :
Avion britannique de démonstration et d'essai
des technologies prévues pour l'EFA.

**Experimental stealth aircraft [undetectable by
radar]** : Avion "furtif" expérimental [indétec-
table par radar].

**Experimental stealth technology (XST) air-
craft** : Avion de démonstration des technologies de la furtivité.

Expired life : Limite de vie.

Exploded view : Vue éclatée. Eclaté.

Explosive bolt : Boulon explosif.

Extend the flaps (to) :
Abaisser les volets. Sortir les volets.

Extendable jetway : Passerelle télescopique.

Extended position :
Position "sorti" [train d'atterrissage].

Extended range (ER) :
A rayon d'action augmenté.

Extended range ballistic missile (ERBM) :
Missile balistique à rayon d'action augmenté.

**Extended range interceptor technology
(ERINT) [USA]** : Programme d'étude d'antimissiles balistiques tactiques [USA].

Extended-range operations (EROPS) : Exploitation de long-courriers au-dessus des océans.

**Extended-range twin-engined operations
(ETOPS)** : Exploitation de bimoteurs long-
courriers au-dessus des océans.

Extended tank-filler neck :
Rallonge de goulotte de remplissage.

External baggage pod :
Nacelle ventrale pour bagages.

External electrical receptacle :
Prise électrique extérieure.

External fuel tank : Réservoir de carburant extérieur. Réservoir carburant externe.

External power supply (EPS) : Alimentation
électrique de parc.

External stores support system (ESSS) :
Système d'emport de charges externes.

Externally blown flap :
Volet soufflé par jet du réacteur.

Extinguisher discharge tube :
Rampe d'extincteurs.

Extracted target tracking :
Poursuite avec extraction de plots [radar].

**Extra-vehicular activity (EVA) [any job or re-
pair carried out by an astronaut outside a
spacecraft]** : Activité extra-véhiculaire [tout
travail effectué par un astronaute à l'extérieur
d'un vaisseau spatial].

Extruded bar : Barre profilée. Barre extrudée.

Extrusion flange : Aile de cornière.

Extrusion press : Presse à profiler.

Eye bearing : Palier lisse.

Eye shade : Visière.

Eyes-off flying : Pilotage "yeux dehors".

F

F-flow : Débit de kérosène.

Face blind firing handle :
Poignée haute de commande d'éjection.

Face-piece : Inhalateur d'oxygène.

Facia panel : Planche de bord.

Fail-operational-squared : Entièrement opérationnel après deux pannes successives.

Fail-safe : A sécurité intégrée. Dispositif d'arrêt en cas de mauvais fonctionnement. "Fail-safe".

Fail-safe multiple load paths : Cheminement multiple "fail-safe" de transmission d'efforts [tête de rotor].

Fail-safe system : Système de sécurité intégré.

Failed part : Pièce défectueuse.

Failure :
Panne. Défaut. Défaillance. Avarie. Incident.

Failure in time (FIT) :
Unité de fréquence de défaillances horaires.

Failure probability : Probabilité de pannes.

Failure rate : Taux de pannes.

Failure recognition speed (V'1) :
Vitesse de reconnaissance de panne.

Failure to operate : Non-fonctionnement.

Failure warning light : Voyant de panne. Voyant de mauvais fonctionnement.

Failure warning panel : Tableau des alarmes.

Fair wear and tear : Usure normale.

Faired : Caréné.

Faired landing gear :
Train d'atterrissage caréné.

Fairing : Capotage. Capot de carénage. Carénage. Karman.

Fairlead : Guide-câble. Support de câble.

Falling-leaf drop : Descente en feuille morte.

False rib : Fausse nervure.

False spar : Faux longeron.

Fan : Soufflante. Ventilateur.

Fan air exhaust case :
Carter de sortie soufflante.

Fan and supersonic turbine (FAST) :
Turbine supersonique avec soufflante.

Fan belt : Courroie de ventilateur.

Fan blade : Pale de soufflante. Aube de soufflante. Ailette de ventilation.

Fan blade-out test : Essai de fonctionnement d'un réacteur avec perte volontaire d'une aube de soufflante.

Fan cascade vane : Grille d'aube de soufflante.

Fan case ducting : Canal de soufflante.

Fan cowl : Carénage de soufflante.

Fan duct :
Conduit de soufflante. Canal de soufflante.

Fan duct inner wall :
Paroi intérieure du canal de soufflante.

Fan duct outer wall :
Paroi extérieure du canal de soufflante.

Fan engine : Réacteur à double flux.

Fan exit duct extension :
Rallonge de conduit de sortie de soufflante.

Fan frame : Carénage de soufflante.

Fan-in-fan : Rotor fenestron.

Fan jet : Réacteur à double flux.

Fan marker :
Balise à faisceaux dirigés obliques.

Fan pressure ratio :
Rapport de pression de soufflante.

Fan reverser assy :
Inverseur de poussée de soufflante.

Fan reverser door :
Volet d'inverseur de poussée de soufflante.

Fan section anti-icing air supply line :
Conduite de dégivrage de soufflante.

Fan speed : Régime de soufflante.

Fast-cruise speed : Vitesse de croisière rapide.

Fast Fourier transform (FFT) :
Transformée de Fourier rapide. Transformée simplifiée de Fourier.

Fast ion sensor (FIS) : Capteur d'énergie des ions contenus dans le vent solaire.

Fastening : Epinglage [avant rivetage].

Fastening clip :
Pince d'agrafage. Bride de fixation.

Fatigue crack : Crique de fatigue [métal].

Fatigue failure : Cassure de fatigue [métal].

Fatigue failure area :
Zone de cassure de fatigue.

Fatigue life : Durée de vie en fatigue.

Fatigue limit versus time :
Limite de fatigue en fonction du temps.

Fatigue maximum stress :
Contrainte maximum de fatigue [métal].

Fatigue test : Essai de fatigue du métal.

Fatigue yield strength :
Limite élastique de fatigue [métal].

Fault analysis : Analyse des pannes.

Fault-detection panel :
Panneau de détection des pannes.

Fault-finding cable :
Câble de localisation des pannes.

Fault-finding chart : Tableau de dépannage.

Fault location test :
Test de localisation de pannes.

Fault magnetic indicator :
Indicateur magnétique de pannes.

Fault-tolerant electrical power system (FTEPS) : Système d'alimentation électrique à l'épreuve des pannes.

Faying surfaces : Surfaces en contact.

Feasibility and pre-definition study (FPDS) : Etude de prédéfinition et de faisabilité.

Feasibility study : Etude préalable. Avant-projet. Etude de faisabilité.

Feathered propeller : Hélice en drapeau.

Feathering angle : Angle d'attaque de pale.

Feathering hinge : Axe de variation de pas.

Feathering pump : Pompe de mise en drapeau.

Federal Aviation Administration (FAA) : Bureau Fédéral de l'Aéronautique [USA].

Federal Aviation Regulations (FAR) : Réglementation Fédérale de l'aviation civile [USA].

Feed line : Canalisation d'alimentation.

Feed pipe : Tuyau d'alimentation.

Feed through : Sortie [traversée du fuselage].

Feeder : Ligne d'alimentation [électricité].

Feeder routes : Lignes aériennes transversales.

Feeder tank : Nourrice.

Feel augmentation system : Système de sensibilité artificielle [pilote automatique].

Feel simulator system : Circuit de sensation musculaire [pilote automatique].

Female socket : Fiche femelle.

Fenestron shroud : Carène de fenestron.

Fenestron-type tail rotor :
Rotor anti-couple caréné de type fenestron.

Ferry flight : Vol de convoyage.

Ferrying : Convoyage d'avion.

Fiber composite material : Matériau composite en fibres de carbone ou de verre.

Fiber optic guided missile (FOG-M) :
Engin piloté par fibre optique.

Fiber-optic helmet-mounted display (FOHMD) : Dispositif de visualisation par fibre optique monté sur casque.

Fiberglass-reinforced plastic blade : Pale en plastique renforcé par des fibres de verre.

Field maintenance : Entretien sur piste.

Field of view (FOV) :
Champ de vision [instruments optiques].

Field support crew :
Personnel d'entretien sur piste.

Field support equipment :
Matériel de servitude.

Field test : Essai sur place. Essai sur piste.

Fighter aircraft :
Avion de chasse. Avion de combat. Chasseur.

Fighter-bomber : Chasseur-bombardier.

Fighter-interceptor : Chasseur d'interception.

File a flight plan (to) : Déposer un plan de vol.

Fillet : Filet de raccordement. Raccord. Congé. Karman.

Fillet fairing : Carénage de raccordement.

Fillet weld : Soudure de raccordement.

Film cooling [nozzle cooling] : Refroidissement par film [refroidissement des tuyères].

Fin : Empennage. Dérive. Aileron. Ailette. Plan fixe vertical. Plan de dérive.

Fin attachment bolted joints :
Jonctions de dérive boulonnées.

Fin flap : Volet de dérive.

Fin front spar : Longeron avant de dérive.

Fin integral fuel tank :
Réservoir structural de dérive [carburant].

Fin leading edge : Arête de dérive. Bec de dérive. Bord d'attaque de dérive.

Fin root fairing :
Carénage d'emplanture de dérive.

Fin root fillet : Arête de dérive. Raccordement d'emplanture de dérive.

Fin root housing : Logement d'emplanture de dérive. Carénage d'emplanture de dérive.

Fin separation distance :
Ecartement entre rotor et dérive [hélicoptère].

Fin spar box : Caisson de dérive.

Fin support structure :
Structure de support de dérive.

Fin tip : Saumon de dérive.

Fin tip fairing :
Carénage d'extrémité supérieure de dérive.

Final approach fix : Balise d'approche finale.

Final approach height :
Altitude d'approche finale.

Final approach path :
Trajectoire d'approche finale.

Final assembly line : Chaîne de montage final.

Final inspection : Contrôle final.

Final test bench : Banc de contrôle final.

Fine adjustment :
Réglage fin. Réglage micrométrique.

Fine crack : Craquelure.

Fine-tuning : Mise au point de précision.

Fineness ratio :
Rapport de finesse. Finesse. Allongement.

Fir-tree root :
Emmanchement en sapin [aube de turbine].

Fire alarm system :
Système de détection d'incendie.

Fire-and-forget missile :
Missile autonome après son lancement.

Fire-blocking seat covering material :
Housse de siège en tissu pare-feu.

Fire bomb : Bombe incendiaire.

Fire control : Conduite de tir [armement].

Fire control panel : Pupitre de commande de tir.

Fire control panel lamp board :
Tableau des voyants du pupitre de tir.

Fire control radar (FCR) : Radar directeur de tir. Radar de conduite de tir.

Fire control system : Système de conduite de tir.

Fire control unit : Programmateur de tir.

Fire detection harness : Harnais pyrométrique.

Fire extinguishing ring : Rampe d'extinction.

Fire extinguishing system :
Circuit d'extinction [fuseau-moteur].

Fire flap : Volet pare-feu.

Fire order : Ordre d'allumage [moteur à pistons].

Fire radar antenna servo unit :
Coffret de servo de l'antenne de radar de tir.

Fire wall : Cloison pare-feu.

Fire warning light :
Voyant indicateur d'incendie.

Firing envelope : Domaine de tir.

First-echelon maintenance facilities :
Services techniques de 1er échelon.

First-level carrier :
Transporteur aérien de premier niveau.

First-officer's seat : Siège du copilote.

First production aircraft : Avion tête de série.

First staging :
Séparation du premier étage de la fusée.

Fish plate : Ferrure d'assemblage.

« Fishtailing » : Oscillations de l'empennage.

Fits and clearances : Jeux et tolérances.

Fix (to) : Réparer. Remettre en état. Modifier.

Fix :
Position géographique. Point [géographique].

Fixed area nozzle : Tuyère fixe.

Fixed-base operator (FBO) :
Station-service aéronautique.

Fixed base simulator (FBS) :
Simulateur de vol [fixe].

Fixed core exit nozzle : Nacelle à tuyère longue.

Fixed exhaust nozzle area :
Tuyère d'éjection à sortie fixe.

Fixed geometry engine air intake :
Entrée d'air moteur fixe.

Fixed-pitch propeller : Hélice à pas fixe.

Fixed satellite service (FSS) [ground stationary transceiver] : Services fixes par satellites [récepteurs et émetteurs au sol stationnaires].

Fixed slot : Fente de voilure fixe.

Fixed tab : Volet fixe.

Fixed tip tank :
Réservoir fixe d'extrémité d'aile.

Fixed trailing edge : Bord de fuite fixe.

Fixed trailing edge section :
Section fixe de bord de fuite.

Fixed-wing aircraft : Avion à voilure fixe.

Flame breakout shield : Cloison pare-feu.

Flame-out : Extinction du réacteur.

Flame spray masking tape :
Ruban à masquer pour traitement à la flamme.

Flame trap : Antiretour de flammes.

Flame tube [combustion chamber] :
Tube à flamme [chambre de combustion].

Flange-to-flange engine : Moteur bride-à-bride.

Flap : Volet. Volet de courbure.

Flap actuating rod :
Bielle de commande de volet.

Flap actuator : Vérin de volet.

Flap and canard actuation system :
Système d'activation des volets et de l'empennage canard.

Flap and slat control handle assembly :
Poignée de commande des becs et volets.

Flap and slat position indicator :
Indicateur de position des becs et volets.

Flap control unit :
Moteur de commande des volets.

Flap deflection : Braquage des volets.

Flap drive mechanism :
Mécanisme d'entraînement des volets.

Flap drive motor :
Moteur d'entraînement des volets.

Flap drive shaft :
Arbre de commande des volets.

Flap drive torque shaft :
Barre de torsion de commande des volets.

Flap edge fairing : Carénage de bas de volets.

Flap extended speed (VFE) :
Vitesse maximum avec volets sortis (VFE).

Flap guide rail : Rail de guidage des volets.

Flap hydraulic jack :
Vérin hydraulique de commande des volets.

Flap inner section :
Section intérieure des volets.

Flap interconnect linkage :
Embiellage de liaison des volets.

Flap jack : Vérin de volets.

Flap limiting speed (VF) : Vitesse de calcul avec volets en position atterrissage.

Flap load relief : Limiteur de charge des volets.

Flap lock spring :
Ressort de verrouillage des volets.

Flap operating rod :
Bielle de commande des volets.

Flap outer section :
Section extérieure des volets.

Flap position indicator :
Indicateur de position des volets.

Flap retraction schedule :
Séquence de rentrée des volets.

Flap seal : Joint de volet.

Flap setting : Angle de braquage des volets.

Flap synchronizing shaft :
Arbre de synchronisation des volets.

Flap track : Rail de guidage des volets.

Flap track fairing :
Carénage des rails de guidage des volets.

Flaperon servo-actuator :
Servocommande de flaperon.

Flapping angle : Angle de battement. Angle de levée de pale [hélicoptère].

Flapping hinge :
Articulation de battement [hélicoptère].

Flapping hinge pin :
Axe de levée de pale [hélicoptère].

Flare bomb : Bombe éclairante.

Flare launcher device : Dispositif lance-leurres.

Flare out [approach path immediatly prior to landing] : Arrondi [trajectoire d'approche qui précède immédiatement l'atterrissage].

Flashing indicator light : Voyant à éclats.

Flashing navigation lights :
Feux de navigation clignotants.

Flashing warning light : Témoin clignotant.

Flat liquid-crystal display :
Ecran plat à cristaux liquides.

Flat plate radar scanner : Antenne de radar.

Flat-rated : Détaré [moteur].

Flat-rated engine : Moteur à puissance constante. Réacteur à poussée constante.

Flat spot : "Trou" dans la carburation.

Flat turn : Virage à plat.

Flettner : Volet compensateur de gouverne. Flettner. Compensateur.

Flex-beam : Plaque de flexion [hélicoptère].

Flexible beam :
Plaque flexible [tête de rotor Dynaflex].

Flexible blade hingeless rotor :
Rotor rigide à pales souples.

Flexible flap element :
Bras de tête de rotor. "Côtelette" [argot].

Flexible machining cell (FMC) :
Cellule d'usinage souple (CUS).

Flexible modular interface (FMI) :
Sous-ensemble servant d'interface entre le véhicule porteur et le récepteur RSP.

Flexible mounting : Amortisseur de vibrations.

Flexible-skinned flap :
Volet à revêtement souple.

Flexible skirt : Jupe souple [hélicoptère].

Flight : Vol. Ligne. Escadrille.

Flight advisory computer :
Calculateur consultatif de vol.

Flight attitude : Assiette de vol.

Flight augmentation computer (FAC) :
Calculateur d'optimisation de la gestion du vol.

Flight clearance : Autorisation de vol.

Flight clearance note :
Certificat d'homologation.

Flight clearance test :
Essai de qualification pour vol.

Flight-cleared engine :
Moteur certifié pour le vol.

Flight compartment :
Poste de pilotage. Poste d'équipage.

Flight compartment throttle control :
Commande des gaz [poste de pilotage].

Flight computer : Calculateur de vol.

Flight-control cable :
Câble de commande de vol.

Flight control computer (FCC) :
Calculateur de contrôle du vol.

Flight control data concentrator (FCDC) :
Concentrateur de données des commandes de vol.

Flight control electronic package (FCEP) :
Ensemble électronique de commandes de vol.

Flight control panel :
Tableau des commandes de vol.

Flight control position indicator :
Indicateur de position des gouvernes.

Flight control primary computer (FCPC) :
Calculateur primaire de commandes de vol.

Flight control secondary computer (FCSC) :
Calculateur secondaire de commandes de vol.

Flight control system (FCS) :
Système de commandes de vol.

Flight control wheel :
Volant de commande de vol.

Flight crew :
Personnel navigant technique (PNT).

Flight crew operating manual (FCOM) :
Manuel d'utilisation [destiné au personnel navigant technique].

Flight cycle : Cycle de vol.

Flight cycles since overhaul or rework :
Cycles de vol depuis révision ou réparation.

Flight data acquisition unit (FDAU) :
Boîtier de détection des données de vol.

Flight data interface unit (FDIU) :
Interface de transmission de données de vol.

Flight data recorder (FDR) : Enregistreur des paramètres de vol. Boîte noire [de couleur orange].

Flight deck :
Poste de pilotage. Cabine de pilotage.

Flight deck layout :
Agencement du tableau de bord.

Flight deck tab :
Carénage des commandes de vol.

Flight direction indicator :
Indicateur de direction du vol.

Flight director : Directeur de vol.

Flight engineer : Mécanicien de bord.

Flight engineer panel :
Panneau du mécanicien de bord.

Flight governor : Régulateur de trajectoire.

Flight hours : Heures de vol.

Flight idle power : Régime de ralenti de vol.

Flight incident recorder and monitoring set (FIRAMS) : Equipement de surveillance et d'enregistrement des incidents de vol.

Flight information board [air terminal] :
Tableau d'affichage des vols [aérogare].

Flight information center (FIC) :
Centre d'information de vol.

Flight information panel :
Panneau d'affichage des vols.

Flight information region (FIR) :
Région d'information de vol.

Flight instrument panel :
Tableau de pilotage sur planche de bord.

Flight instruments :
Instruments de vol. Instruments de bord.

Flight lane : Couloir aérien.

Flight level (FL) : Niveau de vol.

Flight management and guidance system (FMGS) : Système de gestion du vol et de guidage automatique.

Flight management computer (FMC) :
Ordinateur de gestion de vol.

Flight management computer system (FMCS) : Calculateur de gestion de vol.

Flight management guidance computer (FMGC) :
Calculateur de guidage et de gestion de vol.

Flight management system (FMS) :
Système de gestion de vol.

Flight manual (FM) : Manuel de vol (MV).

Flight monitor : Synthétiseur de vol.

Flight monitoring instrument :
Instrument de surveillance de vol.

Flight operation manual (FOM) :
Manuel des opérations en vol.

Flight path : Trajectoire de vol.

Flight path analysis : Trajectographie.

Flight path angle :
Angle de pente de la trajectoire de vol.

Flight path control set (FPCS) : Dispositif de commande de la trajectoire de vol.

Flight path deviation indicator (FPDI) :
Indicateur de dérive.

Flight plan : Plan de vol.

Flight plotter : Traceur de route.

Flight position indicator :
Indicateur de position de vol.

Flight readiness review (FRR) :
Revue d'aptitude au vol.

Flight recorder :
Enregistreur de vol. Boîte noire.

Flight refueling boom :
Perche de ravitaillement en vol.

Flight service station (FSS) :
Station d'informations de vol.

Flight simulator : Simulateur de vol.

Flight test center : Centre d'essais en vol (CEV).

Flight test engineer :
Ingénieur d'essais [navigant].

Flight test schedule :
Programme d'essais en vol.

Flight testing : Essais en vol.

Flight-time limit (FTL) : Temps de vol limite.

Flight training device (FTD) :
Dispositif d'entraînement au vol.

Flight-type engine :
Moteur dans sa définition de vol.

Flight warning computer (FWC) :
Calculateur central d'alarme.

Flooded engine : Moteur noyé.

Floor supporting structure (FSS) :
Structure support de plancher.

Flow control unit (FCU) :
Régulateur de débit. Régulateur carburant.

Flow indicating unit :
Dispositif indicateur de débit.

Flow multiplier : Turbocompresseur auxiliaire.

Flow-out rate : Taux de débit.

Flowmeter : Débitmètre. Indicateur de débit.

Flow spoiler : Déporteur.

Fluorescent dye crack detection :
Détection de défauts par ressuage fluorescent.

Fluorescent penetrant inspection :
Ressuage fluorescent. Ziglo.

Flush antenna : Antenne encastrée.

Flush-fitting high-gain antenna :
Antenne à gain élevé intégrée au fuselage.

Fluted-spar web : Ame de longeron gaufrée.

Flutter : Flottement. Vibrations aéroélastiques.

Flutter speed : Vitesse équivalente au sol à laquelle des vibrations aéroélastiques peuvent se produire.

Fluttering : Battement des gouvernes.

Fly (to) : Voler. Piloter. Voyager [par air].

Fly-away factory (FAF) price :
Prix [d'un avion] départ usine.

Fly-by : Survol.

Fly-by-light (FBL) : Système de navigation avec transmission par fibres optiques.

Fly-by-light (FBL) controls : Commandes de vol optiques.

Fly-by-speech (FBS) programme : Programme de développement d'un système aéroporté de commandes de vol actionnées par la voix du pilote.

Fly-by-wire (FBW) airliner : Avion de ligne à commandes de vol électriques.

Fly-by-wire computer : Calculateur de commandes de vol électriques.

Fly-by-wire (FBW) controls : Commandes de vol électriques.

Fly-on farming : Travail agricole aérien.

Flypast : Revue aérienne [exhibition].

Fly-through automatic pilot : Pilote automatique transparent.

Fly-through steering : Pilotage transparent.

Flying boat : Hydravion à coque.

Flying boom : Système de ravitaillement en vol à perche pilotable.

Flying club : Aéro-club.

Flying control : Commande de vol.

Flying display : Présentation en vol.

Flying officer : Lieutenant d'aviation.

Flying test bed : Banc d'essai volant.

Foamed fuel tank : Réservoir de carburant auto-obturant.

Fog dispersal device : Dispositif de dénébulation.

Foil flap : Volet.

Foldable four-blade main rotor : Rotor principal quadripale repliable.

Folding blade : Pale repliable.

Folding fin aircraft rocket (FFAR) : Roquette aéroportée à empennage repliable.

Folding light acoustic system for helicopters (FLASH) : Antenne acoustique légère et repliable pour hélicoptères.

Folding rotor : Rotor repliable.

Follow-on early warning system (FEWS) : Satellite d'alerte avancée de la nouvelle génération [1997].

Follow-up control crank : Guignol d'asservissement.

Follow-up linkage : Timonerie d'asservissement.

Fool-proof device : Détrompeur.

Foolproof : Indéréglable.

Foot : Patte de fixation [de moteur].

Foot air controls : Commandes de ventilation [aux pieds du pilote].

Foot thumper : Dispositif avertisseur de décrochage [vibrations du palonnier].

Fore-and-aft control : Commandes de profondeur.

Fore-and-aft cyclic control support : Support de profondeur.

Fore-and-aft cyclic pitch : Pas cyclique longitudinal.

Forebody blended wing root : Apex de liaison aile/fuselage.

Foreign object damage (FOD) : Dégâts causés par des corps étrangers.

Forged part : Pièce forgée.

Forged wing-to-fuselage attachment fitting : Ferrure forgée de fixation voilure-fuselage.

Formation-keeping light : Feu de formation [aviation militaire].

Formed sheet longitudinal member : Longeron en tôle pliée.

Forward air control (FAC) mission : Mission de contrôle aérien avancé.

Forward area warning (FAW) : Radar d'approche.

Forward cargo hold : Soute à bagages avant.

Forward engine mounts : Fixations avant du réacteur.

Forward-facing crew cockpit (FFCC) : Poste de pilotage "tout à l'avant".

Forward-facing recognition lights (FFRL) : Feux d'identification par l'avant.

Forward-looking infra-red (FLIR) : Système de détection par l'avant aux rayons infrarouges.

Forward operating base (FOB) : Base opérationnelle avancée.

Forward pitch nozzle : Buse de contrôle en tangage.

Forward sweep : Flèche négative [voilure].

Forward swept wing (FSW) : Voilure à flèche négative.

Forward underfloor electronic equipment bay : Soute avant d'équipement électronique sous plancher.

Four-blade elastomeric rotor : Rotor en élastomère quadripale.

Four-blade rotor head : Tête de rotor quadripale.

Four-stroke engine : Moteur à quatre temps.

Fowler flaps : Volets Fowler.

Fractional horsepower (FHP) : Puissance inférieure à 1 cv.

Fractional orbital bombardment system (FOBS) : Système de bombardement orbital fractionnel.

Frame : Châssis. Cadre. Encadrement. Monture. Charpente.

Frame assembly : Cadre équipé.

Frame bay : Revêtement entre deux cadres.

Frame doubler : Stabilisateur de cadre.

Frame lower section : Base de cadre.

Frameless bubble canopy :
Verrière sans arceau.

Framework :
Charpente. Armature. Ossature. Carcasse.

Free fall :
Descente du train d'atterrissage par gravité.

Free fan : Hélice transsonique. Propfan [appellation Boeing].

Free flight (FF) : Vol libre.

Free turbine : Turbine libre.

Free turbine pusher :
Turbine libre à hélice propulsive.

Free turbine turbo-prop :
Turbopropulseur à turbine libre.

Freeboard deck :
Pont de franc-bord [hélicoptère].

Freight compartment : Soute à fret.

Freight plane : Avion-cargo.

Freight sling : Elingue de fret.

Freight stowing : Centrage du fret.

Freighter : Avion-cargo.

French Air Force : Armée de l'Air Française.

Frequency hopping (FH) : Saut de fréquence.

Frequency modulated continuous wave (FMCW) : Onde continue à fréquence modulée [altimètre radar].

Frequency range : Echelle des fréquences.

Fresh air intake : Prise d'air de ventilation.

Fretting : Usure par frottement. Usure par contact. Grippage.

Fretting corrosion : Corrosion par frottement. Corrosion par contact.

Friction bearing :
Palier à friction. Roulement à friction.

Friction drag : Traînée de frottement.

Friction wear : Usure par frottement.

Front box : Caisson avant.

Front door :
Trappe principale du train d'atterrissage avant.

Front fan : Soufflante avant.

Front fan twin-spool turbofan :
Turboréacteur double flux à soufflante avant.

Front jettisonable door : Porte avant éjectable.

Front main bearing : Palier avant principal.

Front panel : Panneau avant.

Front pax door : Porte passagers avant.

Front pressure bulkhead :
Cloison étanche pressurisée avant.

Front section :
Partie avant. Section avant. Profilé avant.

Front section of the fuselage :
Partie avant du fuselage.

Front spar : Longeron avant.

Front spar attachment main frame :
Cadre principal de fixation de longeron avant.

Front spar/fuselage attachment joint : Cadre d'attache du longeron avant de la voilure au fuselage.

Front wind : Vent debout.

Fruiting [unsolicited radar responses] :
"Fruitage" [réception de réponses radar non sollicitées].

Fuel : Carburant. Combustible.

Fuel-air mixture :
Mélange carburant-comburant.

Fuel and sensor tactical (FAST) pod :
Conteneur logeant du carburant et de nombreux capteurs [caméra, équipement radar, détecteurs].

Fuel booster pump : Pompe de suralimentation.

Fuel cell backing board :
Elément de soutien de réservoir souple.

Fuel cell bladder tank :
Réservoir de carburant souple.

Fuel cock : Robinet carburant.

Fuel cock control :
Commande de robinet carburant.

Fuel contents transmitter : Jauge de carburant.

Fuel control and monitoring system (FCMS) :
Système aéroporté de gestion du transfert de carburant en vol.

Fuel control management computer (FCMC) :
Calculateur de gestion et de contrôle du carburant.

Fuel control unit : Régulateur carburant.

Fuel control unit housing :
Carter de régulateur carburant.

Fuel cross-feed valve :
Robinet d'intercommunication carburant.

Fuel cut-off :
Dispositif de coupure de l'arrivée d'essence.

Fuel cut-out : Robinet coupe-feu.

Fuel de-icing heater : Réchauffeur carburant.

Fuel dump valve : Robinet vide-vite.

Fuel dumping : Vidange de carburant en vol.

Fuel feed line shroud :
Gaine de tuyau d'alimentation en carburant.

Fuel feed system :
Circuit d'alimentation carburant.

Fuel filler cap : Bouchon de remplissage de réservoir [carburant].

Fuel flow control block :
Electrorégulateur de débit [carburant].

Fuel flow control unit :
Régulateur de débit carburant.

Fuel flow gage : Débitmètre carburant.

Fuel flow indicator :
Indicateur de débit carburant.

Fuel for diversion :
Carburant de réserve pour déroutement.

Fuel gage tank unit :
Jaugeur de réservoir carburant.

Fuel-gone indicator : Indicateur-totaliseur de consommation carburant.

Fuel grade : Indice d'octane.

Fuel high-pressure cock :
Robinet carburant haute pression.

Fuel-injection engine : Moteur à injection.

Fuel inlet : Arrivée carburant.

Fuel jettison : Vide-vite.

Fuel jettison duct :
Conduite de vidange des réservoirs.

Fuel jettison valve : Valve de vidange carburant.

Fuel leakage :
Fuite de combustible [ou de carburant].

Fuel level pre-setting control :
Boîtier de préaffichage carburant.

Fuel line : Tuyauterie carburant.

Fuel low-pressure cock :
Robinet carburant basse pression.

Fuel management computer :
Calculateur de gestion carburant.

Fuel management panel :
Tableau de gestion carburant.

Fuel metering device :
Dispositif de dosage du carburant.

Fuel metering valve :
Vanne de dosage carburant.

Fuel mixture controller :
Contrôleur de mélange carburant.

Fuel nozzle : Injecteur de carburant.

Fuel pod : Réservoir auxiliaire de carburant.

Fuel-pressure drop :
Baisse de pression de carburant.

Fuel-pressure drop warning light : Voyant lumineux de baisse de pression de carburant.

Fuel pump manifold :
Collecteur de pompe carburant.

Fuel pump outlet flange :
Bride de refoulement de pompe carburant.

Fuel quantity indication system (FQIS) :
Système indicateur de quantité de carburant.

Fuel shut-off cock : Robinet coupe-feu.

Fuel shut-off cock control link :
Biellette coupe-feu.

Fuel starvation : Panne sèche. Panne d'essence.

Fuel system : Circuit d'alimentation carburant.

Fuel system piping :
Tuyauterie du circuit d'alimentation carburant.

Fuel system valve : Clapet de circuit carburant.

Fuel tank : Réservoir de carburant.

Fuel tank blow-off :
Purge de réservoir carburant.

Fuel tank cap :
Bouchon de réservoir [carburant].

Fuel tank dividing rib : Nervure de cloisonnement de réservoir carburant.

Fuel tank mounting lug :
Patte de fixation de réservoir carburant.

Fuel tank vortex suppressor :
Dispositif antivague de réservoir carburant.

Fuel temperature probe :
Sonde de température carburant.

Fuel totalizer :
Indicateur-totaliseur de carburant.

Fuel ullage box : Boîte d'expansion de carburant [saumon d'aile].

Fuel venting system :
Circuit de mise à l'air libre carburant.

Fulcrum pin : Axe de pivotement.

Full-authority digital autothrottle :
Régulateur numérique à pleine autorité.

Full-authority digital control : Commande de régulation numérique à pleine autorité.

Full-authority digital engine control (FADEC) : Système de régulation électronique numérique à pleine autorité du moteur.

Full fine pitch [variable-pitch propeller] :
Plein petit pas [hélice à pas variable]:

Full flight simulator (FFS) :
Simulateur de vol [mobile].

Full-open stop : Butée "plein gaz".

Full-out : A plein gaz. A plein tube.

Full power level (FPL) : Pleine puissance.

Full-power test run :
Essai à pleine puissance [moteur].

Full-scale development (FSD) :
Mise au point finale.

Full-scale engineering development (FSED) :
Développement technique final.

Full throttle : Plein gaz. Plein régime.

Full thrust take-off :
Décollage à pleine poussée.

Full weight take-off :
Décollage à la masse maximale.

Fully articulated rotor :
Rotor à articulation complète.

Fully mission capable (FMC) aircraft :
Avion prêt à remplir sa mission [USA].

Fully variable exhaust nozzle :
Tuyère à section variable.

Fuse pin : Clavette fusible. Rivet fusible.

Fuselage acoustic test system (FATS) :
Cellule d'essais destinée à tester en vraie grandeur les effets de la fatigue sur le fuselage.

Fuselage belly panel : Panneau de barque.

Fuselage boat hull : Fond de barque.

Fuselage box : Caisson de fuselage.

Fuselage box beam wall :
Ame de poutre de fuselage.

Fuselage cavity : Alvéole de fuselage.

Fuselage center box : Caisson central de fuselage. Poutre centrale de fuselage.

Fuselage center section :
Partie centrale de fuselage.

Fuselage centerline :
Axe longitudinal du fuselage.

Fuselage dorsal fin :
Arête dorsale du fuselage.

Fuselage forward section :
Partie avant du fuselage.

Fuselage frame location :
Positionnement des cadres de fuselage.

Fuselage front section : Partie avant du fuselage.

Fuselage half-shell : Coquille de fuselage.

Fuselage keel assembly :
Ensemble fuselage inférieur.

Fuselage lap joint :
Joint à recouvrement de fuselage.

Fuselage lights : Feux de fuselage.

Fuselage longeron : Longeron de fuselage.

Fuselage lower section :
Barque [tronçon inférieur de fuselage].

Fuselage nose : Pointe avant du fuselage.

Fuselage nose section : Partie avant du fuselage.

Fuselage plug [generally added to an existing fuselage to obtain an extended version] :
Tronçon de fuselage [généralement ajouté à un fuselage existant pour obtenir une version allongée].

Fuselage rear section :
Partie arrière du fuselage.

Fuselage section :
Section de fuselage. Tronçon de fuselage.

Fuselage skin : Revêtement du fuselage.

Fuselage skin panel : Panneau de fuselage.

Fuselage skin plating : Revêtement de fuselage.

Fuselage tail section : Partie arrière du fuselage.

Fuselage-to-tail unit fillet :
Arête de raccordement dérive-fuselage.

Fuselage trim : Assiette du fuselage.

Fuselage vent : Mise à l'air libre du fuselage.

Fuselage-wing junction frame :
Cadre de liaison voilure-fuselage.

Fusion welding : Soudage par fusion du métal.

Future air navigation system (FANS) :
Projet de système de navigation aérienne par satellites.

Future European space transport infrastructure programme (FESTIP) [a study programme for Hotol, Sanger and Aerospatiale hypersonic plane projects] : Programme d'étude des projets HOTOL, SANGER et avion hypersonique Aérospatiale.

Future international military/civil airlifter (FIMA) [a project aimed at the replacement of Hercules C-130 and Transalls at the turn of the century] : Projet d'avion de transport militaire/civil [destiné à remplacer les HERCULE C-130 et TRANSALL au début des années 2000].

Future large aircraft (FLA) [scheduled to replace C-130 and C-160 early next century] :
Avion gros-porteur européen [destiné à remplacer les C-130 et C-160 au début du XXIe siècle. Voir FIMA, EUROFLAG].

Future laser atmospheric measurement equipment (FLAME) : Projet d'équipement de mesure de l'atmosphère.

G

G-break : Abattée.

G-force : Force d'accélération.

G-limit : Facteur de charge.

G-loading : Accélération centrifuge.

G-Loss of consciousness (G-LOC) [supersonic aircraft pilots] : Perte de conscience due à la force d'accélération [pilotes d'avions supersoniques].

G-meter : Accéléromètre. Indicateur de g.

G-pants : Pantalon anti-g.

G-suit : Combinaison anti-g.

Gagged undercarriage : Train d'atterrissage bloqué en position "rentré".

Galley : Galley. Meuble-office de bord. Office.

Galley unit : Bloc-cuisine. Bloc-office [de bord].

Galling :
Ecorchure. Friction. Usure par frottement.

Gang channel : Bande à écrous prisonniers.

Ganged : Couplé [mécaniquement].

Ganging :
Accouplement. Jumelage. Synchronisation.

Gangway : Couloir. Passerelle.

Gantry : Plate-forme de levage.

Gantry crane : Portique [grue].

Garbling : Chevauchement ou déformation des réponses [radar].

Gas bleed-off device : Dispositif de décharge de gaz.

Gas exhaust : Echappement des gaz.

Gas generator : Générateur de gaz.

Gas generator section [gas turbine] : Section de générateur de gaz [turbine à gaz].

Gas path analysis (GPA) [checking the thermodynamic conditions] : Analyse de la veine gazeuse [vérification de l'état thermodynamique].

Gas pressure bonding : Soudage par diffusion.

Gas shut-off valve : Soupape de détente des gaz.

Gas temperature indicator : Indicateur de température des gaz.

Gas turbine : Turbine à gaz.

Gas turbine engine : Turbomoteur.

Gas turbine starter : Démarreur à turbine à gaz.

Gasket : Joint métalloplastique. Rondelle-joint.

Gasket ring : Bague d'étanchéité.

Gasket seal : Joint d'étanchéité.

Gasoline : Essence [USA].

Gate : Porte d'accès aux avions [aéroport].

Gate valve : Robinet d'arrêt. Robinet à guillotine.

Gear : Appareil. Dispositif. Engrenage. Pignon. Transmission.

Gear assembly : Pignonnerie.

Gear case : Carter.

Gear door : Trappe de train d'atterrissage.

Gear down and locked : Train d'atterrissage sorti et verrouillé.

Gear-driven ducted fan : Soufflante carénée entraînée par réducteur.

Gear extension light : Voyant de sortie de l'atterrisseur.

Gear extracted : Train d'atterrissage sorti.

Gear follow-up linkage : Timonerie d'asservissement du train d'atterrissage.

Gear leg : Jambe de train d'atterrissage.

Gear ratio : Rapport d'engrenage.

Gear retracted : Train d'atterrissage rentré.

Gear retraction actuator : Vérin de relevage de train d'atterrissage.

Gear tab : Tab automatique.

Gear unsafe light : Voyant de mauvais fonctionnement du train d'atterrissage.

Gear up and locked : Train d'atterrissage rentré et verrouillé.

Gear up indicator : Indicateur de train d'atterrissage rentré.

Gear wheel : Roue dentée.

Gearbox : Boîte d'engrenage. Boîte de transmission. Relais d'accessoires.

Gearbox drive shaft : Arbre de transmission.

Gearbox fairing : Carénage du boîtier de transmission.

Gearbox seal : Joint de boîte d'engrenage.

Geared-down engine : Moteur démultiplié. Moteur à réducteur.

Geared motor : Ensemble motoréducteur.

Geared spring tab : Compensateur automatique à ressort.

Geared tab : Tab automatique.

General air traffic : Circulation aérienne générale.

General control unit (GCU) : Boîtier de régulation générale.

General integrated publication system (GIPSY) : Système de gestion de la documentation relative à l'entretien de l'Airbus A 320.

General warning panel : Panneau d'alarmes lumineuses.

Generating set : Groupe électrogène.

Generator control unit (GCU) : Régulateur d'alternateur.

Generator drive : Entraînement de génératrice.

Generator fault detector : Détecteur de mauvais fonctionnement de génératrice.

« George » [slang] : Pilote automatique [argot].

Geostationary Earth orbit (GEO) : Orbite géostationnaire.

Geostationary operational environmental satellite (GOES) : Satellite météorologique en orbite géostationnaire.

Geostationary satellite orbit (GSO) : Orbite des satellites géostationnaires.

Geostationary transfer orbit (GTO) : Orbite de transfert géostationnaire.

Geosynchronous orbit : Orbite géosynchrone.

Geosynchronous satellite : Satellite géosynchrone.

Gill : Ouïe. Prise d'air.

Gimbal joint : Cardan.

Gimbal-mounted : Suspendu à la cardan.

Gimballed heading reference system : Système de référence de cap à anneaux de cardan.

Gimballed main exhaust nozzle : Tuyère principale orientable.

Girder : Poutre. Poutrelle.

Gland : Chapeau de presse-étoupe. Presse-garniture. Raccord presse-étoupe.

Glare-shield : Pare-soleil.

Glass cockpit [flight data are supplied by electronic indicators incorporated in the pilot's helmet] : "Cockpit de verre" [les informations de vol sont fournies par les indicateurs électroniques logés dans le casque du pilote].

Glass-fiber laminate : Stratifié en fibres de verre.

Glass-fiber yoke [rotor head] : Etrier en matériaux composites en fibres de verre [tête de rotor].

Glass-fibre blade skin : Revêtement de pale en fibre de verre [hélicoptère].

Glide antenna : Antenne de pente.

Glide descent : Descente en plané.

Glide-in approach : Approche en vol plané.

Glide landing : Atterrissage en vol plané.

Glide path : Alignement de descente. Radioalignement de descente.

Glide path aerial : Antenne de radioalignement de descente.

Glide path antenna : Antenne glide.

Glide path beam : Faisceau de trajectoire d'atterrissage.

Glide path indicator : Indicateur de pente de descente.

Glide path landing (GPL) : Atterrissage radioguidé.

Glide path localizer : Indicateur de pente.

Glide path transmitter : Radiophare d'alignement de descente.

Glide ratio : Taux de pente de descente en vol plané.

Glide slope : Alignement de descente. Glide slope. Radioalignement de descente.

Glide slope aerial : Antenne de pente. Antenne de site et d'incidence.

Glide slope antenna : Antenne de plan de descente.

Glide slope receiver : Récepteur de pente. Récepteur de glide slope.

Gliding : Vol à voile.

Gliding flight : Vol plané.

Global environment monitoring system (GEMS) [operating through observation satellites] : Système de surveillance de l'environnement à l'échelle planétaire [par satellites d'observation].

Global landing system (GLS) : Système d'atterrissage de précision [basé sur le GPS].

Global navigation satellite system (GNSS) : Système mondial de navigation par satellites.

Global ozone measuring experiment (GOME) : Système de détection de la quantité d'ozone dans la stratosphère et la troposphère.

Global portable computer (GPC) : Calculateur portatif d'établissement du plan de vol.

Global positioning system (GPS/NAVSTAR) : Système de navigation aérienne par satellites.

Global protection against limited strikes (G-PALS) system [USA] : Système de protection à l'échelle mondiale contre les attaques limitées de missiles balistiques tactiques [USA].

Global satellite navigation system (GLONASS) : Système de navigation aérienne par satellites [CEI].

Go-around (GA) : Remise des gaz [après atterrissage manqué].

Gonio electronic unit : Coffret d'électronique de goniomètre.

Goof-proof : Fiable.

Governor assembly : Régulateur.

Governor control stop : Butée de régulateur.

GPS-aided munition (GAM) : Munition guidée par GPS.

GPS-aided targeting system (GATS) : Système de visée par GPS.

GPS/NAVSTAR receiver : Récepteur de positionnement GPS/NAVSTAR.

Graduated dial : Cadran gradué.

Graduated quadrant : Secteur gradué.

Grain : Grain de poudre. Bloc de poudre [propulseur à poudre].

Graphic display controller (GDC) : Contrôleur d'écran graphique.

Graphic engine monitor : Indicateur-enregistreur graphique des paramètres moteur.

Grass trip : Piste d'atterrissage en herbe.

Gravel kit : Kit "utilisation sur piste en gravier" [contre l'absorption de gravier par les réacteurs].

Gravel runway : Piste en gravier].

Gravity die casting : Moulage en coquille.

Gravity feed tank [above the engine] : Réservoir de carburant [au-dessus du moteur].

Grease-gun lubrication : Graissage sous pression.

Grease-lubricated main rotor transmission : Transmission de rotor principal lubrifiée à la graisse.

Grease nipple : Graisseur. Raccord de graissage.

Grease packing-gland : Boîte à graisse.

Green aircraft [without interior fittings or finishing] : Avion nu [sans aménagements ni finition].

Green airframe : Bloc d'hélicoptère.

Green configuration : Bloc d'hélicoptère.

Grinding machine : Machine à rectifier. Rectifieuse.

Grooving : Rainurage. Sillonnement d'usure.

Gross lift-off weight (GLOW) [spacecraft] : Poids total au décollage [véhicule spatial].

Gross take-off weight (GTOW) : Masse totale au décollage.

Gross thrust : Poussée brute [réacteur].

Gross weight (GW) : Masse totale [d'un avion].

Gross wing area :
Surface alaire totale. Surface totale de l'aile.

Ground anti-aircraft control :
Radar directeur de tir de DCA.

Ground based radar (GBR) : Radar terrestre.

Ground collision avoidance system (GCAS) :
Système avertisseur de proximité du sol.

Ground-controlled approach (GCA) :
Approche guidée du sol. Percée en GCA.

Ground-controlled intercept (GCI) :
Station terrestre de guidage et de contrôle.

Ground effect : Effet de sol.

Ground equipment manual (GEM) :
Manuel d'outillage et équipement au sol.

Ground facilities : Installations au sol.

Ground/flight switch : Sélecteur sol/vol.

Ground handling : Assistance sur piste.

Ground idle : Ralenti au sol [moteur].

Ground-launched anti-ship system (GLASS) :
Missile de croisière.

Ground loop : Cheval de bois.

Ground maintenance : Entretien au sol.

Ground mapping : Cartographie.

Ground-mapping radar :
Radar de figuration du relief.

Ground navigation light :
Feu aéronautique au sol.

Ground-path error : Erreur de relèvement causée par la diffraction de l'onde de sol.

Ground position indicator (GPI) :
Radar indicateur de position.

Ground power unit (GPU) :
Groupe de parc. Groupe électrogène de piste.

Ground-proximity warning system (GPWS) :
Système avertisseur de proximité du sol.

Ground speed (GS) :
Vitesse au sol. Vitesse par rapport au sol.

Ground spoiler :
Spoiler. Volet mobile destructeur de portance.

Ground spoiler control box :
Boîte de commande de spoiler.

Ground support equipment (GSE) :
Matériel de servitude au sol.

Ground terminal : Borne de masse [électricité].

Ground test : Essai au sol.

Ground test equipment :
Equipement d'essais au sol.

Ground-to-air missile (GAM) : Missile sol-air.

Ground-to-ground missile (GGM) :
Missile sol-sol.

Ground vibration test :
Essai de vibrations au sol.

Ground wave : Onde de sol.

Guaranteed mean time between failure (GMTBF) : Moyenne garantie des temps de bon fonctionnement.

Guidance antenna : Antenne de guidage.

Guidance computer : Calculateur de guidage.

Guide rail fairing : Carénage de rail de guidage.

Guide vane : Aubage de guidage. Aube de distributeur. Aube directrice. Diffuseur.

Guide vane casing :
Carter d'aubage de guidage. Carter diffuseur.

Guided aircraft missile (GAM) :
Missile guidé air-air.

Gun bay : Soute avant. Soute canon.

Gun pod : Conteneur canon.

Gunfire control system (GFCS) :
Radar directeur de tir.

Gunner : Mitrailleur. Canonnier.

Gunner side-panel :
Panneau latéral du mitrailleur.

Gunsight aiming point camera (GSAP) :
Camera de collimateur.

Gunsight system : Dispositif de visée.

Gust-alleviator test :
Essai d'amortisseur de rafales.

Gust damper : Amortisseur de rafales.

Gust generator : Générateur de rafales.

Gust lock : Blocage des gouvernes. Verrouillage des gouvernes [au sol].

Gust lock switch :
Microrupteur de blocage des gouvernes.

Guttering : Ravinement [érosion de criques].

Guy : Hauban.

Gyro : Gyro. Gyroscope.

Gyro attitude indicator :
Indicateur d'assiette gyroscopique.

Gyro caging : Blocage du gyroscope. Tulipage.

Gyro compass : Compas gyromagnétique. Compas gyroscopique. Conservateur de cap.

Gyro data repeater :
Répétiteur de signaux de cap.

Gyro horizon : Gyroscope d'horizon. Horizon gyroscopique (ou artificiel).

Gyro housing :
Cage de gyroscope. Pot de gyroscope.

Gyro magnetic compass :
Compas gyromagnétique.

Gyro motor : Moteur de gyroscope. Propulseur de gyroscope.

Gyro platform : Plate-forme gyroscopique.

Gyro push-to-cage button :
Bouton-poussoir de blocage de gyroscope.

Gyro resetting : Recalage de gyroscope.

Gyro spinner : Toupie de gyroscope.

Gyro-stabilized roof-mounted sight : Viseur gyrostabilisé de toit [hélicoptère militaire].

Gyro-stabilized sight : Viseur gyrostabilisé.

Gyro torquer : Moteur couple de gyroscope.

Gyro unit : Centrale gyroscopique.

Gyro wheel : Volant de gyroscope.

Gyrocompassing : Recherche du nord géographique par centrale de navigation inertielle.

Gyroscopic collimator :
Collimateur gyroscopique.

Gyroscopic direction indicator : Conservateur de cap. Indicateur gyrodirectionnel.

Gyroscopic head of infra-red homing head : Tête gyroscopique de l'autodirecteur infrarouge.

Gyroscopic horizon :
Horizon gyroscopique.

Gyrostabilizer :
Stabilisateur gyroscopique.

H

Hair cross : Réticule de visée.

Hair spring : Ressort en spirale.

Hairline crack : Crique fine. Crique capillaire.

Half deflection : Demi-braquage.

Half-nose fairing : Demi-coiffe.

Half section : Demi-coupe.

Ham operator :
Opérateur d'une station radio-amateur.

Hammer scales : Battitures.

Hammering : Martelage. Ecrouissage.

Hand control : Commande manuelle.

Hand hole : Panneau de visite.

Hand machining : Usinage manuel.

Handling : Service en escale.

Handling during intermediate stop :
Assistance en escale.

Hand-reset : Réenclenchement manuel.

Hands-off hover flight :
Vol stationnaire automatique.

Hands on throttle and stick :
Mains sur manette des gaz et manche.

Hang glider : Deltaplane.

Hard anodizing : Anodisation dure.

Hard chine :
Coque d'hélicoptère à bouchains vifs.

Hard field : Terrain d'accès difficile.

Hard landing : Atterrissage dur.

Hard point : Point d'attache. Point d'accrochage.

Hard runway : Piste en dur.

Hard time maintenance : Maintenance dans une période de temps déterminée.

Hard-wired pilotage logic :
Système logique câblé de pilotage.

Hardened aircraft shelter (HAS) :
Abri « durci » pour avions de combat.

Harness : Faisceau de conducteurs. « Spaghettis » [argot].

Hash line : Parasite radar [sur écran cathodique].

Hat section : Profilé oméga.

Hatch : Ecoutille. Panneau de descente. Trappe.

Head-down display (HDD) :
Visualisation tête basse.

Head out and hands on throttle and stick (HOTAS) [latest concept of systems control] : Regard vers l'extérieur et mains sur la manette des gaz et le manche [conception moderne de commande des systèmes].

Head-up checklist (HUC) :
Afficheur-lecteur de consignes de vol.

Head-up display (HUD) : Visualisation tête haute. Viseur tête haute. Collimateur de pilotage tête haute.

Head-up display weapon aiming computer (HUDWAC) : Calculateur de navigation et d'attaque à affichage tête haute.

Head-up flight display system (HFDS) :
Système de visualisation tête haute.

Head-up landing display :
Ecran d'atterrissage tête haute.

Header tank : Réservoir en charge. Nourrice en charge. Bâche.

Heading : Cap. Route.

Heading alteration : Modification de cap.

Heading and altitude sensor (HAS) :
Centrale de cap et de verticale.

Heading and attitude reference system (HARS) : Système indicateur d'attitude et de direction.

Heading and navigation master indicator :
Indicateur principal de cap et de navigation.

Heading and vertical gyro system assembly :
Centrale de cap et de verticale.

Heading computer : Calculateur de cap.

Heading error integrator : Intégrateur d'erreur de cap [pilote automatique].

Heading hold stabilizer : Stabilisateur de cap.

Heading index : Index de cap.

Heading indicator : Indicateur de cap.

Heading marker : Curseur de cap.

Heading preselection : Présélection de cap.

Heading selector (HS) : Sélecteur de cap.

Heading selector knob : Bouton « Cap à tenir ».

Heading synchronizer : Synchroniseur de cap.

Headset :
Casque radio. Casque d'écoute. Ecouteur.

Health and usage monitoring system (HUMS) :
Système de surveillance de l'état du moteur, du fonctionnement de la turbine et des éléments de la transmission [hélicoptère].

Heat-ablative shield : Bouclier thermique.

Heat engine : Moteur thermique.

Heat exchanger exhaust duct : Conduit d'échappement d'échangeur de température.

Heat-proof : Calorifugé.

Heat release rate (HRR) : Débit calorifique.

Heat-setting composite :
Matériau composite thermodurcissable.

Heat shield :
Bouclier thermique. Ecran pare-chaleur.

Heat-shielding materials :
Matériaux de protection thermique.

Heat sink : Puits de chaleur; plaque; lame ou lamelle de refroidissement.

Heat treatment : Traitement thermique.

Heated pitot head : Antenne Pitot chauffante.

Heating suit : Combinaison de vol chauffante.

Heaving velocity :
Vitesse verticale de battement de pale.

Heavy landing : Atterrissage brutal.

Heavy-lift expendable launcher :
Lanceur lourd non réutilisable.

Heavy lift helicopter (HLH) :
Hélicoptère de transport lourd.

Heavy load release system :
Dispositif de largage de charges lourdes.

Heavy structural repair :
Réparation structurale importante.

Heavy twinjet : Biréacteur lourd.

Hedgehopping flight : Vol en rase-mottes.

Height-lock mode : Mode d'asservissement de l'altitude [pilote automatique].

Height power factor :
Coefficient de puissance en altitude.

Heliborne battlefield surveillance system :
Système héliporté de surveillance du champ de bataille.

Helicopter air data computer (HADC) :
Calculateur anémobarométrique d'hélicoptère.

Helicopter airworthiness review panel (HARP) report [drawn up at the CAA request to im-
prove commercial helicopters in-flight safe-ty] : Rapport HARP [établi à la demande de la CAA pour améliorer la sécurité en vol des hélicoptères commerciaux.

Helicopter approach path indicator (HAPI) :
Indicateur de pente d'approche d'hélicoptère.

Helicopter attack system (HATS) :
Système d'attaque d'hélicoptère.

Helicopter azimuth control :
Commande cyclique.

Helicopter cow : Hélicoptère ravitailleur.

Helicopter emergency buoyancy bag :
Dispositif de flottaison de secours pour hélicoptère.

Helicopter gearbox failure detector :
Détecteur de mauvais fonctionnement des boîtes de transmission d'hélicoptères.

Helicopter infra-red system (HIRS) :
Système de navigation et de surveillance IR pour hélicoptère.

Helicopter instrument rules (HIR) :
Règlement de vol aux instruments [hélicoptère].

Helicopter integrated sonic system (HISOS) :
Système de détection acoustique à longue portée pour hélicoptère.

Helicopter laser warning equipment (HLWE) :
Equipement de bord avertisseur d'émissions laser [hélicoptères].

Helicopter long range sonar (HLRS) :
Sonar d'hélicoptère à longue portée.

Helicopter multi-function system (HELMS) :
Système d'aide à la navigation et à l'atterrissage pour hélicoptères.

Helicopter obstacle warning device (HOWD) :
Dispositif de signalisation d'obstacles pour hélicoptères.

Helicopter relay :
Relais de gauchissement [hélicoptère].

Helicopter rotor : Rotor d'hélicoptère.

Helicopter rotor vibration damper : Amortisseur de vibrations de rotor d'hélicoptère.

Helicopter transmission system :
Mécanisme de transmission de l'hélicoptère.

Helicopter underslung spray system (HUSS) :
Système de pulvérisation à l'élingue.

Helicopter visual rules (HVR) :
Règles de vol à vue pour hélicoptères.

Heliosynchronous orbit : Orbite héliosynchrone.

Helipad :
Plate-forme d'atterrissage pour hélicoptères.

Heliport : Héliport.

Helmet airborne display and sight (HADAS) :
Dispositif de visualisation des données de navigation, de pilotage et de tir monté sur le casque.

Helmet-mounted display (HMD) :
Viseur/visuel monté sur casque.

Helmet-mounted display/line-of-sight locator (HMD/LOSL) : Viseur/visuel de casque et localisateur de ligne de visée.

Helmet-mounted sight/display (HMS/D) :
Viseur/indicateur monté sur le casque.

Helo : Hélico.

High-alpha research vehicle (HARV) : Avion de recherches sur les vols à grande incidence.

High-altitude helicopter (HAH) :
Hélicoptère de haute altitude.

High-altitude long-endurance (HALE) system : Système d'observation à haute altitude et d'autonomie élevée par aéronef sans pilote [projet].

High-altitude long range observation platform (HALROP) : Plate-forme fixe de haute altitude destinée à l'observation de la Terre.

High angle of attack technology program (HATP) : Programme d'étude des paramètres relatifs au vol à incidence très élevée [NASA].

High angle of attack test :
Essai avec forte incidence.

High-aspect ratio wing :
Aile à grand allongement.

High-bypass ratio turbofan :
Gros réacteur à double flux.

High-density digital recorder :
Enregistreur numérique haute densité.

High endoatmospheric defense interceptor (HEDI) : Missile d'interception endoatmosphérique [USA].

High-flying fighter : Chasseur de haute altitude.

High-frequency direction finding (HFDF) :
Radiogoniométrie ondes courtes.

High-gain antenna : Antenne à gain élevé.

High-lift device : Dispositif hypersustentateur.

Highly eccentric orbit (HEO) :
Orbite très excentrique.

High maneuverable aircraft technology (HI-MAT) [a joint NASA-USAF research program in the technology applicable to the development of air superiority aircraft of the 1990s-2000s] : Avions de supériorité aérienne des années 1990-2000 (Programme conjoint NASA-USAF pour l'étude de la technologie applicable au développement des).

High pitch stop :
Butée de grand pas [hélicoptère].

High-precision gearbox : Boîte de transmission de précision [hélicoptère].

High pressure (HP) : Haute pression (HP).

High pressure compressor :
Compresseur haute pression.

High-pressure fuel cock control :
Commande de robinet carburant HP.

High-pressure turbine : Turbine HP.

High resolution mapping radar :
Radar cartographique à haute résolution.

High sink rate undercarriage : Train d'atterrissage à taux d'enfoncement élevé.

High-speed anti-radiation missile (HARM) :
Missile antiradar [USA].

High-speed chemical etching :
Usinage chimique à grande vitesse (UGV).

High-speed commercial transport (HSCT) :
Projet américain d'avion de transport commercial à grande vitesse [Mach 2,5 et +].

High-speed cruising altitude :
Altitude de croisière à grande vitesse.

High-speed propfan :
Turbopropulseur à grande vitesse.

High speed research program (HSRP) [NASA] : Programme de recherche sur les vitesses supersoniques [NASA].

High-speed steel (HSS) : Acier rapide.

High-speed taxiing test :
Essai de roulage à grande vitesse.

High-strength steel (HSS) :
Acier à haute résistance.

High technology test bed (HTTB) :
Banc d'essai volant [avion d'expérimentation en vol d'équipements de haute technologie].

High-velocity aircraft rocket (HVAR) :
Fusée aéroportée à grande vitesse.

High-wing plane : Avion à aile haute.

Hijacking :
Piraterie aérienne. Détournement d'avion.

HI-LO-LO-HI mission : Missions se déroulant à des altitudes différentes.

Hinge : Articulation. Charnière. Gond.

Hinge arm : Bras d'articulation.

Hinge bolt : Boulon d'articulation.

Hinge fitting :
Embout d'articulation. Ferrure d'articulation.

Hinge line :
Axe d'articulation. Axe de charnière.

Hinge pin : Broche de charnière.

Hinge shaft : Arbre d'articulation.

Hinged access panel : Panneau d'accès articulé.

Hinged cowl panel : Panneau de capot articulé.

Hinged engine cowling panel :
Panneau articulé de carénage moteur.

Hinged nose compartment :
Compartiment articulé. Cône de nez.

Hinged panel :
Panneau articulé. Panneau ouvrant.

Hinged servicing cowling : Capot ouvrant.

Hinged suspension : Suspension articulée.

Hingeless rotor :
Rotor rigide. Rotor non articulé.

Hit-or-miss governor :
Régulateur par tout ou rien.

Hoist : Palan. Treuil. Chèvre. Appareil de levage.

Hoisting block : Moufle.

Hoisting ring : Anneau de levage.

Hoisting tackle : Appareil de hissage.

Hold : Soute. Cale.

Hold (to take up the) :
Entrer dans le circuit d'attente.

Holding altitude : Altitude d'attente [avant autorisation d'atterrissage].

Holding pattern : Circuit d'attente [avant autorisation d'atterrissage].

Holding stack : Pile d'attente [avant autorisation d'atterrissage].

Holding time : Temps d'attente [avant autorisation d'atterrissage].

Hollow compressor shaft :
Arbre creux de compresseur.

Hollow spar : Longeron creux.

Holographic head-up display :
Visualisation holographique tête haute.

Homer : Unité de radioralliement. Station gonio d'aéroport.

Homing : Radioguidage. Radioralliement. Tirage par radio.

Homing active guidance : Autoguidage actif.

Homing device : Radiocompas.

Homing head :
Autodirecteur. Tête d'autodirecteur.

Homing receiver : Récepteur de radioguidage.

Honeycomb : Nid d'abeille. NIDA.

Honeycomb core : Ame en nid d'abeille.

Honeycomb material :
Matériau en nid d'abeille.

Honeycomb microwave-absorbent material :
Matériau en nid d'abeille absorbant les micro-ondes.

Honeycomb panel :
Panneau NIDA. Panneau en nid d'abeille.

Honeycomb structure :
Structure en nid d'abeille. Structure alvéolaire.

Honing : Polissage. Pierrage.

Hood : Capot. Capuchon. Capote.

Hoop frame : Couple fort [structure].

Horizon flight director :
Horizon indicateur de vol.

Horizontal drive shaft housing :
Tube d'arbre de transmission [moteur].

Horizontal situation indicator :
Plateau de route

Horizontal situation indicator (HSI) :
Indicateur de situation (ou d'attitude) horizontale.

Horizontal speed : Vitesse en palier.

Horizontal stabilizer :
Plan fixe horizontal. Empennage horizontal.

Horizontal stabilizer area :
Surface de l'empennage horizontal.

Horizontal stabilizer tip :
Saumon de plan fixe horizontal.

Horizontal tail : Empennage horizontal.

Horizontal tail box :
Caisson d'empennage horizontal.

Horizontal take-off and landing (HOTOL) launcher [manned, reusable space shuttle] :
Navette spatiale habitée réutilisable à décollage et atterrissage en position horizontale [GB].

Horizontal wind shear :
Cisaillement horizontal du vent.

Horn : Guignol. Corne. Klaxon.

Horn balance : Corne de compensation aérodynamique. Compensateur d'évolution.

Horsepower (HP) :
Cheval-vapeur [1HP=1,014 CV].

Hot air bleed valve :
Vanne de prélèvement d'air chaud.

Hot air blower : Générateur d'air chaud.

Hot cycle helicopter : Hélicoptère à cycle chaud.

Hot cycle rotor wing : Aile-rotor à cycle chaud.

Hot-dimpled skin :
Revêtement embrevé à chaud.

Hot-end temperature : Partie chaude [moteur].

Hot forming : Formage à chaud [métallurgie].

Hot isostatic pressing (HIP) :
Pressage isostatique à chaud.

Hot landing : Atterrissage à grande vitesse.

Hot pressure bonding :
Collage haute pression. Soudage par diffusion.

Hot refuelling : Ravitaillement en carburant avec moteur en marche et rotor tournant.

Hot shrink fit : Ajustage à chaud.

Hot sizing : Calibrage à chaud [métallurgie].

Hot start : Démarrage avec surchauffe.

Hot-structure inspection (HSI) :
Inspection des parties chaudes d'un moteur.

Hotel mode [braking device preventing propeller rotation without stopping the engine to allow operation of the air conditioning system during stopover] : "Mode hôtel" [dispositif de freinage de l'hélice empêchant sa rotation bien que le moteur tourne, permettant ainsi une production autonome d'électricité pour les besoins de la climatisation pendant les escales].

Hotted-up engine :
Moteur gonflé. Moteur poussé.

Hours since last shop visit : Nombre d'heures depuis la dernière visite en atelier.

Housing : Cage. Carter. Boîtier. Logement. Corps. Cuve. Enveloppe.

Hovering : Vol stationnaire.

HP compressor : Compresseur haute pression.

Hub : Moyeu. Corps de moyeu.

Hub airport :
Aéroport principal. Plaque tournante.

Hub and spokes : Lignes aériennes desservant plusieurs destinations à partir d'un aéroport principal.

Hub cover plate : Chapeau de moyeu.

Hub spacer : Butée de moyeu.

Hub tilt stop : Butée d'inclinaison de moyeu.

Hud symbol generator : Générateur de symboles de collimateur tête haute.

Hull : Coque. Quille. Carène.

Hump : Bosse de déjaugeage.

Hump speed : Vitesse critique.

Hump start : Démarrage avec surchauffe.

Hunting blade : Pale traînante.

Hush kit : Dispositif d'insonorisation du moteur. Silencieux.

Hybrid fan/vectored thrust (HFVT) :
Soufflante hybride/poussée orientée.

Hybrid laminar flow wing :
Aile à écoulement laminaire hybride.

Hydrant fuelling system :
Système de remplissage de carburant.

Hydraulic actuator : Vérin hydraulique.

Hydraulic actuator assembly :
Motorisation hydraulique.

Hydraulic bay : Baie hydraulique.

Hydraulic boost system :
Servocommande hydraulique.

Hydraulic equipment service bay :
Soute à équipements hydrauliques.

Hydraulic jack : Vérin hydraulique.

Hydraulic oil : Huile pour circuit hydraulique.

Hydraulic packing back-up washer :
Couvre-joint de raccord hydraulique.

Hydraulic reservoir :
Réservoir de liquide hydraulique.

Hydraulic retraction jack : Vérin hydraulique d'escamotage de train d'atterrissage. Vérin de relevage hydraulique. Vérin de rétraction hydraulique.

Hydraulic steering jack :
Vérin d'orientation hydraulique.

Hydraulic system : Circuit hydraulique.

Hydraulic tank : Bâche hydraulique.

Hydraulically adjustable seat :
Siège à réglage hydraulique.

Hydraulically-powered tailplane :
Stabilisateur à commande hydraulique.

Hydraulically steerable rearward retracting nosewheel : Roue de train avant hydrauliquement orientable et rétractable vers l'arrière.

Hydrofoil : Plan porteur [hélicoptère]. Surface portante hydrodynamique.

Hydromechanical fuel control :
Régulateur de carburant hydromécanique.

Hydromechanical unit (HMU) :
Dispositif de régulation du moteur.

Hyper-velocity missile (HVM) :
Missile supersonique aéroporté [USA].

Hypersonic aircraft : Avion hypersonique.

Hypersonic orbital return upper stage (HORUS) [a recoverable, unmanned spacecraft designed to put a 15-ton payload into a low Earth orbit] : Avion spatial récupérable non habitable, destiné à placer une charge utile de 15 tonnes en orbite terrestre basse.

Hypersonic test vehicle (HTV) :
Engin d'essais hypersoniques.

Hypersonic transport (HST) : Avion de transport hypersonique [Mach 5 et +].

Hypoid gear : Engrenage hypoïde.

I

IAS indicator : Indicateur d'IAS.

Ice detector head :
Tête d'avertisseur de givrage.

Ice guard : Grille antigivre.

Ice probe : Boîtier de détection de givrage.

Icing test : Essai de givrage.

Ident button : Bouton d'identification.

Identification friend or foe (IFF) :
Identification ami ou ennemi.

Identification friend or foe (IFF) aerial :
Antenne IFF.

Identification friend or foe (IFF) transponder :
Interrogateur IFF.

Identification light : Feu de reconnaissance.

Identification plate : Plaque d'identification.
Plaque signalétique. Plaque d'immatriculation.

Idle jet : Gicleur de ralenti.

Idle pinion : Pignon fou.

Idle roller : Galet-guide.

Idle-throttle stop : Butée de ralenti.

Idling adjustment needle :
Pointeau de réglage de ralenti.

Idling nozzle : Gicleur de ralenti.

Idling range : Plage de ralenti.

Idling unit : Dispositif de ralenti.

IFR flight : Vol aux instruments.

IFR routing : Couloir IFR.

Igniter coil : Bobine d'allumage.

Igniter plug : Bougie d'allumage.

Igniter plug electrical lead :
Harnais électrique des bougies d'allumage.

Igniter unit : Ensemble allumeur.

Ignition advance : Avance à l'allumage.

Ignition booster : Bobine de départ.

Ignition box : Boîte d'allumage.

Ignition distributor cap : Capuchon de DELCO.

Ignition fuel circuit :
Circuit de carburant d'allumage.

Ignition harness : Rampe d'allumage.

Ignition sequence : Ordre d'allumage.

Ignition solenoid valve :
Electro-robinet d'allumage.

Ignition switch actuating cam : Came de commande d'interrupteur d'allumage.

Ignition system :
Circuit d'allumage. Dispositif d'allumage.

Ignition timing : Calage de l'allumage.

Illuminated key : Bouton-poussoir lumineux.

Illustrated parts catalog (IPC) : Catalogue illustré des pièces de rechange avion (CIPA).

Illustrated Parts List (IPL) :
Liste illustrée des pièces de rechange.

Illustrated tool catalog (ITC) :
Catalogue illustré des outillages.

Illustrated tools and equipment manual (ITEM) : Manuel illustré des outillages et équipements (MIOE).

ILS glideslope aerial :
Antenne de guidage en descente ILS.

ILS glideslope antenna :
Antenne ILS [instrument landing system].

ILS marker : Balise radio d'atterrissage.

Imaging infra-red (IIR) : Imagerie thermique.

Imaging radar : Radar enregistreur d'images.

Imbalance : Déséquilibre.

Immersed pump : Pompe électrique installée dans un réservoir de carburant.

Impact accelerometer : Accéléromètre d'impact.
Accéléromètre de décélération.

Impact air pressure : Pression dynamique.

Impedance sensing device :
Détecteur à variation d'impédance.

Impedance test rig : Banc d'essais de vibrations.

Impeller : Roue à aubes.

Impeller front section : Roue d'entrée [moteur].

Improved TOW (ITOW) missile [fitted with a remotely controlled explosion device] :
Missile TOW amélioré [muni d'un dispositif d'explosion à distance].

Inboard aileron : Aileron interne.

Inboard elevon : Elevon interne.

Inboard flap : Volet interne.

Inboard flap track : Rail de volet interne.

Inboard leading-edge slat segment :
Segment interne de bec de bord d'attaque.

Inboard single-slotted flap :
Volet interne à fente unique.

Inboard slap : Bec interne.

Inboard tank : Réservoir interne.

Inboard throttle :
Manette des gaz [moteur intérieur].

Inboard wing leading edge :
Bord d'attaque interne de voilure.

Inboard wing pylon :
Point d'ancrage intérieur de voilure.

Inbound heading : Cap retour.

Incidence angle : Angle d'incidence.

Incidence change control :
Commande de variation d'incidence.

Incidence meter : Incidencemètre.

Incidence probe :
Détecteur d'incidence. Antenne d'incidence.

Incidence scale [setting of variable incidence stabilator] : Echelle d'incidence [réglage du stabilisateur à incidence variable].

Incidence sensor :
Capteur indicateur de décrochage.

Incidence warning light :
Voyant indicateur d'incidence.

Incipient break : Amorce de rupture.

Incipient crack : Amorce de crique.

Incipient fatigue failure :
Début de rupture par fatigue [du métal].

Inclined drive shaft :
Transmission oblique [hélicoptère].

Incoming circuit : Circuit d'entrée.

Incorporation of modification :
Exécution de modification.

Indentation : Dentelure. Echancrure. Empreinte.

Independent secondary surveillance radar (ISSR) : Radar de surveillance secondaire indépendant.

Indicated airspeed (IAS) : Vitesse au badin. Vitesse indiquée. Vitesse anémométrique.

Indicated airspeed (IAS) hold : Vitesse tenue.

Indicated airspeed in knots (KIAS) :
Vitesse indiquée exprimée en noeuds.

Indicated course line :
Alignement de piste indiqué.

Indicated horsepower (IHP) :
Puissance indiquée en chevaux.

Indicated Mach number (IMN) [MMR corrected from instrument error] :
Nombre de Mach indiqué [MMR corrigé de l'erreur instrumentale].

Indicated mean effective pressure (IMEP) :
Pression effective moyenne nominale.

Indicated outside air temperature (IOAT) :
Température indiquée de l'air ambiant.

Indicating panel : Panneau de signalisation.

Indicating tachometer :
Tachymètre enregistreur.

Indirect maintenance cost :
Coût d'entretien indirect.

Induced drag : Traînée induite.

Inducer : Roue d'entrée. Grille directrice d'entrée. Inducer [moteur].

Inductive debris monitor (IDM) :
Détecteur de particules par induction.

Inertial accelerometer :
Accéléromètre à inertie.

Inertial guidance : Guidage inertiel.

Inertial guidance platform : Centrale inertielle.

Inertial initial-guidance system :
Système de préguidage inertiel.

Inertial measurement unit (IMU) :
Unité de mesure inertielle (UMI).

Inertial navigation system (INS) :
Système de navigation inertielle.

Inertial navigation unit :
Boîtier de navigation par inertie.

Inertial platform : Plate-forme inertielle.

Inertial reference system (IRS) :
Système de référence à inertie.

Inertial referenced flight inspection system :
Système d'inspection en vol à référence inertielle.

Inertial strap-down gyro unit :
Centrale inertielle à composants liés.

Inertial unit : Centrale inertielle.

Inertial upper stage (IUS) [for orbit insertion of military satellites] : Etage supérieur de lanceur [pour mise en orbite de satellites militaires].

Inflatable pontoon :
Ballonnet de secours gonflable.

Inflatable slide : Toboggan gonflable.

In-flight emergency power :
Puissance de secours en vol.

In-flight fuel consumption :
Consommation de carburant en vol.

In-flight idle : Ralenti en vol.

In-flight load-alleviation system :
Système d'optimisation de la répartition des charges sur la voilure en vol.

In-flight refuelling :
Ravitaillement en vol [carburant].

In-flight refuelling boom :
Perche de ravitaillement en vol.

In-flight relighting switch :
Interrupteur de rallumage en vol.

In-flight shutdown :
Extinction de moteur en vol.

In-flight shut-down (IFSD) rate :
Taux d'extinction des réacteurs en vol.

In-flight test : Essai en vol.

Infra-red : Infrarouge. IR.

Infra-red astronomy satellite (IRAS) :
Satellite d'observation astronomique IR.

Infra-red counter-countermeasures (IRC-CM) : Contre-contre-mesures IR.

Infra-red countermeasures (IRCM) :
Contre-mesures IR.

Infra-red decoy launcher : Lance-leurres IR.

Infra-red forward looking :
Détecteur axial à IR.

Infra-red goniometer : Goniomètre à IR.

Infra-red homing head : Autodirecteur à IR.

Infra-red linescan (IRLS) :
Capteur IR à balayage linéaire.

Infra-red radar (IRRAD) : Radar à IR.

Infra-red search and track system :
Traqueur IR.

Infra-red search and tracking system (IRSTS) : Système de recherche/poursuite IR.

Infra-red seeker : Détecteur IR.

Infra-red sensor : Capteur IR.

Infra-red sight unit : Viseur IR.

Infra-red space observatory (ISO) (launched on November 17, 1995] :
Satellite d'observation astronomique dans l'infrarouge [lancé le 17 novembre 1995].

Infra-red thermography [non-destructive inspection of composite structures] :
Thermographie IR [contrôle non-destructif des structures composites].

In ground effect (IGE) :
Dans l'effet de sol (DES).

Initial disassembly : Démontage primaire.

Initial operating capability (IOC) :
Qualification opérationnelle initiale.

Initial rate of climb :
Vitesse ascensionnelle initiale.

Initiating relay : Relais primaire.

Initiator : Dispositif d'amorçage. Lanceur. Impulseur. Déclencheur.

Injection harness : Rampe d'injection [moteur].

Injection nozzle : Buse d'injection [moteur].

Injection pump : Pompe à injection.

Injection ring : Rampe d'injection.

Injector : Injecteur [moteur].

Inlet : Entrée. Admission. Arrivée.

Inlet case : Carter d'entrée d'air.

Inlet collector : Collecteur d'admission.

Inlet cone : Cône d'entrée d'air de réacteur.

Inlet control system :
Dispositif régulateur d'entrée d'air.

Inlet guide vane (IGV) : Aubage de prérotation. Aubage directeur d'admission.

Inlet manifold : Collecteur d'admission.

Inlet nozzle : Buse d'entrée.

Inlet particle separator :
Filtre séparateur de particules [moteur].

Inlet pipe : Pipe d'arrivée. Tuyau d'arrivée.

Inlet plenum : Canal d'admission [soufflerie aérodynamique].

Inlet port : Orifice d'admission.

Inlet pressure : Pression d'admission.

Inlet pressure limiter : Limiteur d'admission.

Inlet screen : Crépine d'admission.

Inlet spike : Cône d'entrée d'air.

Inlet valve : Soupape d'admission.

Inner aileron : Aileron interne.

Inner barrel :
Capot primaire [inverseur de poussée].

Inner flap : Volet interne.

Inner marker : Balise intérieure. Balise finale.

Inner marker beacon : Radioborne de bordure.

Inner race : Cage intérieure de roulement. Bague intérieure de roulement.

Inner shroud : Anneau intérieur [moteur]. Virole intérieure de réacteur.

Input : Admission. Entrée. Prise.

Input channel : Canal d'admission.

Input current : Courant d'entrée [électricité].

Input drive shaft : Arbre d'entraînement.

Input port : Orifice d'entrée.

Inquiry for proposals : Appel d'offres.

Inspar : Interlongeron.

Inspection :
Visite. Vérification. Inspection. Contrôle.

Inspection and observation window :
Fenêtre de visite et d'observation. Hublot d'inspection.

Inspection door : Porte de visite. Panneau de visite.

Inspection hole : Trou de visite. Regard.

Inspection non interrupting TBO :
Visite non interruptive de potentiel (VNIP).

Inspection panel : Panneau de visite.

Install (to) : Monter. Mettre en place. Assembler. Poser. Installer.

Installation :
Montage. Mise en place. Pose: Installation.

Installation and check-out (I and CO) :
Installation et mise au point.

Installation device : Dispositif de montage.

Installation diagram : Schéma de montage.

Installation drawing :
Plan d'installation. Dessin de montage.

Installed engine : Moteur avionné.

Instantaneous vertical speed indicator (IVSI) :
Variomètre IVSI.

Instantaneous vertical velocity computer :
Calculateur de vitesse verticale instantanée.

Instrument and control panels :
Panneaux de signalisation et de commande.

Instrument approach :
Approche aux instruments.

Instrument approach and landing (IAL) :
Approche et atterrissage aux instruments.

Instrument approach fix :
Repère d'approche aux instruments.

Instrument attitude comparison unit :
Comparateur d'assiette d'instruments.

Instrument boom [Pitot tube, incidence and yaw probes housing] : Perche à instruments [loge le tube de Pitot et les sondes d'incidence et de lacet].

Instrument comparison warning unit :
Boîtier d'alarme de comparaison.

Instrument compartment access door : Porte d'accès du compartiment des instruments.

Instrument coupler : Coupleur d'instruments.

Instrument flight plan :
Plan de vol aux instruments.

Instrument flight rules (IFR) :
Règles de vol aux instruments.

Instrument flying : Vol aux instruments.

Instrument guiding system (IGS) :
Système de guidage aux instruments.

Instrument landing system (ILS) :
Système d'atterrissage aux instruments.

Instrument meteorological conditions (IMC) :
Conditions météo de vol aux instruments.

Instrument panel :
Tableau de bord. Planche de bord.

Instrument panel coaming :
Encadrement du tableau de bord.

Instrument panel fairing : Pantalon [pylône].

Instrument panel shroud :
Carénage de tableau de bord.

Instrument pointing system (IPS) [precision pointing system for astronomical telescope on board space vehicles] : Système de pointage de précision des télescopes équipant les véhicules spatiaux de recherches astronomiques.

Instrument reading : Valeur indiquée.

Instrument take-off :
Décollage aux instruments.

Insulated coupling : Manchon isolant.

Intake : Admission. Aspiration. Entrée.

Intake casing : Carter d'admission.

Intake casing support ring :
Anneau-support de carter d'admission.

Intake-centre body : Cône fixe d'entrée d'air.

Intake channel : Canal d'aspiration.

Intake collector : Collecteur d'admission.

Intake control system :
Dispositif de commande d'entrée d'air.

Intake guide vane : Aube de guidage. Aube de prérotation. Aube directrice d'entrée.

Intake guide vane assembly :
Couronne directrice d'entrée.

Intake guide vane ram :
Vérin d'aube de guidage.

Intake lip bleed air de-icing : Dégivrage des lèvres d'entrée d'air de prélèvement.

Intake manifold : Conduite d'admission.

Intake throat : Col d'admission.

Intake valve : Soupape d'admission.

Integral fuel tank :
Réservoir de carburant structural.

Integral panel :
Panneau intégral [revêtement d'aile].

Integral rigid head : Moyeu intégré rigide.

Integral rocket ramjet (IRR) :
Statoréacteur à moteur-fusée intégré.

Integral slip skid ball :
Indicateur de dérapage intégral.

Integral tank : Réservoir structural.

Integral wing fuel tank :
Réservoir d'aile intégral.

Integrally cast turbine components :
Composants de turbine coulés d'une seule pièce.

Integrated avionics processor system (IAPS) :
Système de traitement et d'enregistrement des informations fournies par les capteurs.

Integrated communication/navigation/identification avionics (ICNIA) :
Système de communication/navigation/identification intégré.

Integrated countermeasures system (ICMS) :
Système intégré de contre-mesures.

Integrated dynamic system (IDS) :
Système d'entraînement rotor [hélicoptère].

Integrated electronic warfare system (INEWS) : Système intégré de guerre électronique aéroporté.

Integrated engine instrument system :
Système électronique d'affichage des paramètres d'état du moteur.

Integrated flight control system : Système de contrôle intégré du pilote automatique.

Integrated flight system (IFS):
Système d'instruments de vol intégrés.

Integrated flight trajectory control (IFTC) :
Gestion intégrée de la trajectoire de vol.

Integrated flight weapon control (IFWC) :
Gestion intégrée du système d'armes en vol.

Integrated gyro : Gyroscope intégré.

Integrated helicopter avionics system (IHAS) :
Système d'avionique d'hélicoptère centralisé.

Integrated inertial sensor assembly (IISA) :
Senseur inertiel intégré.

Integrated instrument system (IIS) :
Système IIS.

Integrated lift propulsion system :
Système de sustentation intégré d'hélicoptère.

Integrated maintenance computer :
Calculateur de maintenance intégré.

Integrated service data network (ISDN) :
Réseau intégré de transmission de données.

Integrated terrain access and retrieval system (ITARS) : Système de mémorisation et d'actualisation des caractéristiques du terrain survolé.

Integrated test bench :
Appareil de contrôle centralisé (ACC).

Integrated weapon system (IWS) :
Système d'armes intégré.

Integrating flowmeter :
Indicateur-totalisateur de carburant.

Integrating fuel quantity indicator :
Jauge totalisatrice de carburant.

Integrating gyro : Gyroscope intégrateur.

Integration rig [groung test] :
Banc d'intégration [essais au sol].

Integrator amplifier : Amplificateur d'intégration [pilote automatique].

Integrator assembly : Ensemble intégrateur.

Intercept angle of attack :
Angle d'interception [pilote automatique].

Interception air-to-air missile :
Missile air-air d'interception.

Interceptor-fighter : Chasseur d'interception.

Intercom panel : Pupitre d'interphone.

Intercommunication system (ICS) : Interphone.

Intercontinental ballistic missile (ICBM) :
Missile balistique intercontinental.

Intercooler : Prérefroidisseur.

Interdictor strike (IDS) version :
Version "attaque au sol".

Interface : Lien. Liaison. Interface [liaison ordi-
nateur/périphériques].

Interface armament box :
Boîtier interface d'armement.

Interference area : Zone de brouillage [radar].

Interference drag :
Traînée d'interférence [aérodynamique].

Intergranular cracking :
Fissuration intercristalline.

Interlinked controls : Commandes conjuguées.

Interlock bellcrank : Guignol d'interdiction.

Interlock control : Commande d'interdiction.

Interlock device : Dispositif de verrouillage.

Interlock relay :
Relais de sécurité. Relais d'interdiction.

Intermediate aft-fuselage section :
Tronçon intermédiaire arrière de fuselage.

Intermediate case : Carter intermédiaire.

Intermediate contingency power :
Régime moteur intermédiaire d'urgence.

Intermediate gearbox :
Boîte de transmission intermédiaire.

Intermediate range ballistic missile (IRBM) :
Missile balistique de portée intermédiaire.

Internal combustion engine :
Moteur à combustion interne.

Internal flap track : Rampe de volet interne.

Internal pipe size (IPS) :
Calibre intérieur de tuyau.

Internal turbine temperature (ITT) :
Température intérieure de turbine.

Internal turbine temperature (ITT) gauge :
Indicateur de température intérieure de turbine.

Internal wheel case :
Carter interne. Relais d'accessoires.

Internal wheel case driving gear :
Pignon d'entraînement du relais d'accessoires.

Internal wrenching bolt : Boulon à tête creuse.

International airport : Aéroport international.

**International Air Transport Association
(IATA)** : Association du Transport Aérien International.

**International Civil Airport Association
(ICAA)** : Association Internationale des Aéroports Civils.

**International Civil Aviation Organization
(ICAO)** : Organisation de l'Aviation Civile
Internationale (OACI).

International hub :
Plaque tournante internationale.

**International space station (ISS) [Columbus
programme]** : Projet international de station
spatiale habitée [programme Columbus].

International standard atmosphere (ISA) :
Atmosphère standard internationale. Atmosphère ISA.

**International Standardization Association
(ISA)** :
Association Internationale de Normalisation.

**International Standardization Organization
(ISO)** :
Organisation Internationale de Normalisation.

**International telecommunication satellite (IN-
TELSAT)** : Organisation internationale de
gestion des télécommunications intercontinentales par satellite.

**International ultra-violet explorer (IUE)
probe** : Sonde d'étude et d'exploration du
rayonnement ultraviolet.

Interplanetary probe : Sonde interplanétaire.

Interrogator : Emetteur-pilote d'impulsions.

Interrogator-responder-transponder :
Emetteur-récepteur relais combiné.

Interrogator set : Equipement IFF.

Invar : Invar [alliage à 36 % de nickel].

**Inverted engine [an in-line engine having its
cylinders below the crankshaft to improve
the visibility]** : Moteur inversé [moteur en ligne dont les cylindres sont sous le vilebrequin
pour améliorer la visibilité].

Inverted flight valve : Clapet de vol sur le dos.

Inverted gull wing : Aile en W.

Inverted loop : Looping inversé.

Inverted spin : Vrille sur le dos.

Ionic propellant : Propulseur ionique.

Isolator : Sectionneur [GB].
Item of equipment : Pièce d'équipement.

Item to be scrapped :
Pièce (ou article) à mettre au rebut.

J

Jack : Vérin. Prise. Douille. Jack.
Jack box : Boîte de raccordement. Boîte à jacks.
Jack clutch : Manchon d'accouplement.
Jack connection (JC) :
Connection par jack et douille.
Jack outlet : Prise de jack.
Jack panel : Panneau de connexions. Tableau de connexions. Panneau de commutation.
Jack plug : Fiche à jack.
Jack-up equipment :
Equipement de mise sur vérin.
Jacket : Chemise. Enveloppe. Manchon.
Jacketing : Chemisage. Gainage. Manchonnage.
Jacking point : Point d'appui de vérin.
Jackstay : Entretoise (d'écartement).
Jam-proof cable flight control system : Gouvernes commandées par câbles incoinçables.
Jam-resistant terminal integrated digital system (JTIDS) [for combat aircraft and ground tactical command stations] : Système intégré de transmission de données numériques résistant au brouillage [pour avions de combat et centres terrestres de commandement tactique].
Jammed gear : Train d'atterrissage coincé.
Jammed main gear :
Atterrisseur principal bloqué.
Jamming :
Coinçage. Grippage. Blocage. Brouillage.
Jamming sensitivity : Sensibilité au brouillage.
Jerk : Secousse. Saccade.
Jerry-built light aircraft :
Avion léger construit à la va-vite.
Jet : Gicleur. Buse. Tuyère. Jet. Avion à réaction.
Jet A : Kérosène ordinaire.
Jet-assisted take-off (JATO) :
Décollage assisté par fusée.
Jet blast : Souffle de réacteur.
Jet deflection [take-off and landing aid] :
Système de propulsion par réaction destiné à diriger la poussée vers le bas pour faciliter le décollage et l'atterrissage.
Jet deflector : Déflecteur de jet. Déviateur de jet.
Jet diluter-deflector : Dilueur-déviateur de jet.
Jet engine : Moteur à réaction. Réacteur.

Jet engine attach fitting :
Palier-support de réacteur.
Jet engine bearing : Palier de turboréacteur.
Jet engine fuel : Carburéacteur.
Jet engine fuel pump :
Pompe à carburant [réacteur].
Jet engine oil sleeve :
Manchon de circuit d'huile de réacteur.
Jet engine pallet : Palette porte-réacteur.
Jet flapped rotor :
Rotor à volet fluide. Rotor à volet soufflé.
Jet fuel : Kérosène.
Jet helicopter : Hélicoptère à réaction.
Jet lag [a feeling of tiredness after a long flight by plane] : Sensation de fatigue après un long voyage en avion due au décalage horaire.
Jet lubrication : Lubrification au jet. Lubrification par projection.
Jet noise suppressor : Silencieux de piste.
Jet pipe : Buse. Canal. Tuyère.
Jet pipe overheat amplifier :
Amplificateur de surchauffe de tuyère.
Jet pipe propelling nozzle :
Tuyère d'éjection des gaz.
Jet pipe shroud : Revêtement de tuyère isolant.
Jet pipe temperature (JPT) :
Température d'échappement tuyère.
Jet plane : Avion à réaction.
Jet pod : Fuseau-réacteur.
Jet prop engine : Turbopropulseur.
Jet propellant (JP) :
Propergol pour réacteur. Carburéacteur
Jet propulsion : Propulsion par réaction.
Jet refueller :
Citerne de ravitaillement [carburant].
Jet stream : Flux d'éjection.
Jet thrust : Poussée du jet.
Jet trainer : Avion d'entraînement à réaction.
Jet tube : Tuyère d'échappement.
Jet vane : Aube de déviation de jet.
Jet vector control (JVC) system :
Système d'orientation de la poussée.
Jet wash : Jet du réacteur.
Jetliner : Avion de ligne à réaction.

Jettison (to) : Larguer. Vidanger. Ejecter.

Jettison device : Dispositif de largage.

Jettison gear : Dispositif de vidange rapide.

Jettison handle : Poignée de largage.

Jettison speed : Vitesse de largage.

Jettison system : Dispositif vide-vite.

Jettison tank : Réservoir largable.

Jettison valve : Clapet de drainage.

Jettisonable : Ejectable. Largable.

Jettisonable side window panel :
Panneau vitré latéral largable.

Jetway : Passerelle télescopique.

Jig : Bâti d'assemblage. Gabarit.

Jig dimensions : Cotes au gabarit.

Jigs and tools : Outillages divers.

Job contractor : Façonnier.

Joggling : Soyage.

Joint : Joint. Raccordement. Liaison. Raccord.
Jointure.

Joint advanced fighter engine (JAFE) :
Moteur destiné au chasseur tactique des USA.

Joint advanced strike aircraft (JAST) :
Avion de combat de conception avancée.

Joint airworthiness requirements (JAR) :
Règlements de navigabilité conjoints.

Joint army and navy (JAN) specifications :
Spécifications JAN.

Joint Aviation Authority (JAA) :
Homologue européen du FAA américain.

Joint cover : Couvre-joint.

**Joint primary aircraft training system
(JPATS) [USAF and US NAVY]** : Programme de sélection du futur avion d'entraînement de base [USAF et US NAVY].

**Joint surveillance and target attack radar sys-
tem (JSTARS) [a system made up of an**
airborne synthetic aperture radar designed
to detect and track on-ground mobile tar-
gets]** : Radar aéroporté à ouverture synthétique
[assurant la détection et la poursuite d'objectifs mobiles au sol].

Joint tactical missile system (JTACMS) :
Missile antichar [portée 70 km].

Journal : Portée d'arbre sur palier.

Journal bearing :
Palier lisse. Coussinet autolubrifiant.

Journey log book : Carnet de route.

Joy-stick : Manche à balai.

Juice : Essence [argot].

Jumbo jet : Gros porteur à réaction.

Jump jet : Avion à réaction à décollage vertical.

Jump take-off : Décollage sauté.

Jumper :
Cavalier. Connexion volante. Fil volant.

Jumper strap : Bande de mise à la masse.

Junction : Jonction. Raccordement. Connexion.
Branchement.

Junction box : Boîte de dérivation.

Junction case : Carter de jonction.

Junction doubler : Renfort de liaison.

Junction fitting : Ferrure de liaison.

Junction frame : Cadre de liaison.

Junction panel : Tôle de liaison. Couvre-joint.
Panneau de raccordement.

Junction pin : Cheville de raccordement.

Junction plate : Plaque de jonction.

Junction point : Point de liaison.

Junction shackle : Manille de liaison.

Junk : Débris. Ferraille. Rebut.

Jury strut : Mât de support provisoire [avion à
ailes repliables].

K

K-band [between 18 and 27 GHz, radar] :
Bande K [entre 18 et 27 GHz, radar].

Ka-band [between 27 and 40 GHz, radar] :
Bande Ka [entre 27 et 40 GHz, radar].

Ku-band [between 12 and 18 GHz, radar] :
Bande Ku [entre 12 et 18 GHz, radar].

Karman vortex : Tourbillon de Karman.

Keel : Carène. Quille.

Keel beam :
Poutre de quille. Poutre longitudinale.

Keelson : Contre-quille.

Kero farm : Dépôt de kérosène.

Kerosene : Kérosène.

Kerosene consumption in kg/seat-km :
Consommation de kérosène en kg/siège-km.

Kevlar fairing : Carénage en Kévlar.

Kevlar fiber : Fibre kevlar.

Key : Clavette [longitudinale].

Key bolt : Boulon à clavette.

Key-drift : Chasse-clavette.

Key-operated safety latch : Verrouillage de sécurité à clé.

Key seat : Logement de clavette.

Keyboard : Clavier. Tableau de commande.

Keyboard display : Ecran de clavier.

Keybox : Tableau de commutation.

Keyer : Manipulateur de radar.

Keywasher : Rondelle-frein.

Kick fuse : Fusible temporisé.

Kill the engine (to) : Caler le moteur.

Kilometer per hour (KPH) : Kilomètre à l'heure.

Kilowatt (kW) : Kilowatt (kW).

Kinematic pitch control : Commande de guidage cinématique en tangage.

Kinematic viscosity : Viscosité cinématique.

Kinematic yaw control : Commande de guidage cinématique en lacet.

Kinetic energy penetrating destroyer (KEPD) : Missile aéroporté à énergie cinétique.

Kinetic energy weapon (KEW) : Arme à énergie cinétique disposée sur un petit satellite.

Kinetic heating : Echauffement cinétique.

Kinetic killer vehicle (KKV) : Engin tueur à énergie cinétique.

Kingsbury bearing : Palier de butée.

Kiss landing : Atterrissage en douceur.

Kit : Trousse. Nécessaire. Lot. Kit.

Kit-off (to) : Rebondir à l'atterrissage.

Kneeling-type landing gear : Train d'atterrissage baraquable.

Knife switch : Interrupteur à couteau. Interrupteur à lame.

Knob cover : Cache-bouton.

Knob selector : Sélecteur à clavier.

Knock (to) : Cogner [moteur].

Knockless fuel : Carburant antidétonant.

Knot (Kn) : Nœud [1852 m/h].

Knot (Kt) : Nœud [1852 m/h].

Knots calibrated airspeed (KCAS) : Vitesse propre corrigée en nœuds.

Knots equivalent airspeed (KEAS) : Vitesse propre équivalente en nœuds.

Knots true airspeed (KTAS) : Vitesse vraie (VV) en nœuds.

Knuckle joint : Assemblage à rotule.

Knurled knob : Bouton moleté.

Knurled nut : Ecrou moleté.

Knurled screw : Vis moletée.

Kruger flap : Volet de bord d'attaque.

Kuchemann tip : Bout d'aile Kuchemann [à traînée réduite].

Kymograph : Indicateur de virage.

L

L-band [between 1 and 2 GHz, radar] : Bande L [entre 1 et 2 GHz, Radar].

L-head cylinder : Cylindre à soupapes latérales.

L-section : Profilé en L.

Label : Pavé [plot lumineux sur instrument].

Labyrinth flange of turbojet turbine support : Bride de labyrinthe.

Labyrinth lip : Lèvre de labyrinthe.

Labyrinth seal : Joint de labyrinthe.

Laden weight : Poids en ordre de vol.

Lag : Débattement de traînée. Décalage. Retard.

Lag angle : Angle de traînée.

Lag damper : Amortisseur de traînée.

Lag-plane damper : Amortisseur de traînée.

Lagging blade : Mouvement de traînée de pale.

Lagging hinge : Pivot de mouvement azimutal de pale.

Laminar boundary layer : Couche limite laminaire.

Laminar flow aerofoil : Profil à écoulement laminaire.

Laminar-flow control system : Système de contrôle de l'écoulement laminaire.

Laminar-flow wing : Aile à profil laminaire.

Laminar turbulent boundary layer : Couche limite laminaire turbulente.

Laminate elastomeric spherical thrust-bearing : Butée sphérique en élastomère lamifié.

Laminated aluminium wing : Aile à revêtement de tôles d'aluminium collées.

Laminated fiber glass : Fibres de verre stratifiées.

Laminated glass : Verre feuilleté.

Laminated iron : Tôle feuilletée.

Laminated plate : Tôle stratifiée. Tôle laminée.

Laminated section : Profilé stratifié.

Lamp adaptor : Douille voleuse.

Lamp cap : Culot de lampe.

Land (to) : Atterrir. Se poser.

Landing : Atterrissage.

Landing aids : Aides à l'atterrissage.

Landing and associated airport charges : Taxe d'atterrissage et frais aéroportuaires connexes.

Landing and taxi lights :
Eclairage d'atterrissage et de roulage.

Landing angle :
Angle (ou incidence) d'atterrissage.

Landing approach : Approche à l'atterrissage.

Landing beam beacon :
Radiophare d'atterrissage.

Landing clearance : Autorisation d'atterrissage.

Landing configuration :
Configuration d'atterrissage.

Landing control and position indicator : Indicateur de position et de commande de train d'atterrissage

Landing distance available (LDA) :
Distance d'atterrissage disponible.

Landing fees : Taxes d'atterrissage.

Landing field :
Terrain d'atterrissage. Piste d'atterrissage.

Landing field length :
Longueur de piste d'atterrissage.

Landing flap : Volet d'atterrissage.

Landing flare : Feu de piste d'atterrissage.

Landing gear (L/G) :
Train d'atterrissage. Atterrisseur. Train.

Landing gear actuating cylinder :
Vérin de contre-fiche de train. Vérin de relevage de train.

Landing gear and door indicating unit :
Boîtier de signalisation des trappes et du train.

Landing gear bearing casing :
Cache de roulement de train d'atterrissage.

Landing gear bracing installation :
Triangulation du train d'atterrissage.

Landing gear bumper : Butée élastique de train.

Landing gear command :
Boîtier de commande de train.

Landing gear control : Commande de train.

Landing gear control panel :
Tableau de commande de train.

Landing gear cylinder : Vérin de train.

Landing gear door : Trappe de train.

Landing gear door latching box :
Boîtier d'accrochage de trappe de train.

Landing gear down lock safety cylinder :
Vérin de sécurité verrouillage de train bas.

Landing gear down lock visual check installation : Dispositif de contrôle optique de train.

Landing gear downlocking :
Accrochage « train bas ».

Landing gear extended speed (VLE) :
Vitesse avec train sorti (VLE).

Landing gear extension : Sortie du train.

Landing gear fairing :
Carénage de train. Trappe pantalon.

Landing gear leg : Jambe de train.

Landing gear leg support :
Support de jambe de train.

Landing gear locking : Verrouillage du train.

Landing gear locking pin :
Barre de verrouillage de train d'atterrissage.

Landing gear manual extension :
Sortie manuelle du train.

Landing gear manual release :
Décrochage manuel du train.

Landing gear operating speed (VLO) :
Vitesse maximum de sortie du train (VLO).

Landing gear pod :
Fuseau de train. Nacelle de train.

Landing gear position indicator :
Indicateur de position du train.

Landing gear retracting lock :
Verrou d'interdiction de relevage du train.

Landing gear retraction : Escamotage du train.

Landing gear retraction safety lock solenoid :
Solénoïde d'interdiction de relevage du train.

Landing gear safety override :
Effacement de sécurité du train.

Landing gear sequencing distributor :
Distributeur de séquence de train.

Landing gear shock absorber :
Amortisseur de train.

Landing gear stay : Contre-fiche de train.

Landing gear unlocking cylinder :
Vérin de décrochage de train.

Landing gear uplock box :
Boîtier d'accrochage de train rentré.

Landing gear uplocking :
Accrochage « train haut ».

Landing gear well : Logement de train.

Landing gear wheel : Roue de train.

Landing gear wheel well :
Compartiment de logement de train.

Landing light : Phare d'atterrissage.

Landing parachute [used as an airbrake] :
Parachute de queue [pour réduire la distance de roulement à l'atterrissage].

Landing rights : Droits d'atterrissage.

Landing T : T d'atterrissage.

Landplane : Avion terrestre.

Large vertical aperture (LVA) antenna :
Antenne à grande ouverture dans le plan vertical [radar secondaire].

Laser-aided rocket system (LARS) :
Téléguidage de fusées par laser.

Laser anemometer : Anémomètre laser.

Laser designator pod : Pod de désignation laser.

Laser-guided bomb (LGB) :
Bombe à guidage laser.

Laser gyro : Gyrolaser.

Laser gyro inertial navigator :
Centrale inertielle à gyromètre à laser.

Laser gyro inertial sensor :
Centrale inertielle à gyrolaser.

Laser inertial navigation system (LINS) :
Système de navigation inertielle par faisceau laser.

Laser obstacle terrain avoidance warning system (LOTAWS) : Système laser de détection d'obstacles à proximité du terrain d'atterrissage.

Laser radar : Radar à laser.

Laser rangefinder : Télémètre à laser.

Laser seeker : Autodirecteur à laser.

Laser target designator (LAST) pod :
Nacelle d'illuminateur laser.

Laser target designator set (LTDS) :
Système à laser de désignation d'objectifs.

Laser ultrasonic inspection system (LUIS) :
Système de contrôle des structures composites par ultrasons.

Lateral beam coupler : Coupleur de faisceaux latéraux [pilote automatique].

Lateral CG shift :
Décalage latéral du centre de gravité.

Lateral control spoiler : Déporteur de roulis.

Lateral cyclic pitch :
Pas cyclique latéral [hélicoptère].

Lateral navigation (LNAV) :
Navigation transversale.

Lateral path integrator [autopilot] :
Intégrateur de trajectoire transversale [pilote automatique].

Lateral stabilization float : Ballonnet de stabilisation latérale [hélicoptère].

Lateral trim : Régulateur de roulis.

Lattice girder : Poutre en treillis.

Lattice rib : Nervure en treillis.

Lattice structure : Structure en treillis. Maillage.

Launch base [spacecraft] :
Base de lancement [véhicules spatiaux].

Launch company [for a new model] : Compagnie de lancement [d'un nouveau modèle].

Launch pad :
Pas de tir. Aire de lancement [fusées].

Launch platform : Plate-forme de lancement. Table de lancement.

Launch slot : Créneau de tir.

Launched cruise missile (LCM) :
Missile de croisière embarqué.

Launcher : Lanceur. Rampe de lancement.

Launcher lift capability :
Capacité d'emport du lanceur.

Launching pad : Aire de lancement.

Launching ramp : Rampe de lancement.

Layout drawing : Plan d'aménagement.

Layover time : Temps de repos de l'équipage. Temps d'immobilisation.

Layshaft : Arbre intermédiaire.

Lead-lag articulation : Articulation de traînée.

Lead-lag damper : Amortisseur de traînée.

Leading edge : Bord d'attaque. Bec d'attaque.

Leading edge de-icing :
Dégivrage du bord d'attaque.

Leading edge flap : Volet de bord d'attaque.

Leading-edge flap control shaft :
Arbre de commande de bec de bord d'attaque.

Leading edge glove : Coiffe de bord d'attaque. Brisure de bord d'attaque.

Leading edge maneuver flap drive motor :
Moteur de commande de volet de manoeuvre de bord d'attaque.

Leading edge rib : Nervure de bord d'attaque.

Leading edge root extension (LERX) :
Extension de bord d'attaque de voilure.

Leading edge slat :
Bec de bord d'attaque. Bec de sécurité.

Leading edge slat segment :
Elément de bec de bord d'attaque.

Leading edge sweep : Flèche de bord d'attaque.

Leading edge temperature probe :
Sonde de température de bec d'attaque.

Leading edge vortex flap (LEVF) :
Volet tourbillonaire de bord d'attaque.

Leaf spring stacks :
Faisceaux de ressorts à lames.

Leak locator : Détecteur de fuites.

Leakage detector : Détecteur de fuites.

Lean die-out : Extinction du moteur à la décélération par suite d'excès d'air.

Lean mixture : Mélange pauvre.

Left-hand core cowl door assembly :
Capot arrière générateur de gaz sur le côté gauche du moteur.

Left-hand fan access door assembly : Capot de soufflante sur le côté gauche du moteur.

Left-hand wing : Demi-aile gauche.

Level flight : Vol en palier.

Level flight position : En ligne de vol.

Level flight turn : Virage à plat.

Level indicator : Indicateur de niveau.

Level line : Ligne de niveau.

Level off (to) : Se mettre en palier.

Level-off altitude : Altitude de mise en palier.

Level off the plane (to) : Redresser l'avion.

Level-sensing switch : Senseur de niveau.

Level switch : Contacteur de niveau.

Lever : Levier.

Lever arm : Bras de levier.

Lever switch : Interrupteur à levier.

LHX [US attack and reconnaissance helicopter of the '90s] : Hélicoptère d'attaque et de reconnaissance des années 90 [USA].

Lid assembly : Couvercle équipé.

Life cycle cost (LCC) : Coût total d'utilisation. Coût de cycle de vie.

Life cycle cost comparison : Comparaison des coûts de cycle de vie.

Lift (L) : Portance (Cz).

Lift augmenting device : Dispositif hypersustentateur.

Lift coefficient : Coefficient de portance.

Lift dumper : Réducteur de portance. Destructeur de portance. Déporteur.

Lift engine : Moteur de sustentation.

Lift fan : Soufflante de sustentation.

Lift force : Force de sustentation.

Lift-improvement device : Dispositif hypersustentateur.

Lift-off : Décollage vertical.

Lift-off speed : Vitesse au moment du déjaugeage de la roue avant. Vitesse de décollage.

Lift-off weight : Poids au décollage.

Lift rotor : Rotor sustentateur.

Lift-to-drag (L/D) ratio : Rapport portance/traînée. Finesse aérodynamique.

Lifting body [recoverable spacecraft] : Fuselage porteur [véhicule spatial récupérable].

Lifting-type tailplane : Plan fixe sustentateur.

Light airborne multipurpose system (LAMPS) : Véhicule aérien léger polyvalent.

Light aircraft : Avion léger.

Light amphibious aircraft : Avion amphibie léger.

Light anti-submarine helicopter (LASH) : Hélicoptère léger de lutte anti-sous-marine.

Light attack helicopter (LAH) : Hélicoptère d'attaque léger.

Light combat aircraft (LCA) : Avion de combat léger.

Light detection and ranging (LIDAR) : Système de télédétection optique.

Light electronic control system (LECOS) : Système électronique de commandes de vol par fibres optiques.

Light exoatmospheric projectile (LEP) : Missile antimissile balistique.

Light fighter : Avion d'appui tactique léger.

Light observation helicopter (LOH) : Hélicoptère d'observation léger.

Light observation helicopter avionics package (LOHAP) : Unité avionique d'hélicoptère d'observation léger.

Light transport aircraft (LTA) : Avion de transport léger.

Light transport helicopter (LTH) : Hélicoptère de transport léger.

Light twin helicopter : Hélicoptère bimoteur léger.

Light-weight fighter (LWF) : Avion de chasse léger.

Lighting control panel : Boîtier de commande d'éclairage.

Lightweight pulse-compression radar : Radar léger à compression d'impulsions.

Limit load : Charge limite.

Limit oxygen index (LOI) : Indice limite d'oxygène.

Limit stop : Butée de fin de course [gouverne].

Limit switch : Contacteur de fin de course. Disjoncteur de sécurité.

Limited-authority autopilot : Pilotage automatique transparent.

Line check : Visite d'escale.

Line maintenance : Entretien d'escale.

Line replaceable unit (LRU) : Elément remplaçable en escale. Equipement de remplacement en escale.

Liner : Avion de ligne.

Link : Liaison. Bielle.

Link rod : Bielle de liaison.

Link trainer : Simulateur de vol.

Linkage : Embiellage. Timonerie. Tringlerie.

Lip de-icer : Dispositif de dégivrage de bord d'attaque.

Liquid crystal display (LCD) : Affichage à cristaux liquides.

Liquid crystal head-down display : Ecran de visualisation tête basse à cristaux liquides.

Liquid-fuelled motor : Propulseur à propergol liquide.

Liquid-fuelled ramjet : Statoréacteur à carburant liquide.

Liquid hydrogen (LH2) : Hydrogène liquide.

Liquid hydrogen (LH2) tank : Réservoir d'hydrogène liquide.

Liquid oxygen (LOX) : Oxygène liquide.

Liquid oxygen (LOX) purge valve : Clapet de purge de l'oxygène liquide.

Liquid oxygen (LOX) tank : Réservoir d'oxygène liquide.

Liquid propellant rocket : Fusée à propergol liquide.

Liquid strap-on booster :
Propulseur d'appoint à ergols liquides (PAL).

Load alleviation function (LAF) :
Atténuation des charges de rafale.

Load alleviation system (LAS) :
Dispositif d'atténuation des charges.

Load and trim sheet :
Etat de poids et de centrage.

Load balance : Equilibrage des charges.

Load classification number (LCN) :
Indice de charge des pistes.

Load distribution : Répartition des charges.

Load factor [ratio of the external load to the weight of the aircraft] : Facteur de charge [rapport charge externe/poids de l'avion].

Load stowing : Arrimage des charges.

Local overheat detector :
Détecteur ponctuel de surchauffe.

Local speed of sound (LSS) :
Vitesse ambiante du son.

Localizer (LOC) :
Radioalignement de piste. Localizer.

Localizer beacon :
Radiophare d'alignement de piste.

Localizer beam :
Faisceau de radioalignement de piste.

Localizer light : Voyant d'alignement de piste.

Localizer/visual omni-range (LOC/VOR) receiver : Récepteur LOC/VOR.

Locator : Balise de ralliement. Radiobalise.

Locator beacon : Balise de position.

Lock actuating rod : Biellette de verrouillage.

Lock actuator : Vérin de verrouillage.

Lock crank : Guignol de verrouillage.

Lock-on after launch (LOAL) missile :
Missile dont l'autodirecteur se verrouille sur la cible après le lancement.

Lock-on before launch (LOBL) missile :
Missile dont l'autodirecteur se verrouille sur la cible avant le lancement.

Lock-out valve :
Clapet de verrouillage d'aérofrein.

Locking device : Dispositif de verrouillage.

Locking pin : Goujon de blocage.

Lofting table : Marbre de traçage.

Lofting template : Gabarit de traçage.

Log-book : Carnet de bord. Journal de bord. Livret moteur.

Loiter :
Vol en attente [d'autorisation d'atterrissage].

LO-LO-LO-mission : Mission se déroulant uniquement à basse altitude.

Long-bodied aircraft : Avion à fuselage long.

Long-haul flight : Vol au long cours.

Long-haul jet liner : Long-courrier à réaction.

Long-haul twinjet jumbo : Avion long-courrier biréacteur de grande capacité.

Long-haul wide-bodied airliner :
Avion de transport gros-porteur long-courrier.

Long-range aircraft :
Avion à long rayon d'action.

Long-range air navigation (LORAN) : Radionavigation aérienne à longue portée. Loran.

Long-range cruise (LRC) :
Croisière longue distance.

Long-range interception :
Interception longue portée.

Long-range jetliner : Avion de ligne à réaction à long rayon d'action.

Long-range navigation system (LRNS) :
Système de navigation à longue distance.

Long-range stand-off missile (LRSOM) :
Missile à longue portée autonome après son lancement.

Longeron :
Longeron. Elément de structure longitudinal.

Longeron end panel : Potence.

Longitudinal axis : Axe de roulis.

Longitudinal beam : Longrine.

Longitudinal cyclic control :
Commande cyclique longitudinale.

Longitudinal trim : Régulateur de tangage.

Look-down/shoot-down capability :
Capacité de détection et de tir vers le bas.

Loop bearing : Relèvement gonio.

Looping : Looping.

Loss-of-coolant accident (LOCA) : Accident causé par perte de fluide de refroidissement.

Loss of power [engine] :
Perte de puissance [moteur].

Loss of tail rotor effectiveness (LTE) :
Défaut d'efficacité du rotor de queue.

Lounge : Salle de réception des passagers. Petit salon [Boeing 747].

Louvre : Ouïe [de prise d'air]. Volet de capot. Prise d'air. Grille-écran.

Low-altitude bombing system (LABS) [allowing to keep clear of shock waves] : Technique de largage de bombes permettant de lâcher les bombes à basse altitude et d'échapper aux ondes de choc.

Low altitude drop delivery (LADD) :
Système de bombardement à basse altitude.

Low altitude launch, boost, climb, cruise and terminal dive onto the target (LO-HI-LO) mission [missile launching] : Mission "bas-haut-bas" [largage du missile à basse altitude, accélération, montée, croisière et piqué sur la cible].

Low-altitude navigation and targeting IR at night (LANTIRN) : Système infrarouge de navigation et de désignation d'objectifs à basse altitude de nuit.

Low-altitude night attack (LANA) system : Système d'attaque de nuit à basse altitude.

Low-altitude parachute extraction system (LAPES) : Système d'extraction de parachute à basse altitude.

Low-altitude radar coverage : Couverture radar à basse altitude.

Low-altitude ride control (LARC) : Système de contrôle des turbulences atmosphériques.

Low-altitude surveillance radar (LASR) : Radar mobile de détection d'hélicoptères en vol stationnaire et d'avions rapides à basse altitude. Radar de veille à basse altitude.

Low-altitude surveillance system (LASS) : Système aéroporté de surveillance à basse altitude.

Low-bypass-ratio afterburning turbofan : Réacteur à double flux; à faible taux de dilution et à réchauffe.

Low-bypass reheated turbofan : Turboréacteur à réchauffe et faible taux de dilution.

Low-bypass turbofan : Turboréacteur à faible taux de dilution.

Low dead center (LDC) : Point mort bas.

Low-drag antenna : Antenne d'avion à faible influence aérodynamique.

Low Earth orbit (LEO) : Orbite terrestre basse [entre 300 et 800 kilomètres d'altitude].

Low-frequency beacon : Radiophare basse fréquence.

Low-frequency direction finding (LFDF) : Radiogoniométrie sur ondes longues.

Low-fuel level warning : Indicateur de baisse de niveau de carburant.

Low-gain antenna : Antenne à faible gain.

Low level indicator : Indicateur de baisse de niveau.

Low level wind shear alert system (LLWSAS) [a network of anemometers surrounding the airport to be protected and indicating the force and direction of the wind] : Réseau d'anémomètres entourant l'aéroport à protéger indiquant la force et la direction du vent.

Low light-level tgoggles : Lunette de vision à bas niveau de lumière.

Low light level television (LLLTV) : Télévision à faible niveau de lumière.

Low-observables technology (LOT) : Technologie de la "furtivité".

Low-pitch electro-hydraulic stop : Butée électro-hydraulique de petit pas.

Low pressure (LP) : Basse pression.

Low pressure compressor : Compresseur basse pression.

Low pressure tank : Réservoir basse pression.

Low pressure turbine (LPT) : Turbine basse pression. Turbine BP.

Low probability of intercept (LPI) control : Commande de mise en veilleuse de l'émetteur de bord.

Low-rpm propeller : Hélice à faible vitesse de rotation.

Low specific thrust (LST) engine : Moteur à faible poussée spécifique.

Low speed aileron : Aileron basse vitesse.

Low-speed air tunnel : Soufflerie à basses vitesses.

Low-speed needle : Aiguille de ralenti [carburateur].

Low-speed nozzle : Gicleur de ralenti [carburateur].

Low speed taxiing test : Essai de roulage à vitesse réduite.

Low-wing plane : Avion à aile basse.

Lower airspace : Espace aérien inférieur.

Lower casing : Carter inférieur.

Lower front cargo compartment : Soute inférieure avant.

Lower part of nose section : Partie inférieure de pointe avant. Barque de pointe avant.

Lower side strut : Contre-fiche inférieure latérale.

Lower skin panel : Panneau d'intrados.

Lower surface : Intrados.

Lower swashplate [helicopter] : Plateau cyclique inférieur [hélicoptère].

Lower the flaps (to) : Sortir les volets.

Lowest idling speed : Plein ralenti.

Lowest usable frequency (LUF) : Fréquence minimale utilisable.

LP cock : Robinet basse pression. Robinet BP.

LP compressor : Compresseur basse pression.

Lube system : Circuit de graissage.

Lubricant : Lubrifiant.

Lubricate (to) : Lubrifier. Graisser. Huiler.

Lubrication : Lubrification. Graissage.

Lubricator : Graisseur.

Lucite : Altuglas [USA].

Luggage bay : Soute à bagages.

Luggage hold : Cale (ou soute) à bagages.

Lunar exploration module (LEM) : Module d'exploration lunaire.

Lure : Leurre.

Lyre-shaped bellcrank : Lyre [commande de pilotage].

M

Mach airspeed indicator : Indicateur de vitesse et de Mach. Anémomachmètre.

Mach buffet :
Tremblement de compressibilité.

Mach compensator : Correcteur de Mach.

Mach never exceed (MNE) :
Mach à ne jamais dépasser.

Mach number [ratio of the speed of an aircraft to the speed of sound in the same medium] :
Nombre de mach [rapport de la vitesse d'un avion à celle du son dans le même milieu].

Mach trim :
Compensateur de Mach. Trim de Mach.

Mach trim coupler : Coupleur Mach-trim.

Mach trim override :
Surpassement de compensateur de Mach.

Machine (to) : Usiner.

Machine grinding : Meulage.

Machine tool : Machine-outil.

Machine tool terminal (MTT) :
Poste machine-outil (PMO).

Machined from solid : Usiné dans la masse.

Machined multi-bolt attachment fitting : Ferrure de fixation usinée [à plusieurs boulons].

Machmeter : Machmètre.

Machmeter-airspeed indicator :
Anémomachmètre.

Machmeter reading (MMR) :
Indication non corrigée du machmètre.

Mad boom : Perche de magnétomètre de détection d'anomalies.

Mae West : Gilet de sauvetage gonflable.

Magnet-core aerial : Antenne ferrite.

Magnetic airborne detector (MAD) [an anti-submarine magnetic device] : Détecteur de bord magnétique anti sous-marins.

Magnetic anomaly detector (MAD-BIRD) :
Magnétomètre de détection d'anomalies. « Oiseau ».

Magnetic bearing : Relèvement magnétique.

Magnetic crack detection :
Examen au métalloscope.

Magnetic crack detector :
Métalloscope [détecteur de criques].

Magnetic drain plug : Bouchon magnétique.

Magnetic field strength :
Intensité du champ magnétique.

Magnetic heading (MH) : Route magnétique. Cap magnétique.

Magnetic heading reference system :
Système de référence de cap magnétique.

Magnetic hold-down push-button : Bouton-pressoir à verrouillage magnétique.

Magnetic level indicator :
Indicateur magnétique de niveau.

Magnetic particle inspection :
Contrôle magnétoscopique.

Magnetic plug : Bouchon magnétique.

Magnetic sensor : Capteur magnétique.

Magnetic sensor casing :
Boîtier de capteur magnétique.

Magnetron transmitter :
Emetteur à magnétron.

Maiden flight : Premier vol.

Mail plane : Avion postal.

Main assembly : Assemblage principal.

Main attach fitting :
Ferrure d'attache principale.

Main blade spar :
Longeron de pale principale.

Main cable route :
Cheminement principal des câbles.

Main centre wing section :
Partie médiane principale de l'aile.

Main changeover control :
Sélecteur principal.

Main control unit : Boîte de commande générale.

Main distribution manifold relief valve : Clapet d'expansion de collecteur principal.

Main electric stabilizer trim actuator :
Vérin électrique de trim de stabilisateur.

Main engine control (MEC) :
Régulateur carburant.

Main engine control unit (MECU) :
Bloc de contrôle du moteur principal.

Main engine cut-off (MECO) :
Arrêt du moteur principal.

Main engine mounting :
Support de réacteur principal.

Main frame : Cadre principal. Cadre fort. Structure principale.

Main fuel pump (MFP) :
Pompe carburant haute pression.

Main fuel valve : Vanne principale carburant.

Main gear : Train d'atterrissage principal.

Main gear actuating cylinder : Vérin de manœuvre de train d'atterrissage principal.

Main gear axle beam :
Basculeur de train d'atterrissage principal.

Main gear door :
Trappe de train d'atterrissage principal.

Main gear door actuating cylinder : Vérin de trappe de train d'atterrissage principal.

Main gear leg :
Jambe de train d'atterrissage principal.

Main gear shock-absorber :
Amortisseur de train d'atterrissage principal.

Main gear wheel :
Roue de train d'atterrissage principal.

Main gearbox :
Boîte de transmission principale. BTP.

Main gearbox cowling : Capotage de BTP.

Main gearbox support :
Bâti mécanique de BTP.

Main input spiral bevel gear :
Engrenage principal en spirale de réducteur.

Main instrument panel :
Tableau de bord principal.

Main keel beam : Poutre maîtresse.

Main landing gear (MLG) :
Train d'atterrissage principal.

Main landing gear brace strut attachment :
Point d'attache de la jambe de train d'atterrissage principal.

Main landing gear well :
Logement du train d'atterrissage principal.

Main leg fairing : Trappe pantalon.

Main line bearing : Palier de réacteur.

Main power plant : Groupe moteur principal.

Main rib : Nervure forte. Nervure principale.

Main rotor : Rotor principal.

Main rotor blade : Pale principale.

Main rotor blade spar :
Longeron de pale principale.

Main rotor brake : Frein de rotor principal.

Main rotor control :
Commande de rotor principal.

Main rotor hub (MRH) :
Moyeu de rotor principal (MRP).

Main rotor mast cap :
Coupole de mât de rotor principal.

Main rotor servocontrol :
Servocommande de rotor principal.

Main rotor shaft : Mât-rotor.

Main shaft seal : Joint d'arbre principal.

Main shock strut : Amortisseur principal.

Main subcontractor : Principal sous-traitant.

Main transmission gearbox :
Boîte de transmission principale. Engrenage de transmission principal.

Main undercarriage hydraulic retraction jack : Vérin de rétraction hydraulique de train d'atterrissage principal.

Main undercarriage jack housing : Logement du vérin de train d'atterrissage principal.

Main undercarriage up-lock ram :
Vérin de verrouillage de train d'atterrissage principal relevé.

Main wing attachment nut :
Ecrou d'attache de l'aile principale.

Maintainability : Maintenabilité.

Maintenance :
Maintenance. Entretien. Maintien en bon état.

Maintenance data recorder : Dispositif enregistreur de données relatives à la maintenance.

Maintenance downtime :
Immobilisation pour maintenance.

Maintenance information and planning system (MIPS) : Système informatisé de gestion et de planification de la maintenance.

Maintenance manual (MM) :
Manuel d'entretien (ME).

Maintenance operation center (MOC) :
Centre de maintenance.

Maintenance panel : Panneau de maintenance.

Maintenance review board document (MRBD) : Document définissant les modalités de maintenance d'un type d'avion.

Maintenance significant item (MSI) :
Eléments important d'entretien.

Maintenance support :
Soutien technique. Assistance technique.

Maintenance training simulator (MTS) :
Simulateur d'entraînement à la maintenance.

Major airframe assembly :
Principaux composants de la cellule.

Major check : Grande visite.

Major inspection : Grande visite.

Major overhaul :
Révision du 4e degré. Grande révision.

Make a fix (to) : Faire le point. Déterminer la position de l'avion.

Makeshift airfield : Piste sommairement aménagée. Aérodrome de fortune.

Malfunction light : Voyant de panne.

Man hole : Regard. Trou d'homme. Trappe ou panneau d'accès.

Man-vehicle systems research facility (MVSRF) [a flight simulation facility designed to study man-vehicle relationship] : Simulation de vol destinée à l'étude des relations homme-machine (Installation de).

Manhole coverplate : Plaque de regard.

Manifold : Collecteur. Tubulure.

Manifold pressure : Pression d'admission.

Manned anti-submarine helicopter (MASH) :
Hélicoptère anti-sous-marin piloté.

Manned space station : Station spatiale habitée.

Manned space transport programme (MSTP) : Programme de transport spatial habité.

Manometric lock of altitude : Verrouillage manométrique de l'altitude.

Manual control : Commande manuelle.

Manual extension hand crank : Manivelle de secours de sortie du train.

Manual glide slope : Alignement de descente manuel.

Manual pitch trim : Compensateur de tangage manuel.

Manual shutdown in flight : Arrêt manuel du moteur en vol.

Manual unlock control box : Boîtier de déverrouillage manuel.

Manually controlled tailplane trim : Compensation d'empennage horizontal par commande manuelle.

Manufacturer's empty weight (MEW) : Masse à vide indiquée par le constructeur.

Manufacturing jig : Bâti de montage.

Manufacturing process : Procédé de fabrication.

Manufacturing rework : Retouche de fabrication.

Map : Carte géographique. Plan.

Map measuring device : Curvimètre.

Mapping : Cartographie. Repérage sur carte.

Maritime patrol aircraft : Avion de surveillance maritime.

Maritime strike aircraft : Avion d'attaque maritime.

Marker : Marqueur. Balise. Radioborne. Index d'instrument.

Marker beacon : Balise d'atterrissage. Balise de signalisation. Radioborne. Radiobalise.

Marker receiver : Récepteur de radioborne.

Marman clamp : Collier Marman [serrage].

Marshalling : Signalisation de piste.

Mass balance weight : Contrepoids d'équilibrage.

Mass flow : Débit massique.

Mass flow rate in pounds/second (LB/SEC) : Débit massique en livres/seconde.

Mass flowmeter : Débitmètre massique.

Mass fuel flow : Débit massique [carburant].

Mass per unit of thrust : Masse unitaire.

Mast : Mât. Pylône.

Mast-mounted sight (MMS) : Viseur de nuit monté sur mât [hélicoptère].

Master brake cylinder : Détendeur quadruple. Distributeur quadruple de frein.

Master caution system : Système avertisseur central.

Master caution warning light : Voyant principal de mise en garde.

Master compass : Compas principal.

Master cross-section : Maître-couple.

Master generator control : Commande de générateur principal.

Master pressure indicator : Manomètre étalon.

Master reference gyro : Centrale gyroscopique.

Master station [radio-navigation] : Station principale [radionavigation].

Master switch : Interrupteur général. Coupe-tout.

Master tachometer : Tachymètre étalon.

Master template : Gabarit étalon.

Matched indicator light set : Bloc de voyants lumineux.

Mate (to) : Accoupler. Assembler.

Mating of the wings to the fuselage : Assemblage voilure/fuselage.

Mating surface : Surface de contact.

Maverick : Missile air-sol à guidage IR.

Maximum all-up weight : Masse à pleine charge.

Maximum carrying capacity : Capacité d'emport maximum.

Maximum collective pitch indicator : Indicateur de pas maximum [hélicoptère].

Maximum contingency power : Puissance maximale d'urgence.

Maximum continuous power (MCP) : Puissance maximum continue (PMC).

Maximum continuous rating : Poussée « maximum continue ».

Maximum cross-section : Maître-couple.

Maximum demonstration mach in dive (MD) : Mach maximum de démonstration en piqué.

Maximum design flight weight (MFW) : Masse maximale de calcul de l'avion en vol.

Maximum design fuel transfer weight (MFTW) : Masse maximale de calcul pour transfert de carburant.

Maximum design landing weight (MLW) : Masse maximale de calcul à l'atterrissage.

Maximum design take-off weight (MTOW) : Masse maximale de calcul au décollage.

Maximum design taxi weight (MTW) : Masse maximale de calcul au roulage.

Maximum design zero fuel weight (MZFW) : Masse maximale de calcul sans carburant.

Maximum empty weight (no fuel) : Masse maximale à vide [sans carburant].

Maximum flap extended speed : Vitesse maximale volets sortis.

Maximum forward flight : Vitesse maximale en vol horizontal.

Maximum fuel capacity : Capacité maximale [carburant].

Maximum ground power :
Puissance maximale au sol.

Maximum inlet pressure :
Pression pleine admission.

Maximum landing gear extended speed :
Vitesse maximale train d'atterrissage sorti.

Maximum landing weight (MLW) :
Masse maximale à l'atterrissage.

Maximum level speed :
Vitesse maximum en palier.

Maximum load : Charge maximale.

Maximum operating limit mach number (MNO) :
Mach maximum en utilisation normale.

Maximum operating mach number (MMO) :
Nombre de Mach maximal d'utilisation.

Maximum permissible indicated mach number (Mne) :
Nombre de Mach maximum admissible.

Maximum permissible landing weight :
Masse maximale admissible à l'atterrissage.

Maximum permissible speed :
Vitesse maximale admissible.

Maximum permissible take-off weight :
Masse maximale admissible au décollage.

Maximum ramp weight (MRW) :
Masse maximale au départ de l'aire de stationnement. Masse parking.

Maximum range power (MRP) :
Régime pour rayon d'action maximum.

Maximum reheated thrust :
Poussée maximale avec réchauffe.

Maximum reverse thrust :
Poussée inverse maximale.

Maximum RPM :
Nombre de tours/minute maximum.

Maximum speed with flaps :
Vitesse maximale avec volets sortis.

Maximum take-off gross weight (MTOGW) :
Masse maximale au décollage.

Mean aerodynamic chord (MAC) : Corde aérodynamique moyenne. Profil moyen.

Mean aerodynamic pressure (MAP) :
Pression aérodynamique moyenne.

Mean cycle between removals (MCBR) :
Moyenne des cycles entre déposes.

Mean cycle between unscheduled replacement (MCUR) : Moyenne des cycles entre remplacements non planifiés.

Mean downtime (MDT) :
Moyenne des temps d'immobilisation.

Mean flight hours between failure (MFHBF) :
Intervalle moyen entre défaillances en vol.

Mean repair time (MRT) :
Durée moyenne de réparation.

Mean sea level (MSL) pressure :
Pression au niveau moyen de la mer.

Mean service life (MSL) :
Durée de vie moyenne.

Mean time between defects (MTBD) :
Temps moyen entre défauts.

Mean time between failure (MTBF) :
Moyenne des temps de bon fonctionnement.

Mean time between failures :
Temps moyen entre défaillances.

Mean time between failures (MTBF) :
Temps moyen de bon fonctionnement.

Mean time between maintenance actions (MTBA) : Moyenne des temps entre actions d'entretien.

Mean time between overhauls (MTBO) :
Temps moyen entre révisions.

Mean time between premature removals (MTBP) : Moyenne des temps entre déposes prématurées.

Mean time between removals (MTBR) :
Moyenne des temps entre déposes. Temps moyen entre déposes.

Mean time between scraps (MTBS) :
Moyenne des temps entre rebuts.

Mean time between unscheduled removals (MTBUR) : Moyenne des temps entre déposes non planifiées.

Mean time between unscheduled replacement (MTUR) : Moyenne des temps entre remplacements non planifiés.

Mean time of delay (MTOD) :
Moyenne des temps de retard.

Mean time to failure (MTTF) :
Moyenne des temps d'apparition des défaillances. Temps moyen entre deux défaillances.

Mean time to maintenance : Moyenne des temps de bon fonctionnement entre anomalies.

Mean time to repair (MTTR) :
Moyenne des temps de travaux de réparation.

Mechanical aileron-elevator mixer : Mélangeur mécanique de profondeur-gauchissement.

Mechanical back-up system :
Système de secours mécanique.

Mechanical flap : Volet mécanique.

Mechanical flight control system :
Système de commandes de vol mécaniques.

Mechanical linkage : Liaison mécanique.

Mechanical nosewheel brake : Frein d'immobilisation de roue avant du train d'atterrissage.

Mechanical pitch trim :
Compensateur mécanique de tangage.

Mechanically scanning radar :
Radar à balayage mécanique.

Mechanically-steered dish antenna :
Antenne parabolique orientée mécaniquement.

Medevac : Evacuation par avion sanitaire.

Medicopter : Hélicoptère-ambulance.

Medium altitude supersonic target (MAST) :
Engin-cible supersonique réutilisable évoluant
à altitude moyenne [USA].

Medium Earth orbit (MEO) :
Orbite terrestre moyenne.

Medium-haul aircraft : Avion moyen-courrier.

Medium/long range airliner :
Avion de ligne moyen/long-courrier.

Medium marker : Radioborne intermédiaire.

Medium-range airliner :
Avion de ligne moyen-courrier.

Medium-range air-to-air missile :
Missile air-air à moyenne portée.

Medium-range air-to-surface missile :
Missile air-sol à moyenne portée.

Memorandum of understanding (MOU) :
Protocole d'accord.

Message chute : Cheminée.

Metal-metal bonded skins :
Revêtements collés métal sur métal.

Metal pick-up : Arrachement de métal. Transfert
de métal par usure.

Metal Q-type propeller :
Hélice métallique à bouts de pales silencieux.

Metal spraying : Schoopage. Métallisation.

Metal-to-metal bonding :
Collage métal sur métal.

Metallic-cloth radar reflector :
Réflecteur radar en tissu métallique.

Metallic-matrix composite (MMC) :
Composite à matrice métallique (CMM).

Metering unit : Dispositif de dosage.

**Microburst [low altitude vertical gust of
wind]** : Microrafale [rafale de vent verticale à
basse altitude].

Microcrack : Microfissure.

**Microflex attitude and heading reference sys-
tem (MAHRS)** :
Centrale inertielle de cap et d'attitude.

Microlight aircraft : ULM.

Microphone push-to-talk button : Alternat.

Microwave landing system (MLS) :
Système d'atterrissage tous temps fonctionnant sur micro-ondes à 84 GHz.

**Microwave monolithic integrated circuit
(MMIC)** : Circuit intégré monolithique à
hyperfréquences.

Mid-cabin galley unit :
Cuisine centrale. Bloc-office central.

Mid-fairing : Carénage intermédiaire.

**Mid-infra-red advanced chemical laser
(MIRACL)** :
Laser chimique à grande puissance.

Mid-life update (MLU) : Modernisation d'un
avion parvenu à la moitié de sa vie.

**Mid-tandem fan (MTF) [dual core, variable
cycle fan jet]** : Réacteur à double corps, soufflante centrale, double flux et cycle variable.

Middle frame : Cadre central.

Middle marker :
Balise d'approche [à 1 km de la piste].

Military observation satellite :
Satellite d'observation militaire.

Mil-spec equipment :
Equipement conforme aux normes militaires.

Mill to fixture (to) : Fraiser suivant gabarit.

Milled-out panel : Panneau fraisé.

**Millimeter-wave guidance system [air-to-sur-
face missiles]** : Autodirecteur à ondes millimétriques [missiles air-sol].

Millimeter-wave radar :
Radar à ondes millimétriques.

Milling machine : Machine à fraiser.

**Million of complex operations per second
(MCOPS)** :
Million d'opérations complexes par seconde.

Mimic bus : Tracé d'un câblage électrique sur un
tableau de distribution.

Mini stick : Mini-manche.

Miniature aircraft index :
Maquette fixe sur instrument.

**Miniature detonating cord (MDC) canopy
breaker** :
Cordon détonant de rupture de verrière.

Miniature homing vehicle (MHV) :
Projectile terminal du missile ASAT.

Minimal safe altitude :
Altitude minimale de sécurité.

Minimum control speed (VMC) :
Vitesse minimum de contrôle.

Minimum control speed on ground :
Vitesse minimum de contrôle au sol.

Minimum descent rate in autorotation :
Vitesse de descente minimale en autorotation.

Minimum despatch requirements :
Conditions minimales d'autorisation de vol.

Minimum jettison speed :
Vitesse minimale de largage.

**Minimum navigation performance system
(MNPS)** : Zone aérienne réservée aux avions
dotés d'équipements de navigation performants.

Minimum permissible speed :
Vitesse minimale admissible.

Minimum single-engined control speed (VMCA) :
Vitesse minimale de contrôle sur un moteur.

Minimum take-off safety speed (V2) :
Vitesse de sécurité au décollage.

Minimum unstick speed :
Vitesse minimale de décollage.

Ministop accelerometer :
Accéléromètre de ministop.

Ministry of defence (MOD) [GB] :
Ministère de la Défense.

Minor check : Petite visite.

Minor overhaul : Révision du 3e degré.

Misfire : Raté d'allumage.

Misfiring : Allumage défectueux.

Missile approach warning system (MAWS) :
Système avertisseur d'alerte missile.

Missile launcher : Lance-missiles.

Missile launching rail : Rail lance-missiles.

Missile lock-on : Verrouillage de l'autodirecteur d'un missile sur sa cible.

Mission-adapted wing (MAW) :
Réglage rapide et automatique de la voilure.

Mission equipment package (MEP) :
Ensemble des équipements de mission.

Mixer bellcrank : Renvoi de combinateur.

Mixing unit : Combinateur de pas.

Mixing valve : Clapet mélangeur.

Mixture composition : Richesse du mélange.

Mixture control : Commande de richesse du mélange. Correcteur altimétrique de mélange.

Mixture primer : Enrichisseur de mélange.

Mixture ratio : Rapport de mélange.

Mixture setting :
Réglage de la richesse du mélange.

Mobile flap shutter : Volet mobile.

Mobile satellite service (MSS) :
Services mobiles par satellites.

Mock-up : Maquette. Modèle.

Mod center : Centre spécialisé dans l'aménagement intérieur des avions [USA].

Mode annunciator panel :
Panneau indicateur de mode.

Mode control :
Commande de mode. Sélecteur de mode.

Mode S secondary radar :
Radar secondaire mode S.

Mode selector switch :
Sélecteur de vol [pilote automatique].

Model qualification test :
Essai d'homologation [militaire].

Modern technology demonstration engine (MTDE) : Moteur de démonstration de technologie moderne.

Modification kit :
Kit de rattrapage. Lot de modification.

Modification removal :
Dépose pour modification.

Modular automatic test equipment (MATE) :
Equipement modulaire de test automatique.

Modular azimuth position system (MAPS) :
Système modulaire d'alignement en azimut.

Modular bird with dispensing container (MOBIDIC) : Missile air-sol à dispersion.

Modular design : Conception modulaire.

Modular guided glide bomb (MGGB) : Bombe planante guidée modulaire.

Modular stand-off weapon (MSOW) :
Missile modulaire aéroporté de type "stand-off" [1990/95].

Modularized infra-red transmitting set (MIRTS) : Emetteur IR modulaire.

Molibonding : Molikotage.

Molikote treatment : Molikotage.

Momentum wheel on magnetic bearing [satellite stabilization] : Roue de réaction sur palier magnétique [stabilisation de satellites].

Monitor : Contrôleur. Moniteur. Dispositif de surveillance.

Monitored ILS approach :
Approche ILS surveillée.

Monitoring circuit : Circuit de surveillance.

Monitoring console : Armoire de contrôle.

Monitoring engine oil system (MEOS) :
Système de détection de perte d'étanchéité et de degré d'usure des moteurs.

Monoblock hub assembly :
Moyeu monobloc [moteur].

Monocoque fuselage : Fuselage monocoque.

Monocristalline turbine blade :
Aube de turbine monocristalline.

Monopropellant : Monergol.

Monopulse radar : Radar à simple impulsion.

Monospar : Monolongeron.

Motor at idle : Moteur réduit.

Motor off : Arrêt moteur.

Motoring : Dégommage du moteur. Ventilation du moteur.

Moulded structure : Elément moulé.

Mount : Monture. Montage. Fixation. Support. Socle. Bâti. Embase. Ferrure.

Mount bracket : Support de fixation.

Mounting flange : Bride de fixation.

Mounting lug : Patte de fixation.

Mounting stud : Goujon de fixation.

Movable flap : Bavette mobile.

Moving-map display :
Indicateur cartographique.

Moving surface :
Gouvernail. Gouverne. Surface mobile.

Moving-target indicator (MTI) : Détecteur de cibles mobiles. Suppresseur d'échos fixes.

Muffed landing : Atterrissage manqué.

Multi airborne integrated avionics (MAIA) system : Système électronique de bord intégré.

Multi-application control system (MACS) :
Système de régulation pour moteur.

Multi-axis side-arm controller :
Manche de commande latéral à axes multiples.

Multi-flap : Multivolet [tuyère].

Multi-flap nozzle double rod end :
Embout double de tuyère multivolet.

Multi-flap nozzle seal housing : Cage de joint.

Multi-function control and display unit (MCDU) [a flight management system showing the equipment condition as supplied by the CFDIU] : Système de gestion du vol indicateur de l'état des équipements tel qu'il est fourni par le CFDIU.

Multi-function control panel (MFCP) :
Panneau de commande des fonctions multiples.

Multi-function display (MFD) :
Ecran multifonction.

Multi-function information distribution system (MIDS) : Système de répartition d'informations multifonction.

Multi-mission intermeshing rotor aircraft (MMIRA) :
Hélicoptère polyvalent à rotors intercalés.

Multi-mission management system (MMMS) :
Système de gestion de missions multiples.

Multi-mission surveillance aircraft (MMSA) :
Avion de surveillance polyvalent.

Multi-purpose air intake :
Entrée d'air polyvalente [moteur].

Multi-purpose display (MPD) :
Ecran multifonction.

Multi-purpose helicopter :
Hélicoptère pour missions multiples.

Multi-purpose light helicopter (MPLH) :
Hélicoptère léger polyvalent.

Multi-radar tracking (MRT) :
Poursuite multiradar (PMR).

Multi-role combat aircraft (MRCA) :
Avion de combat multirôle. Chasseur polyvalent.

Multi-role fighter (MRF) :
Avion de chasse multirôle [USA].

Multi-role tanker transport (MRTT) : Avion de transport et de ravitaillement multirôle.

Multi-row radial engine : Moteur en étoile avec plusieurs rangées de cylindres.

Multi-sensor surveillance aircraft (MSSA) :
Plate-forme volante de surveillance à détecteurs multiples.

Multi-stage compressor :
Compresseur à plusieurs étages.

Multi-stage turbine : Turbine multiétages.

Multi-task training system (MTTS) :
Simulateur de vol polyvalent.

Multi-web box : Caisson à nervures multiples.

Multiple action raid simulation (MARS) system : Système de projection de cibles pour simulateurs de combats aériens.

Multiple ejector rack (MER) :
Ejecteur multiple.

Multiple independently targeted reentry vehicle (MIRV) : Missile à ogives multiples guidées séparément.

Multiple-launch rocket system (MLRS) :
Système de lance-roquettes multiple.

Multiple purpose test equipment :
Equipement d'essai polyvalent.

Mum and Pop airline [a small American airline operating a few planes over short distances] : Petite compagnie aérienne exploitant quelques avions sur de courtes distances [USA].

Mush area : Zone de brouillage radar.

Mute antenna : Antenne artificielle.

Mylar : Mylar [matière plastique].

N

NACA profile : Nervure NACA. Profilé NACA.

Nacelle : Nacelle. Fuseau-moteur.

Nacelle anti-icing : Dégivrage nacelle.

Nacelle forward fairing :
Carénage avant du mât de nacelle.

Nacelle intake ring :
Anneau d'entrée d'air de fuseau-moteur.

Nacelle pylon mounting ribs : Nervures de fixation de mât réacteur.

Nacelle strut : Mât de nacelle.

Nap-of-the-earth (NOE) flight :
Vol tactique. Vol rasant.

Narrow-body aircraft :
Avion à fuselage étroit.

National Advisory Committee on Aeronautics (NACA) : Comité Consultatif National pour l'Aéronautique [USA].

National Aeronautics and Space Administration (NASA) :
Administration Nationale de l'Aéronautique et de l'Espace. NASA [USA].

National Aerospace plane (NASP) [an American project aiming at the manufacture of a future commercial aircraft called « Orient Express » with a range of 12,000 km and carrying 300 passengers at Mach 5. Its military version could reach a speed of 25,000 KPH] : Avion Aérospatial National [projet américain prévoyant la réalisation du futur avion civil « Orient Express » capable de transporter 300 passagers sur 12.000 kilomètres à Mach 5 et de sa version militaire dont la vitesse pourrait atteindre 25.000 kilomètres/heure].

National Oceanic and Atmospheric Administration (NOAA) satellite : Satellite météorologique et d'étude de l'environnement [USA].

NATO frigate helicopter (NFH) :
Version navalisée de l'hélicoptère NH 90.

NATO helicopter 90 (NH 90) program [rollout on September 29, 1995] :
Programme conjoint [France, Allemagne, Italie, Pays-Bas] prévoyant la mise en service en 1995 d'un hélicoptère de transport européen [sortie d'usine le 29 septembre 1995].

NATO identification system (NIS) :
Système d'identification de l'OTAN.

Natural laminar flow (NLF) pod :
Pod à écoulement laminaire naturel.

Nautical mile (NM) :
Mille marin [1852 m].

Nautical mile (Nmi) :
Mille marin. Mille nautique [1852 m].

Nav-aid : Aide à la navigation.

Nav/Attack head-down display unit : Système de navigation et d'attaque tête basse.

Nav/Attack system :
Système de navigation et d'attaque.

NAV/RAD chart : Carte de radionavigation.

Navigation and communication (NAV/COM) officer : Officier chargé de la navigation et des communications.

Navigation and weapon-aiming system (NAVWAS) : Système de navigation et de pointage des armes de bord.

Navigation computer unit (NCU) :
Calculateur de navigation.

Navigation display (ND) : Ecran de visualisation des paramètres de navigation.

Navigation lights : Feux de navigation.

Navigation management system (NMS) :
Système de gestion de la navigation.

Navigational aids : Aides à la navigation.

Navigational computer switch :
Commande de centrale inertielle.

Navigational wing position light :
Feu de voilure.

Navigator instrument panel :
Planche de bord du navigateur.

Navy air crew ejection system (NACES) :
Siège éjectable [utilisé dans l'aéronavale américaine].

Near Earth orbit : Orbite circumterrestre.

Near-fire-and-forget missile :
Missile quasi-autonome après tir.

Near miss : Quasi-collision [en vol].

Near net shape part : Pièce près des cotes [pièces dont les contours ont été ébauchés].

Necking : Rétreint. Striction.

Needle and ball indicator :
Indicateur de virage et d'inclinaison latérale.

Needle bearing : Roulement à aiguilles.

Needle valve : Robinet à pointeau.

Negative pressure relief valve :
Clapet de dépression.

Net fuel : Carburant pur [sans air].

Net shape : Près des cotes [matriçage].

Net thrust : Poussée nette [réacteur].

Net wing area : Surface alaire totale diminuée de celle du fuselage.

Never exceed mach number (MNE) :
Mach à ne jamais dépasser.

Never exceed speed :
Vitesse à ne jamais dépasser.

New European fighter aircraft (NEFA) [scheduled to replace EFA] : Nouvel avion de combat européen [destiné à remplacer l'EFA].

New generation trainer (NGT) : Avion d'entraînement de la nouvelle génération.

New large airplane (NLA) [USA/Airbus Industrie] : Nouvel avion long-courrier de très grande capacité [USA/Airbus Industrie].

New régional aircraft (NRA) :
Nouvel avion de ligne régional.

Next generation weather radar (NEXRAD) :
Radar météorologique de la prochaine génération [USA].

Next higher assembly (NHA) :
Ensemble supérieur attenant.

Nick : Eraflure. Ecorchure. Entaille. Encoche.

Night-vision goggles (NVG) :
Lunettes de vision nocturne (LVN) montées sur le casque du pilote.

Nipple : Embout de tuyauterie. Raccord. Manchon métallique fileté.

Nitrogen oxide (NOx) [polluting agent] :
Oxyde d'azote [polluant].

No bat start : Voyant d'interdiction de démarrage autonome [température des batteries de bord dépassant 57°C].

No flare landing : Atterrissage sans arrondi.

No-fly zone : Zone d'exclusion aérienne.

No load capacity : Capacité à vide.

No tail rotor (NOTAR) system [replacement of the tail rotor by a fan at the rear part of the fuselage ejecting air through a side outlet] :
Rotor de queue remplacé par une soufflante éjectant l'air par un orifice latéral [à l'arrière du fuselage].

No transgression zone (NTZ) [a space of at least 2000 ft between two runway centerlines] : Espace entre deux axes de piste [non inférieur à 2000 pieds].

Noise abatement initial climb speed : Vitesse de montée conforme à la réglementation antibruit.

Noise abatement procedure :
Réglementation antibruit.

Noise footprint comparison :
Comparaison d'empreintes de niveau sonore.

Noise level meter : Décibelmètre.

Noise meter : Sonomètre.

Noise power ratio (NPR) :
Rapport de densité de bruit.

Noise suppressor : Silencieux.

Nomex honeycomb : Nid d'abeille NOMEX.

Nomex paper core material for sandwich structure : Elément nid d'abeille en papier NOMEX pour structures en sandwich.

Nominal breaking stress :
Charge nominale à la rupture.

Nominal size : Cote nominale.

Nominal take-off thrust at sea level : Poussée nominale au décollage au niveau de la mer.

Non-acoustic systems operator (NASO) [maritime surveillance] : Opérateur des systèmes non acoustiques de bord [surveillance maritime].

Non-afterburning engine operation : Fonctionnement du moteur sans post-combustion.

Non-contacting NDT system : Système de contrôle non-destructif sans contact.

Non-crimp woven fabric (NCW) :
Matériau composite tissé.

Non-destructive test (NDT) :
Essai non destructif.

Non-directional beacon (NDB) :
Radiophare omnidirectionnel.

Non-directional radio beacon (NDRB) :
Balise radio omnidirectionnelle.

Non-inertial twin-gyro platform :
Plate-forme bigyroscopique non inertielle.

Non-listed assembly (NLA) :
Ensemble hors nomenclature.

Non-restricted valve :
Robinet à passage intégral.

Non-return valve (NRV) : Clapet antiretour.

Non-reversible servomotor :
Servocommande irréversible.

Non-rotating star : Plateau cyclique fixe.

Non-structural fairing :
Carénage non travaillant.

Normal aspirated : Admission normale [moteur sans compresseur].

Normal axis of aircraft :
Axe de lacet de l'avion.

Normal operating limit speed (VNO) :
Vitesse maximum d'utilisation normale.

Normal operating Mach number (Mno) :
Nombre de Mach en utilisation normale.

Normal operating procedure :
Consignes d'utilisation normale.

Normal RPM : Régime normal [moteur].

Normalize aluminium (to) : Normaliser l'aluminium [par chauffage à 500°C et immersion dans l'eau froide].

North-seeking platform : Compas inertiel.

Nose : Bec. Nez. Pointe avant.

Nose bullet : Capotage avant.

Nose cap : Pointe avant de fuselage.

Nose compartment access door : Porte d'accès au compartiment de nez.

Nose cone :
Cône avant. Pointe avant. Cône de nez.

Nose cowl anti-icing :
Dégivrage du capot d'entrée d'air.

Nose cowl extension : Rallonge de capot avant.

Nose dive (to) : Piquer du nez.

Nose dome : Cône d'entrée d'air de réacteur.

Nose down attitude :
En piqué. Assiette à piquer.

Nose fairing : Coiffe. Nez avant. Nez d'entrée.

Nose gear : Train d'atterrissage avant.

Nose gear actuating cylinder : Vérin de commande de train d'atterrissage avant.

Nose gear bay :
Logement de train d'atterrissage avant.

Nose gear door : Trappe de train avant.

Nose gear leg with reinforced bogie :
Jambe de train avant à diabolo renforcé.

Nose gear steer lock : Verrouillage d'interdiction de braquage de train d'atterrissage avant.

Nose gear steering :
Braquage du train d'atterrissage avant.

Nose gear strut : Jambe de roulette avant.

Nose heaviness : Piquer du nez (tendance à —).

Nose-heavy :
Centré sur l'avant. Lourd sur l'avant.

Nose landing gear (NLG) :
Train d'atterrissage avant.

Nose over (to) : Se mettre en pylône.

Nose pitch reaction control air duct :
Tuyauterie d'arrivée d'air sous pression pour le contrôle en tangage.

Nose pitch reaction control valve :
Buse d'éjection de nez.

Nose probe : Perche de nez.

Nose rib : Nervure de nez.

Nose section : Pointe avant.

Nose skin panelling :
Revêtement extérieur du cône avant.

Nose spinner : Casserole d'hélice.

Nose steering wheel :
Volant d'orientation de train avant.

Nose undercarriage leg strut :
Contre-fiche de jambe de train d'atterrissage avant. Entretoise de jambe de train avant.

Nose undercarriage pivot fixing :
Fixation de pivot de train d'atterrissage avant.

Nose undercarriage wheel bay :
Baie de train d'atterrissage avant.

Nose-up attitude : En cabré. Assiette à cabrer.

Nosewheel : Roue de train d'atterrissage avant. Roue de proue.

Nosewheel bay : Logement de roue de train d'atterrissage avant.

Nosewheel box : Caisson de train avant.

Nosewheel door : Trappe de train avant.

Nosewheel door/airbrake :
Porte/aérofrein de train avant.

Nosewheel fork : Fourche de train avant.

Nosewheel oleo : Amortisseur de train avant.

Nosewheel pivot point :
Point d'articulation de roue de train avant.

Nosewheel retraction jack :
Vérin de relevage de train avant.

Nosewheel retraction mechanism :
Mécanisme de relevage de train avant.

Nosewheel steering cylinder :
Vérin de direction de train avant.

Nosewheel steering jack :
Vérin d'orientation de train avant.

Nosewheel steering quadrant :
Commande de direction de train avant.

Nosewheel tiller : Commande d'orientation de la roue du train avant.

Nosewheel well : Trappe de roue avant.

Notch fence : Entaille de voilure.

Notch impact strength :
Résilience avec effet d'entaille.

Notice of proposed rule-making (NPRM) :
Avis de projet de réglementation.

Notice to airmen (NOTAM) [information related to any special occurrence likely to be met during a flight] :
Avis aux aviateurs [renseignements relatifs à toute condition particulière susceptible d'être rencontrée au cours d'un vol].

Nozzle : Tuyère. Injecteur. Buse. Distributeur. Diffuseur. Gicleur.

Nozzle actuator : Vérin de tuyère.

Nozzle adapter : Adaptateur de tuyère.

Nozzle angle control lever : Levier de commande d'angle d'incidence de tuyère.

Nozzle assembly : Buse équipée.

Nozzle bearing : Support de tuyère.

Nozzle cluster : Groupe d'injecteurs.

Nozzle control :
Commande de tuyère. Régulation de tuyère.

Nozzle control capsule : Capsule de tuyère.

Nozzle control jack :
Vérin de commande de tuyère.

Nozzle control unit : Régulateur de tuyère.

Nozzle cowl : Capot de buse de réacteur.

Nozzle efficiency : Rendement de la tuyère.

Nozzle flap : Volet de tuyère.

Nozzle front linkage bracket :
Articulation avant de tuyère.

Nozzle guide vane (NGV) : Aube de distributeur de turbine. Aube directrice.

Nozzle guide vane cover :
Couvercle d'aube de distributeur.

Nozzle guide vane support ring :
Anneau d'appui de distributeur.

Nozzle rear driving linkage bracket :
Articulation arrière de tuyère.

Nozzle sealing fairing :
Carénage étanche de tuyère.

Nozzle support corrugated conical liner :
Chemise conique de support de tuyère.

Nozzle support spring attachment :
Attache-ressort de support de tuyère.

Nozzle swivelling : Braquage des tuyères.

Nozzle temperature indicator :
Indicateur de température de tuyère.

Nuclear, biological, chemical (NBC) :
Nucléaire, biologique, chimique.

Nuclear warhead : Ogive à charge nucléaire.

Nuisance chip light : Voyant lumineux indicateur de présence de particules métalliques.

Numerically controlled (NC) :
A commande numérique.

Nut cage : Cage d'écrou.
Nut lockwasher : Rondelle-frein d'écrou.
Nut retainer : Frein d'écrou.

Nutcracker strut : Jambe autobriseuse.
Nylstop self-locking nut : Ecrou Nylstop.

O

O-ring : Joint torique. Bague torique.
Objective window :
    Lucarne d'objectif [structure].
Observed speed : Vitesse lue.
Observer seat : Siège de l'observateur.
Obstacle clearance limit (OCL) :
    Hauteur limite de franchissement d'obstacles.
Obstacle light :
    Balise d'obstacle. Feu d'obstacle.
Obstacle warning device :
    Avertisseur d'obstacle.
Obstruction clearance altitude :
    Altitude de dégagement d'obstacles.
Occulting beacon : Balise à occultation.
Occulting light : Feu clignotant.
Octane grade : Indice d'octane.
Ocular arm : Bras porte-oculaire.
Ocular ring : Bague dioptrique.
« ODD ROD » : Système d'identification ami ou ennemi (IFF) selon la terminologie de l'OTAN.
Off : Coupé. Arrêt.
Off-airways clearance : Autorisation de circuler hors des voies aériennes.
Off-balanced : Déséquilibré.
Off-centered : Désaxé. Décentré. Excentré.
Off-line : Débranché. Déconnecté. Hors-circuit.
Off-line area : Zone non desservie.
Off-load operation : Fonctionnement à vide.
Off-load test : Essai à vide.
Off-on cycle : Nombre de mises en service.
Off-position :
    Position "coupé". Position "fermé".
Offensive avionics system (OAS) :
    Système numérique d'avionique offensive.
Offensive systems officer (OSO) :
    Officier chargé des sytèmes offensifs.
Offset : Décalé. Décentré. Désaxé.
Offset wrench : Clé coudée.
Oil : Huile. Pétrole.
Oil (to) : Huiler.
Oil and water trap : Décanteur huile-eau.

Oil bath lubrication :
    Graissage par bain d'huile.
Oil breather : Reniflard.
Oil breather system :
    Système de ventilation de réservoir d'huile.
Oil contamination : Présence d'huile.
Oil cooler : Radiateur d'huile.
Oil cooler fairing :
    Carénage de radiateur d'huile.
Oil cooler intake scoop :
    Ouïe de prise d'air de radiateur d'huile.
Oil cup : Collecteur d'huile. Godet à huile.
Oil dip rod : Jauge d'huile.
Oil drain plug : Bouchon de vidange d'huile.
Oil filler cap : Bouchon de remplissage d'huile.
Oil-fuse cutout : Coupe-circuit à bain d'huile.
Oil gage (oil gauge) : Jaugeur d'huile.
Oil grooves : Rainures de graissage.
Oil heater : Réchauffeur d'huile.
Oil leakage : Fuite d'huile.
Oil-level indicator :
    Indicateur de niveau d'huile.
Oil low pressure switch :
    Manocontacteur de pression minimale d'huile.
Oil manifold : Rampe de graissage.
Oil pressure gage (gauge) :
    Manomètre de pression d'huile.
Oil pressure indicator :
    Indicateur de pression d'huile.
Oil pressure light : Voyant de pression d'huile.
Oil pressure relief valve :
    Clapet de décharge de pression d'huile.
Oil pressure switch :
    Manocontact de pression d'huile.
Oil pump : Pompe à huile.
Oil pump by-pass valve :
    By-pass de pompe à huile.
Oil pump pressure regulating valve :
    Clapet de surpression d'huile.
Oil quantity indicator :
    Indicateur de niveau d'huile.
Oil retaining ring : Bague de retenue d'huile.
Oil scavenge : Vidange d'huile.

Oil seal : Joint de retenue d'huile.

Oil seal ring :
Bague d'étanchéité [circuit de graissage].

Oil sump : Puisard d'huile. Cuvette de graissage.

Oil system : Circuit de graissage.

Oil tank : Réservoir d'huile.

Oil temperature indicator :
Indicateur de température d'huile.

Oil-tight : Etanche à l'huile.

Oil wiper ring : Segment racleur d'huile.

Oleo leg :
Jambe d'amortisseur de train d'atterrissage.

Oleo-pneumatic shock absorber :
Amortisseur oléopneumatique.

Oleo strut :
Amortisseur oléopneumatique. Jambe élastique hydraulique. Jambe oléopneumatique.

Omni-bearing indicator (OBI) :
Indicateur automatique d'azimut. Indicateur de relèvement VOR.

Omni-bearing selector (OBS) :
Sélecteur omnidirectionnel d'azimut.

Omnidirectional radio beacon (ORB) :
Radiophare omnidirectionnel.

Omni-range radio :
Radiophare omnidirectionnel.

Omni-range transmitter :
Emetteur omnidirectionnel.

On : Branché. Ouvert. Allumé. En marche. En circuit.

On-board cargo operation (OBCO) : Système de détermination de la masse et du centrage.

On-board computer (OBC) :
Calculateur de bord. Ordinateur embarqué.

On-board equipment : Equipement de bord.

On-board health monitoring system : Système de surveillance de bon fonctionnement.

On-board inert gas generating system (OBIGGS) : Système de génération de gaz inerte embarqué.

On-board instrumentation :
Instruments de bord.

On-board maintenance system (OMS) :
Calculateur de maintenance embarqué.

On-board oxygen generation system (OBOGS) : Système de génération d'oxygène embarqué.

On-board power supply :
Alimentation électrique de bord.

On-board software : Logiciel de bord.

On-board windshear detection system :
Système de détection de microrafales embarqué.

On-condition maintenance :
Entretien selon l'état.

On-course approach :
Approche alignée sur l'axe ILS.

On-going design : Concept évolutif.

On-ground facilities : Installations au sol.

On-line : Branché. Connecté. En circuit.

On-off control : Commande "marche-arrêt". Commande "tout ou rien".

On-off lever : Levier "marche-arrêt".

On-off regulator : Régulateur par tout ou rien.

On-off switch : Interrupteur "marche/arrêt".

On production line : En chaîne.

One-piece lower skin panel :
Panneau monobloc de revêtement d'intrados.

One-piece sheetmetal element : Tôle monobloc.

One-shift sensor : Détecteur à impulsion unique.

One-shot discharge button :
Bouton de percussion monocoup.

Onset of stall : Début de décrochage.

Open-fuse cutout : Coupe-circuit à l'air libre.

Open-jet wind tunnel :
Soufflerie aérodynamique à veine libre.

Open-loop control system : Système asservi en boucle ouverte [maintien du régime moteur].

Open rotor : Rotor non caréné.

Open the throttle (to) : Ouvrir les gaz.

Open washer : Rondelle ouverte.

Operating conditions :
Conditions de fonctionnement.

Operating empty weight :
Poids à vide en ordre d'exploitation.

Operating lever : Levier de manoeuvre.

Operating limits : Limites d'utilisation.

Operating manual : Manuel d'utilisation.

Operating mode : Mode de fonctionnement.

Operating procedure : Consignes d'utilisation.

Operation handbook : Manuel d'utilisation.

Operational availability : Taux de disponibilité.

Operational ceiling : Plafond opérationnel.

Operational conversion unit (OCU) : Unité de transformation du personnel navigant.

Operational empty weight :
Poids à vide opérationnel.

Operational empty weight (OEW) :
Masse à vide en ordre d'exploitation (MVOE).

Operational landing weight (OLW) :
Masse à l'atterrissage en ordre d'exploitation.

Operational reliability : Fiabilité opérationnelle.

Operational sight integrated system (OPSIS) :
Système de visée intégré au casque du pilote.

Operational take-off weight (OTOW) :
Masse au décollage en ordre d'exploitation.

Operational weight empty (OWE) :
Masse à vide en ordre d'exploitation.

Operational zero fuel weight :
Masse opérationnelle sans carburant.

Operationally-capable trainer : Avion d'entraînement à capacité opérationnelle.

Optical character recognition (OCR) :
Reconnaissance optique de caractères.

Optical fiber (fibre) : Fibre optique.

Optical fiber (fibre) sensor :
Capteur à fibres optiques.

Optoelectronics :
Optoélectronique. Optique électronique.

Optronics : Optronique. Visionique.

Orbit attitude and manoeuvre system (OAMS) : Système de manœuvre et de maintien d'assiette [satellite].

Orbit replaceable unit (ORU) :
Conteneur destiné à loger les matériaux à traiter en milieu spatial.

Orbital flight : Vol orbital.

Orbital test satellite (OTS) :
Satellite pour services fixes.

Orbital transfer vehicle (OTV) :
Véhicule de transfert orbital.

Orbiter : Orbiter. Véhicule orbital.

Orbiting reentry experiment (OREX) : Véhicule de rentrée dans l'atmosphère terrestre.

Orbiting solar observatory (OSO) :
Satellite d'observation du Soleil.

Orthodromic track : Route orthodromique.

Out of ground effect (OGE) :
Hors effet de sol [hélicoptère].

Out-of-jig cradle : Bâti de reprise.

Out of order (OOO) : En dérangement.

Out-of pitch blade : Pale décalée.

Out-of-repair : Irréparable.

Out of square : Faux équerrage.

Out-of-track : Défaut d'alignement.

Outboard aileron : Aileron extérieur.

Outboard elevon : Elevon externe.

Outboard engine : Moteur extérieur.

Outboard fairing : Carénage extérieur.

Outboard flap : Volet extérieur.

Outboard flap track : Rail de volet extérieur.

Outboard integral fuel tank :
Réservoir structural extérieur [carburant].

Outboard leading edge flap :
Volet de bord d'attaque extérieur.

Outboard leading edge slat segment :
Segment externe de bec de bord d'attaque.

Outboard pylon : Mât extérieur.

Outboard tank : Réservoir externe.

Outboard throttle :
Manette des gaz [moteur extérieur].

Outboard wing box : Caisson d'aile extrême.
Caisson de voilure extrême.

Outbound heading : Cap départ.

Outer aileron : Aileron externe.

Outer arch : Arceau extérieur.

Outer axis gimbal : Anneau d'azimut [gyro].

Outer barrel :
Structure externe [inverseur de poussée].

Outer gimbal : Cadre externe.

Outer locator : Radioborne extérieure.

Outer marker beacon : Radioborne extérieure.

Outer race : Cage de roulement extérieure.

Outer space : Espace extra-atmosphérique.

Outer wing : Aile extrême.

Outflow valve :
Vanne de régulation d'échappement.

Outlet : Echappement. Evacuation. Sortie.

Outlet case : Carter de sortie.

Outlet guide vane (OGV) :
Aubage directeur de sortie.

Outlet line : Canalisation de sortie.

Outline staff target : Projet de fiche-programme.

Output : Débit. Rendement. Production.

Output shaft :
Arbre de sortie. Arbre de prise de mouvement.

Outrigger : Balancine.

Outside air temperature probe :
Sonde de température extérieure.

Outside ambient temperature (OAT) :
Température ambiante extérieure.

Outside diameter (OD) : Diamètre extérieur.

Outside diameter of thread : Diamètre nominal.

Over dimensional limits : Hors-gabarit.

Over-rev (to) : Tourner en survitesse.

Over target position indicator (OTPI) :
Indicateur embarqué de position d'objectif.

Over-the-horizon backscatter (OTH-B) :
Système radar de détection au-delà de l'horizon de missiles de croisière.

Over-the-horizon (OTH) radar [surface wave or sky wave] :
Radar à couverture au-delà de l'horizon visuel [à onde de surface ou à onde de ciel].

Over-the-horizon targeting (OTHT) :
Désignation d'objectifs transhorizon. Repérage d'objectifs au-delà de l'horizon.

Overall compression ratio :
Rapport de pression total.

Overall dimensions :
Cotes d'encombrement. Dimensions totales.

Overall engine pressure ratio :
Rapport de pression global du moteur.

Overall length : Longueur hors-tout.

Overflow pipe :
Tuyau de trop-plein. Tuyau de décharge.

Overflow valve : Clapet de trop-plein.

Overfly (to) : Survoler.

Overgross landing : Atterrissage en surcharge.

Overhaul :
Révision. Remise en état. Visite. Inspection.

Overhaul life : Potentiel entre révisions.

Overhaul turn-round time : Cycle de révision.

Overhaul baggage locker :
Casier à bagages [au plafond].

Overhead cam-shaft : Arbre à cames en tête.

Overhead panel : Panneau supérieur du pilote.

Overhead systems switch panel :
Panneau supérieur de contacteurs.

Overhead valve (OHV) engine :
Moteur à soupapes en tête.

Overheat controller :
Boîtier détecteur de surchauffe.

Overheat detector : Détecteur de surchauffe.

Overheat light : Voyant de surchauffe.

Overheat warning system :
Avertisseur de surchauffe.

Overlapping extrusion :
Profilé de recouvrement.

Overlapping rotors : Rotors en tandem.

Overload : Surcharge.

Overload gross weight :
Masse totale en surcharge.

Overload test : Essai de surcharge.

Overload valve : Clapet de surpression.

Overpressure : Surpression.

Overpressure safety valve :
Vanne de sécurité de surpression.

Overpressure valve assembly :
Vanne de surpression.

Override (to) : Annuler. Surpasser. Avoir priorité sur .... Effacer une interdiction.

Override circuit : Circuit de commande.

Override control :
Commande transparente [pilote automatique].

Override switch :
Interrupteur d'annulation [pilote automatique].

Override valve : Clapet d'interdiction.

Overriding control : Asservissement.

Overshoot (to) : Atterrir trop long.

Overshoot landing : Atterrissage trop long.

Overshoot the runway (to) :
Effacer la piste [navigation].

Overshooting : Remise des gaz.

Overspeed : Survitesse.

Overspeed control : Commande de survitesse.

Overspeed governor : Régulateur de survitesse.

Overspeed limiter : Limiteur de survitesse.

Overspeed warning : Avertisseur de survitesse.

Overturn (to) : Basculer sur l'aile.

Overweight landing : Atterrissage en surcharge.

Overwing exit : Issue d'évacuation sur l'aile.

Overwing fuel filler :
Orifice de remplissage carburant [sur l'aile].

Oxidiser tank : Réservoir de comburant.

Oxidiser-to-fuel mixture ratio :
Rapport de mélange comburant-carburant.

Oxygen blinker :
Clignotant d'alimentation en oxygène.

Oxygen breathing mask :
Masque inhalateur d'oxygène.

Oxygen constant flow outlet :
Prise d'oxygène à débit constant.

Oxygen mask hose : « Chenille ». Tuyau souple de masque à oxygène.

Oxygen regulator : Régulateur d'oxygène.

P

Pack auto/manual switch : Poussoir automatique/manuel de commande de groupe.

Pack cooling fan :
Ventilateur de refroidissement de groupe.

Pack temperature control :
Régulateur de température de groupe.

Pack with grease (to) : Garnir de graisse.

Packing gland :
Presse-étoupe. Gland de presse-étoupe.

Packing gland flange : Bride de presse-étoupe.

Packing housing of intake casing :
Corps de presse-étoupe de carter d'admission.

Packing retainer : Porte-garniture.

Palletized inertial navigation system :
Système de navigation inertielle sur palette.

Pancake (to) : Plaquer l'avion. Asseoir l'avion.

Pancake landing :
Atterrissage à plat. Atterrissage sur le ventre.

Pancake turn : Virage à plat.

Panel : Panneau. Tableau. Planche de bord.

Panel hole : Découpe sur la planche de bord [pour loger un instrument].

Panel lamp :
Lampe d'éclairage de tableau de bord.

Pantobase [a landplane equipped with ski-shaped, retractable hydrofoils allowing it to take-off from and land on water or any solid surface] : Avion tout terrain [avion terrestre équipé de plans porteurs rétractables lui permettant de décoller d'une surface solide ou liquide et de s'y poser].

PAR approach : Approche sur radar de précision. Approche sur radar PAR.

Parabolic blade tip : Bout de pale parabolique.

Parabrake : Parachute de freinage.

Parachute canopy : Voilure de parachute.

Parachute release handle : Poignée de largage de parachute.

Parachute release mechanism : Mécanisme de largage de parachute.

Parachute stowage : Soute à parachute.

Parasheet : Parachute rudimentaire [largage de colis, conteneurs, etc.].

Paratroop-dropping : Largage de parachutistes.

Parking area : Aire de stationnement.

Parking brake : Frein de parc. Frein de parking. Frein de stationnement.

Parking brake control handle : Commande de frein de parking.

Parking orbit : Orbite d'attente. Orbite de parking.

Part : Pièce. Organe. Elément. Composant. Partie. Morceau.

Part list : Nomenclature des pièces.

Part number : Numéro de pièce. Référence de pièce.

Particle impact noise detection (PIND) test : Méthode de contrôle non destructif de composants électroniques.

Partition panel : Paroi-cloison.

Partition wall : Cloison de séparation. Voile.

Partition walls : Voiles structuraux.

Parts provisioning breakdown (PPB) : Liste détaillée d'approvisionnement de pièces.

Parts shortage removal : Dépose pour cannibalisation.

Passenger address amplifier : Ampli pour communication aux passagers.

Passenger service unit (PSU) : Bloc service passagers.

Passive detection system (PDS) : Système de détection passif.

Passive enhanced navigation with terrain-referenced avionics (PENETRATE) : Système intégré de navigation avec référence cartographique.

Passive identification device (PID) : Dispositif d'identification passif.

Passive infra-red detector : Détecteur infrarouge passif.

Passive infra-red seeker : Autodirecteur IR passif.

Passive radar : Radar passif.

Passive TF system : Système de suivi de terrain passif.

Patch panel : Panneau de raccordement.

Path : Ligne de vol. Trajectoire. Trajet. Parcours.

Path-course signal : Signal d'alignement de piste.

Pax : Passager.

Payload : Charge payante. Charge utile. Charge marchande.

Payload assist module (PAM) [used to put telecommunication satellites into orbit] : Etage supérieur de lanceur [pour mise en orbite des satellites de télécommunications].

Peculiar ground support equipment (PGSE) : Matériel spécialisé d'essais au sol.

Pedal : Pédale. Palonnier.

Pedal damper assembly : Amortisseur de palonnier.

Peeling off : Ecaillage.

Peeling off of spot welding : Déboutonnage de points de soudure.

Peening : Martelage. Matage.

Peep hole : Trou de regard. Regard.

Penetrant inspection : Ressuage [recherche de criques].

Penetrant testing : Essai par ressuage.

Penetration gauge : Calibre de profondeur.

Perceived noise decibel (PNDB) : Niveau de bruit perçu.

Performance : Performance. Comportement. Rendement. Résultat. Fonctionnement.

Performance data computer system (PDCS) : Système de gestion de l'économie du vol. Calculateur d'optimisation des performances.

Performance improvement program (PIP) : Programme d'amélioration des performances [USA].

Performance management system (PMS) : Calculateur de performances.

Performance navigation computer system (PNCS) : PDCS amélioré.

Perigee altitude drag loading : Force de traînée au périgée.

Perimeter track : Voie de circulation autour d'un aéroport.

Permissible CG range : Limites de centrage autorisées.

Permissible rework area : Zone de retouche.

Personal launch system (PLS) [USA] : Navette spatiale américaine destinée au transport du personnel des stations orbitales.

Perspex : Altuglas. Plexiglas.

Petrol [GB] : Essence [GB].

Petrolatum : Vaseline.

Petroleum jelly : Vaseline.

Phase-phase steered radar :
Radar de bord à balayage électronique.

Phase shift keying (PSK) :
Manipulation de phase.

Phased-array antenna : Antenne à réseau phasé.

Phased-array combat aircraft radar : Radar d'avion de combat à balayage électronique.

Phased-array 3D radar : Radar tridimensionnel à balayage électronique.

Photo-mapping : Photogrammétrie.

Pick-up angle : Cornière de reprise.

Pick-up gear : Pignon à ergot.

Pick-up speed (to) : Prendre de la vitesse.

Pickling : Décapage à l'acide.

Pictorial computer : Traceur de route.

Pictorial deviation indicator (PDI) :
Indicateur panoramique.

Pictorial map display : Routier automatique.

Pilot equipment fitting :
Harnais d'équipement du pilote.

Pilot flight display (PFD) : Ecran de pilotage.

Pilot hole : Avant-trou. Trou de clavette.

Pilot instrument panel :
Planche de bord du pilote.

Pilot light : Lampe-témoin. Voyant.

Pilot night vision system (PNVS) :
Aide au pilotage de nuit.

Pilot operating handbook (POH) :
Manuel d'utilisation du pilote.

Pilot's associate system [mission planning, system monitoring, etc.] : Système d'aide au pilotage pour avions militaires de la nouvelle génération [planification des missions, surveillance des systèmes de bord, etc...].

Pilot's control column : Manche pilote.

Pilot's induced oscillations (PIO) : Oscillations sur l'axe de tangage. Pompage piloté.

Pilot's location indicator :
Indicateur de situation en gisement.

Pilot's stick sensor assembly (PSSA) [for aircraft fitted with FBW controls] :
Dispositif de restitution des sensations du pilotage destiné à équiper les avions munis de CDVE [commandes de vol électriques].

Pilot-vehicle interface (PVI) :
Interface pilote/avion.

Pilot vision system (PVS) :
Système de vision du pilote.

Pin (to) : Epingler. Brocher. Goujonner. Agrafer.

Pinch-rolled blade : Aube à pale roulée.

Piston engine : Moteur à pistons.

Piston-engined helicopter :
Hélicoptère à moteur à pistons.

Piston head : Tête de piston.

Piston ring : Segment de piston.

Piston rod : Tige de piston.

Piston skirt : Jupe de piston.

Piston stroke : Course de piston.

Piston valve : Robinet à piston. Tiroir de distribution. Clapet-piston.

Pitch : Pente longitudinale. Inclinaison longitudinale. Pas. Tangage.

Pitch about lateral axis :
Tangage autour de l'axe transversal.

Pitch amplifier : Amplificateur de profondeur [pilote automatique].

Pitch angle : Angle d'inclinaison longitudinale.

Pitch attitude : Assiette longitudinale.

Pitch auto-command :
Autocommande de profondeur.

Pitch axis : Axe de profondeur. Axe de tangage. Axe latéral.

Pitch axis stability : Stabilité en tangage.

Pitch axis trim : Compensation en tangage.

Pitch balance tab : Compensateur de tangage.

Pitch-center diameter (PCD) :
Diamètre de perçage.

Pitch-change axis :
Axe d'incidence [hélicoptère].

Pitch-change bearing :
Palier de changement de pas [tête de rotor].

Pitch-change control :
Commande axiale [hélicoptère].

Pitch-change rod : Axe de changement de pas. Biellette de commande de pas.

Pitch-change spider : Plateau de commande de pas. Plateau de commande de rotor arrière. Araignée de commande de pas.

Pitch-change torsion bar :
Barre de torsion Bendix.

Pitch channel :
Chaîne de tangage [pilote automatique].

Pitch control : Commande de pas.

Pitch control arm : Bras de commande de pas.

Pitch control compensator :
Compensateur de commande de pas.

Pitch control lever :
Levier de commande de pas.

Pitch control loop :
Boucle de commande de tangage.

Pitch control rod : Bielle de commande de pas.

Pitch corrector unit : Vérin correcteur d'effort [commande]. Correcteur d'effort [instrument].

Pitch damper : Amortisseur de tangage.

Pitch detector synchro :
Synchrodétecteur de tangage.

Pitch down (to) : Piquer. Faire un piqué.

Pitch fan : Hélice de contrôle de compensation de tangage.

Pitch feel and trim mechanism : Mécanisme de restitution des efforts sur le manche.

Pitch indicator : Indicateur de pas. Indicateur d'inclinaison longitudinale.

Pitch lever : Levier de pas collectif (ou général).

Pitch locking system : Système de verrouillage de pas.

Pitch rate gyro : Gyromètre de tangage.

Pitch reversing : Inversion de pas.

Pitch stop : Butée de pas.

Pitch trim : Compensateur de profondeur.

Pitch trim computer :
Calculateur de trim [pilote automatique].

Pitch trim control :
Commande de compensateur.

Pitch vane : Sonde d'incidence.

Pitching moment : Moment de tangage.

Pitot boom : Perche de Pitot.

Pitot feel and trim actuator :
Sonde d'assiette et commande de trim.

Pitot head : Tube de Pitot. Antenne Pitot.

Pitot head cover : Housse de Pitot.

Pitot probe : Sonde Pitot.

Pitot static probe : Antenne anémométrique. Antenne Pitot statique.

Pitot static system : Circuit anémométrique. Circuit anémobarométrique.

Pitot static tube : Antenne anémométrique.

Pitot tube : Sonde anémométrique.

Pitting corrosion : Corrosion par piqûre.

Pivot point : Point d'articulation.

Plain bearing : Palier lisse. Rotule lisse.

Plain flap : Volet droit.

Plain hub flange : Bride à moyeu lisse.

Plan position indicator (PPI) :
Radar panoramique. Radar PPI.

Planar radar scanner : Antenne plate de radar.

Plane : Appareil. Avion.

Planet gear :
Engrenage planétaire. Pignon satellite.

Planet pinion cage : Porte-satellites.

Planned maintenance : Entretien systématique.

Planned removal : Dépose planifiée.

Plasma display : Ecran à plasma.

Plasma metal spraying : Métallisation plasma.

Plastic-bonded fiberglass :
Plastique armé de fibres de verre.

Plastron aircraft :
Avion plastron [simulateur de pilotage].

Play take-up : Rattrapage de jeu.

Plenum chamber : Chambre de tranquillisation. Pot d'équilibrage.

Plenum chamber burning (PCB) :
Dispositif de chauffe du flux froid dans la chambre de tranquillisation.

Plotting unit [airborne indicators monitoring] : Enregistreur graphique [surveillance de l'évolution de certains indicateurs de bord].

Plug door : Porte à tenons [structure].

Plug fouling :
Encrassement des bougies d'allumage.

Plug-in (to) : Brancher. Enficher.

Plug-in data base : Base de données enfichable.

Plug-in unit : Elément enfichable [électricité].

Pneumatic altimeter : Altimètre anéroïde.

Pneumatic compressor discharge thermostat :
Thermostat pneumatique de sortie de compresseur.

Pneumatic continuous flow control unit :
Régulateur pneumatique.

Pneumatic damper : Amortisseur pneumatique.

Pneumatic de-icer : Dégivreur pneumatique.

Pneumatic pressure regulator valve :
Vanne de prélèvement d'air.

Pneumatic strut : Jambe élastique pneumatique [train d'atterrissage].

Pod : Fuseau. Nacelle. Conteneur. Caisson. Ogive. Pod.

Podded chaff/flare dispenser :
Nacelle lance-leurres.

Pogo effect [longitudinal oscillations induced in launch vehicles, mainly due to engine vibrations] : Effet pogo [oscillations longitudinales des lanceurs spatiaux dues, en particulier, aux vibrations du moteur].

Pointer indicator : Indicateur à aiguilles.

Pointer knob : Bouton à index. Bouton-flèche.

Polar gyro : Gyroscope polaire.

Polar platform (PPF) :
Plate-forme polaire [programme Columbus].

Poor visibility : Mauvaise visibilité.

Pop rivet : Rivet explosif.

Port : Orifice. Ouverture. Lumière. Bâbord.

Port elevator :
Gouverne de profondeur gauche [bâbord].

Port hole : Hublot.

Port wing : Aile bâbord. Aile gauche.

Portable data store (PODS) :
Unité portable de recueil de données.

Position and homing indicator (PHI) :
Calculateur de route.

Position bearing and distance indicator (PBDI) : Indicateur de distance et de position.

Position detector : Détecteur de position.

Position gyro : Gyroscope de roulis.

Position light : Feu de position.

Position location reporting system (PLRS) : Système de détermination des positions sur le terrain.

Position on jig (to) : Positionner sur bâti.

Positive temperature coefficient (PTC) : Coefficient de température positif.

Post-flight check : Vérification après vol.

Power : Energie. Puissance. Régime. Force. Tension [électrique].

Power-assisted control : Commande servo-assistée.

Power check : Point fixe.

Power control quadrant : Bloc-manette des gaz.

Power dive : Vol en piqué plein gaz.

Power egg [slang] : Groupe propulseur.

Power elevator control system (PECS) : Système de commande hydraulique du gouvernail de profondeur.

Power generator : Groupe électrogène.

Power jet : Turboréacteur.

Power loading : Charge par unité de puissance.

Power loading ratio : Rapport poids/puissance.

Power management computer (PMC) : Calculateur de gestion de la poussée.

Power off : Moteur coupé.

Power-off indicator : Indicateur lumineux de mise hors circuit.

Power off landing : Atterrissage moteur coupé.

Power pack : Bloc d'alimentation. Boîte d'alimentation.

Power plant : Groupe moteur. Groupe propulseur. Groupe turboréacteur (GTR). Groupe turbomoteur.

Power plant package : Groupe propulseur.

Power rating : Puissance nominale.

Power stand-by unit : Groupe d'alimentation électrique de secours.

Power supply network : Réseau d'alimentation électrique.

Power supply unit : Bloc d'alimentation. Boîte d'alimentation. Coffret d'alimentation.

Power take-off shaft : Arbre de prise de mouvement [moteur].

Power test : Essai de puissance [turbo].

Power-to-weight coefficient : Coefficient puissance/masse.

Power transfer unit (PTU) : Groupe de transfert.

Power turbine inlet temperature (PTIT) : Température à l'entrée de la turbine.

Power unit : Bloc de puissance. Génératrice. Groupe générateur.

Power/weight ratio : Masse par rapport à la puissance. Puissance massique. Rapport puissance/masse.

Powered control : Servocommande.

Powered sail-plane : Moto-planeur.

Powered tail-boom fold : Servomécanisme de repliage du pylône de queue.

Powered ultralight : ULM.

PPI approach : Approche PPI.

PPI unit : Boîtier de visualisation.

Practice bomb : Bombe d'exercice. Bombe inerte.

Precision approach : Approche au radar de précision.

Precision approach path indicator (PAPI) : Indicateur de trajectoire d'approche.

Precision approach radar (PAR) : Radar d'approche de précision.

Precision automated tracking system (PATS) : Système à laser de poursuite de précision.

Precision drop-forging : Pièce matricée de précision.

Precision location strike system (PLSS) : Système aéroporté de localisation et d'attaque de précision des radars ennemis.

Precooler : Prérefroidisseur.

Precooler outlet temperature indicator : Indicateur de température de sortie de prérefroidisseur.

Preflight check : Vérification départ [avant décollage].

Pre-flight inspection : Visite pré-vol.

Preflight rating test (PFRT) : Essai de qualification pour vol [USA] [turbomoteurs avant essais au banc volant].

Preheating : Préchauffage.

Preliminary design review (PDR) : Révision d'étude préliminaire.

Preliminary flight rating stage (PFRS) : Phase d'évaluation préliminaire en vol.

Preliminary ground tests [prior to maiden flight] : Essais préliminaires au sol [avant le premier vol].

Preproduction model : Modèle de présérie.

Press-button : Bouton-poussoir.

Press-cutting : Découpe à la presse.

Press drawing : Emboutissage à la presse.

Press-to-talk button : Bouton d'alternat.

Pressure bulkhead : Cloison étanche pressurisée.

Pressure-drop warning light : Indicateur de baisse de pression.

Pressure-drop warning switch : Manocontact de baisse de pression.

Pressure fill valve : Clapet de mise en pression.

Pressure gage (gauge) : Manomètre. Indicateur de pression.

Pressure ratio : Taux de compression.

Pressure reducing gage (gauge) :
Manodétendeur.

Pressure refuelling connection [pressurized fuel] : Raccord de remplissage [carburant sous pression].

Pressure refuelling system : Système de remplissage carburant sous pression.

Pressure regulator : Régulateur de pression.

Pressure relief valve : Clapet de surpression.

Pressure sensing probe : Sonde de pression.

Pressure test : Essai de pressurisation.

Pressure transducer : Capteur de pression.

Pressure trim : Correcteur de pression.

Pressure-type altimeter :
Altimètre barométrique.

Pressurized cabin : Cabine pressurisée.

Pressurized tank : Réservoir sous pression.

Pressurizing valve : Valve de mise en pression.

Pre-starting check :
Inspection avant mise en route.

Primary air : Air de combustion. Air primaire.

Primary control : Commande principale.

Primary flight controls :
Commandes de vol principales.

Primary flight display : Ecran de pilotage.

Primary flight display (PFD) : Ecran de visualisation des paramètres primaires de vol.

Primary fuel nozzle and manifold assembly :
Rampe primaire d'injection de carburant.

Primary jet thrust canceller :
Annulateur de poussée sur jet primaire.

Primary radar : Radar primaire.

Primary structure : Structure primaire.

Primary trainer : Avion-école de début.

Primer : Dispositif d'injection au démarrage.

Primer pump : Pompe d'amorçage.

Priming : Amorçage. Déclenchement. Injection. Dégommage.

Printed circuit board : Carte de circuit imprimé.

Probe : Sonde. Capteur. Détecteur. Antenne. Fusée-sonde.

Probe and drogue :
Système de ravitaillement en vol.

Probe-refuelling :
Tube fixe de l'avion ravitailleur branché dans le réceptacle de l'avion ravitaillé.

Processing electronic unit (PEU) : Unité de traitement électronique.

Productibility-based automated design and manufacturing system (PADMS) : Système informatique automatisé de conception et de fabrication basé sur la productibilité.

Production aircraft : Avion de série.

Production drawing : Dessin de fabrication.

Production line :
Chaîne de production. Chaîne de fabrication.

Production schedule :
Programme de production.

Professional air traffic controllers organization (PATCO) :
Organisation professionnelle des contrôleurs de la circulation aérienne [USA].

Profile : Profil. Coupe perpendiculaire.

Profile chord : Profondeur du profil.

Profile jig : Gabarit de profil.

Profile size : Cote de profil.

Programmable signal processor (PSP) :
Processeur programmable de signal [radar].

Progressive maintenance schedule (PMS) :
Programme de maintenance progressive.

Project definition phase (PDP) :
Phase de définition du projet.

Projected operational life :
Durée de service prévue.

Projecting : En saillie.

Proof of concept (POC) :
Démonstration du bien-fondé de la conception. Modèle de démonstration.

Propagation cone : Cône de diffusion.

Propellant : Propergol. Ergol. Bloc de poudre. Combustible.

Propeller : Hélice. Propulseur.

Propeller blade : Pale d'hélice.

Propeller blade de-icer :
Dégivreur de pale d'hélice.

Propeller blade shank : Pied de pale d'hélice.

Propeller clearance : Garde au sol de l'hélice.

Propeller de-icing boot :
Gaine de dégivrage de l'hélice.

Propeller disc : Disque balayé par l'hélice.

Propeller efficiency : Rendemnt de l'hélice.

Propeller governor : Régulateur d'hélice.

Propeller hub : Moyeu d'hélice.

Propeller hub fairing :
Carénage de moyeu d'hélice.

Propeller hub pitch-change mechanism :
Mécanisme de changement de pas de moyeu d'hélice.

Propeller pitch : Pas de l'hélice.

Propeller reduction gear : Réducteur d'hélice.

Propeller shaft : Arbre porte-hélice.

Propeller sheathing : Blindage de l'hélice.

Propfan : Hélice transsonique. Turbopropulseur. Propfan.

Propulsive efficiency : Rendement propulsif.

Protective fairing :
Ailette de train d'atterrissage.

Prototype aircraft : Avion prototype.

Proximity fuse [anti-aircraft defence] :
Détonateur de proximité [DCA].

Proximity sensor : Détecteur de proximité.

Proximity warning indicator (PWI) :
Avertisseur de proximité.

Proximity warning system (PWS) :
Système d'avertissement de proximité.

Public address :
Annonce aux passagers. Diffuseur d'ordres.

Public address (PA) system :
Sonorisation de cabine passagers.

Pull-out (to) :
Faire une ressource. Sortir d'un piqué.

Pull-out flap : Volet anti-piqué.

Pull the nose up (to) : Cabrer l'avion.

Pulse amplitude modulation (PAM) :
Modulation d'impulsions en amplitude.

Pulse-compression coherent radar :
Radar à émetteur-récepteur cohérent à compression d'impulsions.

Pulse doppler elevation scan (PDES) [used to determine the target altitude] :
Radar aéroporté à balayage vertical [détermination de l'altitude de l'engin détecté].

Pulse-doppler interception radar :
Radar Doppler pulsé d'interception.

Pulse doppler non elevation scan (PDNES) [moving target detection] :
Radar aéroporté à balayage en direction du sol [détection d'engins mobiles]

Pulse jet engine : Pulsoréacteur.

Pulse radar : Radar à impulsions.

Pulse repetition frequency (PRF) :
Fréquence de répétition d'impulsions [radar].

Pulse rocket motor : Moteur-fusée à impulsions.

Pulsed glide path (PGP) : Système d'atterrissage radioguidé par impulsions.

Pulsed light approach system indicator (PLASI) : Feu pulsé de guidage d'approche.

Pulsojet : Pulsoréacteur.

Purser : Commissaire de bord.

Push-button : Bouton-poussoir.

Push-button integral light :
Voyant lumineux de bouton-poussoir.

Push-button system indicator (PBSI) :
Bouton-poussoir à voyant incorporé.

Push link : Compas d'atterrisseur.

Push-to-test button : Bouton de test.

Push-to-test light : Voyant de test.

Pusher aircraft : Avion à hélice propulsive.

Pusher-prop aircraft :
Avion à hélice propulsive.

Pusher propeller : Hélice propulsive.

Pusher twin turboprop :
Biturbopropulseur à hélices propulsives.

Pushing propeller : Hélice propulsive.

Pylon : Mât. Pylône. Mât-réacteur. Mât-support. Cheminée.

Pylon bulkhead : Cadre de mât.

Pylon conversion actuator : Actionneur de basculement de mât de nacelle [aéronef à rotors basculants].

Pylon drive shaft :
Arbre de transmission [dans le pylône].

Pylon fixing : Attache de pylône.

Pylon structure : Structure du mât.

Q

Q : Facteur de surtension. Pression dynamique.

Q-band [between 36 and 46 GHz, radar] :
Bande Q [entre 36 et 46 GHz, radar].

Q-feel system : Système de sensation artificielle.

Q-field : Champ de pression dynamique.

Q-meter : Appareil de mesure du facteur de surtension. Q-mètre.

Q-percentile of life :
Percentile d'ordre Q de la durée de vie.

Q-spring assembly :
Ressort de sensation musculaire.

Q-tip : Extrémité de pale d'hélice dont la forme permet une atténuation du bruit.

Quad [a set of four insulated conductors] :
Quarte [ensemble de quatre conducteurs isolés].

Quad gate : Circuit à quatre gâchettes.

Quadrant : Bloc-manette. Secteur.

Quadrantal error : Dérive angulaire.

Quadri-hot pod : Caisson "quadri-hot".

Quadrijet : Quadriréacteur.

Quadriloop antenna : Antenne quadrilobée.

Quadriplex fly-by-wire system : Système de commandes électriques de vol à quatre voies.

Quadruple-slotted trailing edge flap :
Volet de bord de fuite à quatre fentes.

Qualification agreement certificate (QAC) : Certificat d'agrément d'équipements d'aéronefs.

Qualification flight : Vol de qualification.

Qualification model : Modèle de qualification.

Qualification test : Essai de qualification.

Quality and reliability control : Contrôle de qualité et de fiabilité.

Quality control (QC) : Contrôle de qualité. Contrôle de la qualité.

Quality test : Essai de qualité.

Quarter-wave aerial : Antenne en quart d'onde.

Quarter-wave antenna (QWA) : Antenne quart-d'onde.

Quartering flight : Vol en crabe. Vol en dérapage.

Queen bee : Avion-cible.

Quench hardening : Durcissement par trempe [métallurgie].

Quenching circuit : Circuit inhibiteur d'étincelles.

Quick-access recorder (QAR) : Enregistreur embarqué de données de vol et de maintenance.

Quick acting : Action rapide (à).

Quick-action coupling : Raccord rapide.

Quick-change aircraft : Avion à conversion rapide.

Quick-change tank : Réservoir à rechange rapide.

Quick-change unit : Elément à remplacement rapide.

Quick connection : Verrouillage rapide.

Quick-disconnect clamp : Collier à attache rapide. Collier à déclenchement rapide.

Quick-disconnect fastener : Fixation rapide. Attache rapide.

Quick-fastening flange : Bride de serrage rapide.

Quick-feathering propeller : Hélice à mise en drapeau rapide.

Quick-fitting pipe union : Raccord pompier.

Quick release : Déclenchement instantané.

Quiet running : Fonctionnement silencieux.

Quiet short-haul research aircraft (QSRA) : Avion expérimental moyen-courrier à faible niveau de bruit.

Quiet short take-off and landing aircraft (QSTOL) : Avion à décollage et atterrissage courts à faible niveau de bruit.

Quiet steel : Acier calmé.

Quiet take-off and landing aircraft (QTOL) : Avion à décollage et atterrissage à faible niveau de bruit.

Quietizer : Capotage d'insonorisation.

Quill drive : Transmission par arbre creux.

Quill shaft : Arbre creux.

R

Rabbit : Objectif recherché par radar.

Race : Chemin de roulement.

Race the engine (to) : Emballer le moteur.

Racing : Emballement du moteur.

Rack : Armoire. Etagère. Râtelier.

Rack and gear mechanism : Transmission par crémaillère et pignon.

Rack gear : Engrenage à crémaillère.

Rack-mounted : Monté sur châssis.

Radalt : Radioaltimètre.

Radar-absorbent material (RAM) : Matériau absorbant les ondes émises par les radars.

Radar-absorbent structure (RAS) : Structure absorbant l'énergie émise par les radars.

Radar accessory unit : Bloc d'accessoires radar.

Radar aircraft altitude calculator (RAA) : Calculateur-intégrateur de l'altitude de l'avion détecté par radar.

Radar altimeter : Altimètre radar.

Radar antenna : Antenne radar.

Radar approach : Approche au radar.

Radar beacon : Balise radar.

Radar beam : Faisceau de radar.

Radar control panel : Boîte de commande radar.

Radar controller : Contrôleur radar [circulation aérienne].

Radar coverage : Couverture radar.

Radar cross-section (RCS) : Surface équivalente radar (SER).

Radar display : Ecran radar. Affichage radar. Vidéo radar.

Radar display sub-unit (RDSU) :
Indicateur radar de CRPMD.

Radar display system :
Système de visualisation radar.

Radar echo : Echo radar.

Radar equipment rack :
Râtelier d'équipement radar.

Radar equivalent area :
Surface équivalente radar (SER).

Radar facility : Installation radar.

Radar freeze mode : Mode « gel radar » [évite le risque de détection].

Radar hand controller :
Manette de sélection des modes radar. Commande manuelle de radar.

Radar homing and warning system (RHAWS) : Système de détection d'alerte radar et d'autoguidage.

Radar in azimuth position : Radar en gisement.

Radar in elevated position : Radar en site.

Radar interception officer (RIO) :
Opérateur d'interception radar.

Radar jamming : Brouillage radar.

Radar manoeuvering area (RMA) :
Zone de manoeuvre radar.

Radar operator : Radariste.

Radar ranging system : Télémètre radar.

Radar reflective area (RRA) :
Surface équivalente radar (SER).

Radar satellite : Satellite radar.

Radar scope : Ecran radar.

Radar scope afterglow :
Rémanence sur l'écran radar.

Radar scope sweep : Balayage de l'écran radar.

Radar signal-processing system :
Système de traitement des signaux radar.

Radar test system :
Système détecteur de défectuosités du radar.

Radar trace : Signal. Image [sur écran radar].

Radar tracking : Poursuite radar.

Radar tracking station (RTS) :
Poste de poursuite radar.

Radar unit : Ensemble radar.

Radar vectoring : Guidage radar.

Radar warning antenna :
Antenne de détecteur de radar.

Radar warning receiver (RWR) :
Détecteur d'émissions radar.

Radar warning system (RWS) :
Système aéroporté avertisseur d'alerte radar.

RADARSAT : Satellite de télédétection muni d'un radar à ouverture synthétique [Canada].

Radial-division booster block :
Bloc de combustion intérieure à fente.

Radial engine : Moteur en étoile.

Radial-flow turbine :
Turbine à écoulement radial.

Radiated jamming :
Brouillage par rayonnement.

Radiating pattern lobe :
Pétale du diagramme de rayonnement.

Radiation efficiency : Rendement [antenne].

Radiation lobe :
Lobe de rayonnement [antenne].

Radiation sensor : Détecteur de rayonnement.

Radio altimeter :
Sonde altimétrique. Radiosonde.

Radio altimeter preselector unit :
Boîtier de réglage des contacts d'altitude.

Radio beacon : Radiophare. Radiobalise.

Radio beam :
Faisceau radio. Faisceau de guidage.

Radio bearing :
Relèvement radiogoniométrique.

Radio compass : Radiocompas.

Radio compass valve : Clapet radiocompas.

Radio control panel :
Tableau de commande radio.

Radio detection : Détection électromagnétique.

Radio detection and ranging (RADAR) :
Système de télédétection par ondes radioélectriques.

Radio determination satellite service (RDSS) :
Radiorepérage par satellite.

Radio digital distance magnetic indicator : Indicateur RMI/VOR/DME.

Radio direction finder : Radiogoniomètre.

Radio-electric landing aids :
Aides radioélectriques à l'atterrissage.

Radio equipment bay : Soute radio.

Radio fix : Relèvement radiogoniométrique.

Radio frequency interference (RFI) :
Interférence de fréquence radio.

Radio frequency selector unit :
Panneau sélecteur de fréquence radio.

Radio guidance : Radioguidage.

Radio headset : Casque radio.

Radio localizer : Radiolocaliseur.

Radio magnetic indicator (RMI) :
Indicateur radiomagnétique. Indicateur combiné de position ADF/VOR.

Radio management panel (RMP) :
Panneau de commande des équipements de radiocommunication.

Radio marker : Radioborne.

Radio navigation sensor :
Capteur de radionavigation.

Radio position-finding :
Localisation par ondes radioélectriques.

Radio rack : Meuble radio. Armoire radio.

Radio range :
Radiophare d'alignement. Portée de radio.

Radio range beacon : Radiophare d'alignement.

Radio select unit (RSU) : Panneau sélecteur de fréquences radioélectriques.

Radio-telephone link :
Liaison radiotéléphonique.

Radio traffic controller :
Régulateur de trafic radio.

Radio transmitter : Poste émetteur [radio].

Radius of turn : Rayon de virage en vol.

Radome : Radôme. Dôme radar.

Ram : Vérin.

Ram air : Air dynamique. Vent relatif.

Ram air duct : Conduit d'air dynamique.

Ram air exhaust : Sortie d'air dynamique.

Ram air inlet : Entrée d'air dynamique.

Ram air pressure : Pression d'air dynamique.

Ram air scoop : Prise d'air dynamique.

Ram air temperature (RAT) :
Température de l'air dynamique.

Ram air turbine (RAT) :
Turbine à air dynamique.

Ram jet engine : Statoréacteur.

Ram pressure switch :
Manocontact anémométrique.

Ramming intake : Prise de pression dynamique. Prise d'air dynamique.

Ramp : Aire de trafic. Aire de stationnement. Rampe. Plan incliné.

Ramp arm assembly : Bras-poutre équipé.

Ramp-arm stop : Arrêt de bras-poutre.

Ramp handling service :
Service d'escale. Assistance en escale.

Ramp motor and gear-box unit :
Moteur et différentiel de rampe.

Ramp service :
Entretien de piste. Service de l'avion.

Ramp-to-ramp time :
Temps cale à cale. Temps bloc.

Ramp weight : Masse de l'avion au parking.

Random failure : Défaillance aléatoire.

Random signal (radar) : Echo aléatoire (radar).

Random vibration : Vibration aléatoire.

Range : Distance franchissable. Rayon d'action. Portée. Autonomie.

Range alignment : Ralliement en distance.

Range at maximum payload :
Rayon d'action à charge maximum.

Range finder : Télémètre.

Range-height indicator (RHI) :
Indicateur altitude-distance.

Range indicator : Indicateur de distance.

Range light : Feu d'alignement.

Range marker : Marqueur d'étalonnage [radar].

Range-only radar : Radar fonctionnant en mode télémétrie seulement.

Range ring : Marqueur de distance.

Range time : Temps bloc.

Ranging radar : Radar télémétrique.

Ratched wheel : Roue à cliquet.

Rate : Taux. Régime. Cadence. Allure. Rythme.

Rate gyro : Gyromètre.

Rate gyro unit (RGU) : Bloc gyrométrique.

Rate of climb (RC) :
Vitesse ascensionnelle (VZ).

Rate of climb indicator : Variomètre. Indicateur de vitesse ascensionnelle.

Rate of climb indicator system :
Circuit variomètre.

Rate of descent : Vitesse verticale de descente. Vitesse descensionnelle.

Rate of flow indicator [fuel] :
Indicateur de débit [carburant].

Rate of in-flight failures :
Taux de pannes en vol.

Rate of roll : Taux de roulis.

Rate of sink :
Vitesse de descente. Taux de descente.

Rate of turn :
Vitesse angulaire de virage. Taux de virage.

Rated altitude : Altitude nominale. Altitude de rétablissement [altitude maximale à laquelle le moteur à son régime nominal rétablit la pression nominale d'admission].

Rated cruise power (RCP) :
Puissance nominale de croisière.

Rated horse-power : Puissance par cheval.

Rated power : Puissance nominale.

Rated power level (RPL) :
Poussée dans le vide du SSME.

Rated thrust : Poussée nominale.

Rated voltage : Tension nominale.

Rating : Conditions nominales de fonctionnement. Régime. Etalonnage.

Rating speed : Vitesse de régime.

Ratings :
Caractéristiques nominales. Valeurs [fusibles].

Ratio : Taux. Rapport. Proportion. Relation.

Ratiometer : Logomètre. Indicateur d'EPR.

Ratiometric bridge : Pont quotientométrique.

Reaction control system (RCS) [a trim control system used in slow or hovering flights] :
Système à réaction de commande d'assiette en vol lent ou stationnaire [avion à atterrissage vertical].

Reactor in-flight test (RIFT) :
Essai de réacteur en vol.

Ready for flight : Ordre de vol (en).

Ream (to) : Aléser.

Rear bearing : Palier arrière.

Rear cargo hold door : Porte de soute arrière.

Rear casing : Capot arrière.

Rear freight hold door :
Porte arrière de soute à fret.

Rear fuel transfer tank :
Réservoir arrière d'équilibrage.

Rear fuselage : Tronçon arrière de fuselage.

Rear fuselage fuel tank :
Réservoir de carburant de fuselage arrière.

Rear jettisonable door : Porte arrière éjectable.

Rear light : Feu arrière.

Rear pressure bulkhead :
Cloison étanche arrière.

Rear spar : Longeron arrière.

Rear spar attachment main frame : Cadre principal de fixation de longeron arrière.

Rear underfloor cargo hold :
Soute à fret arrière sous plancher.

Reassembly : Remontage.

Recce pod : Pod de reconnaissance. Nacelle de reconnaissance.

Receiver and VOR indicator :
Récepteur-indicateur VOR.

Receiver signal processor (RSP) :
Récepteur du FMI.

Recess : Evidement. Creux. Gorge. Cavité. Empochement. Alvéole. Logement. Chambrage.

Recessed hole : Trou fraisé.

Recessed washer : Rondelle chambrée.

Reciprocal lever : Guignol droit.

Reciprocating engine : Moteur à pistons.

Reciprocating pump : Pompe alternative.

Reclaimed oil :
Huile de récupération. Huile régénérée.

Reclaimed part : Pièce récupérée.

Recognition light : Feu de reconnaissance.

Reconnaissance systems operator (RSO) :
Opérateur des systèmes de reconnaissance.

Recorder electronic unit (REU) :
Dispositif électronique d'enregistrement.

Recording altimeter : Altimètre enregistreur.

Recoverable item : Elément récupérable.

Recoverable launch vehicle :
Lanceur récupérable.

Rectangular zero-scarf front nozzle : Tuyère avant à section rectangulaire sans biais.

Rectification in situ : Retouche.

Rectified airspeed (RAS) : Vitesse corrigée.

Reduced instruction set computer (RISC) :
Processeur à jeu d'instructions réduit.

Reduced take-off and landing (RTOL) : Distances de décollage et d'atterrissage réduites.

Reduced thrust take-off :
Décollage à poussée réduite.

Reduction gear :
Réducteur. Engrenage de démultiplication.

Reduction gearbox case : Carter de réducteur.

Reduction ratio : Rapport de démultiplication.

Redundancy : Redondance. Surplus.

Reference engine : Moteur étalon.

Refuel (to) : Faire le plein [carburant].

Refuel/defuel valve :
Vanne de remplissage/vidange [carburant].

Refuelling : Ravitaillement [carburant].

Refuelling aircraft :
Avion de ravitaillement [en vol].

Refuelling boom :
Perche de ravitaillement en vol.

Refuelling boom fairing :
Carénage de perche de ravitaillement en vol.

Refuelling panel :
Trappe de remplissage [carburant].

Refuelling probe :
Canne de ravitaillement en vol.

Refuelling tanker : Avion-citerne.

Refuelling valve :
Clapet de remplissage [carburant].

Refurbishing :
Remise à neuf. Remise en état. Modernisation.

Refurbishment and repair :
Remise à neuf et réparation.

Regenerative cooling : Refroidissement régénératif [par circulation d'ergols].

Regional carrier : Compagnie régionale de transport aérien. Compagnie de 3e niveau.

Regular flight : Vol régulier. Liaison régulière.

Regulating rim : Disque régulateur [gyro].

Reheat (RH) : Postcombustion (PC). Réchauffe.

Reheat control : Commande de postcombustion. Commande de PC.

Reheat control lever :
Levier de commande de postcombustion.

Reheat fuel metering unit :
Doseur de réchauffe.

Reheat gutter :
Anneau stabilisateur de réchauffe.

Reheat jet nozzle : Canal de postcombustion.

Reheat nozzle lids :
Paupières de canal de postcombustion.

Reheat tail pipe nozzle :
Tuyère de postcombustion.

Reheat take-off :
Décollage avec postcombustion.

Reinforce-reaction injection molding (R-RIM) : Moulage par réaction avec renforts.

Reinforced carbon/carbon (RCC) :
Matériau composite carbone/carbone renforcé.

Reinforcement plate : Plaque de renfort.

Reinforcement strut : Contre-fiche de renfort.

Reinforcement stub : Pastille de renfort.

Reinforcing plate :
Semelle de renfort. Tôle de renfort.

Reinstallation : Remontage.

Rejected part :
Pièce refusée. Pièce réformée. Pièce au rebut.

Rejected take-off (RTO) :
Position interdisant le décollage [sur sélecteur de freinage automatique].

Rejected take-off : Décollage interrompu. Accélération-arrêt. Arrêt au décollage.

Relative bearing : Gisement.

Relay : Relais. Contacteur.

Relay board : Plaquette de relais.

Relay box : Boîte à relais.

Relay can : Capot de relais.

Relay changeover switch :
Commutateur à relais.

Relay coil : Bobine de relais.

Relay control :
Commande de relais. Commande à relais.

Relay cut-off : Coupure de relais.

Relay deck : Galette de relais.

Relay delay : Temporisateur de relais.

Relay servo-control : Servocommande de relais.

Release (to) :
Déclencher. Dégager. Relâcher. Libérer.

Release bolt : Boulon pyrotechnique.

Release control valve :
Clapet de commande de largage.

Release device : Dispositif de largage.

Release handle : Poignée de déclenchement. Poignée de déverrouillage.

Release jack : Vérin de déverrouillage.

Release knob : Bouton de déclenchement.

Release limiter : Limiteur de détente.

Release mechanism : Mécanisme de débrayage.

Release plug : Prise largable.

Release point : Point de transfert [contrôle de la circulation aérienne].

Reliability : Fiabilité. Sécurité.

Relief and check valve :
Clapet antiretour et de surpression.

Relief solenoid valve :
Electrorobinet de clapet de décharge.

Relief valve : Clapet de surpression. Clapet d'expansion. Clapet de décharge. Valve de détente.

Relight envelope : Enveloppe de rallumage.

Relight in flight : Rallumage en vol.

Remetal (to) : Réguler.

Remote azimuth indication :
Recopie de gisement.

Remote control :
Commande à distance. Télécommande.

Remote control antenna actuator :
Vérin d'antenne de télécommande.

Remote control antenna latch :
Verrou d'antenne de télécommande.

Remote control sleeve :
Manchon de télécommande.

Remote control stick :
Manche de télécommande.

Remote indicator : Télé-indicateur.

Remote metering : Télémesure.

Remote monitoring and maintenance (RMM) system : Système de télésurveillance et télémaintenance.

Remote sensor : Télédétecteur.

Remote system high pressure indicator :
Indicateur de haute pression à distance.

Remote transducer : Transmetteur à distance.

Remotely piloted research vehicle (RPRV) :
Avion expérimental télépiloté du sol.

Remotely piloted vehicle (RPV) :
Engin télépiloté. Drone télépiloté.

Removable ball end : Rotule amovible.

Removable cap : Capuchon démontable.

Removable frame : Couple mobile.

Removable nose cone :
Calotte avant de fuselage.

Removable pod :
Conteneur amovible. Nacelle amovible.

Removable stub wing : Pylône latéral démontable [emport de charges militaires].

Removal : Enlèvement. Démontage. Dépose.

Removal rate : Taux de dépose.

Remove (to) : Enlever. Démonter. Déposer. Retirer. Supprimer.

Remove burrs (to) :
Ebavurer. Ebarber. Enlever le morfil.

Remove dents (to) : Débosseler.

Remove edges (to) : Supprimer les arêtes.

Remove from jig (to) : Démouler [métallurgie].

Remove pins (to) : Dégoupiller.

Remove sharp edges (to) :
Abattre les angles vifs.

Repair jig : Bâti de réparation.

Repair kit : Lot de réparation.

Repairable item : Elément réparable.

Repeater : Répétiteur de cap.

Replacement part : Pièce de remplacement. Pièce de rechange.

Replenish (to) :
Compléter le niveau. Faire le plein.

Request for proposals (RFP) : Appel d'offres.

Rescue equipment : Equipement de sauvetage.

Rescue transport helicopter (RTH) :
Hélicoptère de recherche et de sauvetage en mer. Hélicoptère SAR.

Research and development (R and D) :
Recherche et mise au point. Recherche et développement.

Research, development, test and evaluation (RDTE) :
Recherche, mise au point, essai et évaluation.

Reserve chute : Parachute ventral.

Reservoir : Réservoir. Bâche.

Reservoir depressurization :
Dépressurisation de la bâche.

Reservoir return line : Retour à la bâche.

Reset (to) :
Remettre à zéro. Réarmer. Réenclencher.

Reset knob : Bouton de réarmement.

Resin transfer moulding (RTM) [manufacture of moulded composite materials parts] :
Injection de résine sur renfort [fabrication de pièces en matériaux composites moulés].

Resistor : Résistance [électricité].

Resistor box : Boîte à résistances.

Restart : Remise en marche.

Restrainer flexible blade :
Pale souple encastrée.

Restrictor : Restricteur. Clapet réducteur. Gicleur injecteur.

Retainer :
Arrêtoir. Pièce de retenue. Bague de retenue.

Retaining plate : Plaque de maintien.

Retaining ring :
Circlips. Jonc de retenue. Bague d'arrêt.

Retarded bomb : Bombe freinée.

Retractable arm : Bras escamotable.

Retractable in-flight refuelling boom :
Perche escamotable de ravitaillement en vol.

Retractable in-flight refuelling probe :
Perche escamotable de ravitaillement en vol.

Retractable landing gear :
Train d'atterrissage escamotable. Train rentrant. Atterrisseur escamotable.

Retractable nosewheel : Roue de train d'atterrissage avant escamotable.

Retractable rotor : Rotor escamotable.

Retractable strut : Contre-fiche rétractable.

Retractable tricycle landing gear :
Train d'atterrissage tricycle escamotable.

Retractable wheeled landing gear :
Train d'atterrissage rétractable à roues.

Retractable wing tip float : Ballonnet de voilure escamotable.

Retracted position : Position "rentré". Position "fermé" [train d'atterrissage].

Retracting slat section : Bec repliable.

Retraction jack : Vérin de rétraction.

Retraction lever : Levier de relevage.

Retraction strut :
Contre-fiche d'escamotage de l'atterrisseur.

Retrimming : Recentrage.

Retro before delivery (RBD) :
Rattrapage avant livraison.

Retrofit : Rattrapage. Modification.

Retrofit (to) : Monter en rattrapage.

Retrofit kit : Lot de rattrapage.

Retrofitting : Installation en rattrapage.

Retrorocket : Rétrofusée.

Return-flow combustion chamber :
Chambre de combustion à écoulement inversé.

Return line : Tuyauterie de retour.

Reusable launch vehicle : Lanceur réutilisable.

Reusable orbital transfer vehicle :
Véhicule de transfert orbital réutilisable.

Revamp an existing design (to) :
Améliorer un modèle existant.

Reverse : Inversion de jet. Inversion de pas d'hélice. Inversion de poussée. Reverse.

Reverse-flow combuster :
Chambre de combustion à flux inversé.

Reverse pitch : Pas négatif. Pas inverse.

Reverse pitch lever : Levier d'inversion de pas.

Reverse thrust : Poussée d'inversion.

Reverser bucket :
Coquille d'inverseur de poussée.

Reverser cascade :
Grille d'inversion de poussée.

Reverser vane : Ailette d'inversion [tuyère].

Reversible-pitch propeller :
Hélice à pas réversible.

Revolutions per minute (RPM) :
Nombre de tours/minute. Régime.

Revolutions per minute (RPM) control :
Régulation tachymétrique [turbo].

Revolutions per minute (RPM) indicator :
Indicateur tachymétrique.

Revolving light : Feu à éclats.

Revving up :
Augmentation du nombre de tours du moteur.

Rework (to) : Réusiner. Reprendre. Retoucher.

Rhumb line track :
Route loxodromique [navigation aérienne].

Rib : Nervure. Membrure. Strie. Travée d'aile.

Rib leading edge : Bec de nervure.

Rib nose : Bec de nervure.

Rib web : Ame de nervure.

Ribblets : Petites ondulations du revêtement des ailes et du fuselage.

Rich blow-out : Extinction du moteur par excès de carburant lors de l'accélération.

Rich mixture : Mélange riche.

Rigging checks : Essais au premier montage.

Right hand (R/H) : A droite. De droite.

Right hand thread :
Filetage à droite. Pas à droite.

Ring fin : Semi-fenestron [rotor anticouple].

Ring frame :
Couple [fuselage]. Barque [structure].

Ring laser gyro (RLG) :
Gyrolaser annulaire [navigation inertielle].

Ring nut : Couronne de liaison [train d'atterris-
sage]. Ecrou de blocage.

Ring tail : Hélice de queue carénée.

Ripcord : Poignée d'ouverture [parachute].

Rivet cold (to) : Riveter à froid.

Rivet dimpling : Embrèvement par rivet.

Rivet extractor : Tire-rivet.

Rivet gun : Marteau riveur. Riveteuse.

Rivet line : Ligne de rivets.

Rivet pitch : Ecartement des rivets.

Rivet punch : Chasse-rivet.

Rivet shank : Tige de rivet. Queue de rivet.

Riveted connection : Liaison par rivetage.

Riveting die : Bouterolle de rivetage.

Robbery : Dépose pour cannibalisation.

Robot arm : Bras manipulateur.

Rock the wings (to) : Battre des ailes.

Rocker arm : Culbuteur [moteur].

Rocker arm shaft : Axe des culbuteurs.

Rocket : Fusée. Roquette. Engin.

Rocket-assisted take-off (RATO) :
Décollage assisté par fusée.

Rocket combustion engine :
Moteur fonctionnant sans air ambiant.

Rocket engine : Moteur-fusée.

Rocket launcher :
Lance-fusées. Lance-roquettes.

Rocket motor : Moteur-fusée.

Rocket nozzle : Buse de bout de pale.

Rocket off (to) : Décoller en chandelle.

Rocket pod : Panier lance-roquettes.

Rocket ramjet : Stato-fusée.

Rod : Bielle. Tige. Tringle.

Rod assembly : Embiellage.

Rod big end : Tête de bielle.

Rod body : Corps de bielle.

Rod control : Commande par bielle.

Rod end : Embout de bielle.

Rod small end : Pied de bielle.

Role equipment : Equipement de mission.

Roll : Tonneau [voltige]. Roulis. Rouleau.

Roll (to) : Faire un tonneau.

Roll actuator : Vérin de roulis.

Roll angle : Angle de roulis.

Roll attitude :
Assiette latérale. Inclinaison latérale.

Roll axis : Axe de roulis.

Roll channel :
Chaîne de roulis [pilote automatique].

Roll control : Commande de gauchissement.

Roll control and load alleviation spoilers :
Spoilers de contrôle de roulis et de charge.

Roll control nozzle : Tuyère de roulis.

Roll control system : Système de contrôle en
roulis.

Roll damper : Compensateur de roulis.

Roll module :
Module de roulis [pilote automatique].

Roll-off : Abattée sur une aile.

Roll-out :
Présentation au sol [première sortie d'usine].

Roll rate gyro : Gyromètre de roulis.

Roll reaction control valve :
Buse de contrôle latéral. Buse de roulis.

Roll stabilizer : Stabilisateur de roulis.

Roll trim : Compensateur de gauchissement.

Roller bearing : Roulement à rouleaux. Roulement à galets. Coussinet à galets.

Roller pin : Axe de galet.

Roller race : Chemin de roulement à galets.

Roller retainer : Cage à galets.

Roller shaft : Arbre porte-galet.

Root rib : Nervure d'encastrement.

Rotary engine : Moteur rotatif.

Rotary launcher assembly (RLA) :
Lanceur rotatif aéroporté [bombes, missiles].

Rotary wing : Voilure tournante.

Rotating blade : Ailette mobile.

Rotating guide vanes (RGV) :
Aubes d'entrée rotatives.

Rotating leading-edge receiver : Embout d'admission de la fente de bord d'attaque.

Rotating shut off (RSO) coupling :
Raccord à sphère d'obturation (RSO).

Rotating star : Plateau mobile [hélicoptère].

Rotation speed :
Vitesse au moment du cabrage pour décollage.

**Rotodome [a dome-shaped, rotary structure,
mounted on the upper part of the fuselage
of AWACS and housing the antennas of various surveillance radars]** : Rotodôme [dôme

rotatif disposé sur la partie supérieure du fuselage des AWACS et logeant les antennes de divers radars de surveillance].

Rotor : Rotor. Roue mobile. Induit. Voilure tournante d'hélicoptère.

Rotor analysis development system (RADS) : Système de surveillance de l'état des rotors.

Rotor blade : Pale de rotor. Aube motrice.

Rotor blade cross-section : Section de pale de rotor.

Rotor blade damper : Amortisseur de pale.

Rotor brake : Frein de rotor.

Rotor case : Boîtier de rotor.

Rotor disc : Disque de rotor.

Rotor downwash : Déflexion des filets d'air du rotor vers le bas.

Rotor drive system : Système d'entraînement de rotor.

Rotor head : Tête de rotor.

Rotor head fairing : Chapeau de tête de rotor.

Rotor head mechanism : Mécanisme de tête de rotor.

Rotor hinge : Articulation de rotor.

Rotor hub : Moyeu de rotor.

Rotor hub plate : Plateau de moyeu de rotor.

Rotor mast : Mât-rotor.

Rotor pylon : Pylône de rotor.

Rotor shaft : Arbre de rotor.

Rotor systems research aircraft (RSRA) : Hélicoptère de recherches.

Rotor tilt : Inclinaison du rotor.

Rotorcraft : Avion à voilure tournante. Giravion.

Rough air speed (VRA) : Vitesse maximale en atmosphère turbulente.

Rough-field undercarriage : Train d'atterrissage tout-terrain.

Rough landing : Atterrissage brutal.

Rough machining : Dégrossissage. Ebauchage.

Rough milling : Ebauche à la fraise.

Rough reaming : Alésage d'ébauche.

Roughing lathe : Tour à dégrossir.

Round sharp edges (to) : Arrondir les angles vifs.

Round trip : Vol aller-retour.

Route deviation indicator : Indicateur d'écart de route.

Routine maintenance : Entretien périodique.

Routine replacement : Echange standard.

Routing machine : Détoureuse. Toupilleuse.

Routing template : Gabarit de détourage.

RPM at take-off : Nombre de tours/minute au décollage.

RPM indicator : Compte-tours. Tachymètre.

Rubber seal : Joint en caoutchouc.

Rubbing strake : Liston [hélicoptère].

Rudder : Gouverne de direction. Gouvernail de direction.

Rudder area : Surface de la gouverne de direction.

Rudder arm : Trompette de gouverne de direction.

Rudder balance : Centrage de gouverne de direction.

Rudder bar : Palonnier.

Rudder circuit linkage : Timonerie de gouverne de direction.

Rudder control : Commande de direction.

Rudder control fixed coffer : Caisson fixe de support de commande de direction.

Rudder control horn : Bielle d'attaque de gouverne de direction.

Rudder control system (RCS) : Système de commande du gouvernail de direction.

Rudder damper : Amortisseur de direction.

Rudder flap : Volet de gouverne de direction.

Rudder follow-up : Transmetteur de direction.

Rudder pedal : Pédale de palonnier.

Rudder position indicator : Indicateur de position de gouverne de direction.

Rudder rib : Nervure de gouverne de direction.

Rudder rotating beacon : Feu rotatif d'empennage.

Rudder servo-actuator : Servocommande de direction.

Rudder tab : Tab de direction. Compensateur de gouvernail de direction.

Rudder travel limitation : Limitation de l'amplitude de débattement de la gouverne de direction.

Rudder trim : Compensateur de direction.

Run at idle (to) : Tourner au ralenti.

Run-down time : Temps d'arrêt du moteur [après coupure des gaz].

Run-in : Rodage [moteur].

Run-in period : Période de rodage.

Run smoothly (to) : « Tourner rond ».

Run-up : Point fixe.

Run-up test : Essai au point fixe.

Running landing : Atterrissage en roulant [hélicoptère].

Runway : Piste.

Runway centerline marking :
Marquage d'axe de piste.

Runway edge marking :
Marquage latéral de piste.

Runway end light : Feu d'extrémitl de piste.

Runway light : Balise de piste.

Runway localizer : Radiophare d'atterrissage.

Runway mechanic : Mécanicien de piste.

Runway pattern : Disposition des pistes.

Runway penetration bomb : Bombe antipiste.

Runway threshold :
Seuil de piste. Entrée de piste.

Runway visual range (RVR) :
Système de mesure de la visibilité le long de la piste. Portée visuelle de piste (PVP).

Runway visual range indicator :
Indicateur de portée visuelle de piste.

Rupture test : Essai de rupture.

Rutting : Grippage.

S

S-band [between 2 and 4 GHz, radar] :
Bande S [entre 2 et 4 GHz, radar].

S-band approach control radar : Radar de contrôle d'approche fonctionnant sur bande S.

S-band receive antenna :
Antenne de réception en bande S.

Saddle plate : Cale de montage.

Safe : Cadre de fuselage.

Safe flight angle-of-attack indicator : Indicateur d'angle d'attaque ou d'incidence optimal.

Safe load : Charge admissible.

Safety altitude (SA) : Altitude de sécurité.

Safety belt : Ceinture de sécurité.

Safety speed [minimum speed above stalling speed] : Vitesse de sécurité [vitesse minimum avant le décrochage].

Safety valve :
Soupape de sécurité. Clapet de sécurité.

Sail-plane : Planeur.

Salvage : Récupération.

Salvageable item : Elément récupérable.

Sand blasting : Sablage [métallurgie].

Sanding : Ponçage.

Sandwich construction :
Construction "sandwich" [double paroi].

Satellite communication (SATCOM) :
Communications par satellite (COMSAT).

Satellite for health and rural education (SHARE) [a programme launched in 1985 to promote the development of medical aid and education in third world countries] :
Satellite pour la santé et l'éducation rurale [le programme SHARE a été lancé en 1985 pour favoriser le développement de l'aide médicale et de l'enseignement dans les pays du tiers monde].

Satellite interceptor (SAINT) :
Intercepteur de satellites.

Saw-tooth leading-edge extension :
Extension de bord d'attaque en dents de scie.

Scale : Croûte. Dépôt. Incrustation. Calamine. Graduation. Echelle.

Scale model : Modèle réduit.

Scaled version : Version à échelle réduite.

Scaling : Ecaillage.

Scan (to) : Balayer. Analyser. Explorer.

Scanner : Antenne tournante. Radar de surveillance. Dispositif d'analyse par balayage.

Scanner drive unit : Moteur d'entraînement d'antenne plate de radar.

Scanner mounting and tracking mechanism :
Support et mécanisme de l'antenne de radar météo.

Scanning : Balayage [radar].

Scanning beam :
Faisceau d'exploration. Faisceau d'analyse.

Scanning radar : Radar à balayage.

Scattering :
Diffusion des ondes radioélectriques.

Scavenge (to) : Vidanger. Evacuer. Récupérer.

Scavenge cup : Coupelle de récupération.

Scavenge oil line : Tuyauterie de récupération.

Scavenge pump :
Pompe de vidange. Pompe de récupération.

Scavenging system : Canalisation de purge.

Scheduled air service : Service aérien régulier.

Scheduled and chartered services :
Services réguliers et charter.

Scheduled and unscheduled maintenance :
Entretien planifié et non planifié.

Scheduled flight : Vol régulier.

Scheduled removal : Dépose planifiée.

Scheduled servicing :
Entretien courant périodique.

Schematic diagram : Schéma de principe.

SCI-CLONE : Ordinateur de traitement programmé de l'information [simulateur de vol].

Scoop : Ouïe. Prise d'air. Ecope.

Scope : Ecran. Scope.

Scoring : Rayure. Eraflure.

Scotchbrite : Tampon abrasif. Scotchbrite.

Scouring : Décapage.

Scout/attack (SCAT) configuration : Configuration reconnaissance/attaque.

Scout helicopter : Hélicoptère de reconnaissance.

Scout plane : Avion éclaireur. Avion de reconnaissance.

Scramble take-off : Décollage sur alerte.

Scramjet : Statoréacteur à combustion supersonique.

Scotchbrite : Tampon abrasif. Scotchbrite.

Scrap : Rebut. Ferraille. Chute de coupe. Chute d'usinage. Réforme.

Scraper ring : Segment racleur. Joint racleur.

Scratch : Rayure. Strie. Fissure superficielle.

Scratch-foil flight-data recorder : Enregistreur de données de vol de type "en boucle fermée».

Screen : Ecran. Grille. Filtre. Crépine. Blindage.

Screw terminal : Borne filetée.

Screwed home : Vissé à fond.

Sea-level thrust : Poussée [de réacteur] au niveau de la mer.

Sea-rescue kit : Trousse de sauvetage en mer.

Sea-skimming : Vol au ras des flots.

Seal groove : Gorge d'étanchéité.

Seal packing : Garniture d'étanchéité. Garniture de joint.

Sealant : Mastic d'étanchéité.

Sealing ring : Bague d'étanchéité.

Seaplane : Hydravion.

Search and rescue (SAR) : Recherche et sauvetage.

Search radar : Radar de recherche. Radar de veille.

Searchlight : Projecteur.

Searchlight control : Commande de projecteur.

Searchtracking radar : Radar de recherche et de poursuite.

Seat arming safety lever : Levier d'armement de siège éjectable.

Seat belt : Ceinture de sécurité.

Seat-of-the-pants technique : Technique empirique.

Second-stage propulsion system (SSPS) : Système de propulsion du deuxième étage.

Secondary air : Air de dilution. Flux secondaire.

Secondary fuel nozzle and manifold assembly : Rampe secondaire d'injection de carburant.

Secondary radar : Radar secondaire.

Secondary runway : Piste de dégagement.

Secondary shock strut : Amortisseur auxiliaire.

Secondary surveillance radar (SSR) : Radar de surveillance secondaire.

Section fitting : Ferrure profilée.

Section overhaul removal : Dépose pour révision partielle.

Sectional view : Vue en coupe. Ecorché.

Seecker lock-on : Accrochage autodirecteur.

Seizing : Grippage. Blocage.

Selective call (SELCAL) [on-board receiver tuned in on the call frequency] : Appel sélectif [le récepteur de bord de l'avion appelé reste accordé sur la fréquence d'appel].

Selective moving target indicator (SMTI) : Indicateur sélectif d'objets mobiles [radar]. Système éliminateur par sélection d'images parasites [radar].

Self-aligning : A autocentrage. A autoréglage.

Self-aligning bearing : Roulement à rotule.

Self-aligning needle bearing : Roulement à aiguilles à alignement automatique.

Self-closing magnetic plug : Bouchon magnétique auto-obturateur.

Self-locking : A verrouillage automatique.

Self-sealing coupling : Raccord auto-obturateur.

Self-stiffened carbon structure : Structure en carbone autoraidie.

Selsyn : Synchronisation automatique.

Semi-automatic ground environment (SAGE) [computerized identification of an unknown flying machine and possible initiation of electronic contermeasures] : Ordinateur d'identification d'un engin volant inconnu et dirigeant les contre-mesures électroniques éventuelles.

Semi-monocoque design : Construction semi-monocoque. Structure semi-monocoque.

Semi-retractable landing gear : Train d'atterrissage semi-escamotable.

Sense antenna : Antenne de lever de doute.

Sensing circuit : Circuit de détection.

Sensing probe : Sonde de détection.

Sensing torquemeter : Mesureur de couple.

Sensor : Sonde. Détecteur. Senseur. Capteur. Palpeur.

Sensor operator (SENSO) : Opérateur de capteurs.

Sensor pod attachment : Attache de la nacelle des capteurs.

Separation, monitoring and control system (SMCS) : Système électronique de contrôle de séparation de deux avions.

Serial number : Numéro de série.

Service (to) : Entretenir. Réparer.

Service ceiling : Plafond pratique.

Service life :
Durée de vie. Durée de service. Potentiel.

Service module [space vehicle] :
Module de servitude [véhicule spatial].

Service support : Service après-vente.

Service voltage : Tension de régime.

Servicing : Entretien courant. Service courant.

Servo-actuator : Servocommande.

Servo-altimeter : Altimètre asservi.

Servo-brake : Servofrein.

Servocontrol : Servocommande.

Servo control fairing :
Carénage de servocommande.

Servo mechanism : Servomécanisme.

Servo-unit blower :
Ventilateur de coffret de servo.

Set-and-forget control system :
Système de contrôle dont le fonctionnement est autonome après réglage.

Set button : Poussoir de réglage.

Set-down : Atterrissage.

Set heading knob : Bouton d'affichage de cap. Bouton de sélection de cap.

Setting pin : Axe de brochage.

Setting plate : Tôle de réglage.

Setting ring :
Bague de réglage. Bague de guidage.

Setting screw : Vis de calage. Vis de réglage.

Shaft : Arbre. Axe. Transmission.

Shaft horsepower (SHP) : Puissance sur l'arbre.

Shaft stop : Butée d'arbre.

Shaker : Secoueur de manche.

Shallow dive : Piqué léger.

Shear flow : Décollement des filets d'air. Flux de cisaillement.

Shear force detector : Détecteur d'efforts de cisaillement sur les axes d'atterrisseurs.

Shear strength : Résistance au cisaillement.

Shear stress : Contrainte de cisaillement.

Shearing stress : Effort de cisaillement.

Sheet molding compound (SMC) :
Moulage de préimprégnés.

Shell construction : Construction "coque".

Shell structure : Structure en coque.

Shield : Blindage. Bouclier. Ecran de protection.

Shim : Cale d'épaisseur.

Shim rod :
Barre de réglage. Barre de compensation.

Shim washer : Rondelle-entretoise.

Shimmy damper : Amortisseur de shimmy.

Shipset : Ensemble. Jeu.

Shock-compensating rocker beam :
Balancier [train d'atterrissage].

Shock-mount :
Amortisseur de vibrations. Silentbloc.

Shock wave : Onde de choc.

Shop check removal :
Dépose pour visite en atelier.

Shop number (SN) : Numéro d'usine.

Shop replaceable unit (SRU) :
Equipement remplaçable en atelier.

Shore effect : Diffraction côtière.

Short fixed core nozzle (SFCN) :
Nacelle à tuyère courte.

Short-haul aircraft : Avion court-courrier.

Short-range air defense system (SHORAD) :
Système de défense aérienne du champ de bataille.

Short-range air-to-ground missile (SRAM) :
Missile air-sol à courte portée.

Short-range anti-radiation missile (SRARM) :
Missile antiradar à courte portée [mise en service 1995].

Short-range attack missile (SRAM) :
Engin tactique.

Short range (SHORAN) navigation system :
Système de détermination de position d'un avion sur courte distance.

Short-range search-and-rescue mission :
Mission SAR sur courte distance.

Short-range stand-off missile (SRSOM) :
Missile éjecteur de sous-munitions à distance de sécurité.

Short take-off and landing (STOL) aircraft :
Avion à décollage et atterrissage courts (ADAC).

Short take-off and landing/maneuver technology demonstrator (S/MTD) [a demonstrator aircraft able to take-off and land between the craters of a bombed runway] :
Démonstrateur capable de décoller et d'atterrir entre les cratères d'une piste bombardée.

Short take-off and vertical landing (STOVL) aircraft : Avion à décollage court et atterrissage vertical (ADC/AV).

Shot blasting : Grenaillage de décapage.

Shot peening process : Procédé de projection d'abrasifs par voie sèche [préparation des surfaces par grenaillage].

Shoulder bracket : Gousset.

Shrinkage : Contraction. Retrait.

Shrinking : Rétrécissement. Rétreint. Frettage.

Shroud :
Carénage. Enveloppe. Revêtement. Auvent.

Shroud skin : Revêtement de carénage.

Shrouded blade :
Aube « caisson ». Aube renforcée.

Shrouded nozzle : Tuyère carénée.

Shrouded tail fan : Fenestron. Rotor fenestron.

Shrouded tail rotor : Rotor anticouple caréné. Rotor de queue caréné. Fenestron.

Shut down (to) :
Couper. Arrêter. Stopper. Couper le contact.

Shut off (to) : Couper. Interrompre. Isoler.

Shut off the engine (to) : Couper le moteur.

Shut-off valve :
Vanne d'isolement. Robinet d'arrêt.

Shuttle integrated radar (SIR) :
Radar navette intégré [NASA].

Shuttle valve :
Clapet navette. Soupape va-et-vient.

Side-burning grain :
Bloc de propergol à combustion latérale.

Side elevation : Vue de côté.

Side engine strut : Mât-réacteur latéral.

Side-force steering [missile] :
Pilotage en force [missile].

Side instrument panel :
Planche de bord latérale.

Side landing : Atterrissage par vent de côté.

Side-looking airborne modular multimission radar (SLAMMR) :
Radar embarqué polyvalent à balayage latéral.

Side-looking airborne radar (SLAR) :
Radar embarqué à balayage latéral.

Side-looking antenna radar :
Radar à antenne latérale.

Side-looking radar (SLR) :
Radar à visée latérale.

Side-looking reconnaissance radar (SLRR) :
Radar de reconnaissance à balayage latéral.

Sideslip : Glissade sur l'aile.

Sideslip angle : Angle de dérapage.

Sideslip vane assembly :
Ensemble détecteur de dérapage.

Side-stick controller : Mini-manche latéral.

Sidestick controller/fly-by-wire flight control system : Commande de manche latéral/système de commandes de vol électriques.

Sight gage (gauge) :
Jaugeur à niveau visible. Niveau à vue.

Sight line gyro : Gyroscope de stabilisation.

Sight optical system (SOS) :
Système de visée optique [hélicoptère].

Sight unit : Dispositif de visée. Viseur.

Signal box : Boîtier de signalisation.

Signal flare : Fusée de signalisation.

Significant meteorological message (SIGMET) : Message relatif aux phénomènes météorologiques dangereux pour la navigation.

Siky [dropping a parachutist to determine drift angle] : Parachutiste largué le premier pour déterminer la dérive.

Simulated flame-out landing : Atterrissage avec coupure simulée de la turbine.

Simultaneous dual field-of-view (SDFOV) system : Système d'imagerie thermique à double champ de vision.

Single-aisle twin : Bimoteur à un couloir.

Single-blade propeller : Hélice monopale.

Single-crystal blades :
Aubes à structure monocristalline.

Single-engine aircraft : Avion monomoteur.

Single-engine turboprop :
Monoturbopropulseur.

Single-engine turboprop transport aircraft :
Avion de transport monoturbine.

Single-engined ceiling :
Plafond en vol avec un seul moteur.

Single-flow jet engine : Réacteur à simple flux..

Single-hinge double-slotted flap :
Volet double fente à simple pivot.

Single-leg landing gear :
Train d'atterrissage monojambe.

Single overhead camshaft (SOHC) :
Simple arbre à cames en tête.

Single rotation (SR) : Propfan simple [par opposition au contrarotatif].

Single-shaft engine : Moteur à simple corps.

Single-shaft turbine : Turbine fixe.

Single shaft turbojet :
Turboréacteur à simple corps.

Single-sideband (SSB) transmission :
Emission sur BLU [bande latérale unique].

Single-slotted flap : Volet à une fente.

Single-spool turbojet :
Turboréacteur à simple corps.

Single-stage centrifugal compressor :
Compresseur centrifuge à un étage. Compresseur centrifuge monoétage.

Single-stage compressor :
Compresseur à un étage.

Single-stage fan : Soufflante monoétage.

Single-stage to orbit (SSTO) :
Navette monoétage à ascension directe.

Sink rate :
Vitesse verticale admissible à l'impact.

Sinking speed : Vitesse de descente verticale.

Sintering : Frittage [métallurgie].

Sized part : Pièce de rechange à cotes spéciales.

Skeleton : Structure. Ossature.

Skew-angle roller bearing :
Roulement à contacts obliques.

Skid landing gear : Train d'atterrissage à patins.

Skimming missile : Missile à vol rasant.

Skin : Revêtement. Peau.

Skin mapping :
Implantation d'antenne sur la peau d'un avion.

Skyjacking :
Détournement d'avion. Piraterie aérienne.

Skytruck [familiar name given to the American freighter C-17] : « Camion du ciel » [sobriquet de l'avion-cargo américain C-17].

Slab laser : Laser YAG en plaques.

Slack controls : Commandes molles.

Slam acceleration : Accélération brutale.

Slat : Bec de bord d'attaque. Bec mobile.

Slat bevel gearbox : Renvoi d'angle de bec.

Slat carriage : Chariot de bec de bord d'attaque.

Slat control unit :
Moteur de commande des becs.

Slat de-icing air piping :
Tuyauterie d'air de dégivrage de bec.

Slat drive shaft : Arbre de commande de bec.

Slat drive shaft gearbox :
Boîtier de commande de bec.

Slat drive torque shaft :
Arbre de torsion de commande de bec.

Slat extension : Sortie des becs.

Slat guide rail : Rail guide de bec.

Slat hydraulic jack : Vérin hydraulique de commande de bec de bord d'attaque.

Slat monitor panel :
Panneau de contrôle des becs.

Slat retraction : Rentrée des becs.

Slat slot : Fente du bec de bord d'attaque.

Slat stepback gearbox :
Boîtier réducteur de bec.

Slat track : Rail du bec de bord d'attaque.

Slaved system : Système asservi.

Sleek helicopter : Hélicoptère d'héliportage.

Sleeve bearing : Palier à bague.

Sleeve coupling : Accouplement à manchon.

Slewing : Balayage radar.

Sliding canopy rail : Glissière de verrière.

Sliding jettisonable monoblock plexiglass canopy : Verrière monobloc en plexiglass coulissante et largable.

Sliding joint :
Joint glissant. Faux cardan à membrane.

Sliding sleeve :
Coiffe mobile de train d'atterrissage.

Sling :
Elingue. Délesteur. Suspente de parachute.

Slip bubble : Indicateur de glissement latéral.

Slip clutch : Embrayage à friction. Accouplement à glissement [pilote automatique].

Slip ring : Bague collectrice. Anneau collecteur.

Slipflow zone : Zone de glissement.

Slipper bearing : Roulement à segments.

Slipper tank : Réservoir amovible.

Slipstream : Souffle d'hélice.

Sloppy controls : Commandes molles.

Slot flap : Volet à fente.

Slotted aileron : Aileron à fente.

Slotted planar array :
Réseau plan à fentes [radar].

Slotted wing : Aile à fente.

Slueing assembly : Système d'asservissement du gyroscope directionnel.

Slung load : Charge à l'élingue.

Small agile battlefield aircraft (SABA) [a British project for a very maneuverable plane designed to fight against helicopters and combat aircraft flying at a low altitude over the battlefield] : Petit avion très manoeuvrable prévu pour lutter contre les hélicoptères et les avions de combat évoluant à basse altitude au-dessus du champ de bataille [projet britannique].

Small intercontinental ballistic missile (SICBM) : Petit missile balistique intercontinental à deux ogives.

Smart bomb : Bombe « intelligente ».

Smart head-up display (SHUD) [symbol generation, fire control, approach, navigation, air-to-ground, air-to-air] :
Viseur électronique tête haute de conception avancée à fonctions multiples [génération de symboles, conduite de tir, approche, navigation, air-sol, air-air].

Smart panel : Panneau d'indicateurs du type « tout éteint = tout va bien ».

Smoke detection computer unit (SDCU) :
Calculateur de gestion de système de détection d'incendie.

Smoke-removal checklist :
Liste des vérifications à effectuer en cas de présence de fumée dans la cabine.

Smooth touch-down : Atterrissage en douceur.

Snap-head rivet : Rivet bouterollé.

Snap-in contact : Connecteur enfichable.

Snap-in locking device :
Dispositif de verrouillage à crans.

Snap-on : Fixation immédiate (à).

Snubber : Verrou électromagnétique. Solénoïde de blocage.

Snubber circuit : Circuit de protection.

Snug fit : Ajustement serré.

Sock : Bonnette de pale.

Socket : Douille. Prise de courant femelle. Connecteur. Culot.

Socket base : Support de prise.

Socket joint : Articulation à rotule.

Socket spanner : Clé à douille. Clé à tube.

« Socks technique » [composite materials] :
Technique « des chaussettes » [matériaux composites].

Soflite [modifications incorporated in the wing to improve aerodynamic drag] : Modifications apportées à la voiture pour améliorer la traînée aérodynamique.

Soft landing : Atterrissage en douceur.

Solar and heliospheric observation (SOHO) programme [launched on December 2, 1995] : Satellite d'observation héliosphérique et solaire [étude des basses fréquences et du vent solaire, lancé le 2 décembre 1995].

Solar-dynamic power generator : Générateur héliodynamique.

Solenoid : Solénoïde. Electro-aimant.

Solenoid relay : Relais électromagnétique.

Solenoid shut-off valve : Soupape d'arrêt à solénoïde.

Solenoid valve : Clapet électrique. Electrovalve. Clapet électromagnétique. Electro-robinet.

Solenoid valve block assembly : Electro-distributeur.

Solenoid valve for nozzle opening acceleration : Electro-robinet d'accélération de tuyère.

Solid-fuel ramjet (SFRJ) : Statoréacteur à poudre.

Solid propellant grain : Pain de propergol solide. Bloc de propergol solide.

Solid rocket booster (SRB) : Fusée d'appoint à poudre. Accélérateur à poudre.

Solid-state : Semi-conducteurs (à). Transistorisé. Monolithique. Etat solide (à).

Solid-state modulator : Modulateur à "état solide».

Solid-state switch assembly : Contacteur statique.

Solid strap-on booster : Propulseur d'appoint à poudre (PAP).

Sonar transducer : Capsule bathymétrique sonar.

Sonic bang : Bang sonique.

Sound proof (to) : Insonoriser.

Sound-proofed : Insonorisé.

Sound-proofed nozzle : Tuyère insonorisée.

Sound-proofing panel : Panneau d'insonorisation.

Space-based radar : Satellite-radar de détection d'avions et de missiles [élément de l'ex-SDI américaine].

Space exploration initiative (SEI) [USA] : Programme d'exploration spatiale américain.

Space flight : Vol spatial.

Space launcher : Lanceur spatial.

Space limited payload (SLP) : Charge marchande au maximum de la capacité.

Space model : Maquette d'encombrement.

Space probe : Sonde spatiale.

Space radar laboratory (SRL) : Laboratoire radar spatial.

Space shuttle : Navette spatiale.

Space shuttle main engine (SSME) : Moteur principal de la navette spatiale [USA].

Space station [made up of several modules manufactured by NASA, Japan, Canada, and various European countries. It should be operational by 1995] : "Space station" désigne la future station spatiale habitée composée de plusieurs modules [sa fabrication doit être assurée par la NASA, le Japon, le Canada et divers pays d'Europe. Elle devrait être opérationnelle en 1995].

Space station users panel (SSUP) : Groupe d'utilisateurs européens de la "Space Station" [programme Columbus].

Space surveillance and tracking system (SSTS) : Système spatial de surveillance et de poursuite.

Space telecoms : Télécommunications spatiales.

Space transport system (STS) : Navette spatiale.

Spacecraft : Vaisseau spatial. Véhicule spatial. Engin spatial.

Spacer : Entretoise. Cale d'épaisseur. Bague d'espacement. Cale d'écartement.

Spacer bolt : Boulon d'entretoise.

Spacer bushing : Bague entretoise. Douille entretoise.

Spacer ring : Bague d'espacement. Virole d'espacement.

Spacer sleeve : Manchon d'entretoise.

Spacer washer : Rondelle d'écartement.

Spacesuit : Combinaison spatiale.

Spacing cable : Câble de tierçage.

Spacing ring : Bague d'espacement.

Spaghetti tubing : Souplisseau. Souplisso.

Spalling : Ecaillage. Effritement.

Span : Envergure. Portée.

Spanwise beam : Poutre [dans le sens de l'envergure].

Spar : Longeron.

Spar boom : Semelle de longeron.

Spar boom splice : Eclisse de semelle de longeron.

Spar box depth : Profondeur de caisson.

Spar cap : Semelle de longeron [rapportée].

Spar flange : Semelle de longeron [moulée].

Spar frame : Couple de longeron.

Spar web : Ame de longeron.

Spar web wedge : Clé d'âme de longeron.

Spare : Rechange. Remplacement.

Spare part : Pièce de rechange. Pièce détachée.

Spares catalog :
Catalogue des pièces de rechange.

Spark advance : Avance à l'allumage.

Spark arrester : Eclateur.

Spark erosion-machining : Usinage par électro-érosion. Usinage par étincelage.

Spark gap : Distance entre électrodes. Eclateur.

Spark plug : Bougie d'allumage.

Spark plug gap :
Ecartement des électrodes de bougie.

Sparking plug gasket : Joint de bougie.

Special electronic mission aircraft (SEMA) :
Avion spécial pour missions électroniques.

Special mission aircraft (SMA) :
Avion pour missions spéciales.

Specific excess power (SEP) :
Excédent de puissance spécifique.

Specific fuel consumption (SFC) :
Consommation spécifique de carburant (Cs).

Specific gravity : Densité. Poids volumique.

Specification : Spécification. Désignation. Description. Norme. Devis descriptif.

Specification manual : Cahier des charges.

Specified load : Charge prescrite.

Specified occurrence : Incident spécial en vol [foudre, impacts d'oiseaux].

Spectrometric oil analysis program (SOAP) :
Programme d'analyse spectrométrique de l'huile.

Spectrophotometer : Spectrophotomètre.

Speed : Vitesse. Régime. Allure.

Speed brake : Aérofrein. Frein aérodynamique.

Speed brake control safety clip :
Sécurité de commande d'aérofrein.

Speed brake handle : Poignée d'aérofrein.

Speed brake lever : Levier d'aérofrein.

Speed capsule : Carène antichoc.

Speed-change drive unit : Motovariateur.

Speed contact switch :
Contacteur anémométrique.

Speed control : Régulation de la vitesse.

Speed control unit : Régulateur de vitesse.

Speed correction : Compensation de vitesse.

Speed governor : Régulateur de vitesse. Régulateur de régime. Régulateur tachymétrique.

Speed IAS : Vitesse au badin.

Speed limiter : Limiteur de vitesse.

Speed reference system (SRS) : Système de référence de vitesse indicateur de l'assiette optimale de la vitesse ascensionnelle.

Speed regulation : Régulation tachymétrique.

Speed sensor : Capteur de vitesse.

Speedometer : Indicateur de vitesse. Compteur de vitesse. Tachymètre. Cinémomètre.

Spherical error probability (SEP) :
Probabilité d'erreur sphérique.

Spherical joint : Rotule.

Spherical sleeve : Coussinet.

Spherical thrust-bearing : Butée sphérique.

Spheriflex rotor hub : Moyeu rotor Sphériflex.

Spheroidizing : Globulation [métallurgie].

Spider :
Plateau de commande. Araignée. Croisillon.

Spider arm : Bras d'araignée.

Spider body : Ensemble en étoile.

Spider construction : Armature en araignée.

Spigot : Broche. Ergot. Pion.

Spill line : Ligne de retour. Conduit de décharge.

Spill vent : Event de décharge.

Spin : Vrille. Tournoiement.

Spin and incidence limiting system :
Dispositif limiteur de vrille et d'incidence.

Spin axis : Axe de rotor. Axe de rotation.

Spin forging : Fluotournage.

Spin recovery : Sortie de vrille.

Spin-stabilized satellite :
Satellite stabilisé par rotation.

Spin thruster : Tuyère de mise en rotation.

Spin-up : Montée en régime. Accélération. Mise en rotation rapide [stabilisation des satellites, sondes, véhicules spatiaux].

Spindle :
Fusée. Fuseau. Arbre. Broche. Axe. Tige.

Spindle bush : Bague de broche.

Spinner : Casserole d'hélice. Capot avant. Cône d'hélice. Cône d'entrée.

Spinning : Repoussage [métallurgie]. Rotation rapide. Survitesse.

Spiral bevel gear :
Engrenage conique à denture hélicoïdale.

Splash lubrication : Graissage par barbotage.

Splash-proof : Etanche aux projections.

Splash-proof asynchronous motor :
Moteur asynchrone protégé.

Splice : Biellette d'éclissage. Raccord. Joint de recouvrement. Epissure. Eclisse.

Spline : Cannelure.

Spline hub : Moyeu cannelé.

Splined bushing : Bague cannelée.

Splined end : Embout cannelé.

Splined pin : Axe cannelé.

Splined shaft : Arbre cannelé.

Split bushing : Bague fendue.

Split compressor : Compresseur double.

Split coupling : Accouplement à coquilles.

Split crankcase : Carter en deux parties.

Split fitting : Domino [électricité].

Split flap : Volet d'intrados.

Split flaps : Volets jumelés.

Split foil : Système à plans porteurs séparés.

Split key : Clavette fendue.

Split pin : Goupille fendue.

Split plot [two planes instead of one are shown on the controller's radar display] : « Plot éclaté » [l'écran radar du contrôleur affiche la présence de deux avions au lieu d'un seul].

Split rudder :
Gouverne de direction en deux parties.

Split-type landing flap :
Volet d'atterrissage à fente.

Splutter (to) :
Avoir des ratés. Bafouiller [moteur].

Spoiler : Spoiler. Déporteur. Obturateur de fente d'aile. Destructeur de portance. Aérofrein.

Spoiler actuating cylinder :
Vérin de commande des spoilers.

Spoiler/airbrake servocontrol :
Servocommande des spoilers et aérofreins.

Spoiler assy : Ensemble aérofrein.

Spoiler deflection : Braquage des spoilers.

Spoiler down travel : Effacement des spoilers.

Spoiler elevator computers (SEC) :
Calculateurs de profondeur et des spoilers.

Spoiler extend light : Voyant "spoilers sortis».

Spoiler extension : Sortie des spoilers.

Spoiler extension linkage :
Timonerie de sortie des spoilers.

Spoiler hydraulic jack :
Vérin hydraulique de spoiler.

Spoiler power system :
Circuit hydraulique des spoilers.

Spoiler retraction : Rentrée des spoilers.

Sponson support strut :
Mât de flotteur [hélicoptère].

Sponsons : Ailettes. Nageoires. Flotteurs.

Spot : Point lumineux. Repère lumineux. Trace. Spot.

Spot welding : Soudure par points.

Spotfacing : Lamage. Surfaçage.

Spray (to) : Pulvériser. Atomiser. Vaporiser.

Spray nozzle : Gicleur.

Spraying bar : Rampe de pulvérisation.

Spraying circuit : Circuit d'injection.

Spreader bar : Barre d'écartement.

Spring : Ressort.

Spring back a skin plate (to) :
Dérouler une tôle de revêtement.

Spring ball-fitted pawl : Encliquetage à bille.

Spring bolt : Boulon à ressort.

Spring clamp : Collier à ressort.

Spring clip :
Ressort lyre. Pince à ressort. Bague de serrage.

Spring guide : Guide de ressort.

Spring housing : Logement de ressort.

Spring link : Bielle à ressort.

Spring linkage : Timonerie à ressort.

Spring lock :
Barre de traction [parachute]. Verrou à ressort.

Spring pack : Bloc-ressort.

Spring pin :
Goupille élastique. Axe creux fendu.

Spring ring coupling :
Accouplement à segments extensibles.

Spring sheet metal : Tôle bleue.

Spring steel : Acier à ressort.

Spring tab : Compensateur à ressort. Flettner. Tab à ressort.

Spring washer :
Rondelle à ressort. Rondelle Grower.

Sprocket : Pignon à chaîne. Pignon denté.

Spur : Eperon. Ergot.

Spur gear : Engrenage droit. Pignon droit. Engrenage cylindrique.

Squawk [a signal transmitted by a plane to indicate its position] :
Signal émis par un répondeur de bord permettant au contrôleur de zone de connaître la position de l'avion émetteur (USA).

Squirrel cage motor : Moteur à cage d'écureuil.

Stabilator : Empennage mobile automatique. Plan mobile. Empennage horizontal.

Stabilator trim actuator :
Actionneur de trim de stabilisateur.

Stability augmentation and attitude hold system (SAAHS) : Système augmentateur de stabilité et de maintien d'assiette.

Stability augmentation system (SAS) : Système de stabilisation artificielle [pilote automatique]. Dispositif servo-amortisseur.

Stability control augmentation system (SCAS) : Système d'augmentation du contrôle de la stabilité.

Stabilizer : Empennage. Empennage horizontal. Plan fixe. Dérive. Stabilisateur.

Stabilizer bracing strut :
Mât support de stabilisateur.

Stabilizer brake release handle : Tirette de déblocage de frein de stabilisateur.

Stabilizer deflection : Braquage du stabilisateur.

Stabilizer out of trim light : Voyant de déréglage de compensation du stabilisateur.

Stabilizer trim : Compensateur de stabilisateur. Trim de stabilisateur.

Stabilizer trim cut-out switch : Interrupteur d'arrêt du compensateur de stabilisateur.

Stabilizer trim indicator :
Indicateur de compensation du stabilisateur.

Stabilizer trim jack screw :
Vis de trim de stabilisateur.

Stabilizer trim light :
Voyant de compensateur de stabilisateur.

Stabilizer trim system :
Système de calage du stabilisateur.

Stabilizer trim warning switch : Contacteur signalisateur de position du trim de stabilisateur.

Stabilizer trim wheel :
Volant du trim de stabilisateur.

Stabilizing gyro : Gyroscope de stabilisation.

Stabilizing rod : Bielle stabilisatrice.

Stack : Circuit d'attente.

Staged combustion engine :
Moteur à combustion étagée.

Staggerwing aircarft : Avion à ailes décalées.

Stairway override valve :
Clapet de porte arrière.

Stairway shutter : Volet mobile d'escalier.

Stairway string-board : Limon d'escalier.

Stairway unlocking cylinder :
Vérin de décrochage d'escalier.

Stall : Décrochage. Perte de vitesse.

Stall buffeting : Battement (ou tremblement) avertisseur de décrochage.

Stall dive : Abattée.

Stall fence : Cloison de décrochage.

Stall indicator : Indicateur de décrochage.

Stall light : Voyant de décrochage.

Stall recovery : Sortie de décrochage.

Stall the engine (to) : Caler le moteur.

Stall turn :
Décrochage en virage. Renversement.

Stall vane : Cloison de décrochage. Arête guide. Barrière de couche limite.

Stall-warning computer :
Calculateur avertisseur de décrochage.

Stall-warning horn :
Avertisseur de décrochage sonore.

Stall-warning indicator :
Avertisseur (ou indicateur) de décrochage.

Stall-warning system (SWS) :
Système avertisseur de décrochage.

Stalling angle : Angle d'incidence critique. Angle de décrochage.

Stalling speed (V3) : Vitesse de décrochage.

Stalling speed (VS) :
Vitesse de décrochage (VS).

Stalling speed with flaps extended :
Vitesse de décrochage avec volets braqués.

Stalling speed with flaps retracted :
Vitesse de décrochage avec volets rentrés.

Stalling speed with gear and flaps down :
Vitesse de décrochage avec train et volets sortis.

Stalling speed with gear and flaps up : Vitesse de décrochage avec train et volets rentrés.

Stallometer :
Indicateur de vitesse minimale de sustentation.

Stamp (to) : Emboutir. Estamper. Matricer. Poinçonner. Repousser.

Stamping die : Matrice d'emboutissage.

Stamping jig : Gabarit d'estampage.

Stamping press : Presse à emboutir.

Stampings : Pièces estampées.

Stand : Support. Socle. Pied. Banc.

Stand-by : Attente. Attente (en). Secours (de). Sécurité (de). Réserve (en). Réserve (de).

Stand-by instrument : Instrument de secours.

Stand fixture : Bâti.

Stand-off land attack missile (SLAM) : Missile d'attaque au sol dont le tir s'effectue à distance de sécurité.

Stand-off land attack missile – expanded response – (SLAM-ER) : Missile d'attaque au sol dont le tir s'effectue à distance de sécurité, à performances améliorées.

Stand-off position : Position d'attente.

Stand-off surveillance and target acquisition system (SOSTAS) :
Système de surveillance et d'acquisition d'objectifs fonctionnant à distance de sécurité.

Stand-off terminal : Borne d'écartement.

Stand pipe : Tuyau d'alimentation vertical. Colonne montante.

Standard : Etalon. Modèle. Norme. Normalisé. Normal. Standard. Type.

Standard atmosphere :
Atmosphère ISA. Atmosphère standard.

Standard day : Jour standard. Conditions ISA.

Standard flight director formats : Dimensions des systèmes classiques d'affichage de situation horizontale.

Standard fuel tankage :
Réserve normale de carburant.

Standard gauge : Calibre étalon.

Standard instrument departure (SID) : Procédure de départ aux instruments imposée par le Contrôle de la Circulation Aérienne.

Standard mean chord (SMC) : Corde aérodynamique moyenne.

Standard part : Pièce normalisée.

Standard pitch : Pas nominal [hélice].

Standard pressure gauge : Manomètre étalon.

Standard terminal arrival route (STAR) : Procédure d'arrivée aux instruments imposée par le Contrôle de la Circulation Aérienne.

Standard zero fuel weight :
Masse structurale sans carburant.

Standardization :
Normalisation. Standardisation.

Standby compass : Compas de secours.

Standby gyro horizon :
Horizon gyroscopique de secours.

Star-connected :
Monté en étoile. Couplé en étoile.

Star connection :
Connexion en étoile. Connexion en triangle.

Star washer :
Rondelle éventail. Rondelle à dents.

Starboard (STB) : Tribord. Droite.

Starboard elevator :
Gouverne de profondeur droite [tribord].

Starboard wing : Aile droite.

Starflex rotor : Rotor Starflex.

Star-perforated grain : Pain (ou bloc) de propergol à perforations en étoile.

Starstreak :
Missile hypersonique à guidage laser.

Start (to) :
Démarrer. Mettre en marche. Mettre en route.

Start enrich valve :
Robinet d'enrichissement au démarrage.

Start lever : Levier de démarrage.

Start-up :
Mise en marche. Mise en route. Démarrage.

Starter : Démarreur.

Starter cutoff speed :
Vitesse d'autonomie réacteur.

Starter fairing : Capotage du démarreur.

Starter generator : Génératrice de démarrage.

Starter-generator : Démarreur-génératrice.

Starter indicator light : Voyant de démarreur.

Starter shut-off valve : Vanne de démarrage.

Starter solenoid valve :
Electrorobinet de démarrage.

Starting atomizer : Injecteur de démarrage.

Starting magneto : Magnéto de départ.

Starting power : Puissance de démarrage.

Starting run : Longueur de démarrage.

State 4 sea : Mer de force 4.

State-of-the-art : Etat actuel de la technique (en l'-). Règles de l'art (dans les).

State-of-the-art design :
Conception avancée (de).

State-of-the-art technique :
Technique de pointe.

State-of-the-art technology :
Technologie avancée.

Static air intake : Prise d'air statique.

Static air temperature (SAT) :
Température de l'air statique.

Static balance : Equilibrage statique.

Static discharger :
Déchargeur d'électricité statique.

Static fuel consumption :
Consommation au point fixe [carburant].

Static jet thrust : Poussée au point fixe.

Static port : Prise statique.

Static port stopper :
Obturateur de prise statique.

Static pressure probe : Sonde statique.

Static rectifier bridge :
Pont à redresseurs statiques.

Static test cell : Cellule d'essai statique.

Static thrust : Poussée au point fixe.

Static thrust in pounds (Lb.S.T.) : Poussée au point fixe en livres.

Static vent plug : Obturateur de prise statique.

Static weight on main L/G (WM) :
Masse statique sur l'atterrisseur principal.

Static weight on nose gear (WN) :
Masse statique sur l'atterrisseur avant.

Stationary high altitude relay platform (SHARP) : Plate-forme fixe de haute altitude destinée à la transmission de signaux radio [Canada].

Stationary vane : Aube fixe.

Stato-jet fuse : Fusée de statoréacteur.

Stator : Stator. Redresseur. Aubage fixe.

Stator blade : Aube fixe.

Statute mile per hour (MPH) :
Milles terrestres [1609 m] par heure.

Stay :
Hauban. Appui. Support. Contre-fiche. Etai.

Stay post : Bielle d'immobilisation.

Stay rod : Jambe de force. Contre-fiche.

Steady level flight : Vol en palier stabilisé.

Steady navigation lights :
Feux de navigation fixes.

Stealth bomber : Bombardier « furtif ».

Stealth fighter : Avion de chasse « furtif ».

Stealth technologies :
Technologies visant à rendre l'avion qui les utilise très difficile à détecter.

Steel frame section : Profilé en acier.

Steel sheet : Tôle d'acier.

Steel shot : Grenaille d'acier.

Steep approach : Approche à forte pente.

Steep attitude : Vol cabré.

Steep bank : Virage à la verticale.

Steep spin : Vrille serrée.

Steep turn stall : Décrochage tournant.

Steer (to) : Faire route. Gouverner à un cap. Diriger vers ... (se).

Steer a course (to) :
Suivre un cap. Suivre une route.

Steer one's course (to) :
Suivre son cap. Suivre sa route.

Steerable : Orientable.

Steerable nose gear : Train avant orientable.

Steerable nose wheel : Roulette avant orientable.

Steerable shock absorber :
Amortisseur orientable.

Steerable wheel : Roue orientable.

Steering angle :
Angle de braquage [train d'atterrissage avant].

Steering bar :
Barre de guidage. Barre de direction.

Steering collar : Collier de direction [train d'atterrissage avant].

Steering column : Colonne de direction.

Steering control : Commande de direction [train d'atterrissage avant].

Steering cylinder : Vérin d'orientation [train d'atterrissage avant].

Steering gear : Timonerie.

Steering mechanism : Mécanisme de direction.

Steering metering valve :
Distributeur de direction.

Steering radius : Rayon de braquage.

Steering rod : Bielle de direction.

Steering servo-valve :
Distributeur de commande de direction.

Steering shift system :
Dispositif de transfert du circuit d'orientation.

Steering wheel : Volant de direction.

Stem : Tige. Broche. Etrave.

Stem hatch : Porte d'étrave.

Step : Redan [coque].

Step cruise : Croisière par paliers.

Step down ratio : Rapport de démultiplication.

Step down transformer : Abaisseur de tension.

Step on the gas (to) : Mettre les gaz.

Stern heavy : Centrage arrière.

Stern post : Longeron arrière de dérive.

Stick : Manche. Manche à balai. Groupe de saut [parachutisme].

Stick control : Commande par manche.

Stick fixed : Manche bloqué.

Stick force : Effort au manche.

Stick free : Manche libre.

Stick friction ball :
Rotule de friction du manche.

Stick friction knob :
Bouton de réglage de friction du manche.

Stick friction nut :
Ecrou de réglage de friction du manche.

Stick full back : "Manche au ventre».

Stick handgrip : Poignée du manche.

Stick limit position : Manche en butée.

Stick load : Effort sur le manche.

Stick magnetic brake :
Frein magnétique sur manche.

Stick pusher :
Pousseur de manche. Pousse-manche.

Stick sensing element :
Détecteur de position du manche cyclique.

Stick shaker : Secoueur de manche. Branleur de manche. Agitateur de manche.

Stick tendency to neutral :
Tendance au retour du manche au neutre.

Stick trim : Rappel de manche.

Sticking : Blocage. Coincement. Grippage.

Stiffen (to) : Raidir. Renforcer.

Stiffened skin panel :
Panneau de revêtement renforcé.

Stiffener :
Pièce de renfort. Cornière de raidissement.

Stiffening beam : Poutre de raidissement.

Stiffening flange : Bride de renfort.

Stinger : Missile à guidage IR.

Stinger rod : Tige-support.

Stirrup-type rudder control : Commande de gouvernail de direction de type à étrier.

Stitch weld : Soudure par points continus.

STOL aircraft : Avion a décollage et atterrissage courts (ADAC).

Stol/maneuver technology demonstrator (SMTD) : Programme d'étude de plusieurs caractéristiques importantes de l'ATF.

Stolport : Adacport.

Stop : Arrêt. Butée. Escale.

Stop-and-go : Arrêt décollé.

Stop bellows : Capsule de butée.

Stop block : Cale de butée. Cale d'arrêt.

Stop bolt : Boulon de butée. Boulon d'arrêt.

Stop drill crack (to) :
Arrêter une crique par perçage d'un trou.

Stop flange ring : Collerette de butée.

Stop pin :
Goupille d'arrêt. Ergot d'arrêt. Pion de butée.

Stop plate : Plaque de butée. Plaque d'arrêt.

Stop ring : Bague de butée. Bague d'arrêt.

Stop screw : Vis de butée. Vis d'arrêt.

Stop valve : Clapet d'arrêt.

Stop washer :
Rondelle d'arrêt. Rondelle autofreineuse.

Stopover : Escale.

Stopping brake : Frein d'immobilisation.

Stopping-off wax [areas not to be electrolytically plated] : Cire de protection [de zones à ne pas plaquer électrolytiquement].

Storable bipropellant : Diergol stockable.

Storable-propellant stage :
Etage à propergol stockable.

Storage battery : Batterie d'accumulateurs.

Stores management system (SMS) :
Dispositif de mise en oeuvre des munitions.

Stove vacuum bonding :
Collage sous vide en étuve.

Stow latch cylinder : Vérin du verrou d'escamotage de train d'atterrissage.

Stowing : Arrimage. Amarrage.

Straight-and-level delivery : Largage [de bombes] en vol horizontal et rectiligne.

Straight and level flight :
Vol rectiligne horizontal.

Straight connector : Raccord droit.

Straight-flow combustion chamber :
Chambre de combustion à écoulement direct.

Straight-flow turbojet :
Turboréacteur simple flux.

Straight-in approach : Approche directe.

Straighten (to) : Dégauchir. Défausser. Redresser. Rectifier. Dresser.

Strain :
Contrainte. Déformation. Allongement [en %].

Strain aging :
Vieillissement par écrouissage [métallurgie].

Strain coefficient : Coefficient d'allongement.

Strain gage (gauge) :
Jauge de contrainte. Extensomètre.

Strain hardening : Durcissement [métallurgie].

Strainer : Crépine. Filtre. Epurateur.

Straining screw : Tendeur à vis.

Strake : Lisse. Onglet. Liston. Arête latérale.

Strap : Patte. Pont. Sangle. Courroie. Lanière. Barrette. Bout de fil.

Strap-on booster : Propulseur d'appoint.

Strapdown attitude-heading reference system :
Centrale liée de référence d'assiette et de cap.
Centrale de cap et de verticale à composants liés.

Strapdown inertial reference system (STIRS) :
Système inertiel à composants liés.

Strapdown inertial system :
Centrale à inertie sans plate-forme.

Strategic air command (SAC) : Commandement des forces aériennes stratégiques [USA].

Strategic bomber : Bombardier stratégique.

Strategic defense initiative (SDI) [American project cancelled in May 1993] :
Initiative de défense stratégique (IDS). Projet américain de défense spatiale. « Guerre des Etoiles ». « Paix des Etoiles » [projet américain abandonné en mai 1993].

Strategic nuclear delivery aircarft : Avion de transport de charges nucléaires stratégiques.

Strategic reconnaissance :
Reconnaissance stratégique.

Stratocruiser : Avion de ligne stratosphérique.

Streamlined :
Aérodynamique (de forme). Profilé. Fuselé.

Streamlined strut : Mât profilé.

Strengthen (to) : Renforcer. Consolider.

Strengthened wing rib :
Nervure d'aile renforcée.

Stress : Contrainte. Effort. Fatigue. Tension.

Stress area : Zone des contraintes.

Stress box : Caisson résistant.

Stress corrosion : Corrosion par contraintes.

Stress diagram : Diagramme des contraintes.

Stress limit : Limite de fatigue.

Stress release : Détente des contraintes.

Stressed skin : Revêtement travaillant.

Stretch (to) : Etirer. Allonger.

Stretch forming :
Formage par étirage [métallurgie].

Stretched derivative :
Version allongée [fuselage].

Strike aircraft : Avion d'assaut. Avion de combat. Avion d'appui tactique.

Strike fighter : Chasseur d'attaque au sol.

Strike radius :
Rayon d'action en mission d'attaque.

Stringer : Lisse [fuselage]. Raidisseur. Longrine.

Stringer cap : Talon de lisse.

Strip : Barrette. Lamelle. Ruban. Plaquette. Bande. Piste d'atterrissage.

Strip (to) : Décaper. Dépouiller. Racler. Enlever. Démonter.

Strip board : Réglette.

Strip capacitor : Condensateur à lamelle.

Strip terminal : Borne plate.

Stripped wire : Fil dénudé.

Stripper : Décapant. Dénude-fil.

Stripping of threads : Foirage des filets.

Stripping pliers : Pince à dénuder.

Strobe identification light :
Feu stroboscopique d'identification.

Stroke : Course [du piston].

Stroke-bore ratio : Rapport course-alésage.

Strong rib : Nervure forte.

Structural component : Elément de structure.

Structural components and aircraft equipment : Eléments et équipements d'avion.

Structural design : Conception de la structure.

Structural layout of an engine :
Architecture d'un moteur.

Structural joint : Joint structural.

Structural repair manual (SRM) :
Manuel de réparations structurales (MRS).

Structural testing : Essai structural.

Structurally significant item (SSI) :
Elément important de structure.

Strut :
Bras. Entretoise. Support. Contre-fiche. Mât. Hauban. Jambe de force. Pylône. Croisillon.

Strut assembly : Caisson.

Strut cylinder : Corps d'amortisseur.

Strut-mounted engine :
Moteur monté en fuseau.

Stub : Bout. Embout. Tronçon. Ergot. Moignon.

Stub axle : Fusée de roue. Moyeu.

Stub fillet : Karman de mât-réacteur.

Stub plane : Emplanture d'aile. Amorce d'aile.

Stub pylon : Bras-support.

Stub tank : Réservoir d'emplanture.

Stub ventilation inlet :
Prise de ventilation du mât-réacteur.

Stub wing : Moignon d'aile. Mât de liaison [réacteur]. Nageoire ventrale.

Stud : Goujon. Cheville. Piton. Tenon. Tige. Axe. Broche.

Stud ejector spring : Ressort éjecteur.

Stud terminal :
Borne à tige [électricité]. Embout à sertir.

Stuffing box : Presse-étoupe. Boîte à étoupe.

Stuffing gland : Gland de presse-étoupe.

Sub-assembly : Sous-ensemble. Montage partiel.

Subcontracting operation :
Opération de sous-traitance.

Subcontractor : Sous-traitant.

Subfloor structure : Barque.

Subframe : Faux châssis.

Submunition dispenser :
Ejecteur de sous-munitions.

Subsonic-combustion ramjet :
Statoréacteur à combustion subsonique.

Subsonic cycle : Cycle de vol subsonique.

Subsonic flight : Vol subsonique.

Subsonic jet : Avion à réaction subsonique.

Subsonic speed : Vitesse subsonique.

Subsonic wind tunnel : Soufflerie subsonique.

Sub-spar : Longeron intermédiaire.

Suck-in door : Porte en dépression.

Suction filter : Crépine de pompe.

Sun-synchronous orbit (SSO) :
Orbite héliosynchrone.

Super ramjet : Super statoréacteur.

Super stall : Super décrochage.

Supercharged engine :
Moteur à compresseur. Moteur suralimenté.

Supercharger :
Compresseur. Soufflante de suralimentation.

Supercharger boost-pressure :
Pression de suralimentation.

Supercontingency power :
Superpuissance maximale d'urgence.

Supercritical airfoil : Profil d'aile supercritique.

Supercritical wing : Aile supercritique.

Superplastic forming and diffusion bonding (SPFDB) : Formage superplastique et assemblage par diffusion.

Supersonic aircraft : Avion supersonique.

Supersonic airliner :
Avion de ligne supersonique.

Supersonic anti-ship missile (SASM) : Missile supersonique antinavire [USA].

Supersonic bang : Bang sonique.

Supersonic base drag :
Traînée de culot en vol supersonique.

Supersonic boom : Double bang.

Supersonic business jet (SSBJ) [first flight scheduled for 1994] : Jet d'affaires supersonique [premier vol prévu pour 1994].

Supersonic-combustion ramjet : Statoréacteur à combustion supersonique [scramjet].

Supersonic commercial transport (SCT) [USA, GB, France] : Avion de transport commercial supersonique [USA, GB, France].

Supersonic cruise speed :
Vitesse de croisière supersonique.

Supersonic cycle : Cycle de vol supersonique.

Supersonic flight : Vol supersonique.

Supersonic jet airliner :
Avion de ligne supersonique à réaction.

Supersonic low-altitude target (SLAT) [2.5 Mach target missile flying at a low altitude, designed to test the means of defense of US ships] : Engin-cible supersonique [2,5 Mach] évoluant à basse altitude, destiné à tester les moyens de défense des navires américains].

Supersonic speed : Vitesse supersonique.

Supersonic transport (SST) :
Avion de transport supersonique.

Supersonic wind tunnel :
Soufflerie supersonique.

Supplemental oxygen outlet :
Prise d'oxygène d'appoint.

Supplemental type certification (STC) :
Certification STC.

Supplementary stall recognition system :
Système supplémentaire d'identification de décrochage.

Supply duct : Rampe de distribution.

Supply fitting : Raccord de distribution.

Supply plug : Prise d'alimentation.

Supply pump : Pompe d'alimentation.

Supply system : Circuit d'alimentation.

Support angle : Cornière-support.

Support arm : Bras-support.

Support assembly : Support équipé.

Support beam : Potence.

Support bearing :
Palier-support. Roulement de support.

Support bracket : Support.

Support chassis : Caisson-support.
Support cradle : Berceau-support.
Support mount : Bâti-support.
Support plate : Plaque-support. Platine de base.
Support ring : Bague d'appui.
Support roller : Galet porteur.
Support strut : Bras profilé.
Support surface : Surface d'appui.
Suppressor hole : Trou de freinage [aérofrein].
Surface command signal :
Signal de commande de gouverne.
Surface condition : Etat de surface.
Surface crack : Fissure superficielle.
Surface grinding : Surfaçage.
Surface planning : Dégauchissage.
Surface plate : Marbre.
Surface position indicator :
Indicateur de position des gouvernes.
Surface servo : Servomoteur de gouverne.
Surface stress : Tension de surface.
Surface surveillance radar : Radar de surveillance des mouvements au sol.
Surface table : Marbre.
Surface-to-air medium-range active missile (SAMRAM) :
Version mer-air de l'AMRAAM.
Surface-to-air missile (SAM) : Missile sol-air.
Surface treatment : Traitement de surface.
Surfacing : Dressage. Lamage. Polissage.
Surge : Surtension. Surintensité. Coup de bélier. Pompage.
Surge current :
Surtension anormale du courant électrique.
Surge effect : Effet de vague [dans réservoir carburant].
Surge margin : Marge de pompage [moteur].
Surge protection circuit : Circuit de protection contre les surintensités. Circuit anti-pulse.
Surge relief valve : Soupape de surpression.
Surge tank : Réservoir d'équilibrage.
Surging : A-coup. Pompage.
Surveillance radar approach (SRA) :
Approche au radar de surveillance.
Surveillance radar folding mechanism :
Motorisation d'antenne de radar de veille.
Surveillance radar panel :
Pupitre de radar de veille.
Survival kit : Equipement de survie.
Suspended frame : Berceau suspendu.
Sustained turn rate (STR) :
Taux de virage stabilisé.
Sustainer : Moteur de croisière.
Sustainer motor : Propulseur de croisière.
Sustainer tail pipe : Tuyère de croisière.

Swage (to) : Sertir. Emboutir. Estamper.
Swan neck blade : Pale col de cygne.
Swash plate : Plateau cyclique.
Swash-plate assembly : Ensemble cyclique.
Swash plate scissors :
Compas de plateau cyclique.
Sweat cooling [nozzle cooling] :
Refroidissement par transpiration [refroidissement des tuyères].
Sweep : Flèche [des ailes]. Courbure.
Sweep angle : Angle de flèche.
Sweep-on crew mask :
Masque d'équipage à mise en place rapide.
Sweep unit : Vobulateur.
Sweepback wing : Aile en flèche.
Swept-back wing (SBW) :
Aile à flèche positive (AFP).
Swept-forward wing (SFW) :
Aile à flèche négative (AFN).
Swept volume : Cylindrée.
"Swift rod" [instrument landing system, according to NATO terminology] : Système d'atterrissage aux instruments [selon la terminologie de l'OTAN].
Swing wing : Voilure pivotante.
Swing-wing aircraft : Avion à flèche variable.
Swinging arm : Bras oscillant.
Swinging rotor : Rotor pivotant.
Swirl chamber : Chambre de turbulence.
Swirl plug : Bouchon atomiseur.
Swirl vane : Aube de turbulence. Déflecteur.
Switch : Interrupteur. Commutateur. Contacteur.
Switch actuator :
Bielle à contact. Commande d'interrupteur.
Switch assembly : Conjoncteur.
Switch block : Bloc de permutation.
Switch box : Boîte de commutation.
Switch changeover : Va-et-vient. Inverseur.
Switch inverter : Commutateur.
Switch knob : Bouton-poussoir interrupteur.
Switch off (to) : Eteindre. Couper. Débrancher. Mettre hors circuit. Ouvrir le circuit.
Switch on (to) : Allumer. Ouvrir. Mettre le contact. Brancher. Mettre en circuit.
Switch over (to) : Commuter.
Switch position indicator :
Indicateur de position de l'interrupteur.
Switchboard : Tableau de distribution. Standard [téléphonique].
Switching assembly : Contacteur.
Switching rate gyro :
Gyromètre à contact [virage].
Switching unit : Boîtier de commande.
Swivel bearing : Palier à rotule.
Swivel joint : Embout orientable. Joint articulé.

Swivelling :
Orientable. Pivotant. Tournant. Basculant.

Swivelling blade : Pale orientable.

Swivelling engine : Moteur basculant.

Swivelling jet pipe : Tuyère orientable.

Swivelling nozzle [rocket motor] :
Tuyère orientable [moteur fusée].

Synchro loop :
Circuit synchrone [pilote automatique].

Synchronizing circuit :
Circuit de synchronisation.

Synchronous meteorological satellite :
Satellite météorologique géostationnaire.

Synchropter rotor system : Rotors engrenants.

Synthetic aperture radar (SAR) :
Radar à ouverture synthétique. Radar à synthèse d'ouverture

System : Circuit. Réseau. Installation. Dispositif. Système.

System data analog computer (SDAC) :
Concentrateur de données.

System test-stand :
Banc d'essais des systèmes de bord.

T

T-adapter : Adaptateur en T.

T-coupling : Raccord en T. Accouplement en T.

T-gearbox : Boîtier de transmission en T.

T-profile : Profilé en T.

T-section : Section en T. Cornière en T.

T-section gearbox : Renvoi en T.

T-tail : Empennage en T.

Tab : Compensateur. Volet de compensation. Flettner. Tab. Patte. Attache. Bas-volet.

Tab control linkage :
Timonerie de commande de tab.

Tab control rod : Bielle de commande de compensateur. Bielle de commande de tab.

Tab nut : Ecrou à pattes.

Tab washer :
Rondelle frein d'écrou. Rondelle à ergot.

Tacan approach landing system (TALS) :
Système d'aide à l'approche et à l'atterrissage.

Tachometer : Tachymètre. Compte-tours. Indicateur de vitesse.

Tachometer control : Régulation tachymétrique.

Tachometer drive : Prise de compte-tours.

Tachometer generator :
Génératrice de tachymètre.

Tachometer indicator :
Indicateur tachymétrique.

Tachometer switch : Contacteur tachymétrique. Déclencheur tachymétrique.

Tack welding :
Epinglage avant soudage. Pointage.

Tactical aerial navigation (TACAN) : Système de navigation [azimut-distance] UHF. Navigation aérienne tactique. Tacan.

Tactical aerial navigation-distance measuring equipment (TACAN-DME) : Dispositif de mesure de distance associé à un VOR.

Tactical air control center (TACC) :
Centre de contrôle aérien tactique.

Tactical air navigation system (TANS) :
Unité calculatrice de données de navigation.

Tactical air reconnaissance pod system (TARPS) :
Pod de reconnaissance aérienne tactique.

Tactical air-to-surface missile (TASM) :
Missile tactique air-sol.

Tactical antiballistic missile (TABM) :
Missile antimissile et antiavion.

Tactical ballistic missile (TBM) :
Missile balistique tactique.

Tactical co-ordinator (TACCO) [maritime surveillance] : Membre de l'équipage chargé de la coordination tactique [surveillance maritime].

Tactical data system (TDS) :
Système indicateur de données tactiques.

Tactical electronic reconnaissance (TEREC) system : Système de reconnaissance électronique tactique.

Tactical electronic warfare system (TEWS) :
Système de guerre électronique tactique.

Tactical flight management (TFM) :
Gestion du vol tactique.

Tactical jamming system (TJS) :
Système de brouillage tactique.

Tactical life support system (TLSS) :
Combinaison de vol anti-g.

Tactical missile system (TACMS) :
Missile tactique éjecteur de sous-munitions.

Tactical reconnaissance :
Reconnaissance tactique.

Tactical reconnaissance squadron (TRS) : Escadrille de reconnaissance tactique.

Tactical reconnaissance wing (TRW) : Escadre de reconnaissance tactique.

Tactical situation display (TSD) : Ecran de situation tactique.

Tactical strike fighter : Avion de chasse tactique.

Tactical support aircraft : Avion d'appui tactique.

Tactical support mission : Mission d'appui-feu.

Tactical support/protection helicopter : Hélicoptère d'appui/protection (HAP).

Tactical terrain matching (TACTERM) : Système de navigation pour hélicoptère.

Tactical transport aircraft : Avion de transport tactique.

Tactical transport helicopter (TTH) : Hélicoptère de transport tactique.

Tadpole airfoil : Profil têtard.

Tail : Queue. Empennage.

Tail boom : Poutre de queue. Poutre de fuseau d'empennage.

Tail bumper : Sabot de queue. Béquille de queue. Atterrisseur auxiliaire arrière.

Tail bumper hydraulic cylinder : Vérin hydraulique d'atterrisseur auxiliaire arrière.

Tail bumper leg assembly : Jambe équipée d'atterrisseur auxiliaire arrière.

Tail bumper oleopneumatic shock-absorber : Amortisseur de sabot.

Tail bumper pad : Patin de queue.

Tail bumper rocking arm : Balancier d'atterrisseur auxiliaire arrière.

Tail chute : Parachute de freinage.

Tail compartment : Compartiment de queue.

Tail cone : Cône de queue. Cône arrière. Pointe arrière.

Tail cone fairing : Carénage de cône de queue. Carénage de cône arrière. Carénage de pointe arrière.

Tail crutch : Béquille de queue.

Tail down landing : Atterrissage cabré.

Tail drive shaft coupling : Accouplement de transmission arrière.

Tail duct : Gaine d'empennage.

Tail empennage : Empennage.

Tail end : Tonneau [partie arrière du fuselage].

Tail fin : Dérive d'empennage. Plan fixe vertical.

Tail fin construction : Structure de la dérive.

Tail gearbox : Boîte de transmission arrière.

Tail gearbox fairing : Carénage de boîte de transmission arrière.

Tail heaviness : Tendance au cabrage.

Tail heavy : Centrage à l'arrière.

Tail hook : Crochet d'appontage.

Tail landing gear : Roulette de queue. Roue arrière.

Tail light : Feu arrière.

Tail lock actuator : Actionneur du verrou de queue.

Tail pipe : Buse de sortie. Tuyère. Rallonge.

Tail pylon : Pylône de queue.

Tail rotor : Rotor anticouple. Rotor de queue. Rotor arrière.

Tail rotor blade : Pale de rotor arrière. Pale de rotor anticouple.

Tail rotor blade locking clamp : Cale de blocage des pales du rotor arrière.

Tail rotor control : Commande de rotor arrière.

Tail rotor drive : Transmission arrière.

Tail rotor drive shaft : Arbre de transmission du rotor arrière. Transmission du rotor arrière.

Tail rotor gearbox : Boîte de transmission arrière.

Tail rotor head : Tête de rotor arrière.

Tail rotor hub (TRH) : Moyeu de rotor arrière (MRA).

Tail rotor pitch : Pas du rotor arrière.

Tail rotor pitch control mechanism : Mécanisme de commande de pas de rotor de queue.

Tail rotor servocontrol : Servocommande de rotor de queue.

Tail rotor thrust : Poussée du rotor arrière.

Tail rotor transmission : Mécanique arrière.

Tail rotor transmission shaft : Arbre de transmission de rotor de queue.

Tail skid : Béquille. Patin de queue.

Tail slide : Glissade sur la queue.

Tail surfaces : Plans de queue. Surfaces portantes arrière.

Tail trim : Réglage du plan horizontal.

Tail unit : Empennage.

Tail wheel : Roulette de queue.

Taileron : Aileron et gouverne de profondeur.

Tailing : Contre-rivure.

Tailing washer : Rondelle de contre-rivure.

Tailplane : Plan fixe horizontal. Empennage horizontal. Stabilisateur.

Tailplane anti-flutter weight : Masse d'amortissement de stabilisateur.

Tailplane control : Commande de stabilisateur.

Tailplane honeycomb trailing edge : Structure en nid d'abeille du bord de fuite de l'empennage horizontal.

Tailplane incidence adjustment : Réglage de l'incidence du plan fixe horizontal.

Tailplane limit stop :
Butée de rotation de stabilisateur.

Tailplane servo-actuator :
Servocommande de stabilisateur.

Tailplane trailing edge :
Bord de fuite d'empennage horizontal.

Tailplane trim : Trim de profondeur.

Tailsail : Ailette d'extrémité.

Take a bearing (to) : Prendre un relèvement.

Take a heading (to) : Prendre un cap.

Take-off : Décollage. Envol.

Take-off (to) : Décoller. S'envoler.

Take-off and overshoot director :
Calculateur directeur de décollage.

Take-off balanced field length :
Longueur de piste au décollage.

Take-off boost (TOB) :
Suralimentation au décollage.

Take-off clearance : Autorisation de décoller.

Take-off data : Paramètres de décollage.

Take-off data chart :
Table des paramètres de décollage.

Take-off decision speed (V1) :
Vitesse de décision au décollage.

Take-off distance : Distance de décollage.

Take-off distance available (TODA) :
Distance utilisable au décollage.

Take-off distance prior to safety speed :
Distance de roulage avant la vitesse de sécurité.

Take-off distance required :
Longueur de piste nécessaire au décollage.

Take-off distance to 50 ft :
Distance de décollage avec franchissement d'obstacle de 50 pieds.

Take-off field length :
Longueur de piste au décollage.

Take-off/go-around (TOGA) :
Décollage/remise des gaz.

Take-off gross weight :
Masse maximale au décollage.

Take-off inhibition (TO INHI) :
Système de neutralisation des alarmes au cours du décollage.

Take-off path : Trajectoire de décollage.

Take-off power : Puissance de décollage.

Take-off rating : Régime de décollage.

Take-off run : Course au décollage.

Take-off run available (TORA) : Longueur de roulement utilisable au décollage.

Take-off run required : Longueur de roulement nécessaire au décollage.

Take-off safety speed (TOSS) :
Vitesse de sécurité au décollage (VSD).

Take-off shaft : Arbre de transmission arrière.

Take-off speed : Vitesse de décollage.

Take-off thrust : Poussée de décollage.

Take-off to touch-down time :
Temps d'étape. Temps de vol.

Take-off weight (TOW) : Masse au décollage.

Take-up (to) : Compenser. Rattraper.

Take-up gear : Pignonnerie à rattrapage de jeu.

Take up the hold (to) :
Entrer dans le circuit d'attente.

Tandem actuator : Servodyne double.

Tandem rotor helicopter :
Hélicoptère à rotors en tandem.

Tangential gearbox : Boîtier tangentiel.

Tank : Réservoir. Bâche. Nourrice. Cuve. Bac. Bidon.

Tank air vent : Mise à l'air libre du réservoir.

Tank cap : Bouchon de réservoir.

Tank circuit : Circuit bouchon.

Tank discharge : Vidange de la bâche.

Tank dump valve :
Robinet de vidange de réservoir.

Tank/fuselage attachment :
Fixation réservoir/fuselage.

Tank plug : Bouchon de réservoir.

Tank pump : Pompe immergée.

Tank sponson : Ailette de réservoir.

Tank-test nose :
Cône avant pour essais au bassin des carènes.

Tankage : Capacité du réservoir.

Tanker aircraft :
Avion citerne. Avion ravitailleur.

Tap : Robinet. Dérivation. Prise intermédiaire. Branchement. Borne de piquage. Taraud.

Tap bolt : Boulon taraudé.

Tap handle : Tourne-à-gauche.

Tap holder : Porte-taraud.

Tape (to) : Maroufler. Guiper.

Taper bolt : Boulon conique.

Taper bore : Alésage conique.

Taper hub washer : Rondelle conique.

Taper milling : Fraisage conique.

Taper pin : Clavette conique.

Taper roller bearing :
Roulement à rouleaux coniques.

Taper shaft bolt : Boulon à tige conique.

Taper spigot : Ergot conique.

Taper thread : Filetage conique.

Tapered : Conique. En pointe. Effilé. En biseau. Dégressif. Evolutif.

Tapered flange : Bride conique.

Tapered nut : Ecrou conique.

Tapered pin : Goupille conique.

Tapered roller bearing :
Roulement à galets coniques.

Tapered section : Section évolutive. Section à épaisseur décroissante.

Tapered shim : Cale biaisée.

Tapered stringer : Lisse clarinette.

Tapered wing : Aile profilée. Aile effilée.

Taping : Marouflage.

Tapped end : Embout taraudé.

Tappet : Poussoir à tige.

Tappet guide : Guide de poussoir.

Tappet rod : Tige-poussoir.

Tappet roller : Galet de poussoir.

Tapping :
Dérivation. Piquage. Prélèvement. Taraudage.

Tapping of a circuit : Piquage d'un circuit.

Tapping part : Pièce de dérivation.

Tapping point : Point de dérivation.

Target : Cible. Objectif. But. Engin-cible.

Target acquisition : Repérage de l'objectif.

Target acquisition and designation sight (TADS) :
Détection, acquisition et poursuite de cibles.

Target beep : Top de cible [radar].

Target designation system :
Système de désignation d'objectif.

Target-doppler indicator (TDI) :
Détecteur par effet Doppler.

Target drone : Engin-cible. Avion-cible.

Target identification and acquisition system (TIAS) : Système d'acquisition et d'identification de cibles.

Target identification system electro-optical (TISEO) : Système électro-optique d'identification de cibles.

Target illumination and tracking :
Illumination et poursuite de cibles.

Target image generator :
Générateur d'images de cibles.

Target indication : Désignation d'objectif.

Target mean time between unscheduled removal : Périodicité anticipée de dépose non programmée.

Target recognition and attack multi-sensor (TRAM) turret :
Tourelle aéroportée équipée de plusieurs capteurs [identification et attaque d'objectifs].

Target speeds :
Carton des vitesses [au décollage].

Target tower : Avion remorqueur de cible.

Tarmac : Aire d'embarquement. Aire de stationnement. Piste d'envol. Bitume.

TAS computer : Calculateur de vitesse vraie.

Taxi (to) : Rouler au sol.

Taxi clearance : Autorisation de rouler.

Taxi-holding position : Position d'attente d'autorisation de circulation.

Taxi-in (to) :
Rouler à l'arrivée. Rentrer au parking.

Taxi lane :
Piste de roulement. Bande de roulement.

Taxi light : Feu de roulage.

Taxi-out (to) :
Rouler au départ. Sortir du parking.

Taxi strip : Voie de roulage.

Taxi way (Taxiway) : Voie de circulation.

Taxiway lighting :
Balisage lumineux de la voie de circulation.

Tear down (to) :
Démonter. Déposer. Déséquiper.

Technical data : Données techniques. Documentation technique.

Technical data sheet :
Notice technique. Note technique.

Technical dispatch reliability :
Taux de ponctualité technique.

Technical feasibility study :
Etude de faisabilité technique.

Technical features : Caractéristiques techniques.

Technical guide : Guide technique.

Technical handbook :
Manuel technique. Notice technique.

Technical manuals :
Documents de base relatifs au matériel.

Technical order (TO) : Mémento technique.

Technical specification :
Clause technique. Spécifications techniques.

Technical stopover : Escale technique.

Technical support : Assistance technique.

Technical trials : Essais techniques.

Tee : T. Pièce en T. Té.

Tee connection :
T de raccordement. Raccord en T.

Tee coupling : Raccord en T.

Tee fitting : Raccord en T.

Tee-head bolt : Boulon à tête rectangulaire.

Tee section : Profilé en T. Section en T.

Tee union : Raccord en T.

Teetering rotor :
Rotor à balancier. Rotor basculant.

Teflon back-up ring : Garniture en téflon.

Teflon-lined bearing :
Roulement à garniture téflon.

Teflon seal : Joint en téflon.

Telecontrol :
Télécommande. Commande à distance.

Teleguided missile : Missile téléguidé.

Telemetering : Télémesure.

Telemetry : Télémétrie. Télémesure.

Telescopic cylinder : Vérin télescopique.

Telescopic rod : Bielle coulissante.

Telescopic rotor aircraft (TRAC) :
Hélicoptère combiné à rotor télescopique.

Telescopic shaft : Arbre télescopique.

Telescopic slide : Glissière télescopique.

Telescopic strut :
Barre télescopique. Contre-fiche télescopique.

Temperature bridge circuit :
Circuit thermométrique en pont.

Temperature control :
Régulation thermique. Thermorégulation.

Temperature control valve :
Vanne de régulation de température.

Temperature controller :
Régulateur de température.

Temperature datum valve : Thermocouple.

Temperature probe :
Thermosonde. Sonde thermométrique.

Temperature relief valve :
Clapet thermostatique de surpression.

Tempered steel : Acier trempé.

Template : Gabarit. Calibre. Jauge.

Temporarily attach (to) : Epingler.

Temporarily fasten (to) : Epingler.

Temporary repair : Réparation provisoire.

Temporary repair kit :
Lot de première nécessité.

Tensile fatigue test : Essai de fatigue en traction.

Tensile strain : Déformation par traction.

Tensile strength : Résistance à la traction.

Tensile stress : Contrainte de traction.

Tensile test specimen : Eprouvette de traction.

Tensile yield : Limite élastique.

Tension adjuster : Tendeur.

Tension bolt :
Boulon de traction. Boulon de tension.

Tension test : Essai de traction.

Terminal : Borne. Cosse. Sortie. Prise. Fiche.
Terminal [d'aérogare].

Terminal air forecast (TAF) : Service de prévisions météorologiques d'aéroport.

Terminal airport : Aéroport tête de ligne.

Terminal bar : Barrette à bornes.

Terminal block : Plaque à bornes. Bloc de raccordement. Plaque de raccordement à bornes.

Terminal block cover : Cache-bornes.

Terminal board : Plaque à bornes. Plaque de connexions. Barrette de connexions.

Terminal board assembly :
Distributeur de raccordement.

Terminal box : Boîte à bornes. Boîte de raccordement. Boîte d'extrémité.

Terminal connection diagram :
Schéma de raccordement.

Terminal control area :
Région de contrôle terminal.

Terminal cover :
Cache-bornes. Couvercle de raccordement.

Terminal Doppler weather radar (TDWR) :
Radar météorologique d'aéroport [détection des microrafales].

Terminal guidance unit :
Récepteur de radioralliement.

Terminal lug : Cosse à borne.

Terminal plate : Plaque à bornes.

Terminal self-guidance :
Guidage terminal autonome.

Terminal strip : Plaquette à connexions. Barrette de connexions. Barrette de raccordement.

Terminal stud : Borne. Cosse de borne.

Terminal surveillance radar (TSR) :
Radar de surveillance de région terminale.

Terminal visual omnirange (TVOR) :
VOR de région terminale.

Terminal voltage : Tension aux bornes.

Terminally-guided sub-munition (TGSM) :
Sous-munition à guidage terminal.

Terminally guided warhead (TGW) :
Ogive à guidage terminal.

Terrain avoidance radar : Radar d'obstacles.

Terrain clearance :
Marge de franchissement du relief.

Terrain following (TF) : Suivi de terrain.

Terrain-following radar (TFR) :
Radar d'avion pour basse altitude.

Terrain profile matching (TERPROM) system : Système de navigation et de suivi de terrain autonome embarqué [GB].

Terrain-referenced navigation (TRN) system [joining INS and radar altimeter to optimize flight path] : Système de navigation à référence topographique [associant l'INS et l'altimètre radar pour optimiser la trajectoire de vol].

Test :
Essai. Contrôle. Vérification. Test. Epreuve.

Test airframe : Cellule d'essai.

Test ball : Bille de calibrage.

Test bar : Barreau d'essai.

Test bed : Banc d'essai.

Test bench : Banc de contrôle. Banc d'essai.

Test block : Bloc d'essai.

Test button :
Bouton de contrôle. Poussoir d'essai.

Test certificate : Certificat d'épreuve.

Test collimator : Collimateur de contrôle.

Test control panel : Panneau de commande et de visualisation des tests.

Test data analysis system (TDAS) :
Module d'analyse des données expérimentales obtenues au cours d'essais en vol.

Test equipment :
Matériel d'essai. Appareillage d'essai.

Test equipment and tools :
Outillage et appareils de contrôle.

Test equipment for rapid automatic check-out and evaluation (TRACE) : Matériel d'essai pour vérification automatique rapide et évaluation des circuits électriques et électroniques.

Test facility : Installation d'essais.

Test flight : Vol d'essais.

Test flying center :
Centre d'essais en vol (CEV).

Test jig : Bâti d'essai. Gabarit d'essai.

Test knob : Bouton d'essai.

Test lamp : Lampe témoin. Lampe de mesure.

Test light : Voyant d'essai.

Test model : Maquette d'essai.

Test pattern : Mire.

Test piece : Eprouvette.

Test plug : Prise de test.

Test prototype : Prototype d'expérimentation.

Test range : Aire d'essai.

Test rig : Montage d'essai.

Test run : Epreuve.

Test sample : Eprouvette d'essai.

Test set-up : Circuit d'essai.

Test specimen : Eprouvette.

Test stand : Bâti d'essai. Banc d'essai.

Test tube : Eprouvette. Tube à essais.

Test under natural conditions :
Essai naturel [corrosion].

Test unit : Appareil de test.

Test voltage : Tension d'essai.

Test with nose fairing installed :
Essai sous coiffe.

Tester :
Contrôleur. Appareil de contrôle. Testeur.

Tethered satellite :
Satellite captif [relié à un autre satellite].

Tethered satellite system (TSS) : Satellite relié par un câble à une navette spatiale.

Tethered trial : Essai à l'entrave.

Theater high altitude area defense (THAAD) :
Système d'interception de missiles balistiques à haute altitude [par missiles sol-air d'une portée supérieure à 150 km].

Thematic mapping (TM) :
Cartographie thématique.

Thermal anti-icing (TAI) :
Dégivrage thermique.

Thermal barrier : Mur de la chaleur.

Thermal check valve :
Clapet antiretour thermique.

Thermal circuit-breaker :
Disjoncteur thermique.

Thermal control system :
Système de régulation thermique.

Thermal cueing unit (TCU) :
Unité d'indications thermiques.

Thermal cut-out :
Coupe-circuit thermique. Rupteur thermique.

Thermal cycle monitor :
Moniteur de cycle thermique.

Thermal de-icing area :
Zone de dégivrage thermique.

Thermal expanded metals (TEM) :
Expansion métallique à chaud.

Thermal imaging airborne laser designator (TIALD) : Equipement aéroporté de visée thermique et de désignation laser.

Thermal imaging common module (TICM) :
Système d'observation infrarouge modulaire.

Thermal imaging navigation set (TINS) : Equipement de navigation à imagerie thermique.

Thermal in-line relief valve :
Clapet de surpression thermique.

Thermal jet engine : Thermopropulseur.

Thermal overload protection device :
Dispositif de protection contre les surcharges thermiques.

Thermal protection cutout :
Thermocontact de surchauffe.

Thermal shield : Bouclier thermique.

Thermal stress reliever : Joint de dilatation.

Thermal switch :
Rupteur thermique. Bilame. Thermocontact.

Thermal timer : Temporisateur thermique.

Thermal timer relay :
Relais thermique de temporisation.

Thermally stable jet propellant (JPTS) :
Propergol thermostable pour réacteur.

Thermistance relay box :
Boîte de relais de thermistance.

Thermistance sensor : Sonde à thermistance.

Thermistor : Thermistance. Thermistor.

Thermo barometer : Hypsomètre.

Thermo control : Thermorégulation.

Thermocouple :
Couple thermoélectrique. Thermocouple.

Thermocouple harness : Rampe thermocouple.

Thermocouple probe : Sonde thermocouple. Sonde de température.

Thermoformed materials :
Matériaux thermoformés.

Thermoplastic : Thermoplastique.

Thermoplastic resin : Résine thermoplastique.

Thermosealed : Thermosoudé.

Thermosetting : Thermodurcissable.

Thermoshrinkable : Thermorétractable.

Thermoswitch : Interrupteur thermique.

Thermoweldable : Thermosoudable.

Thickness-chord ratio :
Epaisseur relative d'un profil aérodynamique.

Thickness gage (gauge) : Jauge d'épaisseur.

Thickness of boundary layer :
Epaisseur de la couche limite.

Thickness ratio : Epaisseur relative.

Thickness washer : Rondelle d'épaisseur.

Thimble : Oeil de câble.

Thin-film waveguide :
Guide d'ondes à couche mince.

Thin sheet : Tôle mince.

Thin-tipped blade : Pale à extrémité amincie.

Thin-winged aircraft : Avion à voilure effilée.

Third-level carrier : Compagnie de 3e niveau.
Transporteur régional.

Thousand instructions per second (KIPS) :
Mille instructions par seconde [ordinateur de bord].

Thousand operations per second (KOPS) :
Mille opérations par seconde [ordinateur de bord].

Thread : Filet. Filetage. Pas [de vis].

Thread cutter : Taraudeuse. Tour à fileter.

Thread cutting die : Filière à lunettes.

Thread gauge : Jauge de filetage.

Thread grinding : Rectification des filets.

Thread insert : Filet rapporté.

Thread lead-in : Entrée de filetage.

Thread pitch : Pas de filetage.

Thread runout : Fin de filetage.

Thread stripping : Arrachement de filet.

Threaded bolt : Boulon fileté.

Threaded bush : Bague filetée.

Threaded bushing : Bouchon fileté.

Threaded cover : Vis bouchon.

Threaded end : Embout fileté.

Threaded hole : Trou fileté.

Threaded insert :
Douille filetée. Douille taraudée.

Threaded locking ring :
Bague de fixation moletée.

Threaded pin : Axe fileté. Tige filetée. Ergot fileté. Goupille filetée.

Threaded plug : Bouchon fileté. Bouchon à vis.

Threaded rod : Tige filetée.

Threaded section : Section filetée. Partie filetée.

Threaded sleeve : Douille filetée.

Threaded taper pin : Goupille conique filetée.

Threaded union : Raccord fileté.

Threaded washer : Rondelle filetée.

Threader bar : Electrode auxiliaire.

Threading die : Filière.

Threads per inch : Filets au pouce.

Threat display and avoidance (TDA) :
Affichage des menaces et évitement.

Threat warning equipment (TWE) :
Equipement de détection d'alerte.

Three-arm bellcrank : Guignol triple.

Three-axis accelerometer :
Accéléromètre à trois axes.

Three-axis attitude indicator :
Indicateur sphérique.

Three-axis data generator (TADG) : Centrale de cap et de verticale. Centrale gyroscopique.

Three-axis data generator unit :
Bloc gyroscopique.

Three-axis flight simulation table :
Table de simulation de vol à trois axes.

Three-axis laser gyro : Gyrolaser à trois axes.

Three-axis laser gyro navigation system : Système de navigation par gyrolaser à trois axes.

Three-axis rate sensor : Gyromètre à trois axes.

Three-base beam : Poutre sur trois appuis.

Three-blade propeller : Hélice tripale.

Three-bladed constant-speed propeller :
Hélice tripale à vitesse constante.

Three-class long-range aircraft :
Avion long-courrier à trois classes.

Three-engine aircraft : Trimoteur.

Three-engine jet aircraft : Triréacteur.

Three-flow turbojet : Turboréacteur triple flux.

Three-gauged rectilinear potentiometer :
Potentiomètre rectiligne à trois éléments.

Three-gyro platform :
Plate-forme à trois gyroscopes.

Three-lobe hull : Carène trilobée.

Three-phase generator :
Génératrice de courant triphasé.

Three-phase power supply :
Alimentation triphasée.

Three-pole switch :
Contacteur tripolaire. Interrupteur tripolaire.

Three-seater : Triplace.

Three-spool turbofan :
Turboréacteur triple corps.

Three-stage axial flow turbine :
Turbine à trois étages à débit axial.

Three-switch contactor :
Contacteur à trois positions.

Three-turbine helicopter :
Hélicoptère triturbine.

Three-view drawing : Plan trois-vues.

Threshold cruising speed :
Vitesse minimum de croisière.

Threshold lights : Feux d'entrée de piste.

Throat : Col [de tuyère]. Gorge. Entrée. Veine [soufflerie]. Rétreint [chambre de combustion].

Throat liner : Garniture de col.

Throat microphone : Laryngophone.

Throttle : Manette des gaz. Papillon. Obturateur.

Throttle back (to) : Réduire les gaz.

Throttle control : Commande des gaz. Commande de puissance.

Throttle control box :
Boîtier de commande des gaz.

Throttle control lever :
Manette des gaz. Levier de puissance.

Throttle control unit : Bloc-manette des gaz.

Throttle down (to) : Réduire les gaz.

Throttle dynamometric rod :
Bielle dynamométrique de commande des gaz.

Throttle friction lock :
Blocage de la manette des gaz.

Throttle gate : Butée de secteur.

Throttle hand grip : Poignée des gaz.

Throttle idle microswitch :
Contacteur "gaz réduits".

Throttle idle valve : Clapet de ralenti.

Throttle interlock actuator assembly :
Vérin d'interdiction.

Throttle lever on control pedestal :
Commande des gaz sur pylône central.

Throttle light : Voyant automanette.

Throttle locking feature : Interdiction manette.

Throttle-override rod :
Bielle d'interdiction de commande des gaz.

Throttle push-pull assembly :
Commande de robinet haute pression.

Throttle quadrant : Bloc-manette.

Throttle synchronizer : Synchroniseur gaz-pas.

Throttle valve : Boisseau. Papillon [des gaz]. Robinet de débit. Valve d'étranglement.

Throttle valve fuel control :
Commande des gaz.

Throttle warning light : Voyant automanette.

Through bolt : Boulon traversier.

Through flight : Vol direct.

Throughput : Débit. Ecoulement. Rendement.

Throughput capacity :
Capacité totale d'aspiration [pompe].

Thrust : Poussée. Butée.

Thrust amplifier : Amplificateur de poussée.

Thrust augmentor :
Dispositif d'augmentation de poussée.

Thrust bearing : Palier de poussée. Roulement de butée. Palier de butée.

Thrust braking :
Freinage par inversion de poussée.

Thrust build-up time :
Temps de montée de la poussée.

Thrust bushing : Bague d'appui.

Thrust canceller : Annulateur de poussée.

Thrust chamber : Chambre propulsive.

Thrust compounded helicopter :
Hélicoptère combiné à poussée auxiliaire.

Thrust computer : Calculateur de poussée. Coupleur d'automanette.

Thrust cone : Cône de butée.

Thrust control computer (TCC) :
Calculateur de contrôle de la poussée.

Thrust corrector solenoid valve :
Electrorobinet correcteur de poussée.

Thrust cut-off : Arrêt [volontaire] de poussée.

Thrust decay : Queue de poussée.

Thrust drop-off time :
Temps de chute de la poussée.

Thrust equivalent horsepower (TEHP) :
Puissance équivalente à la poussée.

Thrust frame : Bâti-moteur.

Thrust lever : Manette de commande de poussée.

Thrust loss indicator :
Indicateur de perte de poussée.

Thrust management system (TMS) :
Dispositif de contrôle de la poussée.

Thrust member : Quille de poussée.

Thrust modulation computer (TMC) :
Calculateur d'affichage de la poussée.

Thrust nozzle : Tuyère de propulsion.

Thrust pin : Axe d'appui.

Thrust quadrant electronics :
Electronique de secteur de poussée.

Thrust recover valve :
Vanne de récupération de poussée.

Thrust-reversal indication :
Signalisation de la reverse des réacteurs.

Thrust reverser :
Inverseur de poussée. Inverseur de jet.

Thrust reverser cascade : Grille d'inverseur de poussée. Grille de reprise.

Thrust reverser control cam :
Came de commande d'inverseur.

Thrust reverser hoist :
Palonnier de mise en place de reverse.

Thrust reverser petal door :
Trappe d'inverseur de poussée.

Thrust ring : Bague de butée. Bague de friction. Couronne de butée.

Thrust rise time :
Temps d'établissement de la poussée.

Thrust spoiler : Déviateur de jet.

Thrust tail-off : Queue de poussée.

Thrust termination system :
Dispositif d'arrêt de poussée.

Thrust-to-frontal area ratio :
Rapport poussée-surface frontale.

Thrust-to-weight ratio :
Rapport poussée-masse.

Thrust vector control (TVC) :
Commande de contrôle de la poussée.

Thrust vectoring nozzle : Tuyère rotative.

Thrust washer : Rondelle de butée. Rondelle de poussée. Rondelle d'appui.

Thruster : Propulseur.

Thruster bracket : Support de tuyère.

Thruster bracket assembly :
Support de propulseur.

Thumb bolt : Boulon à oreilles.

Thumb nut : Ecrou à oreilles.

Thumb screw : Vis à tête moletée. Vis papillon.

Tick over (to) : Tourner au grand ralenti.

Tickler coil : Bobine excitatrice.

Tie bar : Traverse. Tirant.

Tie-in weld : Soudure de raccordement.

Tie rod : Barre d'accouplement.

Tight fit : Ajustement serré. Emmanchement dur.

Tighten alternatively on left and right sides (to) : Serrer en quinconce.

Tighten in staggered sequence (to) :
Serrer en quinconce.

Tighten to 500-700 lb/in (to) :
Serrer entre 500 et 700 livres par pouce.

Tightening torque : Couple de serrage.

Tightening yoke : Noix de serrage.

Tilt angle :
Angle de basculement. Angle de tangage.

Tilt-rotor : Rotor basculant.

Tilt-rotor aircraft : Convertible [hélicoptère].

Tilt stop fold rotor :
Rotor basculant à pales repliables.

Tilt-wing aircraft : Avion à voilure basculante.

Tilt-wing drive : Commande d'aile basculante.

Tilting actuator : Basculeur de nacelle.

Tilting rotor : Rotor basculant.

Time belt : Fuseau horaire.

Time between overhauls (TBO) : Intervalle entre révisions. Potentiel entre révisions.

Time between scheduled replacement (TBSR) : Intervalle entre remplacements planifiés.

Time between scheduled shop visits (TBSV) : Moyenne des temps entre visites planifiées en atelier.

Time-controlled overhaul : Révision contrôlée.

Time-delay relay :
Relais à fermeture (ou ouverture) retardée.

Time-delay switch : Interrupteur temporisé.

Time-delay thermal relay :
Relais thermique temporisé.

Time-delay unit : Temporisateur.

Time-expired : Limite de fonctionnement (à la). Potentiel (à fin de).

Time-locking relay : Relais temporisé.

Time of climb : Temps de montée.

Time-referenced scanning beam (TRSB) :
Système d'atterrissage à faisceau battant à référence de temps. MLS à référence de temps.

Time removal : Dépose planifiée.

Time since installation (TSI) :
Intervalle depuis pose.

Time since last shop visit :
Temps depuis la dernière visite en atelier.

Time since new (TSN) :
Temps de fonctionnement.

Time since overhaul (TSO) :
Intervalle depuis révision.

Time stagger removal :
Dépose répartie dans le temps.

Time-to-climb : Temps de montée.

Time to repair (TTR) :
Temps passé au dépannage.

Time totalizing meter : Totalisateur horaire.

Time zone : Fuseau horaire.

Timer : Minuterie. Temporisateur. Chronomètre. Boîte de temporisation. Séquenceur.

Timing : Réglage d'allumage. Calage de soupape. Distribution. Temporisation. Minutage. Calendrier.

Timing chain : Chaîne de distribution.

Timing diagram :
Chronogramme. Diagramme de temps.

Timing gear : Engrenage de distribution. Pignon de distribution.

Timing shaft : Arbre de distribution.

Timing valve : Clapet de séquence.

Timing washer :
Rondelle d'épaisseur. Rondelle de réglage.

Tin : Etain. Fer-blanc.

Tin-plated : Etamé.

Tin-soldered : Soudé à l'étain.

Tinsel : Clinquant.

Tinsel wire : Fil rosette.

Tip : Bout. Embout. Extrémité. Pointe.

Tip blade compressibility effect :
Effet de compressibilité en bout de pale.

Tip chord : Corde d'extrémité.

Tip-driven helicopter :
Hélicoptère à propulsion en bout de pale.

Tip edge : Bord marginal.

Tip fairing : Saumon.

Tip-fan free turbine : Soufflante située à la périphérie d'une turbine libre.

Tip float : Nageoire stabilisatrice latérale.

Tip fuel tank : Réservoir de carburant en bout d'aile. Ballonnet de bout d'aile.

Tip jet : Réacteur en bout de pale.

Tip loss :
Perte marginale. Décollement en bout d'aile.

Tip path plane :
Plan des extrémités de pales. Plan du disque.

Tip radius : Rayon périphérique.

Tip speed : Vitesse périphérique.

Tip stall : Perte de vitesse marginale. Décollement marginal.

Tip stalling speed :
Vitesse de décrochage en bout de pale.

Tip surge tank :
Réservoir de trop-plein [en bout d'aile].

Tip tank : Réservoir extrême [en bout d'aile].

Tip vortex : Tourbillon marginal.

Tire-pressure indicating system (TPIS) :
Système indicateur de la pression des pneus.

Tire-pressure monitor (TPM) : Système de surveillance de la pression des pneus.

To-from arrow : Indicateur de lever de doute.

To-from indicator :
Indicateur d'approche. Indicateur de direction.

To-from sensor : Lever de doute.

To-from sensor unit :
Boîte sensitive [pilote automatique].

Toggle : Basculeur.

Toggle joint : Rotule.

Toggle switch : Interrupteur à bascule. Interrupteur à levier inverseur.

Tolerance band : Tolérances admises.

Tolerance range : Plage des tolérances.

Tolerance to be met : Tolérances à respecter.

Tool and equipment list (TEL) :
Liste des outillages et équipements (LOE).

Tool for checking L/G alignment :
Vérificateur de positionnement d'axe de train.

Tool jig : Bâti d'outillage.

Tooling lug : Patte d'usinage.

Tooth lockwasher :
Rondelle à dents. Rondelle éventail.

Tooth pitch : Pas de dent. Module de dent.

Toothed quadrant : Secteur denté.

Toothed washer : Rondelle à crans.

Top dead-center (TDC) : Point mort haut.

Top gear : Prise directe.

Top-hat section : Cornière en oméga.

Top skin : Extrados.

Top speed : Vitesse limite.

Top up (to) : Compléter le plein [d'un réservoir].

Torch brazing :
Brasage à la flamme. Brasage au chalumeau.

Torch cutting : Découpage au chalumeau.

Torching : Flammes en sortie de réacteur. Démarrage en surchauffe.

Torque : Couple de rotation. Couple de torsion. Couple moteur. Couple mécanique.

Torque and temperature limiter (TTL) :
Limiteur de couple et de température.

Torque arm : Bras de torsion.

Torque at rotor shaft :
Couple à l'arbre de rotor.

Torque bar stressing fixture : Dispositif de mise en tension des barres de torsion.

Torque box : Caisson de torsion.

Torque brake : Frein dynamométrique.

Torque bulkhead : Cloison de torsion.

Torque compensation :
Compensation de couple.

Torque data : Valeurs de serrage.

Torque driver : Tournevis dynamométrique.

Torque limiting clutch :
Accouplement à surcharge.

Torque meter :
Mesureur de couple. Couplemètre.

Torque motor : Moteur couple.

Torque rod : Bielle de torsion.

Torque scissors link : Compas de torsion.

Torque shaft :
Arbre de torsion. Axe de conjugaison.

Torque shaft control : Commande de torsion.

Torque spanner :
Torquemètre. Clé dynamométrique.

Torque tube : Arbre de conjugaison.

Torque value : Tension de serrage.

Torque wrench : Clé dynamométrique.

Torque wrench adapter :
Embout dynamométrique.

Torsion bar : Barre de torsion.

Torsion box : Caisson de torsion.

Torsion coupling :
Accouplement par barre de torsion.

Torsion link assy : Ensemble compas de train.

Torsion load : Effort de torsion.

Torsion nose : Bec de torsion.

Torsion rod : Bielle de torsion.

Torsion rod well : Tunnel de la bielle de torsion.

Torsional fatigue strength :
Résistance à la fatigue en torsion.

Torsional stress : Sollicitation en torsion.

Torso tank : Réservoir supplémentaire de siège.

Toss-bombing :
Système de bombardement permettant au pilote d'échapper à l'effet de souffle.

Total active maintenance cost :
Coût total de l'entretien actif.

Total air temperature : Température d'impact.

Total avionics briefing system (TABS) :
Ensemble de planification de missions.

Total direct maintenance cost :
Coût total de l'entretien direct.

Total fuel weight : Masse totale du carburant.

Total in-flight simulator (TIFS) [a flying test-bench designed to analyse flight performance and airborne systems] : Banc d'essai volant destiné à l'étude des qualités de vol et des systèmes de bord.

Total life support system (TLSS) [a pressure flying suit to ensure protection against laser, nuclear radiation and NBC agents] : Combinaison de vol préssurisée [protection contre le laser, le flash nucléaire et les agents NBC].

Total maintenance cost :
Coût total de l'entretien.

Total operating cost (TOC) :
Coût d'exploitation total.

Total passive maintenance cost :
Coût total de l'entretien passif.

Total temperature digital indicator :
Indicateur numérique de température totale.

Total temperature probe :
Sonde de température totale.

Touch-activated simulator control (TASC) :
Commande de simulateur de vol à touches.

Touch-and-go : Posé-décollé. Impact des roues suivi de remise des gaz.

Touch-down : Prise de contact [avec le sol]. Toucher des roues. Atterrissage.

Touch-down area : Zone d'atterrissage.

Touch-down speed : Vitesse d'impact.

Touch-down zone :
Point d'atterrissage. Zone d'atterrissage.

Touch-sensitive control :
Commande actionnée par le toucher.

Toughened glass : Verre trempé.

Tow flight : Vol remorqué.

Tow kit : Lot d'équipement de remorquage.

Tow lug : Bride de remorquage.

TOW mast-mounted sight (TMMS) :
Viseur de mât pour missile TOW.

Tow-plane : Avion remorqueur.

Tow target : Cible remorquée.

Tow tractor : Tracteur de piste.

Towed flight : Vol remorqué.

Tower (TWR) : Tour de contrôle.

Towing fitting : Ferrure de remorquage au sol.

Towing ring : Anneau d'attelage.

Track : Voie. Route. Chemin. Sillage. Piste. Trajectoire. Empattement.

Track angle : Angle de route.

Track chart : Carte de la route suivie.

Track designator : Indicatif de route.

Track diversion : Déroutement.

Track leg : Etape de route.

Track pitch : Entraxe des pistes.

Track radar antenna support :
Support d'antenne de radar de tir.

Track selector : Sélecteur de route.

Track wander [the controller's radar displays false indications relating to bearing] :
"Excursion de trajectoire" [l'écran radar du contrôleur affiche des gisements erronés].

Track while scan : Poursuite sur information discontinue. Poursuite d'une cible et recherche simultanée d'autres cibles.

Tracker : Suiveur. Traqueur. Goniomètre.

Tracking : Poursuite. Localisation. Pointage. Tracking. Trajectographie.

Tracking adjunct system (TAS) :
Système de guidage auxiliaire.

Tracking and data relay satellite (TDRS) :
Satellite de relais de transmission de données.

Tracking antenna : Antenne de poursuite.

Tracking finger :
Touche drapeau [en bout de pale].

Tracking panel : Platine de poursuite.

Tracking pole : Drapeau d'alignement des pales.

Tracking radar : Radar de poursuite.

Tracking sight : Viseur de poursuite.

Tracking window :
Fenêtre de poursuite électronique.

Traffic : Trafic. Circulation. Mouvement.

Traffic alert and collision avoidance system (T/CAS) : Système anticollision embarqué.

Traffic/collision alert device (T/CAD) :
Equipement anticollision aéroporté.

Traffic control :
Contrôle du trafic. Contrôle de la circulation.

Traffic control tower : Tour de contrôle.

Traffic monitoring system (TMS) :
Système de contrôle du trafic aérien.

Traffic pattern :
Circuit d'aérodrome. Circuit de piste.

Traffic stop : Escale commerciale.

Trailed antenna : Antenne remorquée.

Trailed target : Cible remorquée.

Trailing antenna : Antenne pendante.

Trailing-arm landing gear :
Atterrisseur rétractable à roue tirée.

Trailing edge : Bord de fuite. Front arrière.

Trailing edge blowing :
Soufflage sur bord de fuite.

Trailing edge bordering : Lisse de bord de fuite.

Trailing edge fairing :
Carénage de bord de fuite.

Trailing edge fin : Cavalier de bord de fuite.

Trailing edge flap : Volet de bord de fuite.

Trailing edge free vortex :
Tourbillon libre au bord de fuite.

Trailing edge ledge : Arêtier de bord de fuite.

Trailing rotor :
Rotor repliable vers l'arrière en vol.

Trainer : Avion d'entraînement. Avion-école.

Training flight : Vol d'entraînement.

Trans-atmospheric vehicle (TAV) [an American project for an aircraft flying at Mach 25] : Avion suborbital capable de voler à Mach 25 [projet américain].

Transcavitating foil : Aile transcavitante.

Transceiver : Emetteur-récepteur.

Transducer : Transducteur. Capteur. Détecteur. Elément transmetteur.

Transferable fuel : Carburant transférable.

Transfer drill : Contre-perçage.

Transfer gearbox (TGB) :
Boîtier de renvoi d'angle.

Transfer orbit stage (TOS) : Etage supérieur du lanceur [pour mise en orbite de transfert].

Transfer tank : Réservoir d'équilibrage.

Transfer valve : Robinet de transfert.

Transformer rectifier :
Transformateur redresseur.

Transient heating :
Echauffement du moteur en régime transitoire.

Transit : Passage. Théodolite.

Transit-compass : Théodolite à boussole.

Transit frame : Support de théodolite.

Transition to horizontal flight : Transition "aller" [avion à décollage et atterrissage verticaux].

Transition to hovering : Mise en stationnaire.

Transition to level flight : Passage en palier.

Transition to vertical flight : Transition "retour" [avion à décollage et atterrissage verticaux].

Translational lift : Sustentation du rotor.

Transmission assembly : Bloc de transmission.

Transmission casing : Carter de la boîte de transmission principale [hélicoptère].

Transmission failure : Panne d'émission.

Transmission fluid : Liquide hydraulique.

Transmission frequency :
Fréquence d'émission.

Transmission gearbox : Boîte de transmission.

Transmission oil cooling system : Système de refroidissement d'huile de la transmission.

Transmission shaft : Arbre de transmission.

Transmission shaft bearing :
Palier d'arbre de transmission.

Transmission support platform :
Plancher mécanique.

Transmission unit : Boîte de transmission.

Transmit (to) : Emettre. Transmettre. Manipuler.

Transmit antenna : Antenne de transmission.

Transmit diplexer : Diplexeur d'émission.

Transmit/receive : Alternat.

Transmitter : Emetteur. Transmetteur.

Transmitter amplifier :
Amplificateur d'émission.

Transmitter beacon assembly :
Ensemble de balises d'émetteur.

Transmitter blower : Ventilateur d'émetteur.

Transmitter gauge : Manotransmetteur.

Transmitter-receiver : Emetteur-récepteur.

Transmitter-responder : Emetteur-répondeur.

Transmitter synchro : Synchro-émetteur.

Transmitter unit : Coffret d'émetteur.

Transmitting antenna : Antenne émettrice.

Transmitting band : Bande d'émission.

Transmitting beam : Faisceau d'émission.

Transmitting coil : Bobine de transmission.

Transmitting converter :
Transposeur d'émission.

Transmitting lobe : Lobe d'émission.

Transmitting station :
Poste émetteur. Station émettrice.

Transmitting triod : Triode d'émission.

Transmitting tube : Tube émetteur.

Transmitting wave : Onde d'émission.

Transom :
Arrière [hélicoptère]. Imposte [structure].

Transparent steering :
Pilotage transparent [pilote automatique].

Transponder : Transpondeur. Emetteur-répondeur. Répondeur de bord. Répéteur.

Transponder aerial : Antenne de répondeur.

Transponder beacon : Balise répondeuse.

Transponder input : Entrée du répéteur.

Transponder modules : Modules du répéteur.

Transport plane : Avion de transport.

Transreceiver : Répondeur. Emetteur-récepteur.

Transverse beam :
Traverse. Poutre transversale.

Transverse connection circuit :
Circuit de connexion transversale.

Transverse junction splice :
Eclisse de raccordement transversal.

Transverse member : Elément transversal.

Transverse truss : Poutre en treillis.

Transverse voltage : Tension transversale.

Trap door bucket :
Réservoir à fond mobile [lutte contre le feu].

Trap of a drain : Siphon.

Trap valve : Soupape à clapet.

Trapped : Non consommable [carburant].

Trapped fuel : Carburant résiduel.

Travel : Course. Débattement. Braquage.

Travel contactor : Contacteur à course.

Travel jig : Gabarit de débattement.

Travel limiter : Limiteur de braquage.

Travel range :
Zones de débattement [gouvernes].

Travel stop :
Limiteur de course. Limiteur de débattement.

Travelling-wave tube (TWT) amplifier :
Amplificateur à propagation d'ondes [radar].

Tread wear indicator :
Indicateur d'usure des pneus.

Treble-tuned bandpass :
Filtre passe-bande à trois circuits.

Tree-top height (to fly) : Voler en rase-mottes.

Treetop level : Rase-mottes.

Trial flight : Vol d'essai.

Trial installation : Installation d'essais.

Triangular flange : Bride triangulaire.

Triangular thread : Filet triangulaire.

Trickle current : Courant d'entretien.

Tricycle landing gear :
Train d'atterrissage tricycle.

Tricycle undercarriage : Train tricycle.

Trigger : Détente. Gâchette. Déclencheur.

Trigger pulse : Impulsion de déclenchement.

Trigger relay : Relais électronique.

Triggering circuit : Circuit d'amorçage.

Trim : Compensation. Equilibrage. Assiette.
Compensateur. Trim.

Trim (to) : Ebarber. Ebavurer. Raser. Ragréer.
Recentrer. Compenser. Découper. Equilibrer.

Trim actuator : Vérin de trim. Commande de
trim. Vérin de compensation.

Trim augmentation computer : Calculateur
d'augmentation de compensation.

Trim box : Boîte de trim.

Trim control switch : Interrupteur de commande
électrique de compensation.

Trim control wheel :
Volant de commande de trim.

Trim controls : Commandes de trim. Commandes de compensateur.

Trim cutout switch : Interrupteur de trim.

Trim cylinder : Compensateur.

Trim drive unit :
Moteur principal de compensateur.

Trim edge : Lame de correction.

Trim-engage unit : Boîte d'engagement de trim
[pilote automatique].

Trim error warning relay :
Relais de signalisation d'erreur de trim.

Trim indicator :
Indicateur de trim. Indicateur de centrage.

Trim knob : Bouton de commande de trim.

Trim-pot : Potentiomètre.

Trim release button :
Bouton de débrayage de trim.

Trim servo amplifier :
Servoamplificateur de trim.

Trim servo-control :
Boîte de réglage de trim [pilote automatique].

Trim servo-motor : Moteur électrique de trim.

Trim spring : Ressort d'équilibrage de trim.

Trim spring tightener unit :
Tendeur automatique de la commande de trim.

Trim strip : Jonc. Bande couvre-joint.

Trim tab : Compensateur aérodynamique. Compensateur. Tab ajustable. Volet compensateur.

Trim tab control : Commande de tab. Commande de compensateur.

Trim tank : Réservoir d'équilibrage.

Trim the aircraft (to) : Equilibrer l'avion.

Trim to final dimensions (to) :
Enlever les réserves.

Trim to line (to) : Déligner.

Trim valve : Vanne d'équilibrage.

Trim wheel : Volant de trim.

**Trimmable horizontal stabilizer actuator
(THSA)** : Vérin de plan horizontal réglable.

**Trimmable horizontal stabilizer position sen-
sor** : Boîtier de capteur de plan horizontal réglable.

Trimmable horizontal surface actuator :
Actionneur de plan horizontal réglable.

Trimmable stabilizer : Plan horizontal réglable.

Trimmed attitude : Assiette compensée.

Trimmed control surface :
Gouverne compensée.

Trimmed position : Position d'équilibre.

Trimmed speed : Vitesse compensée.

Trimmer : Compensateur de centrage. Equilibreur. Réducteur de tir. Régulateur.

Trimmer actuator : Commande de régulateur.

Trimming : Réglage de l'assiette. Equilibrage.
Découpage. Bordure. Ragréage [détourage].
Garniture.

Trimming device :
Dispositif de réglage. Système de recentrage.

Trimming flap :
Volet correcteur. Flettner compensateur.

Trimming machine : Ebarbeuse.

Trimming tab : Volet compensateur. Flettner
compensateur.

Trimming tailplane : Plan horizontal réglable.

Trip (to) : Déclencher.

Trip arm : Doigt de déclenchement.

Trip coil : Bobine de relais. Enroulement de déclenchement.

Trip-free circuit breaker : Disjoncteur à déclenchement libre.

Triple-pole switch : Commutateur tripolaire.

Triple reading gauge : Manomètre triple.

Triple spool : Triple corps.

Tripping device : Déclencheur.

Tripping-off of a relay : Décollement d'un relais.

Tripping voltage : Tension de collage.

Tripropellant : Triergol.

Troop-landing helicopter : Hélicoptère de transport de commandos.

Troop-lift helicopter : Hélicoptère de transport de troupes.

Trouble detection unit : Equipement de détection de pannes.

Trouble-shooting : Recherche de pannes.

Trouble-shooting removal : Dépose pour recherche des causes de pannes.

True (to) : Rectifier.

True airspeed (TAS) : Vitesse vraie (Vv). Vitesse propre.

True airspeed computer : Anémomètre.

True airspeed indicator : Indicateur de vitesse vraie. Anémomètre badin.

True bearing : Relèvement vrai. Azimut.

True course : Route vraie.

True heading : Cap géographique. Cap vrai.

True Mach number (TMN) : Nombre de Mach vrai [IMN corrigé de l'erreur de position].

True up (to) : Dégauchir. Dresser [une surface].

Trunk line : Ligne aérienne principale.

Trunks : Services aériens intercontinentaux [USA].

Trunnion : Tourillon. Dé de cardan.

Trunnion block : Tourillon. Pivot de train.

Trunnion leg attachment machined shear-truss : Contre-fiche usinée de fixation du tourillon de jambe.

Trunnion nut : Ecrou-croisillon.

Trunnion yoke : Chape de commande de pale.

Truss : Armature. Contre-fiche. Carcasse. Tirant. Treillis.

Truss actuating jack : Vérin de contre-fiche.

Truss boom : Poutre en treillis.

Truss member : Contre-fiche horizontale de train.

Truss structure : Structure en treillis.

Tub : Barque [structure].

Tube bender : Cintreuse.

Tube bending tool : Outil de cintrage de tubes.

Tube clamp : Collier de tuyauterie.

Tube end : Embout de tube.

Tube fitting : Raccord de tuyauterie.

Tube flaring tool : Outil d'évasement de tubes.

Tube-launched optically-tracked wire-guided (TOW) missile : Missile TOW [lancé par tube, à pilotage optique et filoguidé].

Tube wrench : Clé à pipe.

Tubing : Tuyautage. Canalisation. Tubulure. Tuyauterie. Gaine.

Tubing coil : Enroulement de tuyauterie. Serpentin.

Tubular shaft : Arbre creux.

Tubular spanner : Clé à tube.

Tumbler switch : Interrupteur à bascule.

Tumbling : Ebavurage au tonneau. Tonnelage.

Tunable filter : Filtre passe-bande.

Tuned amplifier : Amplificateur à résonance.

Tuned pendulum damper : Pendule accordé [absorbeur de vibrations].

Tuned-rotor gyroscope : Gyroscope à suspension dynamique accordée.

Tungsten arc welding : Soudage à l'arc sous gaz inerte.

Tuning : Mise au point. Réglage.

Tuning weights : Masses de réglage des pales.

Tunnel test : Essai en soufflerie.

Turbine accessory drive gearbox assembly : Boîtier d'accessoires.

Turbine air inlet port : Orifice d'entrée d'air de turbine.

Turbine air overheat : Surchauffe d'air de turbine.

Turbine bearing : Palier de turbine.

Turbine blade : Aube de turbine.

Turbine blade diffusion coating : Revêtement protecteur d'aube de turbine.

Turbine-blower intake : Entrée d'air de soufflante de turbine.

Turbine box : Carter de turbine.

Turbine bypass valve : Vanne bypass de turbine. Vanne de dérivation de turbine.

Turbine case : Carter de turbine.

Turbine cooler unit : Turboréfrigérateur.

Turbine discharge pressure : Pression de sortie turbine.

Turbine door : Trappe de turbine.

Turbine engine : Moteur à turbine. Turbine motrice. Turbomoteur.

Turbine engine analysis and management (TEAM) program [turbine engine maintenance and repair] : Programme TEAM [maintenance et dépannage de moteurs à turbine].

Turbine engine bearing :
Palier de turboréacteur.

Turbine engine monitoring system (TEMS) :
Système de surveillance du fonctionnement des moteurs.

Turbine engine test bed :
Banc d'essai de turboréacteurs.

Turbine entry temperature (TET) : Température entrée turbine [turboréacteur]. Température maximale atteinte devant la première roue de turbine.

Turbine exhaust annulus flange :
Bride de raccordement.

Turbine exhaust case : Carter d'éjection.

Turbine exhaust diffuser :
Diffuseur de sortie turbine.

Turbine exhaust outlet :
Orifice d'échappement turbine.

Turbine frame : Carter d'échappement.

Turbine gas temperature (TGT) :
Température gaz turbine.

Turbine inlet temperature (TIT) :
Température entrée turbine.

Turbine inlet temperature indicator :
Indicateur de température entrée turbine.

Turbine mid-frame :
Module carter inter-turbine.

Turbine nozzle : Distributeur de turbine.

Turbine nozzle case : Carter de turbine.

Turbine nozzle guide vane :
Distributeur de turbine.

Turbine nozzle shroud :
Anneau de distribution de turbine.

Turbine outlet casing :
Carter de sortie de turbine.

Turbine outlet temperature :
Température de sortie turbine.

Turbine-powered aircraft :
Avion à turbopropulseur.

Turbine-powered helicopter :
Hélicoptère à turbine.

Turbine protection cover :
Obturateur de turbine.

Turbine rear frame (TRF) :
Carter sortie turbine.

Turbine shaft : Arbre de turbine.

Turbine shaft and disc :
Arbre-disque de turbine.

Turbine shroud : Enveloppe de turbine.

Turbine shroud cooling air tube :
Tuyauterie d'air de refroidissement d'enveloppe de turbine.

Turbine stage : Etage de turbine.

Turbine starter unit :
Groupe de démarrage de turbine.

Turbine stator :
Stator de turbine. Aubes fixes de turbine.

Turbine-type generator : Turbo-alternateur.

Turbine wheel :
Roue de turbine. Rotor de turbine.

Turbo-alternator : Turbo-alternateur.

Turbo-blower : Turbosoufflante.

Turbocharged :
Turbocompressé. Turbocompresseur (à).

Turbocharger : Turbocompresseur.

Turbocompressor :
Turbocompresseur. Compresseur centrifuge.

Turbocompressor air inlet :
Manche à air de turbocompresseur.

Turbocompressor check valve :
Clapet antiretour de turbocompresseur.

Turbofan engine (TFE) :
Réacteur à double flux.

Turbojet engine (TJE) : Turboréacteur.

Turbojet engine assembly :
Groupe turboréacteur.

Turbojet inner bay : Baie interne de réacteur.

Turbo-motor : Turbomoteur.

Turbo-prop : Turbopropulseur. Turbo-hélice.

Turboprop pod :
Nacelle de groupe turbopropulseur.

Turbo-ramjet : Turbo-statoréacteur.

Turboshaft engine :
Turbomoteur. Turbine d'hélicoptère.

Turboshaft power plant : Groupe turbomoteur.

Turbostarter : Turbomoteur de démarrage. Démarreur autonome.

Turbo-supercharger :
Turbocompresseur de suralimentation.

Turbulator : Générateur de tourbillons.

Turbulence detection :
Détection de turbulences [radar météo].

Turbulence predictor system (TPS) :
Système de prédiction de turbulences.

Turbulence wake : Sillage turbulent.

Turbulence weather radar :
Radar de détection de turbulences.

Turn-and-bank indicator : Indicateur de virage et d'inclinaison latérale. Bille-aiguille.

Turn-and-slip indicator :
Indicateur de virage et de dérapage.

Turnaround inspection :
Visite en bout de ligne.

Turnaround operations :
Opérations de préparation pour le vol.

Turnaround time :
Durée d'escale. Temps d'escale. Rotation.

Turn controller knob :
Bouton de commande de virage.

Turn indicator :
Indicateur de virage. Bille d'inclinaison.

Turn radius : Rayon de virage.

Turn selector switch : Sélecteur de mode virage.

Turnbuckle : Tendeur à vis [pour câbles].

Turned-over edge : Bord tombé.

Turning-off : Mise hors circuit.

Turn-off : Bretelle de dégagement [piste].

Turnover stand : Bâti tournant.

Turntable : Table tournante. Plateau tournant.

Turret cover : Couvercle de tourelle.

Turret cover drive pin :
Ergot d'entraînement de couvercle de tourelle.

Turret junction-block :
Boîte de dérivation de tourelle.

Turret rotation hydraulics :
Hydraulique de rotation de tourelle.

Turret sight : Alidade de tourelle.

Twin-aisle four-engined aircraft :
Quadriréacteur à deux couloirs.

Twin-aisle widebody aircraft :
Avion gros-porteur à deux couloirs.

Twin-boom fuselage : Fuselage bipoutre.

Twin-engine helicopter : Hélicoptère biturbine.

Twin-fin : Dérive (à double).

Twin-jet : Biréacteur.

Twin nosewheels :
Roues jumelées de train avant.

Twin-row radial engine :
Moteur en double étoile.

Twin-shaft : Double corps.

Twin-sparred wing : Aile à deux longerons.

Twin-spool : Double corps.

Twin-spool axial flow engine :
Réacteur double corps à écoulement axial.

Twin-spool turbofan :
Moteur à double corps double flux.

Twin-spool turbojet :
Turboréacteur double corps.

Twin-tail surfaces : Double dérive.

Twin-turbine helicopter : Hélicoptère biturbine.

Twin-turboprop : Biturbopropulseur.

Twin vertical tail :
Empennage vertical à deux dérives.

Twin wheels : Roues jumelées. Diabolo.

Twisted blast-pipe : Tuyère vrillée.

Twisted cable : Câble torsadé.

Twisted nozzle : Tuyère vrillée.

Two-axis earth sensor :
Capteur terrestre infrarouge biaxial.

Two-beam construction : Construction bipoutre.

Two-blade propeller : Hélice bipale.

Two-bladed variable-pitch propeller :
Hélice bipale à pas variable.

Two-flow turbojet : Turboréacteur double flux.

Two-gyro platform :
Plate-forme bigyroscopique.

Two-man cockpit : Poste de pilotage à deux.

Two-pin plug : Fiche à deux broches.

Two-pole push-button : Poussoir bipolaire.

Two-position nozzle :
Tuyère à deux positions. Buse mobile.

Two-seater aitcraft : Avion biplace.

Two-segment flaps : Volets à deux éléments.

Two-shaft turbofan : Moteur à double corps.

Two-spar construction :
Construction bilongeron.

Two-spar, three-piece wing torsion box :
Caisson de torsion en trois éléments et deux longerons.

Two-spool : Double corps.

Two-stage : Etages (à deux).

Two-stage compressor :
Compresseur à deux étages.

Two-stage curing procedure :
Processus de polymérisation en deux étapes.

Two-stage regulating vane :
Vanne de régulation à deux étages.

Two-stage solid-propellant propulsion unit :
Propulseur à poudre à deux étages.

Two-stage to orbit (TSTO) :
Navette à deux étages à ascension directe.

Two-stage turbine : Turbine à deux étages.

Two-star petrol : Essence ordinaire.

Two-step relay : Relais à double effet.

Two-way radio : Ensemble émetteur-récepteur.

Two-way thrust bearing : Butée à double effet.

Two-way valve : Valve à deux voies.

Two-wire cable : Câble à deux conducteurs.

Two-wire circuit :
Circuit à deux conducteurs isolés.

Two-wire system : Circuit bifilaire.

Type : Type. Modèle. Version.

Type approval : Homologation.

Type certificate :
Certificat de type moteur [USA].

Type certification :
Homologation de type. Certification.

Type inspection authorization (TIA) :
Certificat TIA [agrément des données techniques du constructeur].

Type jig : Gabarit type.

Type rating : Qualification de type.

Type specification : Clause technique.

Type test : Essai d'homologation.

Typical mission endurance test :
Essai d'endurance mission type.

Typical payload : Charge marchande type.

U

U-bolt : Boulon en U. Etrier.

U-channel : Profilé en U.

UK gallon [4.546 lit.] :
Gallon britannique [4,546 lit.]

U-section : Profilé en U [tôle pliée].

US gallon [3.785 lit.] :
Gallon américain [3,785 lit.]

U-shaped bracket : Support en U.

Ullage and retrorocket :
Impulseur d'accélération et de freinage.

Ullage rocket : Fusée d'accélération.

Ultimate compressive strength :
Résistance maximale à la compression.

Ultimate load : Charge maximale.

Ultimate shear strength : Résistance de rupture.

Ultimate strength :
Charge de rupture. Limite de rupture.

Ultimate stress : Contrainte limite de rupture.

Ultra bypass engine (UBE) :
Propulseur de type propfan.

Ultra fan : Hélice transsonique.

Ultra high bypass (UHB) engine :
Moteur à soufflante non carénée, ou propfan.

Ultra high capacity aircraft (UHCA) :
Avion long-courrier de très grande capacité.

Ultra-high frequency (UHF) :
Ultra-haute fréquence [bande des 1000 MHz].

Ultra-light alloy : Alliage ultraléger.

Ultra-light helicopter (ULH) :
Hélicoptère ultraléger.

Ultra light motorized (ULM) :
Ultraléger motorisé. ULM.

Ultralong-range jetliner :
Avion de ligne très long-courrier.

Ultra low sidelobe antenna (ULSA) [a radar antenna limiting the dispersion of the energy radiated] : Antenne ULSA [antenne radar limitant la dispersion de l'énergie rayonnée].

Ultra-reliable radar (URR) : Radar ultrafiable.

Ultra short take-off and landing (USTOL) :
Avion à décollage et atterrissage ultracourts.

Ultra-short wave (USW) : Onde ultracourte.

Ultrasonic cleaning unit : Nettoyeur à ultrasons.

Ultrasonic flowmeter : Débitmètre à ultrasons.

Ultrasonic inspection : Contrôle par ultrasons.

Ultrasonic speed : Vitesse ultrasonique.

Ultrasonic welding : Soudage aux ultrasons.

Umbrella aerial : Antenne en parapluie.

Unaccompanied minor (UM) [a child travelling by plane in the care of the crew] :
Enfant non accompagné effectuant un trajet aérien sous la surveillance du personnel de bord.

Unbalanced :
Déséquilibré. Désaxé. Asymétrique.

Unbalancing mass : Balourd. Excentrage.

Unballasting : Délestage.

Unbolt (to) : Déboulonner.

Uncage (to) : Débloquer [gyroscope].

Unclip (to) : Dégrafer.

Unclutch (to) : Débrayer.

Uncontrolled airspace :
Espace aérien non contrôlé.

Uncontrolled surface : Gouverne libre.

Uncoupling : Découplage. Désaccouplement.

Uncowling : Décapotage.

Uncrimp (to) : Dessertir.

Uncured : Non polymérisé. Non séché.

Undamped oscillation : Oscillation non amortie.

Underbank (to) : Virer à plat.

Undercarriage :
Train d'atterrissage. Atterrisseur. Train.

Undercarriage bay door :
Porte de logement de train d'atterrissage.

Undercarriage bay pressure bulkhead : Cloison pressurisée de compartiment de train d'atterrissage.

Undercarriage door : Trappe de train.

Undercarriage emergency actuation accumulator : Accumulateur de commande de secours de train.

Undercarriage oleo :
Système oléopneumatique de train.

Undercarriage retraction : Relevage du train.

Undercarriage runway loading : Charge exercée sur la piste par le train d'atterrissage.

Undercarriage selection override button :
Bouton de scratch.

Undercarriage selector :
Sélecteur de commande de train.

Undercarriage strut :
Jambe de train d'atterrissage.

Undercarriage up and locked :
Train d'atterrissage rentré et verrouillé.

Undercowl area : Partie inférieure du capot.

Undercut relief :
Dégagement. Gorge. Echancrure.

Undercutting : Décolletage.

Underfloor avionics equipment :
Appareillage électronique sous plancher.

Underfloor control linkage :
Timonerie des commandes sous plancher.

Underfloor freight hold :
Soute à fret sous plancher.

Underfloor galley : Office sous plancher.

Underpressure sensing element :
Détecteur de sous-pression.

Underpressure valve : Clapet de dépression.

Undershoot (to) : Atterrir trop court.

Undershoot landing : Atterrissage trop court.

Underslung load :
Charge à l'élingue. Charge extérieure.

Underslung pod : Nacelle sous voilure.

Underspeed : Sous-vitesse. Dévissage.

Understructure : Châssis.

Undersurface : Intrados.

Undervoltage protector :
Disjoncteur de sous-tension.

Underwater locator beacon :
Radiobalise sous-marine de détresse.

Underwater long-range missile system (ULMS) :
Missile à longue portée lancé par sous-marin.

Underwater-to-air missile (UAM) :
Missile sous-marin-air.

Underwing : Intrados.

Underwing flap : Volet d'intrados.

Underwing fuel tank :
Réservoir supplémentaire d'intrados.

Underwing fuelling :
Remplissage sous pression [carburant].

Underwing hard point :
Point d'attache sous voilure.

Underwing loads :
Charges extérieures. Charges sous voilure.

Underwing pylon : Mât d'intrados.

Underwing stores :
Charges militaires sous voilure.

Undetected failure : Panne dormante.

Unducted fan (UDF) :
Soufflante non carénée. Hélice transsonique.

Undumpable fuel : Carburant non largable.

Unequipped : Nu.

Uneven burning : Combustion incomplète. Combustion irrégulière.

Unflared touch-down :
Atterrissage sans arrondi.

Ungeared output REV/MIN :
Vitesse de rotation par minute sans réducteur.

Unidentified flying object (UFO) : Objet volant non identifié. OVNI. Soucoupe volante.

Uniflow scavenging : Balayage à sens unique.

Union : Raccord. Embout. Collerette.

Union bolt : Boulon d'éclisse.

Union cock : Robinet à raccord.

Union cone : Buse de raccord.

Union coupling : Raccord universel.

Union nut : Raccord fileté. Ecrou d'assemblage. Ecrou raccord. Ecrou de raccord de tuyauterie.

Union ring : Couronne de liaison.

Union tube : Tuyauterie de raccordement.

Unit : Unité. Elément. Groupe. Bloc. Dispositif. Module. Ensemble. Boîtier. Appareil. Coffret. Equipement. Installation.

Unit blower : Ventilateur de coffret.

Unit flying hours :
Temps de vol des équipements.

Unit light helicopter (ULH) :
Hélicoptère léger d'observation.

United States Air Force (USAF) :
Armée de l'air [USA].

Universal air refuelling receptacle :
Réceptacle de ravitaillement en vol.

Universal ball bearing :
Roulement pendulaire à billes.

Universal block : Cardan.

Universal coupling : Raccord universel.

Universal elbow : Raccord orientable.

Universal joint :
Cardan. Accouplement à cardan. Articulation. Joint à cardan. Joint universel.

Universal joint assembly : Mécanisme à cardan. Système à cardan.

Universal joint gimbal : Rotule.

Universal joint primary ring :
Anneau de cardan primaire.

Universal link : Joint universel.

Universal mount : Suspension de cardan.

Universal shaft : Cardan.

Universal stores pylon :
Pylône universel d'armement.

Universal time coordinated (UTC) :
Temps universel coordonné (TUC).

Unjustified removal : Dépose injustifiée.

Unlicence-built aircraft :
Avion non construit sous licence.

Unloading valve :
Clapet de décharge. Détendeur.

Unloading valve-and-filter assembly :
Bloc régulateur de pression.

Unlock (to) :
Débloquer. Déverrouiller. Desserrer.

Unlocking cylinder : Vérin de déverrouillage.

Unmanned aerial vehicle (UAV) [reconnaissance, target acquisition] : Avion sans pilote
[reconnaissance, repérage d'objectif].

Unmanned air vehicle (UAV) :
Aéronef sans pilote.

Unmanned spacecraft :
Véhicule spatial inhabité.

Unmanned vehicle : Engin téléguidé.

Unpin (to) : Dégoupiller.

Unpriming : Désamorçage [pompe].

Unreheated engine : Réacteur sans réchauffe.

Unreheated turbofan :
Turboréacteur sans réchauffe.

Unsafe gear : Train non verrouillé.

Unscheduled engine removal :
Dépose moteur prématurée.

Unscheduled flight : Vol non régulier.

Unscheduled fuel transfer :
Transfert intempestif de carburant.

Unscheduled maintenance : Entretien non planifié. Maintenance corrective.

Unscheduled maintenance check :
Visite non périodique.

Unscheduled removal : Dépose non planifiée.

Unscheduled servicing :
Entretien courant non périodique.

Unscrambler : Rangeur.

Unserviceable (U/S) : Inutilisable. Hors d'usage.

Unshrouded blades : Ailettes à extrémités libres.

Unstall (to) : Rattraper le décrochage.

Unstalled operating range :
Plage d'utilisation sans décrochage.

Unstick speed : Vitesse au décollage.

Unsymmetrical dimethyl hydrazine (UDMH) [used for spacecraft propulsion] : Diméthyl-hydrazine dissymétrique [propulsion des engins spatiaux].

Unusable part : Pièce inutilisable.

Update kit :
Lot de modification. Lot de modernisation.

Up-down counter : Compteur-décompteur.

Up front control panel :
Panneau de commande frontal.

Upgraded version : Version modernisée.

Upkeep : Entretien.

Uplatch : Verrouillage haut. Verrouillage en position "rentré".

Uplatch check :
Vérification de verrouillage train rentré.

Uplock : Verrouillage train rentré.

Uplock mechanical release handle : Poignée de déverrouillage mécanique train rentré.

Upper airspace : Espace aérien supérieur.

Upper atmospheric research satellite (UARS) :
Satellite d'étude de la haute atmosphère.

Upper box cap : Semelle supérieure.

Upper capping : Chape supérieure.

Upper casing : Carter supérieur.

Upper cowling : Capotage supérieur.

Upper dead center (UDC) : Point mort haut.

Upper deck escape slide : Manche d'évacuation du pont supérieur [Boeing 747].

Upper drag strut :
Contre-fiche supérieure de train.

Upper equipment panel :
Panneau d'équipements supérieur.

Upper fin-tip fairing :
Carénage d'extrémité supérieure de dérive.

Upper flight information center (UIC) : Centre supérieur d'information de vol.

Upper flight information region (UIR) : Région supérieure d'information de vol.

Upper fuselage panels :
Pavillon supérieur [structure].

Upper hood : Capot supérieur.

Upper instrument panel :
Planche de bord supérieure.

Upper side strut :
Contre-fiche latérale supérieure de train.

Upper skin panel : Panneau d'extrados.

Upper surface : Extrados.

Upper surface blowing (USB) : Soufflage d'extrados de voilure [par jet de réacteur].

Upper surface blowing (USB) flap :
Volet d'extrados soufflé [par jet de réacteur].

Upper swashplate [helicopter] :
Plateau cyclique supérieur [hélicoptère].

Upper torque box :
Caisson supérieur de torsion.

Uprated engine : Moteur à puissance augmentée. Moteur gonflé.

Uprated version : Version modernisée.

Upstroke : Course ascendante [piston].

Upward gust : Rafale ascendante.

Upward torsion and bending test :
Essai de torsion et de flexion vers le haut.

Upwash :
Décollement des filets d'air [vers le haut].

Upwash angle : Angle de déflexion vers le haut.

US Coast Guard (USCG) : Garde-côte [USA].

US marine corps (USMC) :
Corps des « Marines » [USA].

Usable fuel : Carburant utilisable.

Useful cross-section : Maître-couple utile.

Useful load : Charge utile.

Useful thrust : Poussée utile.

Utility aircraft :
Avion à usage général. Avion utilitaire.

Utility box : Bloc-passagers.

Utility light transport : Avion de transport léger.

Utility line : Alimentation de servitude.

Utility outlet :
Prise de courant. Prise de baladeuse.

Utility tactical transport (UTT) :
Avion de transport tactique militaire.

Utility tactical transport aircraft system (UT-TAS) : Appareil de transport aérien tactique.

V

V-band clamp : Collier marman.

V-band coupling : Collier serreflex.

V-belt : Courroie trapézoïdale.

V-engine : Moteur en V.

V-gear : Engrenage à chevrons.

V-groove : Rainure en V.

V-holder : Support en V.

V-pulley :
Poulie à gorge pour courroie trapézoïdale.

V-section : Profilé en V.

V-strut : Mât en V.

V-tail : Empennage en V.

Vacuum brake : Frein à vide.

Vacuum-operated : Commandé par dépression.

Vacuum pump : Pompe à vide.

Vacuum regulator : Régulateur à dépression.

Vacuum relay : Relais sous vide.

Vacuum relief valve : Clapet de dépression.

Vacuum switch : Interrupteur à vide. Vacuostat.

Vacuum tube : Tube à vide.

Vacuum welding : Soudage sous vide.

Valley point : Minimum [d'une courbe].

Value engineering (VE) [award granted to manufacturers cutting production costs while respecting quality and safety standards or incentive bonus granted to the author of a technical innovation]. : Distinction décernée aux industriels réduisant les coûts de production [sans nuire à la qualité et aux normes de sécurité]. Prime d'encouragement accordée à l'auteur d'une innovation technique.

Valve : Clapet. Robinet. Soupape. Valve. Distributeur. Vanne. Diode. Lampe radioélectrique. Tube électronique.

Valve actuating stem :
Tige de commande de soupape.

Valve adjuster : Limiteur d'ouverture de valve.

Valve air jet pump : Trompe à air de soupape.

Valve amplifier : Amplificateur à lampe.

Valve assembly : Tube équipé.

Valve base : Culot de lampe.

Valve block : Boîte à robinet.

Valve block assembly :
Bloc de soupapes. Boîte à soupapes.

Valve body : Corps de valve. Corps de clapet.

Valve box : Boîte à clapets.

Valve cap :
Chapeau de valve. Bouchon de valve.

Valve chamber : Chambre de distribution.

Valve control unit : Bloc de soupape.

Valve core :
Boisseau de valve. Boisseau de vanne.

Valve cover : Cache-soupape.

Valve cup : Cuvette de soupape.

Valve flange : Cuvette de clapet.

Valve grinding : Rodage de soupapes.

Valve guide : Guide de soupape. Guide de clapet.

Valve head : Tête de soupape.

Valve lifter : Décompresseur.

Valve lip : Lèvre de clapet.

Valve needle : Pointeau de soupape.

Valve pin : Goupille de valve.

Valve plate : Plateau de distribution.

Valve position light :
Voyant de position de vanne.

Valve rating : Calibre d'une valve.

Valve retainer :
Coiffe de clapet. Ressort de soupape.

Valve rocker : Culbuteur.

Valve rocker shank : Tige de culbuteur.

Valve rod :
Bielle de clapet. Tige de soupape.

Valve seat :
Siège de soupape. Siège de clapet.

Valve spring : Ressort de soupape.

Valve stem :
Queue de soupape. Tige de soupape.

Valve support flange : Bride-support de clapet.

Valve tappet : Poussoir de soupape.

Valve tappet clearance :
Jeu des poussoirs de soupape.

Valve timing : Réglage de la distribution.

Vane : Ailette. Aube. Diffuseur. Palette. Aubage.
Aubage fixe. Déflecteur. Moulinet. Turbine.

Vane and shroud : Aubage.

Vane and shroud assembly of compressor casing :
Aubage directeur de carter de compresseur.

Vane end : Manchette.

Vane pump : Pompe à palette. Pompe à ailettes.

Vane tip : Extrémité d'aube. Extrémité d'ailette.

Vapor blasting : Sablage humide. Sablage liquide.

Vapor cycle cooling unit :
Dispositif de refroidissement à cycle vapeur.

Vapor-free fuel : Carburant dégazé.

Vapor lock : Poche de gaz. Bouchon de vapeur.

Vapor relief : Dégazage [réservoir carburant].

Vapor relief circuit : Circuit de dégazage.

Vapor relief valve : Clapet de dégazage.

Vapor seal membrane : Paroi souple étanche.

Variable area nozzle : Tuyère variable.

Variable bypass valve (VBV) :
Vanne de décharge.

Variable capacitor : Condensateur variable.

Variable-cycle engine : Moteur à cycle variable.

Variable diameter rotor (VDR) :
Rotor à diamètre variable.

Variable ejector nozzle :
Tuyère à section variable.

Variable-flow pump : Pompe à débit variable.

Variable flow restrictor :
Clapet restricteur de débit.

Variable geometry (VG) : Géométrie variable.

Variable-geometry air intake :
Entrée d'air variable.

Variable-geometry aircraft : Avion à géométrie
variable. Avion à flèche variable.

Variable-geometry fighter :
Chasseur à géométrie variable.

Variable-geometry inlet : Prise d'air variable
[moteur]. Entrée d'air variable [structure].

Variable-geometry nose : Nez articulé.

Variable-geometry rotor blade :
Pale de rotor à géométrie variable.

Variable-geometry wing : Aile à flèche variable.

Variable-incidence tailplane :
Stabilisateur à incidence variable.

Variable inlet guide vanes : Aubages orientables
à l'entrée du compresseur.

Variable-pitch propeller : Hélice à pas variable.

Variable primary nozzle :
Tuyère primaire variable.

Variable-range ballistic missile (VRBM) :
Missile balistique à portée variable.

Variable speed constant frequency (VSCF) :
Système de génération électrique.

Variable speed unit : Variateur de vitesse.

Variable stability aircraft (VSA) :
Véhicule de recherches.

**Variable stability and response airplane
(VSRA)** : Avion à stabilité variable.

Variable stability system (VSS) :
Système de stabilité variable.

Variable stabilizer tip : Saumon de dérive.

Variable stator vanes (VSV) :
Stator à incidence variable.

Variable-sweep aircraft :
Avion à flèche variable.

Variation compass : Boussole de déclinaison.

Variometer :
Variomètre. Indicateur de vitesse verticale.

Varistor : Résistance variable.

Vector (to) : Diriger un avion par radio. Guider
un avion [vitesse et direction].

Vector in forward flight (VIFF) :
Orientation de la poussée en vol horizontal.

Vector thrust : Poussée vectorielle.

Vector-thrust engine : Réacteur à poussée vectorielle. Moteur à poussée orientable.

Vectored-lift fighter (VLF) :
Avion de chasse à décollage vertical.

Vectored-lift thrust : Poussée à flux dirigé.

Vectored-thrust : Poussée orientable.

Vectored-thrust aircraft :
Avion à réacteur à poussée orientable.

Vectored-thrust nozzle : Tuyère vectorielle.

Vectored thrust turbofan engine : Réacteur à double flux et à poussée vectorielle.

Vectoring : Guidage.

Veer off the runway (to) : Sortir de la piste [accidentellement].

Vehicle : Véhicule. Engin. Appareil.

Vehicle electrical system : Chaîne électrique de bord.

Vehicle equipment bay (VEB) [satellite launcher] : Casier à équipements [lanceur de satellites].

Vehicle evaluation payload (VEP) [Japanese-built H2 rocket] : Capsule satellisée destinée à évaluer et à transmettre les données relatives au comportement et aux performances de son lanceur [fusée japonaise H2].

Velocity computer : Calculateur de vitesse.

Velocity landing gear operation (VLO) : Vitesse maximum de sortie du train (VLO).

Velocity maximum (Vmax) : Vitesse maximale.

Velocity maximum operating (VMO) : Vitesse maximum d'utilisation.

Velocity never exceed (VNE) : Vitesse à ne jamais dépasser. Vitesse limite.

Velocity reference (VREF) : Vitesse de référence en approche.

Velocity triangle : Triangle des vitesses.

Vent : Trou. Orifice. Lumière. Passage. Event.

Vent box : Réservoir de mise à l'air libre.

Vent duct : Gaine de ventilation.

Vent flap : Auvent.

Vent hole : Event. Orifice de mise à l'air libre.

Vent inlet : Entrée d'air de ventilation.

Vent line : Tuyauterie de mise à l'air libre. Tuyauterie de ventilation.

Vent manifold : Collecteur de mise à l'air libre.

Vent outlet : Sortie d'air de ventilation.

Vent scoop : Volet de mise à l'air libre.

Vent slot : Fente de mise à l'air libre.

Vent surge tank : Compartiment de mise à l'air libre.

Vent tank : Réservoir de mise à l'air libre.

Vent valve : Robinet de mise à l'air libre.

Ventilating air intake : Admission d'air de ventilation.

Venting pipe : Reniflard [moteur].

Venting pipe of tank : Tuyauterie de mise à l'air libre du réservoir.

Ventral fin : Quille. Dérive ventrale. Arête ventrale.

Venturi : Venturi. Diffuseur. Trompe.

Venturi finger : Doigt Venturi.

Venturi nozzle : Trompe de Venturi.

Venturi throat : Goulot de Venturi.

Venturi tube : Tube de Venturi. Tube de Pitot.

Vernier caliper : Jauge micrométrique. Pied à coulisse.

Vernier protractor : Rapporteur d'angle.

Versatile aircraft : Avion polyvalent.

Vertical accelerometer : Accéléromètre de vol vertical.

Vertical approach coupler : Contrôle d'altitude. Radioguidage en tangage.

Vertical-attitude take-off : Décollage nez vers le ciel.

Vertical fin : Dérive verticale.

Vertical gust recorder : Enregistreur de rafales de vent verticales.

Vertical gyro : Centrale de verticale. Gyroscope de verticale.

Vertical interval : Séparation verticale [de deux avions].

Vertical rate-of-climb : Vitesse ascensionnelle.

Vertical reference unit : Centrale de verticale.

Vertical replenishment service (VERTREP) : Ravitaillement en mer par ADAV.

Vertical rib : Nervure verticale.

Vertical/short take-off and landing (V/STOL) aircraft : Avion à décollage et atterrissage verticaux/courts.

Vertical speed indicator (VSI) : Variomètre.

Vertical stabilizer : Plan fixe vertical. Dérive. Empennage vertical.

Vertical stabilizer chord : Profondeur de l'empennage vertical.

Vertical stabilizer leading edge : Bec de dérive. Bec d'empennage vertical.

Vertical stabilizer sparbox : Caisson de plan fixe vertical.

Vertical stabilizer tip : Saumon de dérive.

Vertical tail : Dérive. Empennage vertical.

Vertical tail load : Charge sur les surfaces verticales de l'empennage.

Vertical take-off : Décollage vertical.

Vertical take-off and horizontal landing (VTOHL) : Décollage vertical et atterrissage horizontal.

Vertical take-off and landing (VTOL) : Avion à décollage et atterrissage verticaux (ADAV).

Vertical take-off and landing (VERTOL) : Avion à décollage et atterrissage verticaux (ADAV).

Vertical touch-down speed : Vitesse verticale d'impact.

Vertical turn : Virage à la verticale.

Vertical velocity (Vz) : Vitesse verticale.

Vertical wind shear : Cisaillement vertical du vent.

Vertiplane : Avion convertible.

Vertiport : Héliport.

Very high frequency (VHF) : Hyperfréquence.

Very high frequency omnidirectional range (VOR) system : Système composé de radiophares omnidirectionnels à très haute fréquence.

Very high power integrated circuitry (VHPIC) : Circuits intégrés ultra-puissants [GB].

Very high speed integrated circuitry (VHSIC) : Circuits intégrés ultra-rapides [USA].

Very large commercial helicopter (VLCH) [a Sikorsky project, 100 passengers, in the year 2000] : Gros hélicoptère de transport civil des années 2000 [projet Sikorsky, 100 passagers].

Very large commercial transport (VLCT) [a super jumbo-jet with a range of 13,500 km] : Super gros-porteur à réaction [rayon d'action 13 500 km].

Very light aircarft (VLA) : Avion très léger.

Very low frequency (VLF) : Très basse fréquence.

Very low frequency generator : Générateur de très basse fréquence.

Very short range air defence missile : Missile de défense aérienne très rapprochée.

Very small aperture terminal (VSAT) [high speed data transmission] : Terminal à très petite ouverture [transmission de données à grande vitesse].

VFR flight : Vol à vue. Vol VFR.

VHF aerial : Antenne VHF.

VHF antenna anti-icing system : Dégivrage thermique d'antenne VHF.

VHF communication transceiver : Emetteur-récepteur VHF.

VHF coverage : Couverture VHF.

VHF direction finder : Goniomètre VHF.

VHF navigation : Navigation VHF.

VHF navigation radio : Récepteur de navigation VHF.

VHF omnidirectional radiorange : Radiophare omnidirectionnel VHF.

VHSIC avionic modular processor (VAMP) [USA] : Unité de calcul du programme d'avionique modulaire américain Pave Pillar.

Vibration analysis system : Système d'analyse des vibrations.

Vibration damper : Amortisseur de vibrations.

Vibration detector : Détecteur de vibrations.

Vibration indicator : Indicateur de vibrations.

Vibration isolating mount : Point d'attache antivibrations.

Vibration monitor test button : Poussoir d'essai du détecteur de vibrations.

Vibration monitoring system : Chaîne de surveillance des vibrations du moteur.

Vibration test : Essai de vibration.

Vibro-etching : Vibro-gravure.

Video and computer based instruction (VACBI) : Formation du personnel basée sur l'ordinateur et la vidéo.

View finder : Viseur.

Visor : Visière. Ecran. Pare-soleil.

Visor periscope system : Système périscopique de visière.

Visual approach : Approche à vue.

Visual approach and landing (VAL) : Approche et atterrissage à vue.

Visual approach slope indicator system (VASIS) : Indicateur visuel de pente d'approche.

Visual bearing : Relèvement visuel.

Visual display : Affichage optique. Système de visualisation.

Visual display unit (VDU) : Ecran de visualisation.

Visual-doppler indicator (VDI) : Radar à lecture directe.

Visual down lock : Repère visuel de verrouillage train sorti.

Visual flight rules (VFR) : Règles de vol à vue.

Visual flight rules approach (VFRAP) : Approche conforme aux règles de vol à vue.

Visual glide slope indicator : Indicateur lumineux d'angle d'approche.

Visual inspection : Contrôle visuel.

Visual meteorological conditions (VMC) : Conditions météorologiques du vol à vue.

Visual omni-range (VOR) : Radiogoniomètre d'approche. Radiophare omnidirectionnel.

Visual range interception : Interception courte portée.

Visual slope aids : Indicateurs visuels de pente d'approche.

Vizor : Visière. Casquette.

VO coder (VC) : Cryptophonie.

Voice warning system : Système d'alarme vocal.

Voltage : Tension. Potentiel.

Voltage across terminals : Tension aux bornes.

Voltage alternating current (VAC) : Tension du courant alternatif.

Voltage amplifier : Amplificateur de tension.

Voltage direct current (VDC) : Tension du courant continu.

Voltage standing wave ratio (VSWR) : Taux d'ondes stationnaires (TOS).

Voltammeter : Voltmètre-ampèremètre. Voltampèremètre.

Voltmeter : Voltmètre.

Volume meter : Volucompteur. Vu-mètre.

Volumetric flowmeter :
Débitmètre volumétrique.
VOR ADF radio magnetic indicator :
Indicateur VOR/ADF/RMI.
VOR antenna : Antenne VOR.
VOR axis indicator : Indicateur d'axes VOR.
VOR converter : Convertisseur VOR.
VOR fail flag : Drapeau de panne VOR.
VOR installation : Appareillage VOR.
VOR/LOC antenna :
Antenne VOR/LOCALIZER.
VOR radio-magnetic indicator :
Indicateur RMI/VOR.
VOR receiver : Récepteur VOR.
VOR station : Station VOR.

VOR track : Alignement VOR. Radial VOR.
Vortex : Tourbillon.
Vortex flap : Volet générateur de tourbillons.
Vortex generator :
Générateur de tourbillons [Structure].
Vortex rate sensor : Détecteur de régime tour-
billonnaire [pilote automatique].
Vortex spoiler :
Déflecteur. Destructeur de tourbillons.
Vortices : Remous. Tourbillons.
VTOL aircraft : Avion à décollage et atterris-
sage verticaux (ADAV).
VTOL terminal : Héliport.
Vu-meter : Vu-mètre.

W

W-clamshell thrust reverser :
Inverseur de poussée à coquilles.
Wafer plate : Tôle gaufrée.
Wafer switch : Interrupteur à galette.
Wafered sheet : Tôle gaufrée.
Waffle panel : Panneau alvéolé.
Waffle-pattern structure : Structure alvéolaire.
Waist : Etranglement. Dégagement. Rétrécisse-
ment [d'une pièce].
Waisted fuselage :
Fuselage pincé. Fuselage en taille de guêpe.
Wake : Sillage. Remous [de l'hélice].
Wake drag : Traînée de sillage.
Wake turbulence : Tourbillon de sillage.
Walk area : Secteur de passage [sur l'aile].
Walkaround inspection :
Visite [de l'avion] en bout de ligne.
Walking beam : Balancier. Guignol.
Wall disconnect box : Boîte de coupure murale.
Warhead : Charge militaire.
Warm cycle helicopter :
Hélicoptère à cycle tiède.
Warm-up the engine (to) :
Chauffer le moteur (faire —).
Warm-up time : Temps de chauffage. Temps de
mise en route [gyro].
Warning : Avertissement. Signal [d'alarme].
Warning device : Avertisseur.
Warning flag : Drapeau d'alarme.
Warning horn : Avertisseur sonore. Klaxon.
Warning horn circuit : Circuit d'avertisseur.

Warning horn silencing relay :
Relais d'extinction d'avertisseur sonore.
Warning indicator : Indicateur d'alarme.
Warning light : Voyant avertisseur. Alarme lu-
mineuse. Avertisseur lumineux.
Warning relay box : Boîte d'alarme à relais.
Warning rod : Tige témoin [réservoir carburant].
Warpage : Gauchissement. Voilage. Gondolage.
Déformation.
Warpage of blades or vanes :
Gauchissement des ailettes ou des aubes.
Warped shaft : Arbre faussé. Axe faussé.
Warped wheel : Roue voilée.
Warping :
Faussage. Gauchissement. Gondolage.
Warping control :
Commande de gauchissement.
Wash :
Déflexion. Remous d'air. Souffle de l'hélice.
Wash-in : Augmentation de l'incidence à l'extré-
mité de l'aile. Gauchissement positif.
Wash-out : Diminution de l'incidence à l'extré-
mité de l'aile. Gauchissement négatif.
Wash-out network :
Circuit d'effacement [pilote automatique].
Wash-out rate :
Taux d'effacement [pilote automatique].
Washer : Rondelle.
Washer head screw : Vis épaulée.
Waste sump : Carter de vidange.

Water bladder :
Citerne souple [lutte contre l'incendie].

Water bomber : Avion de lutte contre l'incendie. Bombardier d'eau.

Water-cooled engine :
Moteur à refroidissement par eau.

Water injection system [turbine engine] :
Système d'injection d eau [turbomoteur].

Water-methanol control unit : Boîtier de régulation du mélange eau-méthanol.

Water-methanol filler cap : Bouchon de remplissage du réservoir eau/méthanol.

Water-methanol injection :
Injection d'un mélange d'eau et de méthanol.

Watertank test : Essai en piscine.

Watertight fuselage : Fuselage étanche.

Wave band : Gamme d'ondes.

Wave drag :
Traînée engendrée par les ondes de choc [quand l'avion approche de la vitesse du son].

Wave guide : Guide d'ondes.

Wave length : Longueur d'onde.

Wave-off : Remise des gaz [à l'appontage].

Way-point [shown on the flight plan] :
Point de passage [indiqué sur le plan de vol].

Waypoint (WPT) : Balise fictive.

Weak mixture : Mélange pauvre.

Weapon-aiming computer (WAC) :
Calculateur de pointage des armes de bord. Calculateur de tir.

Weapon delivery and navigation system (WDNS) : Système de navigation et de tir.

Weapon delivery computer (WDC) :
Calculateur de gestion du système d'armes.

Weapon load : Charge militaire.

Weapons system operator (WSO) [crew member responsible for the navigation and airborne electric equipments] : Membre de l'équipage responsable de la navigation et de la mise en oeuvre des instruments électriques de bord.

Wear mark : Trace d'usure.

Wear-out failure : Panne prévisible.

Wear play : Jeu d'usure.

Wear tolerance : Tolérance d'usure.

Weather chart : Carte météorologique.

Weather forecast : Prévisions météorologiques.

Weather radar : Radar météorologique.

Weather radar antenna :
Antenne de radar météorologique.

Weather radar scanner :
Antenne tournante de radar météorologique.

Weather radar test pattern :
Mire de radar météo.

Weather report : Bulletin météorologique.

Web : Nervure. Ame. Cloison. Zone. Voile.

Web and flanges : Ame et semelles.

Web plate : Tôle d'âme.

Webbed : Nervuré.

Webbed rib : Nervure à âme pleine.

Wedge : Cale. Coin. Clavette.

Wedge-shaped : Cunéiforme.

Weight : Poids. Masse.

Weight - altitude - temperature limitations (WAT) : Limites masse-altitude-température.

Weight and balance : Masses et centrage.

Weight and balance chart :
Abaque de centrage. Centrogramme.

Weight and balance computer :
Calculateur de masse et centrage.

Weight and balance manual (WBM) :
Manuel des masses et centrages (MMC).

Weight and balance system (WBS) :
Système embarqué de détermination des masses et du centrage.

Weight breakdown :
Bilan des masses. Devis de masses.

Weight distribution : Répartition des poids.

Weight limited payload (WLP) :
Charge marchande limite.

Weight per horsepower : Masse au cheval.

Weight ratio : Rapport massique.

Weld bead :
Cordon de soudure. Goutte de soudure.

Weld crack : Crique de soudure.

Weld overlay : Recouvrement de soudure.

Weld seam : Cordon de soudure.

Welded metal bellows :
Membranes métalliques soudées.

Welded steel casing : Caisse en acier soudé.

Welded structure : Structure soudée.

Welding filler rod : Baguette de soudure.

Welding flux : Flux de soudure. Flux décapant.

Welding rod : Baguette de soudure.

Well : Fond de carter. Puits. Logement. Trou.

Wet abrasive blast cleaning : Nettoyage par projection d'abrasifs par voie humide.

Wet blasting : Sablage humide. Vapor blast.

Wet-foil capacitor : Condensateur 'wet-foil'.

Wet lease : Location d'avion avec équipage.

Wet power :
Puissance moteur avec injection d'eau.

Wet riveting [application of sealant between the rivet head and the countersinking] : Rivetage humide [application d'un produit d'étanchéité entre la tête du rivet et la fraisure].

Wet take-off :
Décollage avec injection [eau/méthanol].

« Wet team » [a team of acoustic systems operators] : Equipe d'opérateurs des systèmes acoustiques de bord.

Wet thrust : Régime avec injection d'eau.

Wetted surface : Surface totale.

Wheatstone bridge arm :
Branche de pont de Wheatstone.

Wheel : Roue. Roulette. Volant. Pignon. Rotor. Toupie. Tourniquet.

Wheel alignment : Parallélisme des roues.

Wheel arch : Logement des roues.

Wheel axle : Fusée de roue.

Wheel base : Empattement.

Wheel bay : Logement du train.

Wheel bearing cover plate :
Cache de roulement de roue.

Wheel cap : Enjoliveur.

Wheel-case front half :
Demi-carter de relais d'accessoires avant.

Wheel-case rear half :
Demi-carter de relais d'accessoires arrière.

Wheel centered device :
Dispositif de rappel dans l'axe [roue avant].

Wheel centered indicator :
Indicateur de roues dans l'axe.

Wheel chock : Cale de roue.

Wheel control : Commande par volant.

Wheel disc : Chapeau de roue.

Wheel displacement restrainer :
Sécurité de dégonflage d'amortisseur.

Wheel flange : Flasque de roue.

Wheel hub : Moyeu de roue.

Wheel-lock mechanism :
Mécanisme de verrouillage des roues.

Wheel ramp [wheel installation and removal] :
Tremplin [pose et dépose des roues].

Wheel rim : Jante.

Wheel shaft : Essieu.

Wheel spindle : Fusée d'essieu. Fusée de roue.

Wheel steering : Orientation de la roue avant.

Wheel-up landing : Atterrissage train rentré. Atterrissage sur le ventre.

Wheel well : Soute de train. Logement de train.

Wheel well light :
Lampe d'éclairage de logement de train.

Wheels-flaps position indicator :
Indicateur de position des roues et des volets.

Whip aerial : Antenne fouet.

Whipstall :
Décrochement des filets d'air en bout d'aile.

Whirl test bench :
Banc d'équilibrage dynamique de rotor.

Whirlybird [slang] : Hélicoptère [argot].

Whisker : Barbe. Trichite. Poil. Fil de contrôle. Chercheur.

White lead : Céruse. Blanc d'argent.

White metal : Régule. Antifriction. Métal blanc.

White-out [cloudy sky] :
Ligne d'horizon bouchée [par ciel couvert].

White tail plane : Avion à 'queue blanche' [n'a pas trouvé acquéreur].

Whitworth thread : Filetage Whitworth.

Wholly solid-state : Entièrement transistorisé.

Wide-angle head-up display :
Affichage tête haute à grand angle.

Wide-angle raster-video head-up display (WARHUD) : Collimateur tête haute à champ de vision étendu.

Wide area augmentation system (WAAS) :
Système de transmission d'informations aux avions en vol par satellites et stations terrestres.

Wide area surveillance system (WASS) : Système de surveillance de zones très étendues.

Wide-bodied plane : Avion gros-porteur.

Wide-body aircraft : Avion gros-porteur.

Wide-body airliner :
Avion de ligne à fuselage large.

Wide-body engine : Moteur à large corps.

Wide-body twin : Gros-porteur bimoteur.

Wide-chord fan blade :
Pale de soufflante à corde large.

Wide-cut fuel :
Essence aviation à faible indice d'octane.

Wide-open throttle (WOT) : A plein gaz.

Widened track skid L/G :
Train à patins à voie large [hélicoptère].

Winch launch :
Lancement d'un planeur par treuil.

Wind cone : Manche à air. "Biroute".

Wind gauge : Anémomètre.

Wind sock : Manche à air. "Biroute".

Wind tunnel : Soufflerie aérodynamique.

Wind tunnel balance : Balance aérodynamique. Balance de soufflerie.

Wind tunnel cascades :
Aubages directeurs de soufflerie.

Wind-tunnel test : Essai en soufflerie.

Wind tunnel test section :
Chambre d'expérience. Veine d'essai.

Wind tunnel throat : Gaine de soufflerie.

Wind velocity : Vitesse du vent.

Wind velocity indicator : Anémomètre.

Windage : Tourbillonnement à l'intérieur du réacteur.

Windage cover : Couvercle anti-turbulence de compresseur de réacteur.

Windback seal : Joint de refoulement.

Winder arm assembly :
Ensemble de bras enrouleur.

Winding : Enroulement. Bobinage.

Windmill (to) : Tourner en autorotation. Etre en moulinet [pas maximum; pales dans le sens du vent].

Windmill : Moulinet. Eolienne.

Windmilling : En rotation libre. En moulinet. En autorotation.

Windmilling drag : Traînée engendrée par le moulinet de l'hélice.

Windmilling propeller : Hélice en autorotation. Hélice en rotation libre. Hélice claire [en drapeau].

Window : Hublot. Fenêtre. Baie.

« Window » [popular name of chaff] : Forme populaire de chaff.

Window assembly : Ensemble hublot.

Window frame : Encadrement de hublot.

Window frame assembly : Cadre de reprise.

Window glazing : Panneau de hublot.

Window pane : Glace de hublot.

Window pane retainer : Serre-glace.

Window shade : Obturateur de hublot.

Window-type indicator : Indicateur à fenêtre.

Windscreen : Pare-brise [GB].

Windscreen wiper : Balai d'essuie-glace.

Windshear : Cisaillement du vent.

Windshear detection system : Système de détection de cisaillement du vent.

Windshield : Pare-brise [USA].

Windshield air control : Tirette de désembuage de pare-brise.

Windshield anti-ice controller : Régulateur antigivrage de pare-brise.

Windshield de-icer : Dégivreur de pare-brise.

Windshield frame section : Cadre de pare-brise. Entablement.

Windshield front fairing : Casquette.

Windshield front panel : Glace frontale de pare-brise.

Windshield heating system : Système de chauffage de pare-brise.

Windshield post : Montant de pare-brise.

Windshield projection display : Collimateur de figuration. Visualisation tête haute.

Windshield washer jet : Gicleur de lave-glace.

Windshield wiper : Essuie-glace.

Windshield wiper arm : Bras d'essuie-glace.

Windshield wiper arm assembly : Porte-balai d'essuie-glace.

Windspeed indicator : Anémomètre.

Wing : Aile. Demi-aile. Demi-voilure. Ailette. Palette. Voilure.

Wing aerodynamic center : Foyer de l'aile. Foyer aérodynamique de l'aile.

Wing aft section : Partie arrière de voilure.

Wing airfoil : Profil d'aile.

Wing angle of incidence : Angle d'incidence de voilure.

Wing anti-ice auto trip off : Arrêt automatique d'antigivrage d'aile.

Wing area : Surface alaire.

Wing aspect ratio : Allongement de l'aile.

Wing assembly : Ailes équipées.

Wing attachment fishplate : Semelle d'attache de voilure.

Wing attachment fitting : Ferrure d'attache de voilure.

Wing bolster beam : Quille de voilure.

Wing bolt : Boulon à oreilles.

Wing bottom skin : Revêtement d'intrados.

Wing box : Caisson d'aile. Caisson de voilure.

Wing bracing installation : Triangulation de voilure.

Wing carry-through structure : Traversée de fuselage.

Wing center attachment : Jonction des demi-voilures.

Wing center of pressure : Centre de poussée de l'aile.

Wing center section : Caisson central d'aile. Plan central de voilure.

Wing center section fuel tank : Réservoir carburant du plan central de voilure.

Wing centre pylon : Pylône central de voilure.

Wing chord : Profondeur d'aile.

Wing clearance light : Feu de garde d'aile.

Wing-commander : Lieutenant-colonel d'aviation.

Wing downwash : Déflexion de voilure.

Wing drag : Traînée de voilure.

Wing droop : Fléchissement de l'aile.

Wing drooping : Tendance au basculement latéral. Aile lourde.

Wing fence : Cloison de décrochage. Barrière de décrochage.

Wing fillet : Carénage d'emplanture d'aile. Raccordement d'aile. Karman de voilure.

Wing fixed navigation lamp : Feu de navigation fixe d'aile.

Wing flap : Volet hypersustentateur. Volet de courbure.

Wing flap area : Surface des volets de courbure.

Wing flap control lever : Levier de commande des volets.

Wing flap deflection : Braquage des volets.

Wing flap eaves : Gouttière de volet.

Wing flap follow-up : Transmetteur de position des volets.

Wing flap lever gate : Butée mobile du levier de commande des volets.

Wing flap motor :
Moteur des volets de courbure.

Wing flap nose rib : Nervure de bec de volet.

Wing flap position indicator :
Indicateur de position des volets.

Wing flowlight :
Projecteur d'éclairage de voilure.

Wing flutter : Vibration de l'aile.

Wing fold hinge joint :
Joint charnière d'aile repliable.

Wing fold rotary actuator :
Actionneur de repliement de voilure.

Wing front spar carry-through :
Prolongement du longeron avant d'aile.

Wing fuel tank : Réservoir carburant d'aile.

Wing fuelling station :
Prise de ravitaillement carburant d'aile.

Wing/fuselage attachment double frame :
Cadre double d'assemblage aile/fuselage.

Wing/fuselage attachment lug :
Ferrure de liaison voilure/fuselage.

Wing/fuselage blended root :
Apex [liaison aile/fuselage].

Wing/fuselage fairing : Carénage Karman.

Wing/fuselage mating :
Jonction voilure/fuselage

Wing hard point :
Point d'attache. Mât de voilure.

Wing-head stud :
Axe-fermeture rapide à tête à oreilles.

Wing-heavy aircraft : Avion décentré sur l'aile.

Wing icing inspection light : Projecteur de voilure [surveillance traces de givrage].

Wing illumination light :
Phare d'éclairage de voilure.

Wing inspar structure :
Structure interlongeron d'aile.

Wing integral fuel tank :
Réservoir structural d'aile.

Wing leading edge root extension :
Prolongement de bord d'attaque près de l'emplanture de l'aile.

Wing leading edge slot :
Fente de bord d'attaque.

Wing leading edge tank :
Réservoir de bord d'attaque.

Wing lift : Portance de l'aile.

Wing lift/drag ratio : Finesse de l'aile.

Wing load : Charge alaire.

Wing main torsion box :
Caisson d'aile encaissant les efforts de torsion.

Wing mean chord : Corde moyenne de l'aile.

Wing-mounted :
Logé dans l'aile. Monté dans l'aile.

Wing nut : Ecrou à oreilles. Ecrou papillon.

Wing panel centerline joint rib :
Nervure de section centrale de voilure.

Wing pylon : Pylône. Mât de voilure. Mât d'aile.

Wing rear spar : Longeron arrière d'aile.

Wing reference profile :
Profil de référence de l'aile.

Wing rib : Nervure d'aile.

Wing rocking : Echapée de roulis.

Wing root : Emplanture de l'aile.

Wing root attachment : Attache de l'aile.

Wing root bolted attachment joint :
Attache d'emplanture d'aile boulonnée.

Wing root fairing :
Carénage d'emplanture d'aile.

Wing root fillet : Raccord aile-fuselage.

Wing root fitting :
Chape de jonction de demi-voilure.

Wing root leading-edge fillet : Raccordement de bord d'attaque d'aile au fuselage. Congé de raccordement bord d'attaque/emplanture d'aile.

Wing root rib : Nervure d'emplanture d'aile.

Wing root seal : Joint d'apex.

Wing root trailing edge fillet : Raccordement de bord de fuite d'aile au fuselage.

Wing section : Profil d'aile. Section d'aile.

Wing setting : Calage de l'aile [angle]. Positionnement de la voilure.

Wing shutoff valve : Vanne antigivrage d'aile.

Wing skin : Revêtement d'aile.

Wing skin panel :
Panneau de revêtement de voilure.

Wing slat : Bec d'aile.

Wing slat actuating system :
Système de commande des becs de voilure.

Wing slot : Fente d'aile. Fente de bord d'attaque.

Wing slot disagreement light : Voyant de désaccord des fentes de bord d'attaque.

Wing socket : Encastrement de l'aile.

Wing span : Envergure de la voilure.

Wing spar : Longeron d'aile.

Wing spar box :
Caisson de voilure. Caisson central.

Wing spar centre-section carry-through :
Liaison de longeron avant de voilure.

Wing stringer : Lisse de voilure.

Wing structural loads :
Charges structurales sur l'aile.

Wing strut : Mât d'aile. Hauban.

Wing surface : Surface alaire.

Wing sweep : Flèche de la voilure.

Wing sweep indicator :
Indicateur d'angle de flèche.

Wing sweepback : Flèche de l'aile.

Wing tank : Réservoir d'aile.

Wing taper : Effilement de l'aile.

Wing thermal anti-icing :
Dégivrage thermique de la voilure.

Wing tip : Bout d'aile. Extrémité d'aile. Saumon d'aile. Pointe d'aile.

Wing tip airstream separation :
Décollement des filets d'air en bout d'aile.

Wing tip auxiliary fuel tank :
Réservoir supplémentaire en bout d'aile.

Wing tip fairing : Carénage d'extrémité d'aile.

Wing tip fences (WTF) :
Petites ailettes d'extrémité d'aile.

Wing tip fin : Ailette marginale.

Wing-tip float [seaplane, amphibian] :
Flotteur d'extrémité d'aile [hydravion, avion amphibie].

Wing tip fuel tank :
Réservoir carburant en bout d'aile.

Wing tip light : Feu de saumon d'aile.

Wing tip mounted tail light :
Feu arrière de saumon d'aile.

Wing tip pod : Nacelle d'extrémité de voilure.

Wing tip rake : Biseau de saumon d'aile.

Wing tip vent tank :
Réservoir de mise à l'air libre en bout d'aile.

Wing tip wick : Balai de bout d'aile.

Wing-to-body fairing :
Carénage de jonction aile-fuselage.

Wing-to-fuselage attachment :
Liaison voilure-fuselage.

Wing-to-fuselage attachment load distribution beam : Quille de poussée.

Wing-to-fuselage fairing : Karman de liaison aile-fuselage. Raccord aile-fuselage.

Wing-to-fuselage junction :
Raccordement aile-fuselage.

Wing-to-strut interface : Interface mât-voilure.

Wing top skin : Revêtement d'extrados.

Wing trailing edge : Bord de fuite d'aile.

Wing upper surface : Extrados.

Wing ventilation intake :
Prise de ventilation d'aile.

Wing wake : Sillage de l'aile.

Wing walkway : Zone de passage sur l'aile.

Wing walkways : Marchepieds d'aile.

Wing/wing strake intersection :
Jonction voilure/onglet de voilure.

Wingdrop tank pylon :
Poutre de réservoir sous voilure.

Winglet : Dérive marginale. Ailette verticale. Ailette d'extrémité de voilure.

Winglets attached to the wing tips :
Ailettes d'extrémité de voilure.

Wiper : Curseur. Joint racleur. Mentonnet. Balai.

Wiper blade : Balai d'essuie-glace.

Wiper blade backing strip :
Armature de balai d'essuie-glace.

Wiper blade shoe :
Sabot de balai d'essuie-glace.

Wiper head : Tête d'essuie-glace.

Wiper ring : Segment racleur.

Wire ammeter : Ampèremètre thermique.

Wire-guided missile : Missile filoguidé.

Wire mesh screen : Crépine en treillis.

Wire obstacle warning system (WOWS) :
Système de détection de lignes de force près du terrain.

Wire routing : Cheminement des câbles.

Wire shield tube : Gaine passe-fil.

Wire wrap : Enroulements de connexions.

Wiring board : Tableau de connexions.

Wiring diagram : Schéma de câblage.

Wiring diagram manual (WDM) :
Manuel des schémas de câblage.

Wiring installation drawing :
Plan de cheminement des câbles.

Wiring schematic diagram :
Schéma de branchement.

Wiring socket : Douille terminale conductrice.

Wiring system : Câblage.

Wiring table : Tableau de connexions.

Wiring tunnel : Tunnel de câblage.

Wiring unit : Boîte d'interconnexions.

Withdrawal from revenue service :
Suspension de l'exploitation commerciale d'avions de ligne.

Withdrawal solenoid :
Electrovalve d'effacement.

Wobble plate : Plateau oscillant.

Wobble pump :
Pompe à barillet. Pompe à plateau oscillant.

Wobbulating interference device : Dispositif de brouillage à balayage de fréquence.

Wooden monospar wing :
Aile à monolongeron en bois.

Woodruff key : Clavette demi-lune.

Work breakdown structure (WBS) :
Plan de structure. Organigramme technique.

Work in progress (WIP) : Travail en cours.

Work size : Dimension de fabrication.

Working condition (in -) : En état de marche.

Working voltage : Tension de service.

World Administrative Radio Conference (WARC) : Conférence Administrative Mondiale des Radiocommunications.

World meteorological organization (WMO) :
Organisation météorologique mondiale.

World weather watch (WWW) :
Veille météorologique mondiale.

Worm bit : Mèche à vis.

Worm drive : Transmission par vis sans fin.

Worm gear : Engrenage à vis sans fin.

Worn out : Usé. Usagé. Fatigué.

Wrap a cable (to) : Guiper un câble.

Wrap contact :
Contact pour connexions enroulées.

Wrap post : Borne pour connexions enroulées.

Wrap removal tool :
Outil de démontage de connexions enroulées.

Wreckage [after a collision] :
Débris [après une collision].

Wrist : Tourillon. Axe de piston. Maneton.

Wrist-pin : Axe de tête de biellette.

Wrist-pin end : Tête de biellette.

Wrought aluminium alloy :
Alliage d'aluminium corroyé.

Wye connection : Montage en étoile.

X

X-axis : Axe de roulis. Axe longitudinal.

X-band [between 8 and 12 GHz, radar] :
Bande X [entre 8 et 12 GHz, radar].

X-band radar : Radar météo.

X-engined aircraft : Avion à moteur en X.

X-ray goniometer : Goniomètre à rayons X.

X-ray inspection : Contrôle radiographique.

X-ray metallography : Radiométallographie.

X-wing : Voilure en X. Aile en X.

X-zero cylindrical gear pair :
Engrenage cylindrique sans déport.

Xmitter : Emetteur.

XMTR : Emetteur-récepteur.

Y

Y-alloy : Alliage Y (duralumin).

Y-axis : Axe de lacet. Axe latéral

Y-branch : Culotte (équipement). Raccord en Y.
"T" oblique. Tubulure oblique.

Y-connection : Montage en étoile.

Y-connector : Raccord en Y.

Y-delta starter : Démarreur en étoile-triangle.

Y-grouping : Montage en étoile. Montage en Y.

Y-pipe : Tuyauterie en Y.

Y-shaped coupling : Raccord en Y.

Y-strut : Mât en Y.

Yaw : Mouvement de lacet. Embardée. Direction.
Dérapage.

Yaw (to) : Tourner autour de l'axe de lacet. Voler en crabe.

Yaw actuator : Actionneur de gouverne de lacet.

Yaw angle : Angle de lacet. Angle de giration.

Yaw axis : Axe de lacet.

Yaw axis accelerometer : Accéléromètre latéral.

Yaw axis motor : Propulseur de cap.

Yaw canard : Gouverne de lacet.

Yaw channel : Chaîne de lacet.

Yaw computer :
Calculateur de contrôle de lacet.

Yaw control :
Commande de lacet. Contrôle en lacet.

Yaw control nozzle :
Tuyère de commande de lacet.

Yaw control rudder pedal :
Pédale de contrôle en lacet.

Yaw control valve : Vanne de direction.

Yaw correction control :
Commande de correction en lacet.

Yaw damper (Y/D) :
Amortisseur de lacet. Contrôleur d'embardée.

Yaw damper ground test switch : Interrupteur
d'essai au sol d'amortisseur de lacet.

Yaw damper servomotor :
Servomoteur de stabilisation de lacet.

Yaw damper warning flag :
Drapeau d'amortisseur de lacet.

Yaw fan : Ventilateur de lacet.

Yaw indicator : Indicateur de dérapage.

Yaw gyro : Gyromètre de lacet.

Yaw meter : Indicateur de lacet.

Yaw port : Sortie de soufflage.

Yaw rate : Amplitude du mouvement de lacet.

Yaw rate gyro : Gyromètre de lacet.

Yaw stability augmentation system : Système d'augmentation de la stabilité en lacet.

Yaw trim button : Bouton de correction de cap.

Yaw vane :
Girouette de lacet. Sonde de dérapage.

Yawing : Mouvement de lacet.

Yawing moment : Moment de lacet.

Yellow anodizing :
Anodisation jaune. Aluminitage.

Yellow metal : Bronze. Laiton. Métal jaune.

Yeralisation :
Revêtement yttrium + chrome/aluminium.

Yield load : Charge limite d'élasticité.

Yield point : Limite élastique.

Yield pressure : Pression de fluage.

Yield strength : Limite élastique.

Yoke : Etrier. Chape. Guignol. Fourche. Noix de cardan. Culasse. Carcasse.

Yoke bolt : Boulon d'articulation. Axe de chape.

Yoke joint : Etrier. Chape.

Yoke pin : Axe de chape.

Young's modulus : Module de Young.

Yttrium aluminium garnet (YAG) laser : Laser à grenat d'yttrium-aluminium. Laser YAG.

Z

Z-axis : Axe vertical.

Z-plane : Plan vertical.

Z-marker : Balise Z.

Z-section : Cornière en Z.

Z-section stringer : Lisse à profil en Z.

Zap flap : Volet Zap.

Zap hostile missiles (to) :
Détruire des missiles hostiles.

Zenithal projection : Projection azimutale.

Zero adjustment screw : Vis de remise à zéro.

Zero airspeed : Vitesse nulle.

Zero-azimuth indicator :
Indicateur de gisement zéro.

Zero flag : Indicateur de zéro.

Zero flow pressure : Pression à débit nul.

Zero fuel weight (ZFW) : Poids total sans carburant. Masse totale sans carburant.

Zero-G : Accélération nulle.

Zero gravity : Impesanteur.

Zero length launch (ZLL) [« firing » of the aircraft from a nuclear shelter] :
Lancement à course nulle (« tir » de l'avion à partir d'abri nucléaire).

Zero-lift angle of attack :
Angle de portance nulle.

Zero load : Charge à vide.

Zero output voltage : Tension de sortie nulle.

Zero rate of climb : Vitesse ascensionnelle nulle.

Zero reading instrument : Indicateur de zéro.

Zero stage : Etage de gavage (réacteur).

Zero visibility conditions :
Conditions de visibilité nulles.

Zero yaw : Dérapage nul.

Zero-zero ejection seat :
Siège éjectable zéro-zéro.

Zicral alloy : Zicral.

Ziglo : Ressuage fluorescent.

Zone-in temperature sensor : Sonde de température d'entrée de compartiment.

Zone marker : Marqueur de zone.

Zone position indicator (ZPI) : Radar de veille.

Zone time : Heure du fuseau horaire.

Zone trim overtemperature switch :
Thermocontact de température excessive.

Zone vernier temperature controller :
Régulateur de température de compartiment.

Zoom : Chandelle.

Zoom (to) : Monter en chandelle.

Zooming-up :
Départ en chandelle. Montée en chandelle.

Zulu time [UTC] : Heure [TUC].

Second part
French-English

Deuxième partie
Français-anglais

INTRODUCTION

This third edition of the « TECHNICAL DICTIONARY OF AERONAUTICS » contains more than 20,600 entries in connection with both civil and military aeronautics as well as with the various related fields. A large number of terms concerning electricity, electronics, space, meteorology, missiles, radar or radio are therefore to be found in this work.

As in the previous editions, most words are placed, in a context which makes their meaning more explicit and closer to reality.

Thus, the English term « helicopter » is not translated as it is a « transparent » word. However, this same word appears in twenty or so expressions which give it a meaning. For example « Helicopter approach path indicator : Indicateur de pente d'approche d'hélicoptère », etc.

The updating of this work has made it possible to add more than 2,100 terms to the second edition, including some recently created neologisms.

In its present form, the « TECHNICAL DICTIONARY OF AERONAUTICS » is the most complete and best documented work of its kind. It is very probably the basic manual of every technician, translator and young people wishing to keep track of the latest developments in aeronautics or to bring their knowledge up-to-date. Not to mention the private pilot who will make himself better understood when he finds himself abroad on a little out-of-the-way airfield during a stopover, because not everyone is perfectly bilingual and it may be useful to know that a « threaded bolt » is called « boulon fileté » in France and French-speaking countries.

A

A-coup : Surging.

Abaisser les volets : Extend the flaps (to).

Abaisseur de tension : Step down transformer.

Abaque : Chart.

Abaque de centrage : Weight and balance chart.

Abattée : G-break. Stall dive.

Abattée sur une aile : Roll-off.

Abattre les angles vifs :
Remove sharp edges (to).

Abattre un angle : Chamfer (to).

Aboutement : Abutment.

Abrasif : Abradant.

Abrasion : Abrasion.

Abri « durci » pour avions de combat :
Hardened aircraft shelter (HAS).

Absorbeur de vibrations dynamiques :
Dynamic vibration absorber (DVA).

Accélérateur : Boost motor.

Accélérateur à poudre :
Solid rocket booster (SRB).

Accélération : Spin-up.

Accélération-arrêt : Rejected take-off.

Accélération brutale : Slam acceleration.

Accélération centrifuge : G-loading.

Accélération négative : Deceleration.

Accélération nulle : Zero-G.

Accéléromètre : Accelerometer. G-meter.

Accéléromètre à inertie : Inertial accelerometer.

Accéléromètre à trois axes :
Three-axis accelerometer.

Accéléromètre d'impact :
Impact accelerometer.

Accéléromètre de décélération :
Impact accelerometer.

Accéléromètre de ministop :
Ministop accelerometer.

Accéléromètre de vol vertical :
Vertical accelerometer.

Accéléromètre latéral : Yaw axis accelerometer.

Accéléromètre transversal :
Autopilot lateral accelerometer.

Accessoire : Component.

Accessoires : Ancillary equipment. Accessories.

Accident causé par perte de fluide de refroidissement :
Loss-of-coolant accident (LOCA).

Accouplement : Ganging.

Accouplement à cardan : Universal joint.

Accouplement à coquilles : Split coupling.

**Accouplement à glissement
[pilote automatique]** : Slip clutch.

Accouplement à manchon :
Box coupling. Sleeve coupling.

Accouplement à ruban : Band coupling.

Accouplement à segments extensibles :
Spring ring coupling.

Accouplement à surcharge :
Torque limiting clutch.

Accouplement de transmission arrière :
Tail drive shaft coupling.

Accouplement élastique : Elastic coupling.

Accouplement électromagnétique :
Electromagnetic coupling.

Accouplement en T : T-coupling.

Accouplement par barre de torsion :
Torsion coupling.

Accoupler : Mate (to).

Accrochage autodirecteur : Seeker lock-on.

Accrochage [charges sous voilure] :
Attachment [pylon loads].

Accrochage « train bas » :
Landing gear downlocking.

Accrochage « train haut » :
Landing gear uplocking.

Accumulateur de commande de secours de train : Undercarriage emergency actuation accumulator.

Acier à haute résistance :
High-strength steel (HSS).

Acier à ressort : Spring steel.

Acier calmé : Quiet steel.

Acier rapide : High-speed steel (HSS).

Acier trempé : Tempered steel.

Acoustique : *voir Opérateur chargé des systèmes... ; Equipe d'opérateurs ...*

Action rapide (à -) : Quick acting.

Actionneur : Actuator.

Actionneur à vérin à vis : Ball-screw actuator.

Actionneur automatique de système de flèche variable de voilure :
Automatic wing-sweep actuator.

Actionneur de basculement de mât de nacelle [aéronef à rotors basculants] :
Pylon conversion actuator.

Actionneur de gouverne :
Control surface actuator.

Actionneur de gouverne de lacet :
Yaw actuator.

Actionneur de plan horizontal réglable :
Trimmable horizontal surface actuator.

Actionneur de repliement de voilure :
Wing fold rotary actuator.

Actionneur de trim de stabilisateur :
Stabilator trim actuator.

Actionneur de tuyère à section variable :
Exhaust nozzle actuator.

Actionneur du verrou de queue :
Tail lock actuator.

Actionneur électro-hydrostatique :
Electro-hydrostatic actuator (EHA).

Actionneur hydraulique d'aileron :
Aileron hydraulic actuator.

Actionneur hydraulique de gouverne de profondeur : Elevator hydraulic actuator.

Actionneur rotatif double :
Dual rotary actuator.

Activité extra-véhiculaire [tout travail effectué par un astronaute à l'extérieur d'un vaisseau spatial] : Extra-vehicular activity (EVA) [any job or repair carried out by an astronaut outside a spacecraft].

Adacport : Stolport.

Adaptateur de tuyère : Nozzle adapter.

Adaptateur en T : T-adapter.

ADI électronique :
Electronic attitude direction indicator.

Administration Nationale de l'Aéronautique et de l'Espace : National Aeronautics and Space Administration [USA] (NASA).

Admission : Intake. Inlet. Input.

Admission d'air de ventilation :
Ventilating air intake.

Admission normale [moteur sans compresseur] : Normal aspirated.

Aéro-club : Flying club.

Aérodrome de dégagement ou de déroutement : Alternate airport.

Aérodrome de fortune : Makeshift airfield.

Aérodrome de secours :
Emergency landing field.

Aérodynamique (de forme -) : Streamlined.

Aérodynamique du générateur de gaz :
Core aerodynamics.

Aérofrein : Airbrake. Speed brake. Spoiler.

Aérogare : Air terminal.

Aéroglisseur : Air-cushion vehicle (ACV).

Aéronef sans pilote :
Unmanned air vehicle (UAV).

Aéroport international : International airport.

Aéroport principal : Hub airport.

Aéroport tête de ligne : Terminal airport.

Affichage à cristaux liquides :
Liquid crystal display (LCD).

Affichage combiné cap et image radar : Combined radar and projected map display (CRPMD).

Affichage de la vitesse indiquée :
Airspeed indicator reading (ASIR).

Affichage des menaces et évitement :
Threat display and avoidance (TDA).

Affichage numérique :
Digital display, Digital readout (DRO).

Affichage numérique d'informations :
Digital avionics information system (DAIS).

Affichage optique : Visual display.

Affichage radar : Radar display.

Affichage tête haute à grand angle :
Wide-angle head-up display.

Afficheur-lecteur de consignes de vol :
Head-up checklist (HUC).

Agence Spatiale Européenne :
European Space Agency (ESA).

Agencement du tableau de bord :
Flight deck layout.

Agents NBC :
voir Combinaison de vol pressurisée.

Agitateur de manche : Stick shaker.

Agrafe DZUS [fixation] : Dzus fastener.

Agrafer : Pin (to).

Aide à la navigation : Nav-aid.

Aide au dépannage avion :
Aircraft troubleshooting aid.

Aide au pilotage : *voir Système d'aide...*

Aide au pilotage de nuit :
Pilot night vision system (PNVS).

Aide radioélectrique de base :
Basic radio facility.

Aides à l'atterrissage : Landing aids.

Aides à la navigation : Navigational aids.

Aides radioélectriques à l'atterrissage :
Radio-electric landing aids.

Aiguille de ralenti [carburateur] :
Low-speed needle.

Aiguilleur du ciel : Air traffic controller.

Aile : Wing.

Aile à courbure variable :
Cambered wing design.

Aile à débit canalisé : Channel-flow wing.

Aile à deux longerons : Twin-sparred wing.

Aile à écoulement laminaire hybride :
Hybrid laminar flow wing.

Aile à fente : Slotted wing.

Aile à flèche négative (AFN) :
Swept-forward wing (SFW).

Aile à flèche positive (AFP) :
Swept-back wing (SBW).

Aile à flèche variable : Variable-geometry wing.

Aile à grand allongement :
High-aspect ratio wing.

Aile à monolongeron en bois :
Wooden monospar wing.

Aile à profil laminaire : Laminar-flow wing.

Aile à revêtement de tôles d'aluminium collées : Laminated aluminium wing.

Aile bâbord : Port wing.

Aile cantilever : Cantilever wing.

Aile de cornière : Extrusion flange.

Aile delta : Delta wing.

Aile droite : Starboard wing.

Aile effilée : Tapered wing.

Aile en flèche : Sweepback wing.

Aile en porte-à-faux : Cantilever wing.

Aile en W : Inverted gull wing.

Aile en X : X-wing.

Aile extrême : Outer wing.

Aile gauche : Port wing.

Aile haubanée : Braced wing.

Aile lourde : Wing drooping.

Aile profilée : Tapered wing.

Aile raccordée au fuselage : Blended wing.

Aile-rotor à cycle chaud : Hot cycle rotor wing.

Aile soufflée : Augmentor wing.

Aile supercritique : Supercritical wing.

Aile transcavitante : Transcavitating foil.

Aile volante :
voir Avion de bombardement américain...

Aileron : Fin. Aileron.

Aileron à double fente : Double-slotted aileron.

Aileron à fente : Slotted aileron.

Aileron basse vitesse : Low speed aileron.

Aileron compensé : Balanced aileron.

Aileron différentiel : Differential aileron.

Aileron et gouverne de profondeur : Taileron.

Aileron extérieur : Outboard aileron.

Aileron externe : Outer aileron.

Aileron interne : Inboard aileron. Inner aileron.

Ailes décalées : *voir Avion à ailes décalées...*

Ailes équipées : Wing assembly.

Ailette : Fin. Vane. Wing.

Ailette d'extrémité : Tailsail.

Ailette d'extrémité de voilure : Winglet.

Ailette d'inversion [tuyère] : Reverser vane.

Ailette de compresseur : Blade.

Ailette de refroidissement : Cooling flange.

Ailette de réservoir : Tank sponson.

Ailette de train d'atterrissage :
Protective fairing.

Ailette de ventilation : Fan blade.

Ailette marginale : Wing tip fin.

Ailette mobile : Rotating blade.

Ailette verticale : Winglet.

Ailettes : Sponsons.

Ailettes à extrémités libres :
Unshrouded blades.

Ailettes d'extrémité de voilure :
Winglets attached to the wing tips.

Air de combustion : Primary air.

Air de dilution : By-pass air. Secondary air.

Air dynamique : Ram air.

Air primaire : Primary air.

Aire d'embarquement : Tarmac.

Aire d'essai : Test range.

Aire de lancement : Launching pad.

Aire de lancement [fusées] : Launch pad.

Aire de manœuvre ou de stationnement :
Apron.

Aire de stationnement :
Parking area. Ramp. Tarmac.

Aire de trafic : Ramp.

Ajustage à chaud : Hot shrink fit.

Ajustage à froid : Cold-shrink fit.

Ajustement serré : Snug fit. Tight fit.

Alarme lumineuse : Warning light.

Aléatoire : *voir Echo aléatoire...*

Alésage conique : Taper bore.

Alésage d'ébauche : Rough reaming.

Alésage du cylindre : Cylinder bore.

Aléser : Ream (to).

Aléseuse : Boring machine.

Alidade de l'indicateur : Azimuth and range.

Alidade de tourelle : Turret sight.

Alignement de descente :
Glide path. Glide slope.

Alignement de descente manuel :
Manual glide slope.

Alignement de piste indiqué :
Indicated course line.

Alignement VOR : VOR track.

Alimentation de servitude : Utility line.

Alimentation électrique de bord :
On-board power supply.

Alimentation électrique de parc :
External power supply (EPS).

Alimentation électrique réglable :
Adjustable power supply.

Alimentation en air de prélèvement du réacteur : Engine bleed air supply.

Alimentation triphasée :
Three-phase power supply.

Alliage à base de nickel résistant au fluage :
Creep resisting Ni-base alloy.

Alliage aluminium-lithium :
Aluminium-lithium alloy.

Alliage d'aluminium corroyé :
Wrought aluminium alloy.

Alliage ultraléger : Ultra-light alloy.

Alliage Y [duralumin] : Y-alloy.

Allongement : Fineness ratio.

Allongement [aile] : Aspect ratio.

Allongement [en %] : Strain.

Allongement aerodynamique :
Aerodynamic aspect ratio.

Allongement de l'aile : Wing aspect ratio.

Allonger : Stretch (to).

Allumage défectueux : Misfiring.

Allumage irrégulier du moteur : Erratic firing.

Allumage prématuré : Backfire.

Allumé : On.

Allumer : Switch on (to).

Allure : Rate. Speed.

Alodinage : Alochrome treatment.

Alternat : Microphone push-to-talk button.
Transmit/receive.

Alternateur de bord :
Alternating current generator.

Alticodeur : Altitude encoder.

Altimètre : Altimeter.

Altimètre à tambour : Drum altimeter.

Altimètre anéroïde : Pneumatic altimeter.

Altimètre asservi : Servo-altimeter.

Altimètre barométrique :
Pressure-type altimeter.

Altimètre enregistreur :
Altigraph. Recording altimeter.

Altimètre radar : Radar altimeter.

Altitude d'approche finale :
Final approach height.

Altitude d'attente [avant autorisation d'atterrissage] : Holding altitude.

Altitude de croisière à grande vitesse :
High-speed cruising altitude.

Altitude de dégagement d'obstacles :
Obstruction clearance altitude.

Altitude de mise en palier : Level-off altitude.

Altitude de rétablissement [altitude maximale à laquelle le moteur à son régime nominal rétablit la pression nominale d'admission] :
Rated altitude.

Altitude de sécurité : Safety altitude (SA).

Altitude densimétrique : Density altitude.

Altitude minimale de sécurité :
Minimal safe altitude.

Altitude nominale : Rated altitude.

Altuglas : Lucite [USA]. Perspex.

Aluminitage : Yellow anodizing.

Alvéolaire : Cellular.

Alvéole : Recess.

Alvéole de fuselage : Fuselage cavity.

Alvéole fermée [matériaux composites] :
Closed cell.

Amarrage : Stowing.

Amarrer (s'- à un vaisseau spatial) : Dock (to).

Ame : Web.

Ame de longeron : Spar web.

Ame de longeron en biellette : Braced spar.

Ame de longeron gaufrée : Fluted-spar web.

Ame de nervure : Rib web.

Ame de poutre de fuselage :
Fuselage box beam wall.

Ame en nid d'abeille : Honeycomb core.

Ame et semelles : Web and flanges.

Améliorer un modèle existant :
Revamp an existing design (to).

Amorçage : Priming.

Amorce d'aile : Stub plane.

Amorce de crique :
Crack initiation. Incipient crack.

Amorce de rupture : Incipient break.

Amortisseur : Buffer. Damper.

Amortisseur à fluide : Dash-pot.

Amortisseur auxiliaire : Secondary shock strut.

Amortisseur caoutchouc : Bumper.

Amortisseur de commande :
Control damper, Command smoother.

Amortisseur de direction : Rudder damper.

Amortisseur de lacet : Yaw damper (Y/D).

Amortisseur de pale :
Blade damper. Rotor blade damper.

Amortisseur de palonnier :
Pedal damper assembly.

Amortisseur de rafales : Gust damper.

Amortisseur de sabot :
Tail bumper oleopneumatic shock-absorber.

Amortisseur de shimmy : Shimmy damper.

Amortisseur de tangage : Pitch damper.

Amortisseur de train :
Landing gear shock absorber.

Amortisseur de train avant : Nosewheel oleo.

Amortisseur de train d'atterrissage principal :
Main gear shock-absorber.

Amortisseur de traînée : Drag absorber. Lag damper. Lag-plane damper. Lead-lag damper.

Amortisseur de traînée en élastomère :
Elastomeric lead-lag damper.

Amortisseur de vibrations : Flexible mounting. Shock-mount. Vibration damper.

Amortisseur de vibrations bifilaire :
Bifilar vibration absorber.

Amortisseur de vibrations de rotor d'hélicoptère : Helicopter rotor vibration damper.

Amortisseur de vibrations du siège pilote [hélicoptère] : Dynamic anti-resonant vibration isolator (DAVI).

Amortisseur oléopneumatique : Oleo strut.

Amortisseur orientable : Steerable shock absorber.

Amortisseur pneumatique : Pneumatic damper.

Amortisseur principal : Main shock strut.

Ampèremètre thermique : Wire ammeter.

Ampli pour communication aux passagers : Passenger address amplifier.

Amplificateur à lampe : Valve amplifier.

Amplificateur à propagation d'ondes [radar] : Travelling-wave tube (TWT) amplifier.

Amplificateur à résonance : Tuned amplifier.

Amplificateur d'émission : Transmitter amplifier.

Amplificateur d'intégration [pilote automatique] : Integrator amplifier.

Amplificateur de faisceau et d'altitude [pilote automatique] : Beam and altitude amplifier.

Amplificateur de poussée : Thrust amplifier.

Amplificateur de profondeur [pilote automatique] : Pitch amplifier.

Amplificateur de puissance : Booster.

Amplificateur de surchauffe de tuyère : Jet pipe overheat amplifier.

Amplificateur de surchauffe tuyère : Amplifier pipe overheat.

Amplificateur de tension : Voltage amplifier.

Amplitude du mouvement de lacet : Yaw rate.

Analyse automatique de trajectoire de vol : Automated flight line analysis.

Analyse de la veine gazeuse [vérification de l'état thermodynamique] : Gas path analysis (GPA) [checking the thermodynamic conditions].

Analyse des pannes : Fault analysis.

Analyser : Scan (to).

Anémomachmètre : Mach airspeed indicator. Machmeter-airspeed indicator.

Anémomètre : Airspeed indicator (ASI). True airspeed computer. Wind gauge. Windspeed indicator. Wind velocity indicator

Anémomètre badin : True airspeed indicator.

Anémomètre laser : Laser anemometer.

Angle (ou incidence) d'atterrissage : Landing angle.

Angle coupé : Chamfered angle.

Angle d'approche : Angle of approach.

Angle d'attaque (ou incidence) de la pale : Blade pitch angle.

Angle d'attaque de pale : Feathering angle.

Angle d'attaque de pale [hélicoptère] : Blade angle.

Angle d'avance : Angle of lead.

Angle d'incidence : Angle of attack (AOA).

Angle d'incidence critique : Angle of stall. Stalling angle.

Angle d'incidence de pale : Blade angle of attack. Blade incidence

Angle d'incidence de voilure : Wing angle of incidence.

Angle d'inclinaison : Angle of glide.

Angle d'inclinaison latérale : Bank angle.

Angle d'inclinaison longitudinale : Pitch angle.

Angle d'interception [pilote automatique] : Intercept angle of attack.

Angle de basculement : Tilt angle.

Angle de battement : Flapping angle.

Angle de braquage [train d'atterrissage avant] : Steering angle.

Angle de braquage des volets : Flap setting.

Angle de cap : Course angle.

Angle de décrochage : Angle of stall. Stalling angle.

Angle de déflexion des filets d'air (vers le bas) : Angle of downwash.

Angle de déflexion des filets d'air (vers le haut) : Angle of upwash.

Angle de déflexion vers le haut : Upwash angle.

Angle de dérapage : Sideslip angle.

Angle de dérive : Drift angle.

Angle de flèche : Sweep angle.

Angle de giration : Yaw angle.

Angle de lacet : Yaw angle.

Angle de levée de pale [hélicoptère] : Flapping angle.

Angle de montée : Climb gradient. Angle of climb.

Angle de montée optimal : Best angle of climb (Vx).

Angle de pente de la trajectoire de vol : Flight path angle.

Angle de portance nulle : Zero-lift angle of attack.

Angle de présentation : Attitude angle.

Angle de retard : Angle of lag.

Angle de roulis : Bank angle. Roll angle.

Angle de route : Course angle. Track angle.

Angle de route au compas : Compass heading angle.

Angle de site : Angle of sight.

Angle de tangage : Angle of pitch. Tilt angle.

Angle de traînée : Lag angle.

Angle de vitesse ascensionnelle : Angle of climb.

Anneau collecteur : Slip ring.

Anneau d'appui de distributeur :
Nozzle guide vane support ring.

Anneau d'attelage : Towing ring.

Anneau d'azimut [gyro] : Outer axis gimbal.

Anneau d'entrée d'air de fuseau-moteur :
Nacelle intake ring.

Anneau de cardan primaire :
Universal joint primary ring.

Anneau de collecteur d'échappement :
Exhaust-collector ring.

Anneau de distribution de turbine :
Turbine nozzle shroud.

Anneau de levage : Hoisting ring.

Anneau de montage moteur :
Engine mounting ring.

Anneau de suspension [gyro] : Axis gimbal.

Anneau intérieur [moteur] : Inner shroud.

Anneau porte-tuyère :
Actuated support ring of nozzle.

Anneau porteur : Bracket rim.

Anneau stabilisateur de réchauffe :
Reheat gutter.

Anneau-support de carter d'admission :
Intake casing support ring.

Annonce aux passagers : Public address.

Annulateur de poussée : Thrust canceller.

Annulateur de poussée sur jet primaire :
Primary jet thrust canceller.

Annuler : Override (to).

Anodisation chromique :
Chromic acid anodizing.

Anodisation dure : Hard anodizing.

Anodisation jaune : Yellow anodizing.

Anomalies de fonctionnement :
voir Détection et identification

Antenne : Probe.

Antenne à balayage électronique [radar] :
Electronically-scanned antenna.

Antenne à faible gain : Low-gain antenna.

Antenne à gain élevé : High-gain antenna.

Antenne à gain élevé intégrée au fuselage :
Flush-fitting high-gain antenna.

**Antenne à grande ouverture dans le plan verti-
cal [radar secondaire]** :
Large vertical aperture (LVA) antenna.

Antenne à profil laminaire : Blade antenna.

Antenne à rayonnement dirigé :
Directional antenna.

Antenne à réseau phasé : Phased-array antenna.

**Antenne acoustique légère et repliable pour
hélicoptères** : Folding light acoustic system
for helicopters (FLASH).

Antenne ADF : ADF antenna.

Antenne anémométrique :
Pitot static probe. Pitot static tube.

Antenne artificielle : Mute antenna.

**Antenne d'avion à faible influence aérodyna-
mique** : Low-drag antenna.

Antenne d'incidence : Incidence probe.

Antenne de détecteur de radar :
Radar warning antenna.

Antenne de guidage : Guidance antenna.

Antenne de guidage en descente ILS :
ILS glideslope aerial.

Antenne de lever de doute : Sense antenna.

Antenne de pente :
Glide antenna. Glideslope aerial.

Antenne de plan de descente :
Glide slope antenna.

Antenne de poursuite : Tracking antenna.

Antenne de poursuite automatique :
Autotrack antenna.

Antenne de radar : Flat plate radar scanner.

Antenne de radar météorologique :
Weather radar antenna.

Antenne de radioalignement de descente :
Glide path aerial.

Antenne de réception en bande S :
S-band receive antenna.

Antenne de répondeur : Transponder aerial.

Antenne de site et d'incidence :
Glideslope aerial.

Antenne de transmission : Transmit antenna.

Antenne directrice : Directional antenna.

Antenne double d'alignement de descente :
Dual glideslope antenna.

Antenne émettrice : Transmitting antenna.

Antenne en parapluie : Umbrella aerial.

Antenne en quart d'onde : Quarter-wave aerial.

Antenne encastrée : Flush antenna.

Antenne ferrite : Magnet-core aerial.

Antenne fouet : Whip aerial.

Antenne glide : Glide path antenna.

Antenne IFF :
Identification friend or foe (IFF) aerial.

Antenne ILS [instrument landing system] :
ILS glideslope antenna.

Antenne latérale à balayage électronique :
Conformal phased-array antenna.

**Antenne parabolique orientée mécanique-
ment** : Mechanically-steered dish antenna.

Antenne pendante : Trailing antenna.

Antenne Pitot : Pitot head.

Antenne Pitot chauffante : Heated pitot head.

Antenne Pitot statique : Pitot static probe.

Antenne plate à éléments en phase :
Conformal flat-plate phased array antenna.

Antenne plate de radar : Planar radar scanner.

Antenne plate épousant la forme du fuselage : Body-hugging flat panel antenna.

Antenne quadrilobée : Quadriloop antenna.

Antenne quart-d'onde : Quarter-wave antenna (QWA).

Antenne radar : Radar antenna.

Antenne radar fixe à balayage électronique : Electronically agile radar system (EARS).

Antenne remorquée : Trailed antenna.

Antenne sabre : Blade antenna.

Antenne tournante : Scanner.

Antenne tournante de radar météo : Weather radar scanner.

Antenne ULSA [antenne radar limitant la dispersion de l'énergie rayonnée] : Ultra low sidelobe antenna (ULSA) [a radar antenna limiting the dispersion of the energy radiated].

Antenne VHF : VHF aerial.

Antenne VOR : VOR antenna.

Antenne VOR/LOCALIZER : VOR/LOC antenna.

Anti-tab automatique : Anti-balance tab.

Antibrouillage : Anti-jamming.

Antichar : *voir Missile guidé antichar...*

Anticollision : *voir Equipement anticollision...*

Antifriction : White metal.

Antiretour de flammes : Flame trap.

Apex [liaison aile/fuselage] : Wing/fuselage blended root.

Apex de liaison aile/fuselage : Forebody blended wing root.

Appareil : Aircraft (A/C). Gear. Plane. Unit. Vehicle.

Appareil de contrôle : Tester.

Appareil de contrôle centralisé (ACC) : Integrated test bench.

Appareil de hissage : Hoisting tackle.

Appareil de levage : Hoist.

Appareil de mesure du facteur de surtension : Q-meter.

Appareil de test : Test unit.

Appareil de transport aérien tactique : Utility tactical transport aircraft system (UTTAS).

Appareil immobilisé : Aircraft-on-ground (AOG).

Appareillage auxiliaire : Accessories.

Appareillage d'essai : Test equipment.

Appareillage électronique sous plancher : Underfloor avionics equipment.

Appareillage VOR : VOR installation.

Appel d'offres : Inquiry for proposals. Request for proposals (RFP).

Appel du commandant de bord : Captain call.

Appel sélectif [le récepteur de bord de l'avion appelé reste accordé sur la fréquence d'ap- pel] : Selective call (SELCAL) [on-board receiver tuned in on the call frequency].

Appontage [hydravion] : Deck landing [seaplane].

Approche à forte pente : Steep approach.

Approche à l'atterrissage : Landing approach.

Approche à vue : Visual approach.

Approche alignée sur l'axe ILS : On-course approach.

Approche au radar : Radar approach.

Approche au radar de précision : Precision approach.

Approche au radar de surveillance : Surveillance radar approach (SRA).

Approche automatique : Autoland approach.

Approche automatique avec couplage à l'ILS : Automatic coupled ILS approach.

Approche automatique contrôlée du sol : Automatic ground-controlled approach (AGCA).

Approche aux instruments : Instrument approach.

Approche avec un moteur en panne : Engine-out approach.

Approche conforme aux règles du vol à vue : Visual flight rules approach (VFRAP).

Approche directe : Straight-in approach.

Approche en vol plané : Glide-in approach.

Approche et atterrissage à vue : Visual approach and landing (VAL).

Approche et atterrissage aux instruments : Instrument approach and landing (IAL).

Approche guidée du sol : Ground-controlled approach (GCA).

Approche ILS surveillée : Monitored ILS approach.

Approche interrompue : Balked approach.

Approche PPI : PPI approach.

Approche sans visibilité : Blind approach.

Approche sur radar de précision : PAR approach.

Approche sur radar PAR : PAR approach.

Appui : Stay.

Appui-tête de siège éjectable : Ejection-seat headrest.

Araignée : Spider.

Araignée de commande de pas : Pitch-change spider.

Arbre : Shaft. Spindle.

Arbre à cames : Camshaft.

Arbre à cames en tête : Overhead cam-shaft.

Arbre alpha : Alpha shaft.

Arbre cannelé : Splined shaft.

Arbre coudé : Crankshaft.

Arbre creux : Quill shaft. Tubular shaft.

Arbre creux de compresseur :
   Hollow compressor shaft.

Arbre d'articulation : Hinge shaft.

Arbre d'entraînement :
   Drive shaft. Input drive shaft.

Arbre d'entraînement du compresseur :
   Compressor drive shaft.

Arbre de commande : Drive shaft.

Arbre de commande de bec : Slat drive shaft.

Arbre de commande de bec de bord d'attaque : Leading-edge flap control shaft.

Arbre de commande de postcombustion :
   Afterburner control shaft.

Arbre de commande des accessoires :
   Accessory drive shaft. Airframe accessory transfer gearbox drive shaft.

Arbre de commande des volets :
   Flap drive shaft.

Arbre de conjugaison : Torque tube.

Arbre de conjugaison de pas général :
   Collective pitch torque tube.

Arbre de distribution : Timing shaft.

Arbre de prise de mouvement : Output shaft.

Arbre de prise de mouvement [moteur] :
   Power take-off shaft.

Arbre de rotor : Rotor shaft.

Arbre de sortie : Output shaft.

Arbre de synchronisation des volets :
   Flap synchronizing shaft.

Arbre de torsion : Torque shaft.

Arbre de torsion de commande de bec :
   Slat drive torque shaft.

Arbre de transmission : Drive shaft. Gearbox drive shaft. Transmission shaft.

Arbre de transmission [dans le pylône] :
   Pylon drive shaft.

Arbre de transmission arrière : Take-off shaft.

Arbre de transmission de rotor de queue :
   Tail rotor transmission shaft.

Arbre de transmission du rotor arrière :
   Tail rotor drive shaft.

Arbre de turbine : Turbine shaft.

Arbre-disque de turbine :
   Turbine shaft and disc.

Arbre faussé : Warped shaft.

Arbre intermédiaire : Layshaft.

Arbre menant : Driving shaft.

Arbre moteur : Driving shaft.

Arbre porte-galet : Roller shaft.

Arbre porte-hélice : Propeller shaft.

Arbre télescopique : Telescopic shaft.

Arc-boutant : Abutment.

Arceau extérieur : Outer arch.

Arceau-support de réacteur :
   Arch. Engine support arch.

Architecture d'un moteur :
   Structural layout of an engine.

Arête de dérive :
   Dorsal fin. Fin leading edge. Fin root fillet.

Arête de raccordement dérive-fuselage :
   Fuselage-to-tail unit fillet.

Arête dorsale du fuselage : Fuselage dorsal fin.

Arête guide : Stall vane.

Arête latérale : Strake.

Arête ventrale : Ventral fin.

Arêtier : Edging.

Arêtier de bord de fuite : Trailing edge ledge.

Armature : Framework. Truss.

Armature de balai d'essuie-glace :
   Wiper blade backing strip.

Armature en araignée : Spider construction.

Arme à énergie cinétique disposée sur un petit satellite : Kinetic energy weapon (KEW).

Arme à énergie dirigée disposée sur un grand satellite : Directed energy weapon (DEW).

Armée de l'air des Etats-Unis :
   United States Air Force (USAF) [USA].

Armée de l'air Française : French Air Force.

Armoire : Rack.

Armoire de contrôle : Monitoring console.

Armoire radio : Radio rack.

Arrachement de filet : Thread stripping.

Arrachement de métal : Metal pick-up.

Arrêt : Off. Stop.

Arrêt au décollage : Rejected take-off.

Arrêt automatique d'antigivrage d'aile :
   Wing anti-ice auto trip off.

Arrêt de bras-poutre : Ramp-arm stop.

Arrêt décollé : Stop-and-go.

Arrêt (volontaire) de poussée : Thrust cut-off.

Arrêt du moteur : Engine cut-off.

Arrêt du moteur principal :
   Main engine cut-off (MECO).

Arrêt d'un moteur : Engine shutdown.

Arrêt manuel du moteur en vol :
   Manual shutdown in flight.

Arrêt moteur : Motor off.

Arrêter : Shut down (to).

Arrêter une crique par perçage d'un trou :
   Stop drill crack (to).

Arrêtoir : Retainer.

Arrière : Aft.

Arrière (en -) : Aft.

Arrière [hélicoptère] : Transom.

Arrimage : Stowing.

Arrimage des charges : Load stowing.

Arrivée : Inlet.

Arrivée carburant : Fuel inlet.

Arrondi : *voir Exécution automatique...*

Arrondi [trajectoire d'approche qui précède immédiatement l'atterrissage] : Flare-out [approach path immediately prior to landing].

Arrondir les angles vifs : Round sharp edges (to).

Articulation : Hinge. Universal joint.

Articulation à rotule : Ball joint. Socket joint.

Articulation arrière de tuyère : Nozzle rear driving linkage bracket.

Articulation avant de tuyère : Nozzle front linkage bracket.

Articulation de battement [hélicoptère] : Flapping hinge.

Articulation de la verrière du cockpit : Cockpit canopy hinge.

Articulation de rotor : Rotor hinge.

Articulation de traînée : Alpha hinge. Lead-lag articulation.

Articulé à la cardan : Cardan-hinged.

Articulé par cardan : Cardan-hinged.

Aspiration : Intake.

Assemblage : Assembly.

Assemblage à rotule : Knuckle joint.

Assemblage collé : Bonded joint.

Assemblage en fausse coupe : Bevel joint.

Assemblage en onglet : Bevel joint.

Assemblage par boulons : Bolting.

Assemblage principal : Main assembly.

Assemblage voilure/fuselage : Mating of the wings to the fuselage.

Assembler : Assemble (to). Install (to). Mate (to).

Asseoir l'avion : Pancake (to).

Asservissement : Overriding control.

Assiette : Attitude. Trim.

Assiette à cabrer : Nose-up attitude.

Assiette à piquer : Nose down attitude.

Assiette compensée : Trimmed attitude.

Assiette de l'avion en vol : Attitude of flight.

Assiette de vol : Flight attitude.

Assiette du fuselage : Fuselage trim.

Assiette latérale : Roll attitude.

Assiette longitudinale : Pitch attitude.

Assistance en escale : Handling during intermediate stop. Ramp handling service.

Assistance sur piste : Ground handling.

Assistance technique : Maintenance support. Technical support.

Association du Transport Aérien International : International Air Transport Association (IATA).

Association Internationale de Normalisation : International Standardization Association (ISA).

Association Internationale des Aéroports Civils : International Civil Airport Association (ICAA).

Asymétrique : Unbalanced.

Atelier de montage : Assembly hall.

ATF (version navale de l'-) : Advanced tactical aircraft (ATA).

Atmosphère ISA : International standard atmosphere (ISA). Standard atmosphere.

Atmosphère standard : Standard atmosphere.

Atmosphère standard internationale : International standard atmosphere (ISA).

Atomiser : Spray (to).

Attache : Attachment. Tab.

Attache avant de moteur : Engine front suspension.

Attache d'emplanture d'aile boulonnée : Wing root bolted attachment joint.

Attache de l'aile : Wing root attachment.

Attache de la nacelle des capteurs : Sensor pod attachment.

Attache de pylône : Pylon fixing.

Attache rapide : Quick-disconnect fastener.

Attache-ressort de support de tuyère : Nozzle support spring attachment.

Attacher : Clamp (to).

Attaque acide : Etching.

Attaque chimique : Etching.

Attaque d'un faisceau [pilote automatique] : Beam interception.

Attaque électrochimique : Electro-chemical etching. Electro-chemical grinding (ECG).

Attaque électrolytique : Electrolytic grinding (ELG).

Attaquer : Drive (to).

Attente : Stand-by.

Attente (en -) : Stand-by.

Atténuation des charges de rafale : Load alleviation function (LAF).

Atterrir : Land (to).

Atterrir trop court : Undershoot (to).

Atterrir trop long : Overshoot (to).

Atterrissage : Landing. Set-down. Touch-down.

Atterrissage à grande vitesse : Hot landing.

Atterrissage à plat : Pancake landing.

Atterrissage automatique [par système installé à bord] : Autoland.

Atterrissage avec coupure simulée de la turbine : Simulated flame-out landing.

Atterrissage avec moteur coupé : Dead-stick landing.

Atterrissage brutal : Heavy landing. Rough landing.

Atterrissage cabré : Tail down landing.

Atterrissage de détresse : Emergency landing.

Atterrissage dur : Hard landing.

Atterrissage en catastrophe : Crash landing.

Atterrissage en douceur : Kiss landing. Smooth touch-down. Soft landing.

Atterrissage en ripé : Drift landing.

Atterrissage en roulant [hélicoptère] : Running landing.

Atterrissage en surcharge : Overgross landing. Overweight landing.

Atterrissage en vol plané : Glide landing.

Atterrissage forcé : Crash landing.

Atterrissage forcé d'un avion sur une surface liquide : Ditching [forced landing of a land aircraft on water].

Atterrissage manqué : Balked landing. Muffed landing.

Atterrissage moteur coupé : Power off landing.

Atterrissage par vent de côté : Side landing.

Atterrissage par vent de travers : Cross-wind landing.

Atterrissage radioguidé : Glide path landing (GPL).

Atterrissage ripé : Drift landing.

Atterrissage sans arrondi : No flare landing. Unflared touch-down.

Atterrissage sans visibilité : Blind landing.

Atterrissage sur le ventre : Belly landing. Pancake landing. Wheel-up landing.

Atterrissage tout-temps : All-weather landing.

Atterrissage train rentré : Wheel-up landing.

Atterrissage trop court : Undershoot landing.

Atterrissage trop long : Overshoot landing.

Atterrissage vertical : voir Système à réaction de commande...

Atterrisseur : Landing gear (L/G). Undercarriage.

Atterrisseur auxiliaire arrière : Tail bumper.

Atterrisseur escamotable : Retractable landing gear.

Atterrisseur principal bloqué : Jammed main gear.

Atterrisseur rétractable à roue tirée : Trailing-arm landing gear.

Attitude : Attitude.

Au-delà de la portée visuelle : Beyond visual range (BVR).

Aubage : Vane. Vane and shroud.

Aubage de guidage : Guide vane.

Aubage de prérotation : Inlet guide vane (IGV).

Aubage de rotor de compresseur : Compressor rotor blades.

Aubage directeur d'admission : Inlet guide vane (IGV).

Aubage directeur de carter de compresseur : Vane and shroud assembly of compressor casing.

Aubage directeur de sortie : Outlet guide vane (OGV).

Aubage fixe : Stator. Vane.

Aubages directeurs de soufflerie : Wind tunnel cascades.

Aubages orientables à l'entrée du compresseur : Variable inlet guide vanes.

Aube : Blade. Vane.

Aube à pale roulée : Pinch-rolled blade.

Aube « caisson » : Shrouded blade.

Aube de déviation de jet : Jet vane.

Aube de diffuseur [moteur] : Diffuser vane.

Aube de distributeur : Guide vane.

Aube de distributeur de turbine : Nozzle guide vane (NGV).

Aube de guidage : Intake guide vane.

Aube de prérotation : Intake guide vane.

Aube de soufflante : Fan blade.

Aube de soufflante de réacteur : Engine fan blade.

Aube de turbine : Turbine blade.

Aube de turbine monocristalline : Monocristalline turbine blade.

Aube de turbulence : Swirl vane.

Aube directrice : Guide vane. Nozzle guide vane (NGV).

Aube directrice d'entrée : Intake guide vane.

Aube fixe : Stationary vane. Stator blade.

Aube motrice : Rotor blade.

Aube renforcée : Shrouded blade.

Aubes : voir Réparation d'aubes...

Aubes à structure monocristalline : Single-crystal blades.

Aubes d'entrée rotatives : Rotating guide vanes (RGV).

Aubes et disque combinés : "Blisk" [contraction of "blade" and "disk"].

Aubes fixes de turbine : Turbine stator.

Augmentation de l'incidence à l'extrémité de l'aile : Wash-in.

Augmentation du nombre de tours du moteur : Revving up.

Autocentrage (à -) : Self-aligning.

Autocommande de profondeur : Pitch auto-command.

Autodirecteur : Homing head.

Autodirecteur à IR : Infra-red homing head.

Autodirecteur à laser : Laser seeker.

Autodirecteur à ondes millimétriques [missiles air-sol] : Millimeter-wave guidance system [air-to-surface missiles].

Autodirecteur IR passif : Passive infra-red seeker.

Autoguidage actif : Homing active guidance.

Automanette : Automatic throttle, Autothrottle.

Automanette numérique : Digital autothrottle.

Autonomie : Range.

Autoréglage (à -) : Self-aligning.

Autorisation [contrôle de la circulation aérienne] : Clearance.

Autorisation d'atterrissage : Landing clearance.

Autorisation de circuler hors des voies aériennes : Off-airways clearance.

Autorisation de décoller : Take-off clearance.

Autorisation de rouler : Taxi clearance.

Autorisation de vol : Flight clearance.

Autorisation du contrôle de la circulation aérienne : Air traffic control (ATC) clearance.

Autorités aéroportuaires : Airport authorities.

Autorotation (en -) : Windmilling.

Autorotation du réacteur : Engine windmilling.

Autorotation du réacteur [après coupure de l'alimentation] : Engine run-down.

Auvent : Cowl. Shroud. Vent flap.

Avance à l'allumage : Advanced timing. Ignition advance. Spark advance.

Avant-projet : Feasibility study.

Avant-trou : Pilot hole.

Avarie : Failure.

Avertissement : Warning.

Avertisseur : Warning device.

Avertisseur d'obstacle : Obstacle warning device.

Avertisseur (ou indicateur) de décrochage : Stall-warning indicator.

Avertisseur de décrochage sonore : Stall-warning horn.

Avertisseur de proximité : Proximity warning indicator (PWI).

Avertisseur de surchauffe : Overheat warning system.

Avertisseur de survitesse : Overspeed warning.

Avertisseur lumineux : Warning light.

Avertisseur sonore : Warning horn.

Avertisseur sonore de Mach : Audible machmeter.

Avion : *voir Nouvel avion...*

Avion : Aircraft (A/C). Plane.

Avion à aile basse : Low-wing plane.

Avion à aile haute : High-wing plane.

Avion à ailes décalées : Staggerwing aircraft.

Avion à conversion rapide : Quick-change aircraft.

Avion à décollage court et atterrissage vertical (ADC/AV) : Short take-off and vertical landing (STOVL) aircraft.

Avion à décollage et atterrissage à faible niveau de bruit : Quiet take-off and landing aircraft (QTOL).

Avion a décollage et atterrissage courts (ADAC) : STOL aircraft. Short take-off and landing (STOL) aircraft.

Avion à décollage et atterrissage courts à faible niveau de bruit : Quiet short take-off and landing aircraft (QSTOL).

Avion à décollage et atterrissage ultra-courts : Ultra short take-off and landing (USTOL).

Avion à décollage et atterrissage verticaux (ADAV) : Vertical take-off and landing (VERTOL or VTOL) aircraft.

Avion à décollage et atterrissage verticaux/courts : Vertical/short take-off and landing (V/STOL) aircraft.

Avion à flèche variable : Swing-wing aircraft. Variable-geometry aircraft. Variable-sweep aircraft.

Avion à fuselage étroit : Narrow-body aircraft.

Avion à fuselage long : Long-bodied aircraft.

Avion à géométrie variable : Variable-geometry aircraft.

Avion à hélice propulsive : Pusher-prop aircraft. Pusher aircraft.

Avion à long rayon d'action : Long-range aircraft.

Avion à moteur en X : X-engined aircraft.

Avion à « queue blanche » [n'a pas trouvé acquéreur] : White tail plane.

Avion à réacteur à poussée orientable : Vectored-thrust aircraft.

Avion à réaction : Jet. Jet plane

Avion à réaction à décollage vertical : Jump jet.

Avion à réaction subsonique : Subsonic jet.

Avion à stabilité variable : Variable stability and response airplane (VSRA).

Avion à turbopropulseur : Turbine-powered aircraft.

Avion à usage général : Utility aircraft.

Avion à voilure basculante : Tilt-wing aircraft.

Avion à voilure effilée : Thin-winged aircraft.

Avion à voilure fixe : Fixed-wing aircraft.

Avion à voilure tournante : Rotorcraft.

Avion Aérospatial National [projet américain prévoyant la réalisation du futur avion civil « Orient Express » capable de transporter 300 passagers sur 12.000 kilomètres à Mach 5 et de sa version militaire dont la vitesse pourrait atteindre 25.000 kilomètres/heure] : National Aerospace plane (NASP) [an American project aiming at the manufacture of a future commercial aircraft called « Orient Express » with a range of 12,000 km and carrying 300 passengers at Mach 5. Its military version could reach a speed of 25,000 KPH].

Avion affrété : Charter aircraft.

Avion américain de supériorité aérienne des années 95 : Advanced tactical fighter (ATF) [USAF air superiority aircraft of the '95s].

Avion amphibie de conception avancée [projet Aeritalia/Dornier] : Advanced amphibious aircraft (AAA).

Avion amphibie léger : Light amphibious aircraft.

Avion biplace : Two-seater aircraft.

Avion britannique de démonstration et d'essai des technologies prévues pour l'EFA : Experimental aircraft programme (EAP).

Avion-cargo : Airlifter. Freighter. Freight plane.

Avion-cible : Drone. Queen bee. Target drone.

Avion citerne : Refuelling tanker. Tanker aircraft.

Avion combi : Combination aircraft.

Avion convertible : Vertiplane.

Avion convertible [décollage et atterrissage verticaux et vol en palier] : Convertiplane [an aircraft capable of vertical take-off and landing and flying like a conventional aircraft].

Avion court-courrier : Short-haul aircraft.

Avion d'accompagnement : Chase plane.

Avion d'affaires : Corporate aircraft. Executive aircraft.

Avion d'affaires à réaction : « Bizjet ».

Avion d'appoint : Backup aircraft.

Avion d'appui-feu : Close-support aircraft.

Avion d'appui-protection : Escort-support aircraft.

Avion d'appui rapproché : Close-support aircraft.

Avion d'appui tactique : Strike aircraft. Tactical support aircraft.

Avion d'appui tactique léger : Light fighter.

Avion d'appui tactique rapproché : Close air support aircraft.

Avion d'assaut : Strike aircraft.

Avion d'attaque maritime : Maritime strike aircraft.

Avion d'entraînement : Trainer.

Avion d'entraînement à capacité opérationnelle : Operationally-capable trainer.

Avion d'entraînement à réaction : Jet trainer.

Avion d'entraînement complet : All-through trainer.

Avion d'entraînement de la nouvelle génération : New generation trainer (NGT).

Avion d'entraînement militaire de base : Basic military training aircraft.

Avion d'escorte : Chase aircraft.

Avion de bombardement américain de type « aile volante » [pratiquement indétectable par radar] : Advanced tactical bomber (ATB) [a flying wing-type American bomber, virtually undetectable by radar] .

Avion de bombardement de technologie avancée : Advanced technology bomber (ATB).

Avion de bombardement en piqué : Dive bomber.

Avion de certification : Certification aircraft.

Avion de chasse : Fighter aircraft.

Avion de chasse à décollage vertical : Vertical-lift fighter (VLF).

Avion de chasse « furtif » : Stealth fighter.

Avion de chasse léger : Light-weight fighter (LWF).

Avion de chasse multirôle [USA] : Multi-role fighter (MRF) [USA].

Avion de chasse tactique : Tactical strike fighter.

Avion de combat : Fighter aircraft. Strike aircraft.

Avion de combat à décollage court et atterrissage vertical : Advanced short take-off vertical landing (ASTOVL).

Avion de combat américain à courbure variable : Advanced fighter technology integration (AFTI).

Avion de combat de conception avancée : Joint advanced strike aircraft (JAST).

Avion de combat européen [GB; Allemagne; Espagne; Italie] : European fighter aircraft (EFA).

Avion de combat léger : Light combat aircraft (LCA).

Avion de combat multirôle : Multi-role combat aircraft (MRCA).

Avion de démonstration des technologies de la furtivité : Experimental stealth technology (XST) aircraft.

Avion de ligne : Liner.

Avion de ligne à commandes de vol électriques : Fly-by-wire (FBW) airliner.

Avion de ligne à fuselage large : Wide-body airliner.

Avion de ligne à réaction : Jetliner.

Avion de ligne à réaction à long rayon d'action : Long-range jetliner.

Avion de ligne moyen-courrier : Medium-range airliner.

Avion de ligne moyen/long-courrier : Medium/long range airliner.

Avion de ligne stratosphérique : Stratocruiser.

Avion de ligne supersonique : Supersonic airliner.

Avion de ligne supersonique à réaction : Supersonic jet airliner.

Avion de ligne très long-courrier : Ultralong-range jetliner.

Avion de lutte contre l'incendie : Water bomber.

Avion de mise au point : Development aircraft.

Avion de pénétration stratégique de conception avancée : Advanced strategic penetrating aircraft (ASPA).

Avion de présérie : Development aircraft.

Avion de ravitaillement [en vol] : Refuelling aircraft.

Avion de rechange : Backup aircraft.

Avion de recherches sur les vols à grande incidence : High-alpha research vehicle (HARV).

Avion de reconnaissance : Scout plane.

Avion de série : Production aircraft.

Avion de surveillance maritime : Maritime patrol aircraft.

Avion de surveillance polyvalent : Multi-mission surveillance aircraft (MMSA).

Avion de transport : Transport plane.

Avion de transport commercial supersonique [USA, GB, France] : Supersonic commercial transport (SCT) [USA, GB, France].

Avion de transport de charges nucléaires stratégiques : Strategic nuclear delivery aircarft.

Avion de transport de deuxième niveau [GB] : Advanced turbo-prop (ATP) [UK].

Avion de transport et de ravitaillement multirôle : Multi-role tanker transport (MRTT).

Avion de transport gros-porteur long-courrier : Long-haul wide-bodied airliner.

Avion de transport hypersonique [Mach 5 et +] : Hypersonic transport (HST).

Avion de transport léger : Light transport aircraft (LTA). Utility light transport.

Avion de transport militaire/civil : *voir Projet d'avion...*

Avion de transport militaire tactique de technologie avancée : Advanced technology tactical transport (ATTT).

Avion de transport monoturbine : Single-engine turboprop transport aircraft.

Avion de transport passagers et fret : Combination aircraft.

Avion de transport régional : Commuter aircraft.

Avion de transport supersonique : Supersonic transport (SST).

Avion de transport supersonique [devrait prendre la relève de Concorde au début du siècle prochain] : Advanced supersonic transport (AST) [a future supersonic transport expected to take over from Concorde early next century].

Avion de transport tactique : Tactical transport aircraft.

Avion de transport tactique militaire : Utility tactical transport (UTT).

Avion de travail agricole : Ag aircraft.

Avion décentré sur l'aile : Wing-heavy aircraft.

Avion disponible : Aircraft in commission.

Avion éclaireur : Scout plane.

Avion-école : Trainer.

Avion-école de début : Primary trainer.

Avion en chaîne de montage : Aircraft on production line.

Avion expérimental : Development aircraft.

Avion expérimental : *Voir Démonstrateur.*

Avion expérimental moyen-courrier à faible niveau de bruit : Quiet short-haul research aircraft (QSRA).

Avion expérimental télépiloté du sol : Remotely piloted research vehicle (RPRV).

Avion « furtif » expérimental [indétectable par radar] : Experimental stealth aircraft [undetectable by radar].

Avion gros-porteur : Wide-body aircraft. Wide-bodied plane.

Avion gros-porteur à deux couloirs : Twin-aisle widebody aircraft.

Avion gros-porteur européen [destiné à remplacer les C-130 et C-160 au début du XXIe siècle] : Future large aircraft (FLA) [scheduled to replace C-130 and C-160 early next century].

Avion hypersonique : Hypersonic aircraft.

Avion hypersonique Aérospatiale : *voir Programme d'étude des projets...*

Avion léger : Light aircraft.

Avion léger construit à la va-vite : Jerry-built light aircraft.

Avion lisse : Clean configuration.

Avion long-courrier à trois classes : Three-class long-range aircraft.

Avion long-courrier biréacteur de grande capacité : Long-haul twinjet jumbo.

Avion long-courrier de très grande capacité : Ultra high capacity aircraft (UHCA).

Avion monomoteur : Single-engine aircraft.

Avion moyen-courrier : Medium-haul aircraft.

Avion non construit sous licence : Unlicence-built aircraft.

Avion nu [sans aménagements ni finition] : Green aircraft [without interior fittings or finishing].

Avion plastron [simulateur de pilotage] : Plastron aircraft.

Avion polyvalent : Versatile aircraft.

Avion postal : Mail plane.

Avion pour missions spéciales : Special mission aircraft (SMA).

Avion prêt à remplir sa mission :
Fully mission capable (FMC) aircraft [USA].

Avion prototype : Prototype aircraft.

Avion ravitailleur : Tanker aircraft.

Avion remorqueur : Tow-plane.

Avion remorqueur de cible : Target-tower.

Avion sans pilote [reconnaissance, repérage d'objectif] : Unmanned aerial vehicle (UAV) [reconnaissance, target acquisition].

Avion spatial récupérable non habitable, destiné à placer une charge utile de 15 tonnes en orbite terrestre basse : Hypersonic orbital return upper stage (HORUS) [a recoverable, unmanned spacecraft designed to put a 15-ton payload into à low Earth orbit].

Avion spécial pour missions électroniques : Special electronic mission aircraft (SEMA).

Avion suborbital capable de voler à Mach 25 [projet américain] : Trans-atmospheric vehicle [TAV, American project for aircraft flying at Mach 25].

Avion supersonique : Supersonic aircraft.

Avion terrestre : Landplane.

Avion tête de série : First production aircraft.

Avion tout terrain [avion terrestre équipé de plans proteurs rétractables lui permettant de décoller d'une surface solide ou liquide et de s'y poser] : Pantobase [a landplane equipped with ski-shaped, retractable hydrofoils allowing it to take-off from and land on water or any solid surface].

Avion léger : Very light aircraft (VLA).

Avion très manœuvrable : *voir Petit avion...*

Avion utilitaire : Utility aircraft.

Avions de supériorité aérienne des années 1990-2000 [Programme conjoint NASA-USAF pour l'étude de la technologie applicable au développement des —] : High maneuverable aircraft technology (HIMAT) [a joint NASA-USAF research program in the technology applicable to the development of air superiority aircraft of the 1990s-2000s].

Avionique : Avionics.

Avionique numérique : Digital avionics.

Avionneur : Aircraft parts manufacturer, Airframe manufacturer.

Avis aux aviateurs [renseignements relatifs à toute condition particulière susceptible d'être rencontrée au cours d'un vol] : Notice to airmen (NOTAM) [information related to any special occurrence likely to be met during a flight].

Avis de projet de réglementation : Notice of proposed rule-making (NPRM).

Avitailleur : Bowser.

Avoir des ratés : Splutter (to).

Avoir priorité sur ... : Override (to).

Axe : Shaft. Spindle. Stud.

Axe balisé : Beam.

Axe cannelé : Splined pin.

Axe creux fendu : Spring pin.

Axe d'appui : Thrust pin.

Axe d'articulation : Hinge line.

Axe d'incidence [hélicoptère] : Pitch-change axis.

Axe de brochage : Setting pin.

Axe de centrage : Centerline.

Axe de centrage (à l'écart de l'-) : Away from the centerline.

Axe de changement de pas : Pitch-change rod.

Axe de chape : Yoke bolt. Yoke pin.

Axe de charnière : Hinge line.

Axe de conjugaison : Torque shaft.

Axe de galet : Roller pin.

Axe de l'avion : Aircraft centerline.

Axe de lacet : Yaw axis. Y-axis.

Axe de lacet de l'avion : Normal axis of aircraft.

Axe de levée de pale [hélicoptère] : Flapping hinge pin.

Axe de piston : Wrist.

Axe de pivotement : Fulcrum pin.

Axe de poussée du réacteur (ou du moteur) : Engine thrust line.

Axe de profondeur : Pitch axis.

Axe de rotation : Spin axis.

Axe de rotor : Spin axis.

Axe de roulis : Longitudinal axis. Roll axis. X-axis.

Axe de tangage : Pitch axis.

Axe de tête de biellette : Wrist-pin.

Axe de variation de pas : Feathering hinge.

Axe des culbuteurs : Rocker arm shaft.

Axe faussé : Warped shaft.

Axe-fermeture rapide à tête à oreilles : Wing-head stud.

Axe fileté : Threaded pin.

Axe géométrique : Centerline.

Axe latéral : Pitch axis. Y-axis.

Axe longitudinal : X-axis.

Axe longitudinal du fuselage : Fuselage centerline.

Axe principal : Centerline.

Axe vertical : Z-axis.

Azimut : Bearing. Compass bearing. True bearing.

B

Bâbord : Port.

Bac : Tank.

Bâche : Header tank. Reservoir. Tank.

Bâche d'expansion : Expansion tank.

Bâche hydraulique : Hydraulic tank.

Badin : Airspeed indicator (ASI).

Bafouiller [moteur] : Splutter (to).

Bagages : *voir Casier à bagages...*

Bague : Bush.

Bague cannelée : Splined bushing.

Bague collectrice : Collector ring. Slip ring.

Bague d'appui : Support ring. Thrust bushing.

Bague d'arrêt : Retaining ring. Stop ring.

Bague d'espacement :
Spacer. Spacer ring. Spacing ring.

Bague d'étanchéité : Gasket ring. Sealing ring.

Bague d'étanchéité [circuit de graissage] :
Oil seal ring.

Bague de broche : Spindle bush.

Bague de butée : Stop ring. Thrust ring.

Bague de fixation moletée :
Threaded locking ring.

Bague de friction : Thrust ring.

Bague de guidage : Setting ring.

Bague de protection : Chafing ring.

Bague de réglage : Setting ring.

Bague de retenue : Retainer.

Bague de retenue d'huile : Oil retaining ring.

Bague de serrage : Clamp ring. Spring clip.

Bague dioptrique : Ocular ring.

Bague entretoise : Spacer bushing.

Bague fendue : Split bushing.

Bague filetée : Threaded.bush.

Bague intérieure de roulement : Inner race.

Bague torique : O-ring.

Baguette de soudure :
Welding filler rod. Welding rod.

Baie : Window.

Baie d'équipements électroniques :
Electronics equipment rack.

Baie de train d'atterrissage avant :
Nose undercarriage wheel bay.

Baie hydraulique : Hydraulic bay.

Baie interne de réacteur : Turbojet inner bay.

Baisse de pression de carburant :
Fuel-pressure drop.

Balai : Wiper.

Balai d'essuie-glace :
Windscreen wiper. Wiper blade.

Balai de bout d'aile : Wing tip wick.

Balance aérodynamique : Wind tunnel balance.

Balance de soufflerie : Wind tunnel balance.

Balancier : Walking beam.

Balancier [train d'atterrissage] :
Shock-compensating rocker beam.

Balancier d'atterrisseur auxiliaire arrière :
Tail bumper rocking arm.

Balancine : Outrigger.

Balayage [radar] : Scanning. Slewing.

Balayage à sens unique : Uniflow scavenging.

Balayage cursif [radar] : Cursive scan.

Balayage de l'écran radar : Radar scope sweep.

Balayer : Scan (to).

Balisage d'aéroport : Airfield lighting.

Balisage lumineux de la voie de circulation :
Taxiway lighting.

Balise : Beacon. Marker.

Balise à faisceaux dirigés obliques :
Fan marker.

Balise à occultation : Occulting beacon.

Balise d'approche [à 1 km de la piste] :
Middle marker.

Balise d'approche finale : Final approach fix.

Balise d'atterrissage : Marker beacon.

Balise d'entrée de piste : Airway marker.

Balise d'extrémité d'aérodrome :
Boundary light.

Balise d'obstacle : Obstacle light.

Balise de délimitation : Boundary marker.

Balise de piste : Runway light.

Balise de position : Locator beacon.

Balise de ralliement : Locator.

Balise de signalisation : Marker beacon.

Balise dorsale anticollision :
Dorsal anti-collision beacon.

Balise fictive : Waypoint (WPT).

Balise finale : Inner marker.

Balise intérieure : Inner marker.

Balise lumineuse d'approche : Approach light.

Balise lumineuse de route aérienne :
Airway beacon.

Balise radar : Radar beacon.

Balise radio d'atterrissage : ILS marker.

Balise radiocompas : Compass locator.

Balise radio omnidirectionnelle :
Non-directional radio beacon (NDRB).

Balise répondeuse : Transponder beacon.

Balise Z : Z-marker.

Ballast : Ballast.

Ballonnet de bout d'aile : Tip fuel tank.

Ballonnet de secours gonflable :
Inflatable pontoon.

Ballonnet de stabilisation latérale
[hélicoptère] : Lateral stabilization float.

Ballonnet de voilure escamotable :
Retractable wing tip float.

Balourd : Unbalancing mass.

Banc : Stand.

Banc d'équilibrage : Balancing stand.

Banc d'équilibrage dynamique de rotor : Whirl
test bench.

Banc d'essai : Test bed. Test bench. Test stand.

Banc d'essai de turboréacteurs :
Turbine engine test bed.

Banc d'essai moteur (ou réacteur) :
Engine test stand.

Banc d'essai pour radars [projet américain] :
Advanced radar test bed (ARTB).

Banc d'essai volant : Flying test bed.

Banc d'essai volant [avion d'expérimenta-
tion en vol d'équipements de haute techno-
logie] : High technology test bed (HTTB).

Banc d'essai volant destiné à l'étude des quali-
tés de vol et des systèmes de bord : Total
in-flight simulator (TIFS) [a flying test-bench
designed to analyse flight performance and
airborne systems].

Banc d'essais de vibrations : Impedance test rig.

Banc d'essais des systèmes de bord :
System test-stand.

Banc d'essais volant [destiné à l'étude des
technologies de pointe applicables aux
avions civils] : Advanced technologies testing
aircraft system (ATTAS) [a flying test-bench
designed to study state-of-the-art technologies
applicable to civil aircraft].

Banc d'étalonnage : Calibration facility.

Banc d'intégration [essais au sol] :
Integration rig [ground test].

Banc de contrôle : Test bench.

Banc de contrôle final :
Acceptance test-bench. Final test bench.

Banc de génération électrique :
Electrical power unit.

Banc de servitudes : Ancillary equipment bench.

Banc de simulation dynamique :
Dynamic simulation bench.

Bande : Strip.

Bande à écrous prisonniers : Gang channel.

Bande antibrouillage : Anti-jamming module.

Bande couvre-joint : Trim strip.

Bande C [entre 5 et 6 GHz, radar] :
C-band [between 5 and 6 GHz, radar].

Bande d'émission : Transmitting band.

Bande d'usure : Band of wear.

Bande de connexion à la masse : Braided strap.

Bande de frottement : Chafing strip.

Bande (ou tresse) de métallisation :
Bonding strip.

Bande de mise à la masse : Jumper strap.

Bande de roulement : Taxi lane.

Bande K [entre 18 et 27 GHz, radar] :
K-band [between 18 and 27 GHz, radar].

Bande Ka [entre 27 et 40 GHz, radar] :
Ka-band [between 27 and 40 GHz, radar].

Bande Ku [entre 12 et 18 GHz, radar] :
Ku-band [between 12 and 18 GHz, radar].

Bande L [entre 1 et 2 GHz, radar] :
L-band [between 1 and 2 GHz, radar].

Bande Q [entre 36 et 46 GHz, radar] :
Q-band [between 36 and 46 GHz, radar].

Bande S [entre 2 et 4 GHz, radar] :
S-band [between 2 and 4 GHz, radar].

Bande X [entre 8 et 12 GHz, radar] :
X-band [between 8 and 12 GHz, radar].

Bang sonique : Sonic bang. Supersonic bang.

Baquet : Bottom structure.

Baquet de siège éjectable : Ejection-seat pan.

Barbe : Whisker.

Baro-altimètre : Barometric altimeter.

Barque : Bottom section. Bottom structure.
Subfloor structure.

Barque [structure] : Ring frame. Tub.

Barque [tronçon inférieur de fuselage] :
Fuselage lower section.

Barque de pointe avant :
Lower part of nose section.

Barque écrasable [hélicoptère] :
Crushable belly.

Barre arrière habillée : Aft crossbrace.

Barre d'accouplement : Tie rod.

Barre d'écartement : Spreader bar.

Barre d'induit : Armature bar.

Barre de compensation : Shim rod.

Barre de direction : Steering bar.

Barre de guidage : Steering bar.

Barre de réglage : Shim rod.

Barre de torsion : Torsion bar.

Barre de torsion Bendix :
Pitch-change torsion bar.

Barre de torsion de commande des volets : Flap
drive torque shaft.

Barre de traction [parachute] : Spring lock.

Barre de verrouillage de train d'atterrissage : Landing gear locking pin.

Barre extrudée : Extruded bar.

Barre profilée : Extruded bar.

Barre télescopique : Telescopic strut.

Barre transversale : Cross bar

Barreau d'essai : Test bar.

Barrette : Strap. Strip.

Barrette à bornes : Terminal bar.

Barrette de connexions : Terminal board. Terminal strip.

Barrette de raccordement : Terminal strip.

Barrière de couche limite : Stall vane.

Barrière de décrochage : Wing fence.

Bas-haut-bas : *voir Mission bas-haut-bas.*

Bas-volet : Tab.

Basculant : Swivelling.

Basculer sur l'aile : Overturn (to).

Basculeur : Bellcranck. Toggle.

Basculeur de nacelle : Tilting actuator.

Basculeur de train d'atterrissage principal : Main gear axle beam.

Base Aérienne : Air force base (AFB) [USA].

Base de cadre : Frame lower section.

Base de données enfichable : Plug-in data base.

Base de lancement [véhicules spatiaux] : Launch base [spacecraft].

Base opérationnelle avancée : Forward operating base (FOB).

Basse pression : Low pressure (LP).

Bâti : Mount. Stand fixture.

Bâti d'assemblage : Jig.

Bâti d'équilibrage : Balance jig.

Bâti d'essai : Test jig. Test stand.

Bâti d'outillage : Tool jig.

Bâti de montage : Assembly jig. Manufacturing jig.

Bâti de réparation : Repair jig.

Bâti de reprise : Out-of-jig cradle.

Bâti mécanique de BTP : Main gearbox support.

Bâti-moteur : Engine cradle. Engine mount. Thrust frame.

Bâti-support : Support mount.

Bâti tournant : Turnover stand.

Battement : Backlash. Buffeting.

Battement (ou tremblement) avertisseur de décrochage : Stall buffeting.

Battement des gouvernes : Fluttering.

Batterie d'accumulateurs : Storage battery.

Battitures : Hammer scales.

Battre des ailes : Rock the wings (to).

Bavette mobile : Movable flap.

Bec : Nose.

Bec basculant : Droop leading edge.

Bec d'aile : Wing slat.

Bec d'attaque : Leading edge.

Bec d'empennage vertical : Vertical stabilizer leading edge.

Bec de bord d'attaque : Leading edge slat. Slat.

Bec de bord d'attaque automatique : Automatic leading edge slat.

Bec de compensation : Balance horn.

Bec de dérive : Fin leading edge. Vertical stabilizer leading edge.

Bec de nervure : Rib leading edge. Rib nose.

Bec de sécurité : Leading edge slat.

Bec de torsion : Torsion nose.

Bec interne : Inboard slat.

Bec mobile : Slat.

Bec repliable : Retracting slat section.

Béquille : Tail skid.

Béquille de queue : Tail bumper. Tail crutch.

Berceau moteur : Engine bearer. Engine mount.

Berceau-moteur : Cradle.

Berceau suspendu : Suspended frame.

Biais : Bias.

Bidon : Tank.

Bielle : Link. Rod.

Bielle à contact : Switch actuator.

Bielle à ressort : Spring link.

Bielle coulissante : Telescopic rod.

Bielle d'attaque : Actuating rod.

Bielle d'attaque de gouverne de direction : Rudder control horn.

Bielle d'immobilisation : Stay post.

Bielle d'interdiction de commande des gaz : Throttle-override rod.

Bielle de clapet : Valve rod.

Bielle de commande : Actuating rod.

Bielle de commande d'aileron : Aileron control rod.

Bielle de commande de compensateur : Tab control rod.

Bielle de commande de pas : Pitch control rod.

Bielle de commande de profondeur : Elevator control rod.

Bielle de commande de tab : Tab control rod.

Bielle de commande de volet : Flap actuating rod.

Bielle de commande des volets : Flap operating rod.

Bielle de compensation [train d'atterrissage] : Compensation rod.

Bielle de direction : Steering rod.

Bielle de liaison : Link rod.

Bielle de torsion : Torque rod. Torsion rod.

Bielle diagonale [train d'atterrissage] : Diagonal truss.

Bielle dynamométrique de commande des gaz : Throttle dynamometric rod.

Bielle oblique : Bias rod.

Bielle stabilisatrice : Stabilizing rod.

Bielle-vérin : Actuator rod.

Biellette coupe-feu : Fuel shut-off cock control link.

Biellette d'éclissage : Splice.

Biellette de commande de pas : Pitch-change rod.

Biellette de verrouillage : Lock actuating rod.

Bilame : Bimetal strip. Thermal switch.

Bilan des masses : Weight breakdown.

Bille-aiguille : Turn-and-bank indicator.

Bille d'inclinaison : Turn indicator.

Bille de calibrage : Test ball.

Bimoteur à un couloir : Single-aisle twin.

Biréacteur : Twin-jet.

Biréacteur d'affaires : Business twin-jet.

Biréacteur lourd : Heavy twin-jet.

« Biroute » : Wind cone. Wind sock.

Biseau de saumon d'aile : Wing tip rake.

Biseauté : Chamfered.

Bismaléimide [matériau composite] : Bismaleimide (BMI).

Bitume : Tarmac.

Biturbopropulseur : Twin-turboprop.

Biturbopropulseur à hélices propulsives : Pusher twin turboprop.

Blanc d'argent : White lead.

Bleu : Blueprint.

Blindage : Screen. Shield.

Blindage d'induit : Armature casing.

Blindage de l'hélice : Propeller sheathing.

Bloc : Unit.

Bloc-cuisine : Galley unit.

Bloc d'accessoires radar : Accessory unit. Radar accessory unit.

Bloc d'alimentation : Power pack. Power supply unit.

Bloc d'attache de pale : Blade fixing unit.

Bloc d'essai : Test block.

Bloc d'hélicoptère : Green airframe. Green configuration.

Bloc de combustion intérieure à fente : Radial-division booster block.

Bloc de contrôle du moteur principal : Main engine control unit (MECU).

Bloc de permutation : Switch block.

Bloc de pilotage : Autopilot unit.

Bloc de poudre : Propellant.

Bloc de poudre composé de deux propergols différents : Dual-propellant grain.

Bloc de poudre [propulseur à poudre] : Grain.

Bloc de propergol à combustion latérale : Side-burning grain.

Bloc de propergol à perforations en étoile : Star-perforated grain.

Bloc de propergol solide : Solid propellant grain.

Bloc de puissance : Power unit.

Bloc de raccordement : Terminal block.

Bloc de soupapes : Valve control unit. Valve block assembly.

Bloc de transmission : Transmission assembly.

Bloc de voyants lumineux : Matched indicator light set.

Bloc gyrométrique : Rate gyro unit (RGU).

Bloc gyroscopique : Three-axis data generator unit.

Bloc-manette : Quadrant. Throttle quadrant.

Bloc-manette de commande : Control quadrant.

Bloc-manette des gaz : Power control quadrant. Throttle control unit.

Bloc-office [de bord] : Galley unit.

Bloc-office central : Mid-cabin galley unit.

Bloc-passagers : Utility box.

Bloc régulateur de pression : Unloading valve-and-filter assembly.

Bloc-ressort : Spring pack.

Bloc service passagers : Passenger service unit (PSU).

Blocage : Binding. Jamming. Seizing. Sticking.

Blocage d'aileron : Aileron gust lock.

Blocage de la manette des gaz : Throttle friction lock.

Blocage des gouvernes : Gust lock.

Blocage du gyroscope : Gyro caging.

Bloquer : Clamp (to)

Boa [tuyau métallique flexible pour carburant] : Braided all-metal hose.

Bobinage : Winding.

Bobine d'allumage : Igniter coil.

Bobine de démarrage : Booster coil.

Bobine de départ : Ignition booster.

Bobine de relais : Relay coil. Trip coil.

Bobine de transmission : Transmitting coil.

Bobine excitatrice : Tickler coil.

Boisseau : Throttle valve.

Boisseau de valve : Valve core.

Boisseau de vanne : Valve core.

Boîte : Box. Case. Casing.

Boîte à bornes : Terminal box.

Boîte à clapets : Valve box.

Boîte à étoupe : Stuffing box.

Boîte à graisse : Grease packing-gland.

Boîte à jacks : Jack box.

Boîte à relais : Relay box.

Boîte à résistances : Resistor box.

Boîte à robinet : Valve block.

Boîte à soupapes : Valve block assembly.

Boîte d'alarme à relais : Warning relay box.

Boîte d'alimentation :
Power pack. Power supply unit.

Boîte d'allumage : Ignition box.

Boîte d'engagement de trim [pilote automatique] : Trim-engage unit.

Boîte d'engrenage : Gearbox.

Boîte d'expansion de carburant [saumon d'aile] : Fuel ullage box.

Boîte d'extrémité : Terminal box.

Boîte d'interconnexions : Wiring unit.

Boîte de commande d'accessoires :
Accessory gearbox.

Boîte de commande de spoiler :
Ground spoiler control box.

Boîte de commande et d'affichage :
Control and display unit (CDU).

Boîte de commande générale :
Main control unit.

Boîte de commande radar :
Radar control panel.

Boîte de commutation : Switch box.

Boîte de coupure murale : Wall disconnect box.

Boîte de démarrage de réacteur :
Engine starting control box.

Boîte de dérivation :
Distribution unit. Junction box.

Boîte de dérivation de tourelle :
Turret junction-block.

Boîte de pilotage manuel : Command stick.

Boîte de raccordement :
Jack box. Terminal box.

Boîte de réglage de trim [pilote automatique] :
Trim servo-control.

Boîte de relais de postcombustion :
Afterburner relay box.

Boîte de relais de thermistance :
Thermistance relay box.

Boîte de roulement : Bearing housing.

Boîte de temporisation : Timer.

Boîte de transmission : Gearbox. Transmission gearbox. Transmission unit.

Boîte de transmission arrière :
Tail gearbox. Tail rotor gearbox.

Boîte de transmission de précision [hélicoptère] : High-precision gearbox.

Boîte de transmission intermédiaire :
Intermediate gearbox.

Boîte de transmission principale (BTP) :
Main gearbox. Main transmission gearbox.

Boîte de trim : Trim box.

Boîte noire : Black box.

Boîte noire [de couleur orange] :
Flight data recorder (FDR). Flight recorder.

Boîte sensitive [pilote automatique] :
To-from sensor unit.

Boîtier : Box. Case, Casing. Housing. Unit.

Boîtier d'accessoires : Auxiliary gear-box. Turbine accessory drive gearbox assembly.

Boîtier d'accrochage de train rentré :
Landing gear uplock box.

Boîtier d'accrochage de trappe de train :
Landing gear door latching box.

Boîtier d'alarme de comparaison :
Instrument comparison warning unit.

Boîtier d'électrovanne : Electrovalve unit.

Boîtier d'entraînement de l'appareillage auxiliaire : Accessory drive gearbox.

Boîtier de capteur de plan horizontal réglable :
Trimmable horizontal stabilizer position sensor.

Boîtier de capteur magnétique :
Magnetic sensor casing.

Boîtier de commande :
Control unit. Switching unit.

Boîtier de commande d'éclairage :
Lighting control panel.

Boîtier de commande de bec :
Slat drive shaft gearbox.

Boîtier de commande de train :
Landing gear command.

Boîtier de commande des gaz :
Throttle control box.

Boîtier de commandes auxiliaires :
Auxiliary gear-box.

Boîtier de détection de givrage : Ice probe.

Boîtier de détection des données de vol :
Flight data acquisition unit (FDAU).

Boîtier de détection et d'indication de température des freins :
Brake temperature sensing and indicating unit.

Boîtier de déverrouillage manuel :
Manual unlock control box.

Boîtier de mesure accélérométrique :
Accelerometer unit.

Boîtier de navigation par inertie :
Inertial navigation unit.

Boîtier de préaffichage carburant :
Fuel level pre-setting control.

Boîtier de réglage des contacts d'altitude :
Radio altimeter preselector unit.

Boîtier de régulation du mélange eau-méthanol : Water-methanol control unit.

Boîtier de régulation générale :
General control unit (GCU).

Boîtier de renvoi d'angle :
Transfer gearbox (TGB).

Boîtier de retour d'huile du carter central :
Central casing oil drain housing.

Boîtier de rotor : Rotor case.

Boîtier de signalisation : Signal box.

Boîtier de signalisation des trappes et du train
: Landing gear and door indicating unit.

Boîtier de transmission en T : T-gearbox.

Boîtier de visualisation : PPI unit.

Boîtier détecteur de surchauffe :
Overheat controller.

Boîtier interface d'armement :
Interface armament box.

Boîtier réducteur de bec :
Slat stepback gearbox.

Boîtier tangentiel : Tangential gear box.

Bombardement en piqué : Dive bombing.

Bombardier : *voir Chasseur bombardier...*

Bombardier d'eau : Water bomber.

Bombardier « furtif » : Stealth bomber.

Bombardier stratégique : Strategic bomber.

Bombardier supersonique pour vol à basse altitude : Advanced manned strategic aircraft (AMSA).

Bombe à dispersion : Cluster bomb.

Bombe à guidage laser :
Laser-guided bomb (LGB).

Bombe antipiste : Runway penetration bomb.

Bombe d'exercice : Practice bomb.

Bombe éclairante : Flare bomb.

Bombe freinée : Retarded bomb.

Bombe incendiaire : Fire-bomb.

Bombe inerte : Practice bomb.

Bombe « intelligente » : Smart bomb.

Bombe planante guidée modulaire :
Modular guided glide bomb (MGGB).

Bonnette de pale : Sock.

Booster : Booster.

Bord d'attaque : Leading edge.

Bord d'attaque de dérive : Fin leading edge.

Bord d'attaque de pale : Blade leading edge.

Bord d'attaque démontable :
Detachable leading edge.

Bord d'attaque interne de voilure :
Inboard wing leading edge.

Bord de fuite : Trailing edge.

Bord de fuite d'aile : Wing trailing edge.

Bord de fuite d'empennage horizontal :
Tailplane trailing edge.

Bord de fuite fixe : Fixed trailing edge.

Bord marginal : Tip edge.

Bord tombé : Bent-over edge. Turned-over edge.

Bordé de coque : Chine.

Bordure : Trimming.

Borne : Terminal. Terminal stud.

Borne à tige [électricité] : Stud terminal.

Borne d'écartement : Stand-off terminal.

Borne de balisage :
Approach marker. Boundary marker.

Borne de masse [électricité] : Ground terminal.

Borne de piquage : Tap.

Borne filetée : Screw terminal.

Borne plate : Strip terminal.

Borne pour connexions enroulées : Wrap post.

Bosse de déjaugeage : Hump.

Bosseler : Dent (to).

Bouche de canon : Cannon muzzle.

Bouchon à vis : Threaded plug.

Bouchon atomiseur : Swirl plug.

Bouchon de purge : Bleed plug.

Bouchon de remplissage d'huile : Oil filler cap.

Bouchon de remplissage de réservoir [carburant] : Fuel filler cap.

Bouchon de remplissage du réservoir eau/méthanol : Water-methanol filler cap.

Bouchon de réservoir : Tank cap. Tank plug.

Bouchon de réservoir [carburant] :
Fuel tank cap.

Bouchon de valve : Valve cap.

Bouchon de vapeur : Vapor lock.

Bouchon de vidange : Drain plug.

Bouchon de vidange d'huile : Oil drain plug.

Bouchon fileté :
Threaded bushing. Threaded plug.

Bouchon magnétique :
Magnetic plug. Magnetic drain plug.

Bouchon magnétique auto-obturateur :
Self-closing magnetic plug.

Boucle de commande de tangage :
Pitch control loop.

Bouclier : Shield.

Bouclier thermique : Heat shield. Heat-ablative shield. Thermal shield.

Boudin d'étanchéité de cockpit : Cockpit seal.

Boudin d'étanchéité de réacteur : Engine seal.

Boudin d'étanchéité de verrière : Canopy seal.

Bougie d'allumage : Igniter plug. Spark plug.

Boulon à clavette : Key bolt.

Boulon à oreilles : Thumb bolt. Wing bolt.

Boulon à ressort : Spring bolt.

Boulon à tête creuse : Internal wrenching bolt.

Boulon à tête fraisée : Countersunk bolt.

Boulon à tête rectangulaire : Tee-head bolt.

Boulon à tige conique : Taper shank bolt.

Boulon conique : Taper bolt.

Boulon creux de raccord : Banjo bolt.

Boulon d'arrêt : Stop bolt.

Boulon d'articulation : Hinge bolt. Yoke bolt.

Boulon (ou broche) d'assemblage :
Assembly bolt.

Boulon d'éclisse : Union bolt.

Boulon d'entretoise : Spacer bolt.

Boulon de butée : Stop bolt.

Boulon de tension : Tension bolt.

Boulon de traction : Tension bolt.

Boulon en U : U-bolt.

Boulon explosif : Explosive bolt.

Boulon fileté : Threaded bolt.

Boulon pyrotechnique : Release bolt.

Boulon taraudé : Tap bolt.

Boulon traversier : Through bolt.

Boussole : Compass.

Boussole de déclinaison : Variation compass.

Bout : Stub. Tip.

Bout d'aile : Wing tip.

Bout d'aile Kuchemann [à traînée réduite] :
Kuchemann tip.

Bout de fil : Strap.

Bout de pale : Blade tip.

Bout de pale parabolique : Parabolic blade tip.

Bouterolle de rivetage : Riveting die.

Bouton à index : Control knob. Pointer knob.

Bouton « Cap à tenir » : Heading selector knob.

Bouton cranté : Detented knob.

Bouton d'affichage de cap : Set heading knob.

Bouton d'alternat : Press-to-talk button.

**Bouton d'autostabilisation en roulis et tan-
gage** : Autostabilizer pitch/roll test button.

Bouton d'essai : Test knob.

Bouton d'identification : Ident button.

Bouton de commande : Control knob.

Bouton de commande de trim : Trim knob.

Bouton de commande de virage :
Turn controller knob.

Bouton de contrôle : Test button.

Bouton de correction de cap : Yaw trim button.

Bouton de débrayage de trim :
Trim release button.

Bouton de débrayage du pilote automatique :
Disengage push-button.

Bouton de débrayage rapide du PA :
Autopilot disengage push-button.

Bouton de déclenchement : Release knob.

Bouton de décrochage nuages [radar] :
Cloud unlock switch.

Bouton de démarrage :
Engine relight push-button.

Bouton de percussion monocoup :
One-shot discharge button.

Bouton de rallumage du réacteur :
Engine relight push-button.

Bouton de réarmement : Reset knob.

Bouton de réglage : Control knob.

Bouton de réglage de friction du manche :
Stick friction knob.

Bouton de scratch :
Undercarriage selection override button.

Bouton de sélection de cap : Set heading knob.

Bouton de test : Push-to-test button.

Bouton de virage de PA : Autopilot turn knob.

Bouton équipé : Button assembly.

Bouton-flèche : Pointer knob.

Bouton moleté : Knurled knob.

Bouton-poussoir : Press-button. Push-button.

Bouton-poussoir à voyant incorporé :
Push-button system indicator (PBSI).

Bouton-poussoir de blocage de gyroscope :
Gyro push-to-cage button.

Bouton-poussoir de commande de démarrage :
Engine starter push-button.

Bouton-poussoir interrupteur : Switch knob.

Bouton-poussoir lumineux : Illuminated key.

Bouton-pressoir à verrouillage magnétique :
Magnetic hold-down push-button.

Bouton sphérique : Ball knob.

Bowser : Bowser.

Branche de pont de Wheatstone :
Wheatstone bridge arm.

Branché : On. On-line.

Branchement : Junction. Tap.

Brancher : Plug-in (to). Switch on (to).

Branleur de manche : Stick shaker.

Braquage : Travel.

Braquage d'aileron en position basse :
Aileron drop.

Braquage des spoilers : Spoiler deflection.

Braquage des tuyères : Nozzle swivelling.

Braquage des volets :
Flap deflection. Wing flap deflection.

Braquage du stabilisateur :
Stabilizer deflection.

Braquage du train d'atterrissage avant :
Nose gear steering.

Braquage en position d'atterrissage :
Deflection in landing position.

Bras : Strut.

Bras d'araignée : Spider arm.

Bras d'articulation : Hinge arm.

Bras d'essuie-glace : Windshield wiper arm.

Bras de commande de pas : Pitch control arm.

Bras de levier : Lever arm.

Bras (ou levier) de pale : Blade horn.

Bras de réglage : Adjusting arm.

Bras de tête de rotor :
Cutlet. Flexible flap element.

Bras de torsion : Torque arm.

Bras escamotable : Retractable arm.

Bras manipulateur : Robot arm.

Bras oscillant : Swinging arm.

Bras porte-oculaire : Ocular arm.

Bras-poutre équipé : Ramp arm assembly.

Bras profilé : Support strut.

Bras-support : Stub pylon. Support arm.

Brasage à la flamme : Torch brazing.

Brasage au chalumeau : Torch brazing.

Bretelle de dégagement [piste] : Turn-off.

Bride à moyeu lisse : Plain hub flange.

Bride conique : Tapered flange.

Bride de brûleur :
Burner flange of turbojet. Central casing.

Bride de fixation :
Fastening clip. Mounting flange.

Bride de labyrinthe :
Labyrinth flange of turbojet turbine support.

Bride de moteur : Engine pad.

Bride de presse-étoupe : Packing gland flange.

Bride de raccordement :
Turbine exhaust annulus flange.

Bride de refoulement de pompe carburant :
Fuel pump outlet flange.

Bride de remorquage : Tow lug.

Bride de renfort : Stiffening flange.

Bride de serrage : Clamping flange.

Bride de serrage rapide :
Quick-fastening flange.

Bride-support de clapet : Valve support flange.

Bride triangulaire : Triangular flange.

Brider : Clamp (to).

Briefing : Briefing.

Brisure de bord d'attaque :
Leading edge glove.

Broche : Spigot. Spindle. Stem. Stud.

Broche à billes : Ball-lock.

Broche d'assemblage : Clevis pin.

Broche d'usinage : Broach.

Broche de charnière : Hinge pin.

Broche de fixation de pale : Blade attaching pin.

Brocher : Pin (to).

Bronze : Yellow metal.

Brouillage : Jamming.

Brouillage : *voir Sensibilité au...*

Brouillage de radars :
voir Ejecteur de paillettes...

Brouillage par rayonnement :
Radiated jamming.

Brouillage radar : Radar jamming.

Brouilleur actif d'autoprotection :
Active self-protect jamming system.

Brouilleur embarqué d'autodéfense :
Airborne self-protection jammer (ASPJ).

Brûleur à double débit : Duplex burner.

BTP (boîte de transmission principale) :
Main gearbox. Main transmission gearbox.

Bulletin météorologique : Weather report.

Bureau d'études : Design department. Design Office. Engineering and design department.

Bureau Fédéral de l'Aéronautique : Federal Aviation Administration (FAA) [USA].

Buse : Jet. Jet pipe. Nozzle.

Buse d'échappement : Exhaust stub.

Buse d'éjection de nez :
Nose pitch reaction control valve.

Buse d'entrée : Bellmouth. Inlet nozzle.

Buse d'évacuation : Exit nozzle.

Buse d'injection [moteur] : Injection nozzle.

Buse de bout de pale : Rocket nozzle.

Buse de contrôle en tangage :
Forward pitch nozzle.

Buse de contrôle latéral :
Roll reaction control valve.

Buse de raccord : Union cone.

Buse de roulis : Roll reaction control valve.

Buse de sortie : Tail pipe.

Buse équipée : Nozzle assembly.

Buse mobile : Two-position nozzle.

But : Target.

Butée : Abutment. Stop. Thrust.

Butée à billes [volets de courbure] :
Ball stop unit.

Butée à double effet : Two-way thrust bearing.

Butée basse : Droop restrainer.

Butée centrifuge : Anti-flapping restrainer.

Butée d'affaissement : Droop restrainer.

Butée d'arbre : Shaft stop.

Butée d'inclinaison de moyeu : Hub tilt stop.

Butée de fin de course [gouverne] : Limit stop.

Butée de grand pas [hélicoptère] :
High pitch stop.

Butée de manche : Control lever stop.

Butée de moyeu : Hub spacer.

Butée de pale :
Blade droop restrainer. Blade stop.

Butée de pas : Pitch stop.

Butée de ralenti : Idle-throttle stop.

Butée de réacteur éteint : Engine shut-off stop.

Butée de régulateur : Governor control stop.

Butée de rotation de stabilisateur :
Tailplane limit stop.

Butée de secteur : Throttle gate.

Butée élastique de train : Landing gear bumper.

Butée électrique : Electrical limit.

Butée électro-hydraulique de petit pas :
Low-pitch electro-hydraulic stop.

Butée mobile du levier de commande des volets : Wing flap lever gate.

Butée « plein gaz » : Full-open stop.

Butée sphérique :
Spherical thrust-bearing.

Butée sphérique en élastomère lamifié :
Laminate elastomeric spherical thrust-bearing.

Butoir : Buffer.

By-pass de pompe à huile :
Oil pump by-pass valve.

C

Cabine de pilotage : Cockpit. Flight deck.

Cabine pressurisée : Pressurized cabin.

Câblage : Wiring system.

Câble à deux conducteurs : Two-wire cable.

Câble d'aileron : Aileron bracing wire.

Câble de catapultage : Catapult strop.

Câble de commande de vol :
Flight-control cable.

Câble de commande des gaz :
Engine control cable.

Câble de localisation des pannes :
Fault-finding cable.

Câble de tierçage : Spacing cable.

Câble tendeur : Backstay.

Câble torsadé : Twisted cable.

Cabré (en) : Nose-up attitude.

Cabrer l'avion : Pull the nose up (to).

Cache-antenne de cadre ADF : Automatic direction finder (ADF) loop aerial cover.

Cache-bornes :
Terminal block cover. Terminal cover.

Cache-bouton : Knob cover.

Cache d'entrée d'air du moteur :
Engine intake cover.

Cache de poussoir : Button cover.

Cache de roulement de roue :
Wheel bearing cover plate.

Cache de roulement de train d'atterrissage :
Landing gear bearing casing.

Cache-soupape : Valve cover.

Cadence : Rate.

Cadran gradué : Graduated dial.

Cadre : Frame.

Cadre ADF :
Automatic direction finder (ADF) loop.

Cadre central : Middle frame.

Cadre d'attache du longeron avant de la voilure au fuselage :
Front spar/fuselage attachment joint.

Cadre de fuselage : Safe.

Cadre de liaison : Junction frame.

Cadre de liaison voilure-fuselage :
Fuselage-wing junction frame.

Cadre de mât : Pylon bulkhead.

Cadre de pare-brise : Windshield frame section.

Cadre de reprise : Window frame assembly.

Cadre double d'assemblage aile/fuselage :
Wing/fuselage attachment double frame.

Cadre équipé : Frame assembly.

Cadre et lisse de fuselage central :
Centre fuselage frame and stringer.

Cadre étanche : Bulkhead (BLKD).

Cadre externe : Outer gimbal.

Cadre fort : Bulkhead (BLKD). Main frame.

Cadre fort arrière : Aft main frame.

Cadre principal : Main frame.

Cadre principal arrière : Aft main frame.

Cadre principal de fixation de longeron arrière : Rear spar attachment main frame.

Cadre principal de fixation de longeron avant : Front spar attachment main frame.

Cadre radiocompas :
Automatic direction finder (ADF) loop.

Cadre radiogoniométrique : Directional loop.

Cadre renforcé : Bulkhead (BLKD).

Cage : Housing.

Cage à billes : Bearing cage.

Cage à galets : Roller retainer.

Cage d'écrou : Nut cage.

Cage de gyroscope : Gyro housing.

Cage de joint : Multi-flap nozzle seal housing.

Cage de rotule : Ball joint cage.

Cage de roulement : Bearing cage.

Cage (ou chemin) de roulement : Ball race.

Cage de roulement à billes : Ball bearing cage.

Cage de roulement extérieure : Outer race.

Cage équipée : Case assembly.

Cage intérieure de roulement : Inner race.

Cahier des charges : Specification manual.

Caisse : Box. Case.

Caisse en acier soudé : Welded steel casing.

Caisson :
Box. Box structure. Pod. Strut assembly.

Caisson à nervures multiples : Multi-web box.

Caisson avant : Front box.

Caisson central : Wing spar box.

Caisson central d'aile : Wing center section.

Caisson central de fuselage :
Fuselage center box.

Caisson central de voilure : Central wing box.

Caisson d'aile : Wing box.

Caisson d'aile centrale : Centre wing box.

Caisson d'aile encaissant les efforts de torsion : Wing main torsion box.

Caisson d'aile extrême : Outboard wing box.

Caisson d'empennage : Empennage box.

Caisson d'empennage horizontal :
Horizontal tail box.

Caisson d'extrémité : End box section.

Caisson de bord de fuite de pale : Blade pocket.

Caisson de bordure [nacelle] :
Edge box member.

Caisson de dérive : Fin spar box.

Caisson de dérive en matériau composite :
Composite fin-box.

Caisson de fuselage : Fuselage box.

Caisson de plan fixe vertical :
Vertical stabilizer sparbox.

Caisson de torsion : Torque box. Torsion box.

Caisson de torsion en trois éléments et deux longerons :
Two-spar, three-piece wing torsion box.

Caisson de train avant : Nosewheel box.

Caisson de voilure : Wing box. Wing spar box.

Caisson de voilure extrême :
Outboard wing box.

Caisson fixe de support de commande de direction : Rudder control fixed coffer.

Caisson « quadri-hot » : Quadri-hot pod.

Caisson raidisseur : Box-type stiffener.

Caisson résistant : Stress box.

Caisson supérieur de torsion :
Upper torque box.

Caisson-support : Support chassis.

Caisson support de commande de direction :
Directional control support box.

Calage de l'aile [angle] : Wing setting.

Calage de l'allumage : Ignition timing.

Calage de soupape : Timing.

Calage du moteur : Engine stall.

Calamine : Scale.

Calcul : Design.

Calculateur : Computer.

Calculateur anémobarométrique d'hélicoptère : Helicopter air data computer (HADC).

Calculateur avertisseur de décrochage :
Stall-warning computer.

Calculateur central à double redondance :
Dual-redundant central computer system.

Calculateur central d'alarme :
Flight warning computer (FWC).

Calculateur consultatif de vol :
Flight advisory computer.

Calculateur d'affichage de la poussée :
Thrust modulation computer (TMC).

Calculateur d'augmentation de compensation : Trim augmentation computer.

Calculateur d'enregistrement et de surveillance de l'état de l'avion : Aircraft monitoring system (ACMS) computer.

Calculateur d'optimisation de la gestion du vol : Flight augmentation computer (FAC).

Calculateur d'optimisation des performances :
Performance data computer system (PDCS).

Calculateur de bord :
On-board computer (OBC).

Calculateur de cap :
Course computer. Heading computer.

Calculateur de centrage : CG computer.

Calculateur de commandes de vol électriques :
Fly-by-wire computer.

Calculateur de contrôle automatique de la position du centre de gravité :
Center of gravity control computer (CGCC).

Calculateur de contrôle de lacet :
Yaw computer.

Calculateur de contrôle de la poussée :
Thrust control computer (TCC).

Calculateur de contrôle du vol :
Flight control computer (FCC).

Calculateur de gestion carburant :
Fuel management computer.

Calculateur de gestion de la poussée :
Power management computer (PMC).

Calculateur de gestion de système de détection d'incendie :
Smoke detection computer unit (SDCU).

Calculateur de gestion de vol :
Flight management computer system (FMCS).

Calculateur de gestion du système d'armes :
Weapon delivery computer (WDC).

Calculateur de gestion et de contrôle de carburant : Fuel control management computer (FCMC).

Calculateur de guidage : Guidance computer.

Calculateur de guidage et de gestion de vol : Flight management guidance computer (FMGC).

Calculateur de maintenance embarqué : On-board maintenance system (OMS).

Calculateur de maintenance intégré : Integrated maintenance computer.

Calculateur de masse et de centrage : Weight and balance computer.

Calculateur de navigation : Navigation computer unit (NCU).

Calculateur de navigation et d'attaque à affichage tête haute : Head-up display weapon aiming computer (HUDWAC).

Calculateur de navigation incorporé : Built-in navigation computer.

Calculateur de navigation simplifié : Easy nav computer (ENC).

Calculateur de performances : Performance management system (PMS).

Calculateur de pointage des armes de bord : Weapon-aiming computer (WAC).

Calculateur de poussée : Thrust computer.

Calculateur de route : Position and homing indicator (PHI).

Calculateur de tir : Weapon-aiming computer (WAC).

Calculateur de traitement du signal radar : Advanced signal processing unit (ASPU).

Calculateur de trim [pilote automatique] : Pitch trim computer.

Calculateur de vitesse : Velocity computer.

Calculateur de vitesse verticale instantanée : Instantaneous vertical velocity computer.

Calculateur de vitesse vraie : TAS computer.

Calculateur de vol : Flight computer.

Calculateur directeur de décollage : Take-off and overshoot director.

Calculateur embarqué de traitement du signal : Advanced on-board signal processor (AOSP).

Calculateur-intégrateur de l'altitude de l'avion détecté par radar : Radar aircraft altitude calculator (RAA).

Calculateur numérique de conduite de tir : Digital fire-control computer.

Calculateur portatif d'établissement du plan de vol : Global portable computer (GPC).

Calculateur pression cabine : Cabin pressure computer (CPC).

Calculateur primaire de commandes de vol : Flight control primary computer (FCPC).

Calculateur secondaire de commandes de vol : Flight control secondary computer (FCSC).

Calculateurs de profondeur et d'aileron : Elevator aileron computers (ELAC).

Calculateurs de profondeur et des spoilers : Spoiler elevator computers (SEC).

Cale : Hold. Wedge.

Cale [de roue de train d'atterrissage] : Chock.

Cale (ou soute) à bagages : Luggage hold.

Cale biaisée : Tapered shim.

Cale d'arrêt : Stop block.

Cale d'écartement : Spacer.

Cale d'épaisseur : Shim. Spacer.

Cale de blocage des pales du rotor arrière : Tail rotor blade locking clamp.

Cale de butée : Stop block.

Cale de montage : Saddle plate.

Cale de roue : Wheel chock.

Calendrier : Timing.

Caler le moteur : Stall the engine (to). Kill the engine (to).

Calibrage à chaud [métallurgie] : Hot sizing.

Calibre : Template.

Calibre d'une valve : Valve rating.

Calibre de profondeur : Penetration gauge.

Calibre étalon : Standard gauge.

Calibre intérieur de tuyau : Internal pipe size (IPS).

Calorifugé : Heat-proof.

Calotte : Canopy.

Calotte avant de fuselage : Removable nose cone.

Cambrage : Bending.

Cambrure : Camber.

Cambrure variable pas à pas : Discrete variable camber.

Came de commande d'interrupteur d'allumage : Ignition switch actuating cam.

Came de commande d'inverseur : Thrust reverser control cam.

Camera de collimateur : Gunsight aiming point camera (GSAP).

Camera IR aéroportée à visualisation verticale vers le bas [visée, acquisition de cibles et guidage laser] : Downward looking infra-red (DLIR) camera [sighting, target acquisition and laser guidance].

Camion-citerne de ravitaillement : Bowser.

« Camion du ciel » [sobriquet de l'avion-cargo américain C-17] : Skytruck [familiar name given to the American freighter C-17].

Canal : Jet pipe.

Canal d'admission : Input channel.

Canal d'admission [soufflerie aérodynamique] : Inlet plenum.

Canal d'aspiration : Intake channel.

Canal de dérivation en fibres de carbone :
Carbon-fibre bypass duct.

Canal de montée [moteur] : Climb duct.

Canal de postcombustion : Afterburner jet pipe.
Afterburner tailpipe. Reheat jet nozzle.

Canal de soufflante :
Fan case ducting. Fan duct.

Canal PC : Afterburner jet pipe.

Canal radar à accès sélectif [affichage sur écrans de contrôle du trafic aérien :
Direct access radar channel (DARC).

Canalisation : Duct. Tubing.

Canalisation d'alimentation : Feed line.

Canalisation de mise à l'air libre :
Air breather assembly.

Canalisation de purge : Scavenging system.

Canalisation de sortie : Outlet line.

Canne de ravitaillement en vol :
Refuelling probe.

Cannelure : Spline.

Cannibaliser : Cannibalize (to).

Canon d'éjection de verrière :
Canopy jettisoning gun.

Canonnier : Gunner.

Cap : Heading.

Cap : *voir Indicateur de cap...*

Cap compas : Compass heading.

Cap départ : Outbound heading.

Cap estimé : Estimated heading.

Cap géographique : True heading.

Cap magnétique : Magnetic heading (MH).

Cap retour : Inbound heading.

Cap vrai : True heading.

Capacité à vide : No load capacity.

Capacité d'emport du lanceur :
Launcher lift capability.

Capacité d'emport maximum :
Maximum carrying capacity.

Capacité de détection et de tir vers le bas :
Look-down/shoot-down capability.

Capacité de fonctionnement sans huile [roulements, engrenages, etc.] :
Dry run capability [bearings, gears, etc.].

Capacité du réservoir : Tankage.

Capacité maximale [carburant] :
Maximum fuel capacity.

Capacité totale d'aspiration [pompe] :
Throughput capacity.

Capacité tout-temps : All-weather capability.

Capot : Cover assembly, Cowl, Casing. Hood.

Capot arrière : Rear casing.

Capot arrière générateur de gaz sur le côté gauche du moteur :
Left-hand core cowl door assembly.

Capot avant : Spinner.

Capot de buse de réacteur : Nozzle cowl.

Capot de carénage : Fairing.

Capot de carter : Casing cover.

Capot de relais : Relay can.

Capot de soufflante sur le côté gauche du moteur : Left-hand fan access door assembly.

Capot du moteur : Engine cowl.

Capot éjectable : Ejectable cover.

Capot moteur : Cowl. Engine cowl.

Capot ouvrant : Hinged servicing cowling.

Capot primaire [inverseur de poussée] :
Inner barrel.

Capot supérieur : Upper hood.

Capotage : Cowling, Casing. Fairing.

Capotage avant : Nose bullet.

Capotage d'insonorisation : Quietizer.

Capotage de BTP : Main gearbox cowling.

Capotage du démarreur : Starter fairing.

Capotage du moteur : Engine cowling.

Capotage supérieur : Upper cowling.

Capote : Hood.

Capsule bathymétrique sonar :
Sonar transducer.

Capsule d'éjection : Escape capsule.

Capsule de butée : Stop bellows.

Capsule de correcteur barométrique :
Barometric corrector aneroid.

Capsule de transport de personnel [Terre/station orbitale et retour] : Crew transport vehicle (CTV) [Earth/orbital station/Earth].

Capsule de tuyère : Nozzle control capsule.

Capsule satellisée destinée à évaluer et à transmettre les données relatives au comportement et aux performances de son lanceur [fusée japonaise H2] : Vehicle evaluation payload (VEP) [Japanese-built H2 rocket].

Capteur : Probe. Sensor. Transducer.

Capteur à fibres optiques :
Optical fiber (fibre) sensor.

Capteur aérodynamique : Air data sensor.

Capteur automatique de poussée négative :
Automatic negative thrust sensor.

Capteur d'énergie des ions contenus dans le vent solaire : Fast ion sensor (FIS).

Capteur d'horizon : Edge tracker sensor.

Capteur de pression : Pressure transducer.

Capteur de radionavigation :
Radio navigation sensor.

Capteur de télévision de poste de pilotage :
Cockpit television sensor (CTVS).

Capteur de vitesse : Speed sensor.

Capteur dynamique : Air sensor.

Capteur indicateur de décrochage :
Incidence sensor.

Capteur IR : Infra-red sensor.

Capteur IR à balayage linéaire :
Infra-red linescan (IRLS).

Capteur magnétique : Magnetic sensor.

Capteur numérique d'EPR : Digital engine
pressure ratio transducer (DEPRT).

Capteur terrestre : Earth sensor.

Capteur terrestre infrarouge biaxial :
Two-axis earth sensor.

Capuchon : Hood.

Capuchon de DELCO : Ignition distributor cap.

Capuchon démontable : Removable cap.

Capuchon (ou bouchon) obturateur :
Blanking cap.

Caractéristiques de conception :
Design features.

Caractéristiques nominales : Ratings.

Caractéristiques techniques :
Technical features.

Carburant : Fuel.

Carburant antidétonant : Knockless fuel.

Carburant de réserve pour déroutement :
Fuel for diversion.

Carburant dégazé : Vapor-free fuel.

Carburant non largable : Undumpable fuel.

Carburant non utilisable récupérable :
Drainable unusable fuel.

Carburant pur [sans air] : Net fuel.

Carburant résiduel : Trapped fuel.

Carburant transférable : Transferable fuel.

Carburant utilisable : Usable fuel.

Carburateur : Carburettor.

Carburateur à double corps :
Duplex carburettor.

Carburateur inversé :
Down-draught carburettor.

Carburéacteur : Aviation jet fuel. Jet engine
fuel. Jet propellant (JP).

Carcasse : Framework. Truss. Yoke.

Cardan : Gimbal joint. Universal block. Universal joint. Universal shaft.

Carénage : Fairing. Shroud.

Carénage avant du mât de nacelle :
Nacelle forward fairing.

Carénage d'échappement : Exhaust shroud.

Carénage d'emplanture d'aile :
Wing fillet. Wing root fairing.

Carénage d'emplanture de dérive :
Fin root fairing. Fin root housing.

Carénage d'extrémité d'aile : Wing tip fairing.

Carénage d'extrémité supérieure de dérive :
Upper fin-tip fairing.

Carénage de bas de volets : Flap edge fairing.

Carénage de boîte de transmission arrière :
Tail gearbox fairing.

Carénage de bord de fuite :
Trailing edge fairing.

Carénage de bout de pale : Blade tip fairing.

Carénage de cône arrière : Tail cone fairing.

Carénage de cône de queue : Tail cone fairing.

Carénage de jonction aile-fuselage :
Wing-to-body fairing.

Carénage de moyeu d'hélice :
Propeller hub fairing.

Carénage de perche de ravitaillement en vol :
Refuelling boom fairing.

Carénage de pointe arrière : Tail cone fairing.

Carénage de raccordement :
Dorsal fairing. Fillet fairing.

Carénage de radiateur d'huile :
Oil cooler fairing.

Carénage de rail de guidage : Guide rail fairing.

Carénage de servocommande :
Servo control fairing.

Carénage de soufflante : Fan cowl. Fan frame.

Carénage de tableau de bord :
Instrument panel shroud.

Carénage de train : Landing gear fairing.

Carénage des commandes de vol :
Flight deck tab.

Carénage des rails de guidage des volets :
Flap track fairing.

Carénage du boîtier de transmission :
Gearbox fairing.

Carénage en Kévlar : Kevlar fairing.

Carénage étanche de tuyère :
Nozzle sealing fairing.

Carénage extérieur : Outboard fairing.

Carénage intermédiaire : Mid-fairing.

Carénage Karman : Wing fuselage fairing.

Carénage non travaillant :
Non-structural fairing.

Caréné : Faired.

Carène : Hull.Keel.

Carène antichoc : Speed capsule.

Carène de fenestron : Fenestron shroud.

Carène trilobée : Three-lobe hull.

Carnet de bord : Log-book.

Carnet de route : Journey log book.

Carte : Chart.

Carte de circuit imprimé : Printed circuit board.

Carte de la route suivie : Track chart.

Carte de radionavigation : NAV/RAD chart.

Carte géographique : Map.

Carte météo : Weather chart.

Carter : Case, Casing. Gear case. Housing.

Carter butée :
Air inlet ball with droop restrainer.

Carter central : Central casing, Centre case.

Carter d'admission : Intake casing.

Carter d'arbre à cames : Camshaft casing.

Carter d'aubage de guidage :
Guide vane casing.

Carter d'échappement :
Exhaust case. Turbine frame.

Carter d'éjection : Turbine exhaust case.

Carter d'entrée d'air :
Air intake case. Inlet case.

Carter d'entrée d'air du compresseur : Compressor air intake casing.

Carter de commande et de verrouillage : Control and locking housing.

Carter de compresseur : Compressor casing.

Carter de jonction : Junction case.

Carter de la boîte de transmission principale [hélicoptère] : Transmission casing.

Carter de moteur : Engine case.

Carter de réacteur : Engine case.

Carter de réducteur : Reduction gearbox case.

Carter de régulateur carburant :
Fuel control unit housing.

Carter de retenue des aubes [moteur] :
Blade containment casing.

Carter de sortie : Exhaust case. Outlet case.

Carter de sortie de compresseur :
Compressor outlet casing.

Carter de sortie de turbine :
Turbine outlet casing.

Carter de sortie soufflante :
Fan air exhaust case.

Carter de turbine : Turbine box. Turbine case. Turbine nozzle case.

Carter de vidange : Waste sump.

Carter diffuseur : Guide vane casing.

Carter en deux parties : Split crankcase.

Carter inférieur : Lower casing.

Carter intermédiaire : Intermediate case.

Carter interne : Internal wheel case.

Carter moteur : Crankcase.

Carter profilé d'antenne radar : Blister.

Carter réacteur : Case.

Carter sortie turbine :
Turbine rear frame (TRF).

Carter supérieur : Upper casing.

Cartographie : Ground mapping. Mapping.

Cartographie aérienne : Air mapping.

Cartographie thématique :
Thematic mapping (TM).

Carton des vitesses [au décollage] :
Target speeds.

Casier à bagages [au plafond] :
Overhead baggage locker.

Casier à équipements [lanceur de satellite] :
Vehicle equipment bay (VEB) [satellite launcher].

Casque antibruit : Ear defender. Earmuff.

Casque d'écoute : Headset.

Casque radio : Headset. Radio headset.

Casque téléphonique : Earphone.

Casquette : Vizor. Windshield front fairing.

Casserole d'hélice : Nose spinner. Spinner.

Cassure de fatigue [métal] : Fatigue failure.

Catalogue des pièces de rechange :
Spares catalog.

Catalogue illustré des outillages :
Illustrated tool catalog (ITC).

Catalogue illustré des pièces de rechange avion (CIPA) : Illustrated parts catalog (IPC).

Cavalier : Jumper.

Cavalier de bord de fuite : Trailing edge fin.

Cavité : Recess.

Ceinture de sécurité : Safety belt. Seat belt.

Cellulaire : Cellular.

Cellule : Airframe.

Cellule d'essai : Test airframe.

Cellule d'essai statique : Static test cell.

Cellule d'essais destinée à tester en vraie grandeur les effets de la fatigue sur le fuselage :
Fuselage acoustic test system (FATS).

Cellule d'usinage souple (CUS) :
Flexible machining cell (FMC).

Cémentation : Case hardening.

Centrage : Balance. Center of gravity (CG).

Centrage arrière : Stern heavy. Tail heavy.

Centrage de gouverne de direction :
Rudder balance.

Centrage du fret : Freight stowing.

Centrage en corde de pale :
Chordwise blade balance.

Centrages limités :
Center of gravity (CG) limits.

Centrale à inertie sans plate-forme :
Strapdown inertial system.

Centrale aérodynamique :
Air data package. Air data unit.

Centrale altibarométrique :
Barometric altitude data generator.

Centrale anémobarométrique :
Air data computer (ADC).

Centrale bigyroscopique : Dual gyro platform.

Centrale de cap : Directional gyro.

Centrale de cap et de verticale :
Heading and altitude sensor (HAS). Heading and vertical gyro system assembly. Three-axis data generator (TADG).

Centrale de cap et de verticale à composants liés : Strapdown attitude-heading reference system.

Centrale de paramètres air et de détection de mouvements : Air data and motion sensor.

Centrale de référence inertielle [intégrant les fonctions de la centrale anémobarométrique] : Air data and inertial reference system (ADIRS).

Centrale de verticale :
Vertical gyro. Vertical reference unit.

Centrale gyroscopique :
Gyro unit. Master reference gyro. Three-axis data generator (TADG).

Centrale inertielle :
Inertial guidance platform. Inertial unit.

Centrale inertielle à composants liés :
Inertial strap-down gyro unit.

Centrale inertielle à gyrolaser :
Laser gyro inertial sensor.

Centrale inertielle à gyromètre à laser :
Laser gyro inertial navigator.

Centrale inertielle de cap et d'attitude :
Microflex attitude and heading reference system (MAHRS).

Centrale liée de référence d'assiette et de cap :
Strapdown attitude-heading reference system.

Centre d'ancrage du moteur :
Engine pivot point.

Centre d'essais en vol (CEV) :
Flight test center. Test flying center.

Centre d'information de vol :
Flight information center (FIC).

Centre de contrôle aérien tactique :
Tactical air control center (TACC).

Centre de contrôle d'approche :
Approach control centre.

Centre de contrôle du champ de bataille et de commandement aéroporté : Airborne battle-field control and command center (ABCCC).

Centre de contrôle régional :
Area control center (ACC).

Centre de gravité : Center of gravity (CG). Centre of gravity (CG).

Centre de maintenance :
Maintenance operation center (MOC).

Centre de poussée de l'aile :
Wing center of pressure.

Centre opérationnel d'appui aérien :
Air support operation centre (ASOC).

Centre opérationnel de lutte anti-sous-marine : Anti-submarine warfare operation center (ASWOC) [USA].

Centre spécialisé dans l'aménagement intérieur des avions : Mod center [USA].

Centre supérieur d'information de vol :
Upper flight information center (UIC).

Centré sur l'avant : Nose-heavy.

Centrogramme : Weight and balance chart.

Cermet [céramique et métal] : Ceramel.

Certificat d'agrément d'équipements d'aéronefs :
Qualification agreement certificate (QAC).

Certificat d'épreuve : Test certificate.

Certificat d'homologation :
Flight clearance note.

Certificat de conformité : Conformity certificate. Certificate of compliance (C of C).

Certificat de conformité ou de type :
Approval certificate.

Certificat de maintenance :
Certificate of maintenance (C of M).

Certificat de navigabilité (CDN) :
Airworthiness certificate. Certificate of airworthiness (C of A).

Certificat de réception : Acceptance certificate.

Certificat de type moteur :
Type certificate [USA].

Certificat TIA [agrément des données techniques du constructeur] :
Type inspection authorization (TIA).

Certification : Certification. Type certification.

Certification STC :
Supplemental type certification (STC).

Céruse : White lead.

Chaff : *voir Forme populaire...*

Chaff [feuille d'aluminium enduite de mylar pour brouillage des radars] : Chaff.

Chaîne (en) : On production line.

Chaîne d'assemblage : Assembly line.

Chaîne d'usinage chimique :
Chemical etching line.

Chaîne de distribution : Timing chain.

Chaîne de fabrication : Production line.

Chaîne de lacet : Yaw channel.

Chaîne de montage : Assembly line.

Chaîne de montage final : Final assembly line.

Chaîne de pilotage : Attitude control system.

Chaîne de production : Production line.

Chaîne de roulis [pilote automatique] :
Roll channel.

Chaîne de surveillance des vibrations du moteur : Vibration monitoring system.

Chaîne de tangage [pilote automatique] :
Pitch channel.

Chaîne électrique de bord :
Vehicle electrical system.

Chaise de palier :
Bearing bracket. Bearing support.

Chambrage : Recess.

Chambre d'expérience :
Wind tunnel test section.

Chambre de combustion : Combustor.

Chambre de combustion à écoulement direct :
Straight-flow combustion chamber.

Chambre de combustion à écoulement inversé : Return-flow combustion chamber.

Chambre de combustion à flux inversé :
Reverse-flow combuster.

Chambre de combustion annulaire [turbine à gaz] :
Annular combustion chamber (gas turbine].

Chambre de combustion tubo-annulaire [moteur] : Cannular combustion chamber.

Chambre de distribution : Valve chamber.

Chambre de postcombustion : Afterburner.

Chambre de tranquillisation : Plenum chamber.

Chambre de turbulence : Swirl chamber.

Chambre propulsive : Thrust chamber.

Champ de pression dynamique : Q-field.

Champ de vision [instruments optiques] :
Field of view (FOV).

Chandelle : Zoom.

Chanfreiné : Chamfered.

Chanfreiner : Chamfer (to).

Chape : End fitting. Yoke joint. Yoke.

Chape de commande de pale : Trunnion yoke.

Chape de jonction de demi-voilure :
Wing root fitting.

Chape supérieure : Upper capping.

Chapeau de bord d'attaque de pale :
Blade leading edge cap.

Chapeau de carter : Casing cap.

Chapeau de moyeu : Hub cover plate.

Chapeau de palier : Bearing cap.

Chapeau de presse-étoupe : Gland.

Chapeau de roue : Wheel disc.

Chapeau de tête de rotor : Rotor head fairing.

Chapeau de valve : Valve cap.

Charge à l'élingue :
Slung load. Underslung load.

Charge à vide : Zero load.

Charge admissible : Safe load.

Charge alaire : Wing load.

Charge au disque : Disc loading.

Charge d'équilibrage d'empennage horizontal : Balancing tail load.

Charge de pale : Blade loading.

Charge de rupture : Ultimate strength.

Charge de travail : *voir Programme ARTI*

Charge du disque balayé [hélicoptère] :
Disk loading.

Charge exercée sur la piste par le train d'atterrissage : Undercarriage runway loading.

Charge extérieure : Underslung load.

Charge limite : Limit load.

Charge limite d'élasticité : Yield load.

Charge marchande : Payload.

Charge marchande au maximum de la capacité : Space limited payload (SLP).

Charge marchande disponible :
Available payload.

Charge marchande limite :
Weight limited payload (WLP).

Charge marchande normale estimée :
Estimated normal payload (ENP).

Charge marchande type : Typical payload.

Charge maximale :
Maximum load. Ultimate load.

Charge militaire : Warhead. Weapon load.

Charge nominale à la rupture :
Nominal breaking stress.

Charge nucléaire : *voir Ogive à charge...*

Charge par unité de puissance : Power loading.

Charge payante : Payload.

Charge prescrite : Specified load.

Charge propulsive : Booster.

Charge sur les surfaces verticales de l'empennage : Vertical tail load.

Charge théorique : Design load.

Charge utile : Payload. Useful load.

Charges extérieures : Underwing loads.

Charges militaires sous le fuselage :
Belly stores.

Charges militaires sous voilure :
Underwing stores.

Charges sous voilure : Underwing loads.

Charges structurales sur l'aile :
Wing structural loads.

Chariot amovible [pour mise à l'eau et à terre d'un hydravion] :
Beaching gear [a detachable trolley allowing a seaplane to be run on and off the shore].

Chariot de bec de bord d'attaque :
Slat carriage.

Chariot de chaîne : Assembly line trolley.

Charnière : Hinge.

Charpente : Frame. Framework.

Chasse-clavette : Drift punch. Key-drift.

Chasse-goupille : Drift punch.

Chasse-rivet : Rivet punch.

Chasseur : Fighter aircraft.

Chasseur à géométrie variable :
Variable-geometry fighter.

Chasseur-bombardier : Fighter-bomber.

Chasseur-bombardier de pénétration lointaine : Deep strike fighter.

Chasseur d'attaque au sol : Strike fighter.

Chasseur d'interception :
Fighter-interceptor. Interceptor-fighter.

Chasseur de haute altitude :
High-flying fighter.

Chasseur polyvalent :
Multi-role combat aircraft (MRCA).

Châssis : Frame. Understructure.

Châssis équipé : Chassis assembly.

Chatterton : Adhesive tape.

Chauffer le moteur (faire —) :
Warm-up the engine (to).

Check-list : Check-list. Liste de vérifications.

Chemin : Track.

Chemin de roulement : Race.

Chemin de roulement à billes :
Ball bearing race.

Chemin de roulement à galets : Roller race.

Cheminée : Message chute. Pylon.

Cheminement des câbles :
Cable routing. Wire routing.

Cheminement multiple "fail-safe" de transmission d'efforts [tête de rotor] :
Fail-safe multiple load paths.

Cheminement principal des câbles :
Main cable route.

Chemisage : Jacketing.

Chemise : Casing. Jacket.

Chemise conique de support de tuyère :
Nozzle support corrugated conical liner.

« Chenille » : Oxygen mask hose.

Chercheur : Whisker.

Cheval de bois : Ground loop.

Cheval-vapeur [1HP=1,014 CV] :
Horsepower (HP).

Chevauchement ou déformation des réponses [radar] : Garbling.

Cheville : Stud.

Cheville d'assemblage : Drift pin.

Cheville de raccordement : Junction pin.

Chèvre : Hoist.

Chicane antiballottement [dans un réservoir de carburant] :
Baffle [to reduce sloshing of fuel in a tank].

Chromage anodique : Chromic acid anodizing.

Chronogramme : Timing diagram.

Chronomètre : Timer.

Chute d'usinage : Scrap.

Chute de coupe : Scrap.

Cible : Target.

Cible remorquée : Trailed target. Tow target.

Ciel nuageux [météorologie] :
Cloudy sky [meteorologie].

Ciné-mitrailleuse : Camera-gun.

Cinémodérivomètre : Drift meter.

Cinémomètre : Speedometer.

Cintrage : Bending.

Cintreuse : Bending machine. Tube bender.

Circlips : Retaining ring.

Circuit : System.

Circuit (en) : On. On-line.

Circuit à deux conducteurs isolés :
Two-wire circuit.

Circuit à quatre gâchettes : Quad gate.

Circuit anémobarométrique :
Pitot static system.

Circuit anémométrique : Pitot static system.

Circuit anti-pulse : Surge protection circuit.

Circuit autonome de graissage du réacteur :
Engine self-contained lubricating system.

Circuit bifilaire : Two-wire system.

Circuit bouchon : Tank circuit.

Circuit carburant à l'épreuve des chocs :
Crash-resistant fuel system (CRFS).

Circuit carburant anti-crash :
Crashworthy fuel system.

Circuit d'aérodrome : Traffic pattern.

Circuit d'alimentation : Supply system.

Circuit d'alimentation carburant :
Fuel feed system. Fuel system.

Circuit d'allumage : Ignition system.

Circuit d'amorçage : Triggering circuit.

Circuit d'attente : Stack.

Circuit d'attente : *voir Quitter le...*

Circuit d'attente [avant autorisation d'atterrissage] : Holding pattern.

Circuit d'avertisseur : Warning horn circuit.

Circuit d'effacement [pilote automatique] :
Wash-out network.

Circuit d'entrée : Incoming circuit.

Circuit d'équilibrage : Balancing circuit.

Circuit d'essai : Test set-up.

Circuit d'extinction [fuseau-moteur] :
Fire extinguishing system.

Circuit d'humidification de l'air :
Air humidifier system.

Circuit d'injection : Spraying circuit.

Circuit de bord : Aircraft fluid system.

Circuit de carburant d'allumage :
Ignition fuel circuit.

Circuit de commande : Override circuit.

Circuit de connexion transversale :
Transverse connection circuit.

Circuit de dégazage :
De-aerator circuit. Vapor relief circuit.

Circuit de dégivrage planeur :
Aircraft de-icing circuit.

Circuit de détection : Sensing circuit.

Circuit de génération de courant alternatif :
Alternative current power supply system.

Circuit de génération de courant continu : Direct current power supply system.

Circuit de graissage : Lube system. Oil system.

Circuit de mise à l'air libre carburant : Fuel venting system.

Circuit de piste : Traffic pattern.

Circuit de prélèvement d'air : Air bleed system.

Circuit de pressurisation cabine : Cabin pressurization system.

Circuit de protection : Snubber circuit.

Circuit de protection contre les surintensités : Surge protection circuit.

Circuit de sensation musculaire [pilote automatique] : Artificial feel system. Feel simulator system.

Circuit de surveillance : Monitoring circuit.

Circuit de synchronisation : Synchronizing circuit.

Circuit hydraulique : Hydraulic system.

Circuit hydraulique des spoilers : Spoiler power system.

Circuit inhibiteur d'étincelles : Quenching circuit.

Circuit intégré monolithique à hyperfréquences : Microwave monolithic integrated circuit (MMIC).

Circuit synchrone [pilote automatique] : Synchro loop.

Circuit thermométrique en pont : Temperature bridge circuit.

Circuit variomètre : Rate of climb indicator system.

Circuits intégrés ultra-puissants : Very high power integrated circuitry (VHPIC) [GB].

Circuits intégrés ultra-rapides : Very high speed integrated circuitry (VHSIC) [USA].

Circulation : Traffic.

Circulation aérienne générale : General air traffic.

Circulation aérienne intérieure : Domestic air traffic.

Cire de protection [de zones à ne pas plaquer électrolytiquement] : Stopping-off wax [for areas not to be electrolytically plated].

Cisaillement du vent : Windshear.

Cisaillement horizontal du vent : Horizontal wind shear.

Cisaillement vertical du vent : Vertical wind shear.

Citerne de ravitaillement [carburant] : Jet refueller.

Citerne souple [lutte contre l'incendie] : Water bladder.

Clapet : Valve.

Clapet à billes : Ball valve.

Clapet antiretour : Back pressure valve. Check valve. Non-return valve (NRV).

Clapet antiretour de turbocompresseur : Turbocompressor check valve.

Clapet antiretour et de surpression : Relief and check valve.

Clapet antiretour thermique : Thermal check valve.

Clapet d'air : Air valve.

Clapet d'arrêt : Stop valve.

Clapet d'aspiration automatique : Automatic suction relief door.

Clapet d'expansion : Relief valve.

Clapet d'expansion de collecteur principal : Main distribution manifold relief valve.

Clapet d'interdiction : Override valve.

Clapet de circuit carburant : Fuel system valve.

Clapet de commande à solénoïde à deux voies et action directe : Direct-acting two-way solenoid-controlled valve.

Clapet de commande de frein de piqué : Dive brake control valve.

Clapet de commande de largage : Release control valve.

Clapet de débit d'air [moteur] : Engine air flow valve.

Clapet de décharge : Blow-off valve. Dump valve. Relief valve. Unloading valve.

Clapet de décharge de pression cabine : Cabin pressure relief outlet valve.

Clapet de décharge de pression d'huile : Oil pressure relief valve.

Clapet de dégazage : Vapor relief valve.

Clapet de dépression : Negative pressure relief valve. Underpressure valve. Vacuum relief valve.

Clapet (ou soupape) de dérivation : By-pass valve.

Clapet de drainage : Jettison valve.

Clapet de gonflage : Air charging valve.

Clapet de mise à l'air libre étanche au carburant : Air-no-fuel vent valve.

Clapet de mise en pression : Pressure fill valve.

Clapet de porte arrière : Stairway override valve.

Clapet de prélèvement d'air : Air bleed valve.

Clapet de purge : Bleed valve.

Clapet de purge de l'oxygène liquide : Liquid oxygen (LOX) purge valve.

Clapet de ralenti : Throttle idle valve.

Clapet de réglage de pression cabine : Cabin pressure control valve.

Clapet de remplissage [carburant] : Refuelling valve.

Clapet de retenue : Back pressure valve.

Clapet de sécurité : Safety valve.

Clapet de séquence : Timing valve.

Clapet de surpression : Overload valve. Pressure relief valve. Relief valve.

Clapet de surpression d'huile :
Oil pump pressure regulating valve.

Clapet de surpression thermique :
Thermal in-line relief valve.

Clapet de trop-plein : Overflow valve.

Clapet de verrouillage d'aérofrein :
Lock-out valve.

Clapet de vidange : Dump valve, Drain valve.

Clapet de vol sur le dos : Inverted flight valve.

Clapet électrique : Solenoid valve.

Clapet électromagnétique : Solenoid valve.

Clapet mélangeur : Mixing valve.

Clapet navette : Shuttle valve.

Clapet-piston : Piston valve.

Clapet radiocompas : Radio compass valve.

Clapet réducteur : Restrictor.

Clapet restricteur de débit :
Variable flow restrictor.

Clapet thermostatique de surpression :
Temperature relief valve.

Clause technique :
Technical specification. Type specification.

Clause technique de réception :
Acceptance specification.

Clavette : Wedge.

Clavette [longitudinale] : Key.

Clavette [transversale] : Cotter.

Clavette conique : Taper pin.

Clavette demi-lune : Woodruff key.

Clavette fendue : Split key.

Clavette fusible : Fuse pin.

Clavier : Keyboard.

Clé à cran : Castellated wrench.

Clé à douille : Socket spanner.

Clé à pipe : Tube wrench. Socket spanner. Tubular spanner.

Clé coudée : Offset wrench.

Clé d'âme de longeron : Spar web wedge.

Clé dynamométrique :
Torque spanner. Torque wrench.

Clignotant d'alimentation en oxygène :
Oxygen blinker.

Climatisation du poste de pilotage et de la cabine des passagers :
Environmental control system.

Clinomètre : Clinometer.

Clinquant : Tinsel.

Cloison : Bulkhead (BLKD). Web.

Cloison anti-ballast : Anti-surge baffle.

Cloison de décrochage :
Stall fence. Stall vane. Wing fence.

Cloison de décrochage [déflecteur d'écoulement] : Breaker strip.

Cloison de séparation : Partition wall.

Cloison de torsion : Torque bulkhead.

Cloison étanche arrière :
Rear pressure bulkhead.

Cloison étanche de cockpit :
Cockpit pressure bulkhead.

Cloison étanche pressurisée :
Pressure bulkhead.

Cloison étanche pressurisée avant :
Front pressure bulkhead.

Cloison pare-feu :
Fire wall. Flame breakout shield.

Cloison pare-feu de chambre de combustion :
Combustion chamber heat shield.

Cloison pare-feu de compartiment moteur :
Engine compartment firewall.

Cloison pressurisée de compartiment de train d'atterrissage :
Undercarriage bay pressure bulkhead.

Cockpit : Cockpit.

« Cockpit de verre » [les informations de vol sont fournies par les indicateurs électroniques logés dans le casque du pilote] : Glass cockpit [flight data are supplied by electronic indicators incorporated in the pilot's helmet].

« Cockpit sombre » [voyants éteints quand tous les systèmes fonctionnent normalement] : Dark cockpit [warning lights off, indicating all systems are OK].

Codeur d'altitude : Altitude encoder.

Coefficient d'allongement : Strain coefficient.

Coefficient de friction [rapport de la friction entre deux surfaces à la pression entre elles] : Coefficient of friction [the ratio of the friction between two surfaces to the pressure between them].

Coefficient de portance (Cz) :
Coefficient of lift (CL). Lift coefficient.

Coefficient de puissance en altitude :
Height power factor.

Coefficient de température positif :
Positive temperature coefficient (PTC).

Coefficient de traînée (Cx) :
Coefficient of drag (CD).

Coefficient puissance/masse :
Power-to-weight coefficient.

Coffret : Case. Unit.

Coffret d'alimentation : Power supply unit.

Coffret d'électronique de goniomètre :
Gonio electronic unit.

Coffret d'émetteur : Transmitter unit.

Coffret de servo de l'antenne de radar de tir :
Fire radar antenna servo unit.

Cogner [moteur] : Knock (to).

Coiffe : Nose fairing.

Coiffe de bord d'attaque : Leading edge glove.

Coiffe de clapet : Valve retainer.

Coiffe mobile de train d'atterrissage :
Sliding sleeve.

Coin : Wedge.

Coinçage : Jamming.

Coincement : Binding. Sticking.

Col d'admission : Intake throat.

Col (de tuyère) : Throat.

Collage : Bonding.

Collage haute pression : Hot pressure bonding.

Collage métal sur métal :
Metal-to-metal bonding.

Collage sous vide en étuve :
Stove vacuum bonding.

Collecteur : Manifold.

Collecteur d'admission :
Intake collector. Inlet collector. Inlet manifold.

Collecteur d'air : Air manifold.

Collecteur d'échappement :
Exhaust collector. Exhaust manifold.

Collecteur d'huile : Oil cup.

Collecteur de mise à l'air libre : Vent manifold.

Collecteur de pompe carburant :
Fuel pump manifold.

Collecteur de repliage des pales et du rotor :
Blade and rotor-folding pressurizing block.

Collerette : Union.

Collerette de butée : Stop flange ring.

Collier à attache rapide :
Quick-disconnect clamp.

Collier à déclenchement rapide :
Quick-disconnect clamp.

Collier à ressort : Spring clamp.

Collier de câble : Cable clamp.

Collier de direction [train d'atterrissage avant] : Steering collar.

Collier de tuyauterie : Tube clamp.

Collier Marman [serrage] :
Marman clamp. V-band clamp.

Collier serreflex : V-band coupling.

Collimateur de contrôle : Test collimator.

Collimateur de figuration :
Windshield projection display.

Collimateur de pilotage tête haute :
Head-up display (HUD).

Collimateur gyroscopique :
Gyroscopic collimator.

Collimateur tête haute à champ de vision étendu : Wide-angle raster-video head-up display (WARHUD).

Collision aérienne évitée de justesse : Airmiss.

Colonne de direction : Steering column.

Colonne montante : Stand pipe.

Coloradar : Color-display radar.

Combat aérien rapproché : Dogfight.

Combat tournoyant : Dogfight.

Combinaison anti-g : G-suit.

Combinaison de vol anti-g :
Tactical life support system (TLSS).

Combinaison de vol chauffante : Heating suit.

Combinaison de vol pressurisée [protection contre le laser, le flash nucléaire et les agents NBC] :
Total life support system (TLSS) [a pressure flying suit to ensure protection against laser, nuclear radiation and NBC agents].

Combinaison spatiale : Spacesuit.

Combinateur de pas : Mixing unit.

Combustible : Fuel. Propellant.

Combustion incomplète : Uneven burning.

Combustion irrégulière : Uneven burning.

Combustion irrégulière ou intermittente des blocs de poudre [moteurs à propergols solides] : Chuffing.

Comité Consultatif National pour l'Aéronautique : National Advisory Committee on Aeronautics (NACA) [USA].

Commande : Control. Drive.

Commande à distance :
Remote control. Telecontrol.

Commande à relais : Relay control.

Commande actionnée par le toucher :
Touch-sensitive control.

Commande altimétrique :
Altimeter control equipment (ACE).

Commande articulée de gouverne de profondeur : Elevator hinge control.

Commande automatique de vol (CADV) :
Automatic flight control system (AFCS).

Commande automatique généralisée (CAG) :
Control configured vehicle (CCV).

Commande axiale [hélicoptère] :
Pitch-change control.

Commande barométrique [sur régulateur carburant] : Barometric control.

Commande cyclique :
Helicopter azimuth control.

Commande cyclique [hélicoptère] :
Azimuth control.

Commande cyclique longitudinale :
Longitudinal cyclic control.

Commande d'aile basculante : Tilt-wing drive.

Commande d'aileron :
Aileron booster, Aileron control.

Commande d'interdiction : Interlock control.

Commande d'interrupteur : Switch actuator.

Commande d'orientation de la roue du train avant : Nose wheel tiller.

Commande d'ouverture d'urgence de verrière : Canopy emergency release.

Commande de centrale inertielle : Navigational computer switch.

Commande de compensateur : Pitch trim control. Trim tab control.

Commande de contrôle de la poussée : Thrust vector control (TVC).

Commande de correction en lacet : Yaw correction control.

Commande de dépannage d'urgence : Aircraft-on-ground (AOG) order.

Commande de direction : Directional control. Rudder control.

Commande de direction [train d'atterrissage avant] : Steering control.

Commande de direction de train avant : Nose wheel steering quadrant.

Commande de frein de parking : Parking brake control handle.

Commande de gauchissement : Aileron control. Control yoke. Roll control. Warping control.

Commande de générateur principal : Master generator control.

Commande de gouvernail de direction de type à étrier : Stirrup-type rudder control.

Commande de gouverne : Control surface drive.

Commande de guidage cinématique en lacet : Kinematic yaw control.

Commande de guidage cinématique en tangage : Kinematic pitch control.

Commande de lacet : Yaw control.

Commande de manche latéral/système de commandes de vol électriques : Sidestick controller/fly-by-wire flight control system.

Commande de mise en veilleuse de l'émetteur de bord : Low probability of intercept (LPI) control.

Commande de mode : Mode control.

Commande de PA : Autopilot cut-out switch.

Commande de pas : Pitch control.

Commande de pas cyclique : Cyclic pitch control.

Commande de pas différentiel : Differential blade angle control.

Commande de pas général : Collective pitch control.

Commande de PC : Reheat control.

Commande de position des flettners : Directional trim tab switch.

Commande de postcombustion : Reheat control.

Commande de profondeur : Elevator control.

Commande de projecteur : Searchlight control.

Commande de puissance : Throttle control.

Commande de régulateur : Trimmer actuator.

Commande de régulation d'approche : Approach regulation control.

Commande de régulation numérique à pleine autorité : Full-authority digital control.

Commande de relais : Relay control.

Commande de richesse du mélange : Mixture control.

Commande de robinet carburant : Fuel cock control.

Commande de robinet carburant HP : High-pressure fuel cock control.

Commande de robinet haute pression : Throttle push-pull assembly.

Commande de rotor arrière : Tail rotor control.

Commande de rotor principal : Main rotor control.

Commande de secours régulation : Emergency regulation switch.

Commande de simulateur de vol à touches : Touch-activated simulator control (TASC).

Commande de stabilisateur : Tailplane control.

Commande de survitesse : Overspeed control.

Commande de tab : Trim tab control.

Commande de torsion : Torque shaft control.

Commande de train : Landing gear control.

Commande de trim : Trim actuator.

Commande de tuyère : Nozzle control.

Commande de variation d'incidence : Incidence change control.

Commande de vol : Flying control.

Commande des gaz : Throttle control. Throttle valve fuel control.

Commande des gaz [poste de pilotage] : Flight compartment throttle control.

Commande des gaz sur pylône central : Throttle lever on control pedestal.

Commande des systèmes : *voir Regard vers l'extérieur...*

Commande directe de portance : Direct lift control (DLC).

Commande électrique des volets : Electric flap actuator.

Commande hydraulique d'aileron : Aileron hydraulic power control unit.

Commande latérale directe : Direct sideforce control.

Commande manuelle : Hand control. Manual control.

Commande manuelle de radar : Radar hand controller.

Commande « marche-arrêt » : On-off control.

Commande numérique (à) : Numerically controlled (NC).

Commande par bielle : Rod control.

Commande par câble : Cable control.

Commandé par dépression : Vacuum-operated.

Commande par manche : Stick control.

Commande par volant : Wheel control.

Commande principale : Primary control.

Commande servo-assistée :
Power-assisted control.

Commande « tout ou rien » : On-off control.

Commande transparente [pilote automatique] : Override control.

Commandement des forces aériennes stratégiques : Strategic air command (SAC) [USA].

Commander : Drive (to).

Commandes conjuguées : Interlinked controls.

Commandes de compensateur : Trim controls.

Commandes de profondeur :
Fore-and-aft control.

Commandes de trim : Trim controls.

Commandes de ventilation [aux pieds du pilote] : Foot air controls.

Commandes de vol : *voir Programme de développement... Concentrateur de données des...*

Commandes de vol électriques :
Fly-by-wire (FBW) controls.

Commandes de vol électriques :
voir Dispositif de restitution...

Commandes de vol électriques numériques :
Digital fly-by-wire controls.

Commandes de vol optiques :
Fly-by-light (FBL) controls.

Commandes de vol principales :
Primary flight controls.

Commandes molles :
Slack controls. Sloppy controls.

Commissaire de bord : Purser.

Communalité : Commonality.

Communications par satellite (COMSAT) :
Satellite communication (SATCOM).

Communité : Commonality.

Commutateur : Switch. Switch inverter.

Commutateur à relais :
Relay changeover switch.

Commutateur d'engagement du pilote automatique : Autopilot engage switch.

Commutateur de compensation de dérive :
Drift compensation switch.

Commutateur de gammes d'ondes :
Band selector.

Commutateur tripolaire : Triple-pole switch.

Commuter : Commuter aircraft.

Commuter : Switch over (to).

Compagnie de lancement [d'un nouveau modèle] : Launch company [for a new model].

Compagnie de troisième niveau : Commuter airline. Regional carrier. Third-level carrier

Compagnie régionale : Commuter airline.

Compagnie régionale de transport aérien :
Regional carrier.

Comparaison d'empreintes de niveau sonore :
Noise footprint comparison.

Comparaison des coûts de cycle de vie :
Life cycle cost comparison.

Comparateur d'assiette d'instruments :
Instrument attitude comparison unit.

Comparateur-moniteur d'avertissement :
Comparator-warning monitor.

Compartiment : Bay.

Compartiment articulé :
Hinged nose compartment.

Compartiment avionique :
Avionics compartment.

Compartiment de lestage : Ballast tank.

Compartiment de logement de train :
Landing gear wheel well.

Compartiment de mise à l'air libre :
Vent surge tank.

Compartiment de queue : Tail compartment.

Compartiment électronique :
Avionics compartment.

Compartiment ventral :
Belly compartment.

Compas : Compass.

Compas d'atterrisseur : Push link.

Compas de plateau cyclique :
Swash plate scissors.

Compas de secours : Standby compass.

Compas de torsion : Torque scissors link.

Compas gyromagnétique :
Gyro compass. Gyro magnetic compass.

Compas gyroscopique : Gyro compass.

Compas inertiel : North-seeking platform.

Compas principal : Master compass.

Compensateur :
Flettner. Tab. Trim. Trim cylinder. Trim tab.

Compensateur à ressort : Spring tab.

Compensateur aérodynamique : Trim tab.

Compensateur automatique à ressort :
Geared spring tab.

Compensateur automatique d'inclinaison latérale en vol : Auto bank control.

Compensateur d'aileron : Aileron trim tab.

Compensateur d'évolution : Horn balance.

Compensateur de centrage : Trimmer.

Compensateur de commande de pas :
Blade pitch control compensator. Pitch control compensator.

Compensateur de direction :
Directional trim. Rudder trim.

Compensateur de gauchissement : Roll trim.

Compensateur de gouvernail de direction :
Rudder tab.

Compensateur de Mach : Mach trim.

Compensateur de profondeur :
Elevator trim. Pitch trim.

Compensateur de roulis : Roll damper.

Compensateur de stabilisateur : Stabilizer trim.

Compensateur de tangage : Pitch balance tab.

Compensateur de tangage manuel :
Manual pitch trim.

Compensateur de tangage réglable :
Adjustable pitch trim.

Compensateur hydraulique d'aileron :
Aileron hydraulic compensator.

Compensateur mécanique de tangage :
Mechanical pitch trim.

Compensateur pas-à-pas : Beeper trim.

Compensation : Trim.

Compensation d'empennage horizontal par commande manuelle :
Manually controlled tailplane trim.

Compensation de couple :
Torque compensation.

Compensation de vitesse : Speed correction.

Compensation en tangage : Pitch axis trim.

Compenser : Take-up (to). Trim (to).

Compléter le niveau : Replenish (to).

Compléter le plein [d'un réservoir] :
Top up (to).

Complexe de rivetage automatique programmable :
Automatic programmable riveting complex.

Comportement : Performance.

Composant : Component. Part.

Composants de turbine coulés d'une seule pièce : Integrally cast turbine components.

Composite à matrice métallique (CMM) :
Metallic-matrix composite (MMC).

Compresseur : Supercharger.

Compresseur à deux étages :
Two-stage compressor.

Compresseur à plusieurs étages :
Multi-stage compressor.

Compresseur à un étage :
Single-stage compressor.

Compresseur axial transsonique :
Axial-flow transonic compressor.

Compresseur basse pression : LP compressor.
Low pressure compressor (LPC).

Compresseur centrifuge : Turbocompressor.

Compresseur centrifuge à un étage :
Single-stage centrifugal compressor.

Compresseur centrifuge monoétage :
Single-stage centrifugal compressor.

Compresseur double : Split compressor.

Compresseur double corps :
Dual axial compressor.

Compresseur haute pression : HP compressor.
High pressure compressor (HPC).

Compte à rebours : Countdown.

Compte-tours : RPM indicator. Tachometer.

Compteur de cycles [radar] :
Cycle-rate counter.

Compteur de particules énergétiques :
Energetic particle analyser (EPA).

Compteur de vitesse : Speedometer.

Compteur-décompteur : Up-down counter.

Concentrateur de données :
System data analog computer (SDAC).

Concentrateur de données des commandes de vol : Flight control data concentrator (FCDC).

Concept de pale avançante :
Advancing blade concept (ABC).

Concept évolutif : On-going design.

Conception : Design.

Conception assistée par ordinateur (CAO) :
Computer-aided design (CAD).

Conception automatique généralisée (CAG) :
Active control technology (ACT).

Conception avancée (de) :
State-of-the-art design.

Conception de la structure : Structural design.

Conception en fonction du coût convenu :
Design-to-cost.

Conception et fabrication assistées par ordinateur (CFAO) : Computer-aided design and manufacture (CAD/CAM).

Conception modulaire : Modular design.

Condensateur à lamelle : Strip capacitor.

Condensateur variable : Variable capacitor.

Condensateur « wet-foil » : Wet-foil capacitor.

Conditions d'homologation :
Certification requirements.

Conditions de fonctionnement :
Operating conditions.

Conditions de réception : Acceptance requirements, Acceptance test specifications (ATS).

Conditions de visibilité nulles :
Zero-visibility conditions.

Conditions du vol à vue :
Contact flying rules (CFR).

Conditions ISA : Standard day.

Conditions météo de vol aux instruments :
Instrument meteorological conditions (IMC).

Conditions météorologiques du vol à vue :
Visual meteorological conditions (VMC).

Conditions minimales d'autorisation de vol :
Minimum despatch requirements.

Conditions nominales de fonctionnement : Rating.

Conduire : Drive (to).

Conduit d'air dynamique : Ram air duct.

Conduit d'échappement d'échangeur de température : Heat exchanger exhaust duct.

Conduit de décharge : Spill line.

Conduit de distribution d'air cabine : Cabin air distribution duct.

Conduit de soufflante : Fan duct.

Conduite : Duct.

Conduite d'admission : Intake manifold.

Conduite d'échappement : Exhaust ducting.

Conduite de dégivrage de soufflante : Fan section anti-icing air supply line.

Conduite de prélèvement d'air de couche limite : Boundary layer bleed duct.

Conduite de tir [armement] : Fire control.

Conduite de vidange des réservoirs : Fuel jettison duct.

Cône arrière : Tail cone.

Cône avant : Nose cone.

Cône avant isolant : Dielectric nose cone.

Cône avant pour essais au bassin des carènes : Tank-test nose.

Cône d'éjection [moteur] : Exhaust bullet.

Cône d'entrée : Spinner.

Cône d'entrée d'air : Inlet spike.

Cône d'entrée d'air de réacteur : Inlet cone. Nose dome. Engine nose dome.

Cône d'hélice : Spinner.

Cône de butée : Thrust cone.

Cône de diffusion : Propagation cone.

Cône de nez : Hinged nose compartment. Nose cone.

Cône de nez diélectrique : Dielectric nose cone.

Cône de queue : Tail cone.

Cône fixe d'entrée d'air : Intake-centre body.

Conférence Administrative Mondiale des Radiocommunications : World Administrative Radio Conference (WARC).

Configuration "canard" : Canard foil system.

Configuration d'atterrissage : Landing configuration.

Configuration des filets d'air : Aerofoil section.

Configuration lisse : Clean configuration.

Configuration reconnaissance/attaque : Scout/attack (SCAT) configuration.

Congé : Fillet.

Congé de raccordement bord d'attaque/emplanture d'aile : Wing root leading-edge fillet.

Conique : Tapered.

Conjoncteur : Switch assembly.

Connecté : On-line.

Connecteur : Socket.

Connecteur enfichable : Snap-in contact.

Connexion : Junction.

Connexion en étoile : Star connection.

Connexion en triangle : Star connection.

Connexion par jack et douille : Jack connection (JC).

Connexion volante : Jumper.

Conservateur de cap : Course indicator.Gyro compass. Gyroscopic direction indicator.

Consignes d'utilisation : Operating procedure.

Consignes d'utilisation normale : Normal operating procedure.

Console : Bracket.

Consolider : Strengthen (to).

Consommation au point fixe [carburant] : Static fuel consumption.

Consommation de carburant en vol : In-flight fuel consumption.

Consommation de kérosène en kg/siège-km : Kerosene consumption in kg/seat-km.

Consommation spécifique de carburant (Cs) : Specific fuel consumption (SFC).

Construction bilongeron : Two-spar construction.

Construction bipoutre : Two-beam construction.

Construction caisson : Box construction.

Construction « coque » : Shell construction.

Construction « sandwich » [double paroi] : Sandwich construction.

Construction semi-monocoque : Semi-monocoque design.

Contact pour connexions enroulées : Wrap contact.

Contacteur : Relay. Switch. Switching assembly.

Contacteur à course : Travel contactor.

Contacteur à trois positions : Three-switch contactor.

Contacteur anémométrique : Speed contact switch.

Contacteur de fin de course : Limit switch.

Contacteur de niveau : Level switch.

Contacteur de pied de pale : Blade hub contact switch.

Contacteur « gaz réduits » : Throttle idle microswitch.

Contacteur signalisateur de position du trim de stabilisateur : Stabilizer trim warning switch.

Contacteur statique : Solid-state switch assembly.

Contacteur tachymétrique : Tachometer switch.

Contacteur tripolaire : Three-pole switch.

Conteneur : Pod.

Conteneur amovible : Removable pod.

Conteneur canon : Gun pod.

Conteneur destiné à loger les matériaux à traiter en milieu spatial :
Orbital replaceable unit (ORU).

Conteneur logeant du carburant et de nombreux capteurs [caméra, équipement radar, détecteurs] :
Fuel and sensor tactical (FAST) pod.

Contraction : Shrinkage.

Contrainte : Strain. Stress.

Contrainte (ou tension) admissible :
Allowable stress.

Contrainte de cisaillement : Shear stress.

Contrainte de flexion : Bending stress.

Contrainte de traction : Tensile stress.

Contrainte limite de rupture : Ultimate stress.

Contrainte maximum de fatigue [métal] :
Fatigue maximum stress.

Contraste [écran radar] : Brightness ratio.

Contre-contre-mesures électroniques (CCME) :
Electronic counter-countermeasures (ECCM).

Contre-contre-mesures IR :
Infra-red counter-countermeasures (IRCCM).

Contre-ferrure : Back fitting.

Contre-fiche : Stay. Stay rod. Strut. Truss.

Contre-fiche [train d'atterrissage] : Drag strut.

Contre-fiche d'escamotage de l'atterrisseur :
Retraction strut.

Contre-fiche de jambe de train d'atterrissage avant : Nose undercarriage leg strut.

Contre-fiche de renfort : Reinforcement strut.

Contre-fiche de train : Landing gear stay.

Contre-fiche horizontale de train :
Truss member.

Contre-fiche inférieure latérale :
Lower side strut.

Contre-fiche latérale supérieure de train :
Upper side strut.

Contre-fiche rétractable : Retractable strut.

Contre-fiche supérieure de train :
Upper drag strut.

Contre-fiche télescopique : Telescopic strut.

Contre-fiche usinée de fixation du tourillon de jambe :
Trunnion leg attachment machined sheartruss.

Contrefort : Abutment.

Contre-mesures électroniques :
Electronic countermeasures (ECM).

Contre-mesures IR :
Inra-red countermeasures (IRCM).

Contre-perçage : Transfer drill.

Contre-plaque : Backplate.

Contrepoids d'équilibrage :
Mass balance weight.

Contrepoids d'équilibrage d'aileron :
Aileron mass-balance weights.

Contre-pression : Back-pressure.

Contre-quille : Keelson.

Contre-rivure : Tailing.

Contrôle : Inspection. Test.

Contrôle actif des jeux [turbine] :
Active clearance control (ACC).

Contrôle actif des réactions structurales [réduction des vibrations] :
Active control of structural response (ACSR) [vibration limiter].

Contrôle au banc : Bench check.

Contrôle automatique d'amplitude :
Automatic amplitude control (AAC).

Contrôle automatique de fréquence (CAF) :
Automatic frequency control (AFC).

Contrôle automatique généralisé (CAG) : Control configured vehicle (CCV), Configurated control vehicle (CCV).

Contrôle d'altitude : Vertical approach coupler.

Contrôle de la circulation : Traffic control.

Contrôle de la circulation aérienne :
Air traffic control (ATC).

Contrôle de la polarisation : Bias check.

Contrôle de la qualité : Quality control (QC).

Contrôle de liaison : Data link control (DLC).

Contrôle de mise en fabrication :
Accepting board.

Contrôle de qualité : Quality control (QC).

Contrôle de qualité et de fiabilité :
Quality and reliability control.

Contrôle de réception : Acceptance test.

Contrôle de recette : Acceptance check.

Contrôle du trafic : Traffic control.

Contrôle en lacet : Yaw control.

Contrôle final :
Accepting board. Final inspection.

Contrôle magnétoscopique :
Magnetic particle inspection.

Contrôle par ultrasons : Ultrasonic inspection.

Contrôle radiographique : X-ray inspection.

Contrôle visuel : Visual inspection.

Contrôleur : Monitor. Tester.

Contrôleur automatique :
Automatic test equipment (ATE).

Contrôleur d'altitude :
Altitude sensing unit (ASU).

Contrôleur d'angle de came : Dwell meter.

Contrôleur d'écran graphique :
Graphic display controller (GDC).

Contrôleur d'embardée : Yaw damper (Y/D).

Contrôleur de mélange carburant :
Fuel mixture controller.

Contrôleur intégré :
Built-in test equipment (BITE).

Contrôleur radar [circulation aérienne] :
Radar controller.

Convertible : *voir Programme de recherche...*

Convertible [hélicoptère] : Tilt-rotor aircraft.

Convertisseur ca/cc : AC/DC inverter.

Convertisseur VOR : VOR converter.

Convoyage d'avion : Ferrying.

Coque : Hull.

Coque amphibie : Amphibious hull.

Coque d'hélicoptère à bouchains vifs :
Hard chine.

Coquille d'inverseur de poussée :
Reverser bucket.

Coquille de capot : Clamshell.

Coquille de fuselage : Fuselage half-shell.

Corde aérodynamique moyenne :
Mean aerodynamic chord (MAC). Standard
mean chord (SMC).

Corde d'extrémité : Tip chord.

Corde de pale : Blade chord.

Corde moyenne de l'aile : Wing mean chord.

Cordon de soudure : Weld bead. Weld seam.

Cordon détonant de rupture de verrière :
Miniature detonating cord (MDC) canopy
breaker.

Corne : Horn.

Corne de compensation aérodynamique :
Balance horn. Horn balance.

Corne de dérive : Control surface horn.

Cornière de raidissement : Stiffener.

Cornière de reprise : Pick-up angle.

Cornière en oméga : Top-hat section.

Cornière en T : T-section.

Cornière en tôle pliée : Bent section.

Cornière en U : Channel section

Cornière en Z : Z-section.

Cornière-support : Support angle.

Corps : Body. Housing.

Corps d'amortisseur : Strut cylinder.

Corps de bielle : Rod body.

Corps de clapet : Valve body.

Corps de moyeu : Hub.

Corps de presse-étoupe de carter d'admission : Packing housing of intake casing.

Corps de réacteur : Engine spool.

Corps de valve : Valve body.

Corps des « Marines » [USA] :
US marine corps (USMC).

Correcteur altimétrique : Altitude compensator.

Correcteur altimétrique de mélange :
Mixture control.

Correcteur barométrique :
Barometric pressure control (BPC).

Correcteur d'effort [instrument] :
Pitch corrector unit.

Correcteur de Mach : Mach compensator.

Correcteur de pression : Pressure trim.

Corrosion par contact : Fretting corrosion.

Corrosion par contraintes : Stress corrosion.

Corrosion par frottement : Fretting corrosion.

Corrosion par piqûre : Pitting corrosion.

Cosse : Terminal.

Cosse à borne : Terminal lug.

Cosse de borne : Terminal stud.

Cote de profil : Profile size.

Cote de référence : Datum line.

Cote nominale : Nominal size.

« Côtelette » [argot] :
Flexible flap element. Cutlet [slang].

Cotes au gabarit : Jig dimensions.

Cotes d'encombrement : Overall dimensions.

Cotes sur plats : Across flats (A/F) dimension.

Couche limite :
voir Décrochement de bord d'attaque...

Couche limite [aérodynamique] :
Boundary layer.

Couche limite laminaire :
Laminar boundary layer.

Couche limite laminaire turbulente :
Laminar turbulent boundary layer.

Couchette [dans un poste d'équipage] :
Bunk [in a crew compartment].

Couloir : Gangway.

Couloir aérien : Flight lane.

Couloir IFR : IFR routing.

Coup de bélier : Surge.

Coupe : Cross section.

Coupé : Off.

Coupe-circuit : Cut-out.

Coupe-circuit à bain d'huile : Oil-fuse cutout.

Coupe-circuit à l'air libre : Open-fuse cutout.

Coupe-circuit thermique : Thermal cut-out.

Coupe perpendiculaire : Profile.

Coupe-tout : Master switch.

Coupelle de récupération : Scavenge cup.

Couper :
Shut down (to). Shut off (to). Switch off (to).

Couper à la longueur : Cut to length (to).

Couper le contact : Shut down (to).

Couper le moteur : Shut off the engine (to).

Couper les gaz : Chop the throttles (to).

Couple [fuselage] : Ring frame.

Couplé [mécaniquement] : Ganged.

Couple à cabrer : Download.

Couple à l'arbre de rotor :
Torque at rotor shaft.

Couple conique : Bevel gear.

Couple de fuselage : Bulkhead ring.

Couple de lacet : Yawing moment.

Couple de longeron : Spar frame.

Couple de renvoi d'angle : Bevel gear.

Couple de rotation : Torque.

Couple de serrage : Tightening torque.

Couple de torsion : Torque.

Couplé en étoile : Star-connected.

Couple fort [structure] : Hoop frame.

Couple mécanique : Torque.

Couple mobile : Removable frame.

Couple moteur : Torque.

Couple thermoélectrique : Thermocouple.

Couplemètre : Torque meter.

Coupleur d'automanette : Thrust computer.

Coupleur d'instruments : Instrument coupler.

Coupleur de faisceaux latéraux [pilote automatique] : Lateral beam coupler.

Coupleur directionnel double :
Double directional coupler.

Coupleur Mach-trim : Mach trim coupler.

Coupole de mât de rotor principal :
Main rotor mast cap.

Coupure de relais : Relay cut-off.

Courant alternatif (ca) :
Alternating current (AC).

Courant continu (cc) : Direct current (DC).

Courant d'entrée [électricité] : Input current.

Courant d'entretien : Trickle current.

Courant de Foucault : Eddy current.

Courbe de niveau : Contour line.

Courbe en baignoire : Bath-tub curve.

Courbe en chapeau de gendarme :
Bath-tub curve.

Courbe en cloche : Bath-tub curve.

Courbure : Camber. Sweep.

Couronne de butée : Thrust ring.

Couronne de démarrage du moteur :
Engine starter ring.

Couronne de liaison : Union ring.

Couronne de liaison [train d'atterrissage] :
Ring nut.

Couronne directrice d'entrée :
Intake guide vane assembly.

Couronne principale d'engrenage : Bull gear.

Courroie : Strap.

Courroie d'entraînement : Drive belt.

Courroie de ventilateur : Fan belt.

Courroie trapézoïdale : V-belt.

Course : Travel.

Course [du piston] : Stroke.

Course ascendante [piston] : Upstroke.

Course au décollage : Take-off run.

Course de piston : Piston stroke.

Coussinet : Bearing. Spherical sleeve.

Coussinet à billes : Ball bearing.

Coussinet à galets : Roller bearing.

Coussinet autolubrifiant : Journal bearing.

Coussinet cylindrique : Bearing bushing.

Coussinet sphérique : Ball cup.

Coût d'entretien direct :
Direct maintenance cost.

Coût d'entretien indirect :
Indirect maintenance cost.

Coût d'exploitation direct :
Direct operating cost (DOC).

Coût d'exploitation total :
Total operating cost (TOC).

Coût de cycle de vie : Life cycle cost (LCC).

Coût de l'entretien actif :
Active maintenance cost.

Coût total d'utilisation : Life cycle cost (LCC).

Coût total de l'entretien :
Total maintenance cost.

Coût total de l'entretien actif :
Total active maintenance cost.

Coût total de l'entretien direct :
Total direct maintenance cost.

Coût total de l'entretien passif :
Total passive maintenance cost.

Couvercle anti-turbulence de compresseur de réacteur : Windage cover.

Couvercle d'aube de distributeur :
Nozzle guide vane cover.

Couvercle d'obturation : Blanking cover.

Couvercle de raccordement : Terminal cover.

Couvercle de tourelle : Turret cover.

Couvercle équipé :
Cover assembly. Lid assembly.

Couverture radar : Radar coverage.

Couverture radar à basse altitude :
Low-altitude radar coverage.

Couverture VHF : VHF coverage.

Couvre-joint :
Butt plate. Joint cover. Junction panel.

Couvre-joint de raccord hydraulique :
Hydraulic packing back-up washer.

Craquelage : Crazing.

Craquelure : Crazing. Fine crack.

Créneau de tir : Launch slot.

Crépine : Screen. Strainer.

Crépine d'admission : Inlet screen.

Crépine de pompe : Suction filter.

Crépine en treillis : Wire mesh screen.

Creux : Recess.

Crevasse : Crack.

Crique : Crack.

Crique capillaire : Hairline crack.

Crique de fatigue [métal] : Fatigue crack.

Crique de soudure : Weld crack.

Crique fine : Hairline crack.

Crochet d'appontage : Tail hook.

Crochet délesteur de fret : Cargo release hook.

Croisière à Mach constant :
    Constant-mach cruise (CMC).

Croisière longue distance :
    Long-range cruise (LRC).

Croisière par paliers : Step cruise.

Croisillon : Spider. Strut.

Croisillonner : Brace (to).

Croquis : Drawing.

Croquis coté : Drawing dimension.

Croquis [de mise au point] : Blueprint.

Crosse d'appontage : Arrester hook.

Croûte : Scale.

Cryptophonie : VO coder (VC).

Cuisine centrale : Mid-cabin galley unit.

Culasse : Cylinder head. Yoke.

Culbuteur : Valve rocker.

Culbuteur [moteur] : Rocker arm.

Culot : Socket.

Culot de lampe : Lamp cap. Valve base.

Culotte [équipement] : Y-branch.

Cunéiforme : Wedge-shaped.

Curseur : Wiper.

Curseur de cap : Heading marker.

Curvimètre : Map measuring device.

Cuve : Housing. Tank.

Cuve de carburateur à niveau constant :
    Carburettor float chamber.

Cuvette de clapet : Valve flange.

Cuvette de graissage : Oil sump.

Cuvette de soupape : Valve cup.

Cycle de révision : Overhaul turn-round time.

Cycle de vol : Flight cycle.

Cycle de vol subsonique : Subsonic cycle.

Cycle de vol supersonique : Supersonic cycle.

Cycles de fonctionnement : Cycles since new.

Cycles de vol depuis révision ou réparation :
    Flight cycles since overhaul or rework.

Cycles depuis la dernière visite en atelier :
    Cycles since last shop visit (CSV).

Cycles depuis la pose :
    Cycles since installation (CSI).

Cycles depuis révision/réparation :
    Cycles since overhaul/rework.

Cycles entre révisions :
    Cycles between overhaul (CBO).

Cylindre à soupapes latérales : L-head cylinder.

Cylindrée : Swept volume.

D

Dais : Canopy.

Date de péremption : Cure date.

Date de polymérisation : Cure date.

Date limite de montage : Cure date.

Dé de cardan : Trunnion.

Débattement : Travel.

Débattement de traînée : Lag.

Débit : Output. Throughput.

Débit calorifique : Heat release rate (HRR).

Débit d'air massique : Air mass flow.

Débit de kérosène : F-flow.

Débit massique : Mass flow.

Débit massique [carburant] : Mass fuel flow.

Débit massique en livres/secondes :
    Mass flow rate in pounds/second (LB/SEC).

Débitmètre : Airflow meter. Flowmeter.

Débitmètre carburant : Fuel flow gage.

Débitmètre massique : Mass flowmeter.

Débitmètre volumétrique :
    Volumetric flowmeter.

Débloquer : Unlock (to).

Débloquer [écrous, vis] : Back off (to).

Débloquer [gyroscope] : Uncage (to).

Débosseler : Remove dents (to).

Déboulonner : Unbolt (to).

Déboutonnage de points de soudure :
    Peeling off of spot welding.

Débranché : Off-line.

Débranchement du PA : Autopilot disengage.

Débrancher : Switch off (to).

Débrayer : Unclutch (to).

Débris : Junk.

Débris [après une collision] :
Wreckage [after a collision].

Débris d'usure : Debris

Début de décrochage : Onset of stall.

Début de rupture par fatigue [du métal] :
Incipient fatigue failure.

Décalage : Lag.

Décalage latéral du centre de gravité :
Lateral CG shift.

Décalaminage : Decarbonizing, Descaling.

Décalé : Offset.

Décanteur huile-eau : Oil and water trap.

Décapage : Etching. Scouring.

Décapage à l'acide : Pickling.

Décapage chimique : Chemical stripping.

Décapage électrolytique : Electrolytic stripping.

Décapant : Etching agent. Stripper.

Décaper : Strip (to).

Décapotage : Uncowling.

Décélération : Deceleration.

Décentré : Off-centered. Offset.

Déchargeur d'électricité statique :
Static discharger.

Décibelmètre : Noise level meter.

Déclenchement : Priming.

Déclenchement automatique :
Automatic release.

Déclenchement instantané : Quick release.

Déclencher : Release (to). Trip (to).

Déclencheur : Initiator. Trigger. Tripping device.

Déclencheur tachymétrique :
Tachometer switch.

Décollage : Take-off.

Décollage à la masse maximale :
Full weight take-off.

Décollage à pleine poussée : Full thrust take-off.

Décollage à poussée réduite :
Reduced thrust take-off.

Décollage assisté par fusée : Jet-assisted take-off
(JATO). Rocket-assisted take-off (RATO).

Décollage aux instruments :
Instrument take-off.

Décollage avec injection [eau/méthanol] :
Wet take-off.

Décollage avec postcombustion :
Reheat take-off.

Décollage en postcombustion :
Afterburner take-off.

Décollage et atterrissage classiques :
Conventional take-off and landing (CTOL).

Décollage interrompu :
Abandoned take-off. Rejected take-off.

Décollage manqué : Aborted take-off.

Décollage nez vers le ciel :
Vertical-attitude take-off.

Décollage par vent arrière :
Downwind take-off.

Décollage par vent de travers :
Cross-wind take-off.

Décollage/remise des gaz :
Take-off/go-around (TOGA).

Décollage sauté : Jump take-off.

Décollage sur alerte : Scramble take-off.

Décollage vertical : Lift-off.

Décollage vertical et atterrissage horizontal :
Vertical take-off and horizontal landing
(VTOHL).

Décollement d'un relais :
Tripping-off of a relay.

Décollement de la couche limite :
Boundary layer separation.

Décollement des filets d'air :
Airstream separation. Shear flow.

Décollement des filets d'air en bout d'aile :
Wing tip airstream separation.

Décollement des filets d'air (vers le haut) :
Upwash.

Décollement en bout d'aile : Tip loss.

Décollement marginal : Tip stall.

Décoller : Take-off (to).

Décoller en chandelle : Rocket off (to).

Décolletage : Undercutting.

Décompresseur : Valve lifter.

Déconnecté : Off-line.

Découpage : Trimming.

Découpage à la presse : Blanking.

Découpage au chalumeau : Torch cutting.

Découpe à la presse : Press-cutting.

Découpe iso-altitude : Contour mapping.

**Découpe sur la planche de bord [pour loger un
instrument]** : Panel hole.

Découper : Trim (to).

Découplage : Uncoupling.

Décrochage : Stall.

Décrochage des pales : Blade stall.

Décrochage en accélération : Accelerated stall.

Décrochage en virage : Stall turn.

Décrochage manuel du train :
Landing gear manual release.

Décrochage tournant : Steep turn stall.

**Décrochement de bord d'attaque [discontinui-
té du bord d'attaque permettant l'activation de la couche limite]** :
Dogtooth [gap in the leading edge permitting
to activate the boundary layer].

Décrochement des filets d'air en bout d'aile :
Whipstall.

Décroutage section centrale chimiquement fraisée :
Chemically-milled centre section skinning.

Défaillance : Failure.

Défaillance aléatoire : Random failure.

Défaillance intrinsèque : Basic failure.

Défausser : Straighten (to).

Défaut : Failure.

Défaut d'alignement : Out-of-track.

Défaut d'efficacité du rotor de queue :
Loss of tail rotor effectiveness (LTE).

Défaut de conception : Design flaw.

Définition : Design.

Déflecteur : Swirl vane. Vane. Vortex spoiler.

Déflecteur à volets multiples : Cascade.

Déflecteur de jet : Jet deflector.

Déflecteur de souffle [infrastructure] :
Blast fence.

Déflecteur fixé sur réacteur pour dévier le flux des gaz, par exemple sur V/STOL :
Clangbox [deflector fitted to jet engine to divert gas flow for, e.g. V/STOL operation].

Déflexion : Wash.

Déflexion de voilure : Wing downwash.

Déflexion des filets d'air du rotor vers le bas :
Rotor downwash.

Déflexion des filets d'air vers le bas :
Downwash.

Déformation : Buckling. Strain. Warpage.

Déformation due à la flexion : Bending strain.

Déformation par traction : Tensile strain.

Dégagement : Undercut relief. Waist.

Dégager : Release (to).

Dégâts causés par des corps étrangers :
Foreign object damage (FOD).

Dégauchir : Straighten (to). True up (to).

Dégauchissage : Surface planning.

Dégazage [réservoir carburant] : Vapor relief.

Dégivrage : *voir Système de dégivrage...*

Dégivrage de prise d'air : Air inlet anti-icing.

Dégivrage des lèvres d'entrée d'air de prélèvement : Intake lip bleed air de-icing.

Dégivrage du bord d'attaque :
Leading edge de-icing.

Dégivrage du capot d'entrée d'air :
Nose cowl anti-icing.

Dégivrage nacelle : Nacelle anti-icing.

Dégivrage thermique :
Thermal anti-icing (TAI).

Dégivrage thermique d'antenne VHF :
VHF antenna anti-icing system.

Dégivrage thermique de la voilure :
Wing thermal anti-icing.

Dégivreur de pale d'hélice :
Propeller blade de-icer.

Dégivreur de pare-brise : Windshield de-icer.

Dégivreur pneumatique :
De-icing boot. Pneumatic de-icer.

Dégommage : Priming.

Dégommage du moteur : Motoring.

Dégommer le moteur : Crank the engine (to).

Dégoupiller : Remove pins (to). Unpin (to).

Dégrafer : Unclip (to).

Dégressif : Tapered.

Dégrossissage : Rough machining.

Dégroupage : Disassembly.

Délai d'exécution [d'une opération] :
Elapsed time (ELT).

Délamination : Delamination.

Délestage : Unballasting.

Délesteur : Sling.

Déligner : Trim to line (to).

Déltaplane : Hang glider.

Démagnétiser : Degauss (to).

Démarrage : Start-up.

Démarrage avec surchauffe :
Hot start. Hump start.

Démarrage direct d'un moteur :
Across the line starting [USA].

Démarrage en surchauffe : Torching.

Démarrer : Start (to).

Démarreur : Starter.

Démarreur à turbine à gaz : Gas turbine starter.

Démarreur autonome : Turbostarter.

Démarreur en étoile-triangle : Y-delta starter.

Démarreur-génératrice : Starter-generator.

Demi-aile : Wing.

Demi-aile gauche : Left-hand wing.

Demi-braquage : Half deflection.

Demi-cage de roulement à billes :
Ball bearing retainer.

Demi-carter de relais d'accessoires arrière :
Wheel-case rear half.

Demi-carter de relais d'accessoires avant :
Wheel-case front half.

Demi-coiffe : Half-nose fairing.

Demi-coupe : Half section.

Demi-voilure : Wing.

Démonstrateur [avion expérimental destiné à l'étude des techniques modernes et à la vérification de leur fiabilité] :
Demonstrator [experimental aircraft designed for studying modern techniques and checking their reliability].

Démonstrateur capable de décoller et d'atterrir entre les cratères d'une piste bombardée : Short take-off and landing/maneuver technology demonstrator (S/MTD) [a demonstrator aircraft able to take-off and land between the craters of a bombed runway].

Démonstrateur de la capsule de transport de personnel : Atmospheric reentry demonstrator (ARD) [experimental version of CTV].

Démonstration du bien-fondé de la conception : Proof of concept (POC).

Démonstration et validation : Demonstration and validation (DEM/VAL).

Démontage : Disassembly. Removal.

Démontage primaire : Initial disassembly.

Démonter : Dismantle (to). Remove (to). Strip (to). Tear down (to).

Démouler [métallurgie] : Remove from jig (to).

Densité : Specific gravity.

Dentelure : Indentation.

Dénude-fil : Stripper.

Départ en chandelle : Zooming-up.

Déporteur : Dumper. Flow spoiler. Lift dumper. Spoiler.

Déporteur de roulis : Lateral control spoiler.

Dépose : Removal.

Dépose injustifiée : Unjustified removal.

Dépose moteur prématurée : Unscheduled engine removal.

Dépose non planifiée : Unscheduled removal.

Dépose planifiée : Planned removal. Scheduled removal. Time removal.

Dépose pour cannibalisation : Cannibalization removal. Parts shortage removal. Robbery.

Dépose pour contrôle en atelier : Bench check removal.

Dépose pour modification : Modification removal.

Dépose pour recherche des causes de pannes : Trouble-shooting removal.

Dépose pour révision partielle : Section overhaul removal.

Dépose pour vérification de l'état : Condition analysis removal.

Dépose pour visite en atelier : Shop check removal.

Dépose répartie dans le temps : Time stagger removal.

Déposer : Remove (to). Tear down (to).

Déposer un plan de vol : File a flight plan (to).

Déposition électrolytique : Electrodeposition.

Dépôt : Scale.

Dépôt de carbure de tungstène sous vide à basse température [traitement des surfaces] : Chemical vapor deposition [surface treatment].

Dépôt de kérosène : Kero farm.

Dépôt électrolytique : Electrodeposition.

Dépouiller : Strip (to).

Dépressurisation de la bâche : Reservoir depressurization.

Dérangement (en) : Out of order (OOO).

Dérapage : Yaw.

Dérapage nul : Zero yaw.

Déréglementation [suppression de l'exploitation réglementée d'une ligne aérienne] : Deregulation.

Dérivation : Tap. Tapping.

Dérive : *voir Carénage d'extrémité supérieure...*

Dérive : Drift. Fin. Stabilizer. Vertical stabilizer. Vertical tail.

Dérive (à double) : Twin-fin.

Dérive angulaire : Quadrantal error.

Dérive d'empennage : Tail fin.

Dérive dorsale : Dorsal fin.

Dérive en gisement : Bearing drift.

Dérive marginale : Winglet.

Dérive ventrale : Ventral fin.

Dérive verticale : Vertical fin.

Dérivomètre : Course deviation indicator (CDI). Drift meter.

Dérouler une tôle de revêtement : Spring back a skin plate (to).

Déroutement : Track diversion.

Désaccouplement : Uncoupling.

Désamorçage [pompe] : Unpriming.

Désaxé : Off-centered. Offset. Unbalanced.

Descente en feuille morte : Falling-leaf drop.

Descente en plané : Glide descent.

Descente du train d'atterrissage par gravité : Free fall.

Description : Specification.

Déséquilibre : Imbalance.

Déséquilibré : Off-balanced. Unbalanced.

Déséquiper : Tear down (to).

Désignation : Specification.

Désignation d'objectif : Target indication.

Désignation d'objectifs transhorizon : Over-the-horizon targeting (OTHT).

Desserrer : Unlock (to).

Dessertir : Uncrimp (to).

Dessin : Design, Drawing.

Dessin de fabrication : Production drawing.

Dessin de montage : Installation drawing.

Destratification : Delamination.

Destructeur de portance : Lift dumper. Spoiler.

Destructeur de tourbillons : Vortex spoiler.

Destruction automatique de fusées en vol à partir du sol (Dispositif électronique de) : Electronic ground-automatic destruction sequencer (EGADS) [destruction of flying rockets].

Détarage : Derating.

Détaré [moteur] : Flat-rated.

Détartrage : Descaling.

Détecteur : Probe. Sensor. Transducer.

Détecteur à impulsion unique :
One-shift sensor.

Détecteur à variation d'impédance :
Impedance sensing device.

Détecteur angulaire à trois axes :
Angular three-axis rate sensor.

Détecteur axial à IR : Infra-red forward looking.

Détecteur d'efforts de cisaillement sur les axes d'atterrisseurs : Shear force detector.

Détecteur d'émissions radar :
Radar warning receiver (RWR).

Détecteur d'incendie réacteur :
Engine fire detector.

Détecteur d'incidence : Incidence probe.

Détecteur de bord magnétique anti-sous-marins : Magnetic airborne detector (MAD) [an anti-submarine magnetic device].

Détecteur de cibles mobiles :
Moving-target indicator (MTI).

Détecteur de fuites :
Leak locator. Leakage detector.

Détecteur de gyromètre :
Angular three-axis rate sensor.

Détecteur de limaille : Chip detector.

Détecteur de mauvais fonctionnement de génératrice : Generator fault detector.

Détecteur de mauvais fonctionnement des boîtes de transmission d'hélicoptères :
Helicopter gearbox failure detector.

Détecteur de particules par induction :
Inductive debris monitor (IDM).

Détecteur de position : Position detector.

Détecteur de position de commande :
Control position sensor.

Détecteur de position du manche cyclique :
Stick sensing element.

Détecteur de proximité : Proximity sensor.

Détecteur de rayonnement : Radiation sensor.

Détecteur de régime tourbillonnaire [pilote automatique] : Vortex rate sensor.

Détecteur de sous-pression :
Underpressure sensing element.

Détecteur de surchauffe : Overheat detector.

Détecteur de vibrations : Vibration detector.

Détecteur de vitesse : Airspeed sensor.

Détecteur de vitesse à masselottes centrifuges :
Centrifugal flyweight speed sensor.

Détecteur de vitesse critique (V1) :
Dynamic air-pressure detector.

Détecteur embarqué de cisaillement du vent par lidar cohérent : Coherent lidar airborne shear sensor (CLASS).

Détecteur infrarouge passif :
Passive infra-red detector.

Détecteur IR : Infra-red seeker.

Détecteur numérique d'incendie moteur :
Digital fire detection system (DFDS).

Détecteur par effet Doppler :
Target-doppler indicator (TDI).

Détecteur ponctuel de surchauffe :
Local overheat detector.

Détection, acquisition et poursuite de cibles :
Target acquisition and designation sight (TADS).

Détection automatique des pannes :
Automatic trouble-shooting.

Détection de criques par dispositif électro-magnétique : Electro-magnetic crack detection.

Détection de criques par ressuage : Crack detection through dye-penetrant inspection.

Détection de défauts par ressuage fluorescent :
Fluorescent dye crack detection.

Détection de turbulences [radar météo] :
Turbulence detection.

Détection des problèmes de flux de gaz :
EGT divergence monitoring.

Détection électromagnétique : Radio detection.

Détection et identification d'avions lointains :
Airborne early warning (AEW).

Détection et identification des anomalies de fonctionnement [commandes, systèmes et moteurs] : Cockpit emergency directed action programme (CEDAP) [detection and identification of faults in controls, systems and engines].

Détection et poursuite d'objectifs :
voir Radar aéroporté à...

Détendeur : Unloading valve.

Détendeur quadruple : Master brake cylinder.

Détente : Trigger.

Détente des contraintes : Stress release.

Détermination d'un cap : Dead-reckoning.

Détermination du centrage : CG computation.

Déterminer la position de l'avion :
Make a fix (to).

Détonateur de proximité [DCA] :
Proximity fuse [anti-aircraft defence].

Détoureuse : Routing machine.

Détournement d'avion : Hijacking. Skyjacking.

Détrompeur : Fool-proof device.

Détruire des missiles hostiles :
Zap hostile missiles (to).

Développement : Development.

Développement des avions de supériorité aérienne : High manoeuverable aircraft technology (HIMAT).

Développement technique final :
Full-scale engineering development (FSED).

Déverrouiller : Unlock (to).

Déviateur de jet : Jet deflector. Thrust spoiler.

Devis de masses : Weight breakdown.

Devis descriptif : Specification.

Dévissage : Underspeed.

Diabolo : Twin wheels.

Diabolo [roue avant ou arrière du train d'atterrissage] : Diabolo.

Diagramme de temps : Timing diagram.

Diagramme des contraintes : Stress diagram.

Diamètre de perçage : Pitch-center diameter (PCD).

Diamètre extérieur : Outside diameter (OD).

Diamètre nominal : Outside diameter of thread.

Diergol stockable : Storable bipropellant.

Diffraction côtière : Shore effect.

Diffuseur : Damper assembly. Guide vane. Nozzle. Vane. Venturi.

Diffuseur barostatique : Barostatic device.

Diffuseur d'ordres : Public address.

Diffuseur de sortie turbine : Turbine exhaust diffuser.

Diffuseur du canal de postcombustion : Afterburner diffuser fan-duct.

Diffusion des ondes radioélectriques : Scattering.

Dilueur-déviateur de jet : Jet diluter-deflector.

Dimension d'ouverture [clés] : Across flats (A/F) dimension.

Dimension de fabrication : Work size.

Dimensions des systèmes classiques d'affichage de situation horizontale : Standard flight director formats.

Dimensions totales : Overall dimensions.

Diméthyl-hydrazine dissymétrique [propulsion des engins spatiaux] : Unsymmetrical dimethyl hydrazine (UDMH) [used for spacecraft propulsion].

Diminution de l'incidence à l'extrémité de l'aile : Wash-out.

Diode : Valve.

Diplexeur d'émission : Transmit diplexer.

Directeur de vol : Flight director.

Direction : Yaw.

Direction Générale de l'Aviation Civile : Civil Aviation Authority [GB] (CAA).

Diriger un avion par radio : Vector (to).

Diriger vers ... (se) : Steer (to).

Disjoncteur : Cut-off switch.

Disjoncteur à commande "pousser/pousser" unipolaire embrochable : Clip-in unipolar push/push circuit breaker.

Disjoncteur à déclenchement libre : Trip-free circuit breaker.

Disjoncteur de sécurité : Limit switch.

Disjoncteur de sous-tension : Undervoltage protector.

Disjoncteur thermique : Thermal circuit-breaker.

Dispositif : Gear. System. Unit.

Dispositif aéroporté de contrôle des vibrations : Airborne vibration monitor (AVM).

Dispositif antivague de réservoir carburant : Fuel tank vortex suppressor.

Dispositif automatisé d'observation météo : Automated weather observation (AWO) unit.

Dispositif avertisseur de décrochage [vibrations du palonnier] : Foot thumper.

Dispositif d'alerte automatique par message vocal : Automatic voice alert device (AVAD).

Dispositif d'allumage : Ignition system.

Dispositif d'amorçage : Initiator.

Dispositif d'analyse par balayage : Scanner.

Dispositif d'arrêt de poussée : Thrust termination system.

Dispositif d'arrêt en cas de mauvais fonctionnement : Fail-safe.

Dispositif d'atténuation des charges : Load alleviation system (LAS).

Dispositif d'atterrissage automatique : Automatic landing system (ALS).

Dispositif d'augmentation de poussée : Thrust augmentor.

Dispositif d'autovérification incorporé : Built-in self-test facility.

Dispositif d'entraînement au vol : Flight training device (FTD).

Dispositif d'identification passif : Passive identification device (PID).

Dispositif d'injection au démarrage : Primer.

Dispositif d'insonorisation du moteur : Hush kit.

Dispositif de blocage de gouverne de profondeur : Elevator gust lock.

Dispositif de brouillage à balayage de fréquence : Wobbulating interference device.

Dispositif de centrage de disque de frein : Brake disc alignment jig.

Dispositif de changement de centre de pression : Centre of pressure shifter.

Dispositif de chauffe du flux froid dans la chambre de tranquillisation : Plenum chamber burning (PCB).

Dispositif de commande d'entrée d'air : Intake control system.

Dispositif de commande de la trajectoire de vol : Flight path control set (FPCS).

Dispositif de commandes électriques des freins et de guidage au sol : Brake-and-steer by wire.

Dispositif de contrôle d'allumage de réacteur : Engine ignition control unit.

Dispositif de contrôle de l'accélération :
Acceleration control unit (ACU).

Dispositif de contrôle de la poussée :
Thrust management system (TMS).

Dispositif de contrôle des freins et de la séquence de roulage sur piste :
Brake steering control unit (BSCU).

Dispositif de contrôle optique de train : Landing gear down lock visual check installation.

Dispositif de coupure [électrique] :
Cut-off device.

Dispositif de coupure de l'arrivée d'essence :
Fuel cut-off.

Dispositif de décharge de gaz :
Gas bleed-off device.

Dispositif de dégivrage de bord d'attaque :
Lip de-icer.

Dispositif de dénébulation :
Fog dispersal device.

Dispositif de désembuage :
Demisting equipment.

Dispositif de détection et d'avertissement d'émissions radar :
Detection and tactical alert of radar (DATAR).

Dispositif de détection et d'enregistrement de l'état du moteur :
Engine diagnostic unit (EDU).

Dispositif de dosage : Metering unit.

Dispositif de dosage du carburant :
Fuel metering device.

Dispositif de flottaison de secours pour hélicoptère :
Helicopter emergency buoyancy bag.

Dispositif de hissage des volets de profondeur :
Elevator hoist.

Dispositif de largage :
Jettison device. Release device.

Dispositif de largage de charges lourdes :
Heavy load release system.

Dispositif de mesure de distance :
Distance measuring equipment (DME).

Dispositif de mesure de distance associé à un VOR : Tactical aerial navigation-distance measuring equipment (TACAN-DME)

Dispositif de mise en oeuvre des munitions :
Stores management system (SMS).

Dispositif de mise en tension des barres de torsion : Torque bar stressing fixture.

Dispositif de montage : Installation device.

Dispositif de protection contre les surcharges thermiques :
Thermal overload protection device.

Dispositif de ralenti : Idling unit.

Dispositif de rappel dans l'axe [roue avant] :
Wheel centered device.

Dispositif de rattrapage automatique d'usure :
Automatic wear-taker.

Dispositif de rattrapage de jeu automatique :
Automatic play-taker.

Dispositif de refroidissement à cycle vapeur :
Vapor cycle cooling unit.

Dispositif de réglage : Trimming device.

Dispositif de régulation du moteur :
Hydromechanical unit (HMU).

Dispositif de régulation numérique du moteur : Engine control unit (ECU).

Dispositif de restitution des sensations du pilotage destiné à équiper les avions munis de CDVE [commandes de vol électriques] :
Pilot's stick sensor assembly (PSSA) [for aircraft fitted with FBW controls].

Dispositif de secours : Back-up device.

Dispositif de signalisation d'obstacles pour hélicoptères : Helicopter obstacle warning device (HOWD).

Dispositif de surveillance : Monitor.

Dispositif de surveillance de la température des batteries :
Battery temperature monitoring.

Dispositif de surveillance des vibrations du moteur : Engine vibration monitoring (EVM).

Dispositif de traitement des données de vol collectées par le DFDAU :
Data management unit (DMU).

Dispositif de transfert du circuit d'orientation : Steering shift system.

Dispositif de verrouillage :
Interlock device. Locking device.

Dispositif de verrouillage à crans :
Snap-in locking device.

Dispositif de vidange rapide : Jettison gear.

Dispositif de visée : Aiming device. Gunsight system. Sight unit.

Dispositif de visée nocturne :
Clip-on night device (CND).

Dispositif de visualisation des données de navigation, de pilotage et de tir monté sur le casque :
Helmet airborne display and sight (HADAS).

Dispositif de visualisation par fibre optique monté sur casque : Fiber-optic helmet-mounted display (FOHMD).

Dispositif électronique d'enregistrement :
Recorder electronic unit (REU).

Dispositif éliminateur de signaux parasites [radar] : Anti-clutter (AC).

Dispositif enregistreur de données relatives à la maintenance : Maintenance data recorder.

Dispositif hypersustentateur :
High-lift device. Lift augmenting device. Lift-improvement device.

Dispositif indicateur de débit :
Flow indicating unit.

Dispositif lance-leurres : Flare launcher device.

Dispositif limiteur de vrille et d'incidence :
Spin and incidence limiting system.

Dispositif numérique de collecte des données de vol relatives à la sécurité de l'avion :
Digital flight data acquisition unit (DFDAU).

Dispositif permettant d'augmenter la puissance du moteur quand l'avion vole avec une incidence critique :
Alpha-floor [a device to increase the engine power when the aircraft is flying with a critical incidence angle].

Dispositif régulateur d'entrée d'air :
Inlet control system.

Dispositif servo-amortisseur :
Stability augmentation system (SAS).

Dispositif vide-vite : Jettison system.

Disposition des pistes : Runway pattern.

Disque balayé par l'hélice : Propeller disc.

Disque (ou cercle) balayé par l'hélice :
Disc area.

Disque de frein : Brake disc.

Disque de rotor : Rotor disc.

Disque régulateur [gyro] : Regulating rim.

Distance accélération-arrêt disponible :
Accelerate-stop distance available (ASDA).

Distance d'atterrissage disponible :
Landing distance available (LDA).

Distance dans l'air [entre isolants] : Air gap.

Distance de décollage : Take-off distance.

Distance de décollage avec franchissement d'obstacle de 50 pieds :
Take-off distance to 50 ft.

Distance de roulage avant la vitesse de sécurité :
Take-off distance prior to safety speed.

Distance entre électrodes : Spark gap.

Distance franchissable : Range.

Distance utilisable au décollage :
Take-off distance available (TODA).

Distances de décollage et d'atterrissage réduites : Reduced take-off and landing (RTOL).

Distinction décernée aux industriels réduisant les coûts de production [sans nuire à la qualité et aux normes de sécurité] : Value engineering (VE) [award granted to manufacturers cutting production costs while respecting quality and safety standards].

Distributeur : Nozzle. Valve.

Distributeur de commande de direction :
Steering servo-valve.

Distributeur de direction :
Steering metering valve.

Distributeur de raccordement :
Terminal board assembly.

Distributeur de séquence de train :
Landing gear sequencing distributor.

Distributeur de servodyne :
Actuator control valve.

Distributeur de turbine :
Turbine nozzle. Turbine nozzle guide vane.

Distributeur quadruple de frein :
Master brake cylinder.

Distribution : Timing.

Document de suivi technique :
Engineering follow-up document.

Document définissant les modalités de maintenance d'un type d'avion : Maintenance review board document (MRBD).

Documentation technique : Technical data.

Documents de base relatifs au matériel :
Technical manuals.

Doigt de déclenchement : Trip arm.

Doigt Venturi : Venturi finger.

Domaine de tir : Firing envelope.

Dôme radar : Radome.

Dôme rotatif : *voir Rotodôme...*

Domino [électricité] : Split fitting.

Données de vol : *voir Boîtier de détection... Dispositif de traitement... Dispositif numérique...*

Données techniques : Technical data.

Doseur de réchauffe : Reheat fuel metering unit.

Double bang : Supersonic boom.

Double commande : Dual control.

Double corps :
Twin-shaft. Twin-spool. Two-spool.

Double dérive : Twin-tail surfaces.

Double système inertiel à composants liés :
Dual strap-down inertial system.

Douille : Bush. Jack. Socket.

Douille de traversée : Bushing nipple.

Douille entretoise : Spacer bushing.

Douille filetée :
Threaded insert. Threaded sleeve.

Douille taraudée : Threaded insert.

Douille terminale conductrice : Wiring socket.

Douille voleuse : Lamp adaptor.

Drapeau d'alarme : Warning flag.

Drapeau d'alarme ou d'avertissement [sur instruments] : Alarm flag.

Drapeau d'alignement des pales :
Tracking pole.

Drapeau d'amortisseur de lacet :
Yaw damper warning flag.

Drapeau de panne VOR : VOR fail flag.

Dressage : Surfacing.

Dresser : Straighten (to).

Dresser [une surface] : True up (to).

Droit, Droite (à) (de) : Right hand (R/H).

Droite : Starboard (STB).

Droits d'atterrissage : Landing rights.

Drone : Drone.

Drone télépiloté :
Remotely piloted vehicle (RPV).

Dural : Duralumin.

Duralumin : Duralumin.

Durcissement [métallurgie) : Strain hardening.

Durcissement par trempe [métallurgie] :
Quench hardening.

Durée d'autorotation du réacteur avant l'arrêt : Engine coasting downtime.

Durée d'escale : Turnaround time.

Durée de service : Service life.

Durée de service prévue :
Projected operational life.

Durée de vie : Service life.

Durée de vie en fatigue : Fatigue life.

Durée de vie estimée : Estimated service life.

Durée de vie moyenne :
Mean service life (MSL).

Durée de vie théorique : Design life.

Durée de vie utile : Constant failure rate period.

Durée moyenne de réparation :
Mean repair time (MRT).

E

Ebarber : Remove burrs (to). Trim (to).

Ebarbeuse : Trimming machine.

Ebauchage : Rough machining.

Ebauche : Blank.

Ebauche à la fraise : Rough milling.

Ebauche coulée : Blank casting.

Ebauche forgée : Blank forging.

Ebauche matricée : Drop forging.

Ebavurage : Deburring.

Ebavurage au tonneau : Tumbling.

Ebavurer :
Deburr (to). Remove burrs (to). Trim (to).

Ebrèchement : Chipping.

Ebrécher : Dent (to).

Ecaillage :
Chafing. Peeling off. Scaling. Spalling.

Ecartement des électrodes de bougie :
Spark plug gap.

Ecartement des rivets : Rivet pitch.

Ecartement entre rotor et dérive [hélicoptère] : Fin separation distance.

Echancrure : Indentation. Undercut relief.

Echange standard : Routine replacement.

Echangeur de prérefroidissement :
Bleed air precooler.

Echangeur thermique d'air de prélèvement :
Bleed-air heat exchanger.

Echappée de roulis : Wing rocking.

Echappement : Exhaust. Outlet.

Echappement des gaz : Gas exhaust.

Echappement du moteur : Engine exhaust.

Echauffement cinétique : Kinetic heating.

Echauffement du moteur en régime transitoire : Transient heating.

Echelle : Scale.

Echelle : *voir Système de surveillance de l'environnement... Version à échelle...*

Echelle d'incidence [réglage du stabilisateur à incidence variable] : Incidence scale [setting of variable incidence stabilator].

Echelle des fréquences : Frequency range.

Echo aléatoire (radar) : Random signal (radar).

Echo radar : Radar echo.

Eclairage d'atterrissage et de roulage :
Landing and taxi lights.

Eclaté : Exploded view.

Eclateur : Spark arrester. Spark gap.

Eclisse : Splice.

Eclisse de raccordement transversal :
Transverse junction splice.

Eclisse de semelle de longeron :
Spar boom splice.

Ecope : Scoop.

Ecorché : Cutaway view. Sectional view.

Ecorchure : Galling. Nick.

Ecoulement : Throughput.

Ecoulement d'air : Airflow.

Ecoulement laminaire : *voir Pod à écoulement...*

Ecouteur : Earphone. Headset.

Ecoutille : Hatch.

Ecoutille d'évacuation [amerrissage forcé] :
Ditching hatch.

Ecran : Scope. Screen. Visor.

Ecran à plasma : Plasma display.

Ecran central de situation tactique [appelé à remplacer l'indicateur cartographique] : Central tactical electronic display.

Ecran couleur sensible [pour opérateurs ATE] : Color touch-sensitive screen.

Ecran d'affichage de messages d'alarme et de la check-list associée : Electronic centralized aircraft monitor (ECAM).

Ecran d'atterrissage tête haute : Head-up landing display.

Ecran de clavier : Keyboard display.

Ecran de pilotage : Primary flight display. Pilot flight display (PFD).

Ecran de protection : Shield.

Ecran de situation tactique : Tactical situation display (TSD).

Ecran de visualisation : Cathode-ray tube (CRT). Visual display unit (VDU).

Ecran de visualisation à matrice active : Active matrix liquid crystal display.

Ecran de visualisation des paramètres de navigation : Navigation display (ND).

Ecran de visualisation des paramètres primaires de vol : Primary flight display (PFD).

Ecran de visualisation tête basse à cristaux liquides : Liquid-crystal head-down display.

Ecran exempt de tout écho parasite : Clutter-free display.

Ecran multifonction : Multi-purpose display (MPD). Multifunction display (MFD).

Ecran pare-chaleur : Heat shield.

Ecran plat à cristaux liquides : Flat liquid crystal display.

Ecran pour pilotage sans visibilité : Blind flying hood.

Ecran radar : Radar display. Radar scope.

Ecran radar : *voir Balayage de...*

Ecraser (s'-) : Crash (to).

Ecrou à oreilles : Thumb nut. Wing nut.

Ecrou à pattes : Tab nut.

Ecrou autofreiné : Elastic stop nut.

Ecrou conique : Tapered nut.

Ecrou crénelé : Castellated nut.

Ecrou-croisillon : Trunnion nut.

Ecrou cylindrique du carter de compresseur : Compressor casing cylindrical nut.

Ecrou d'assemblage : Union nut.

Ecrou d'attache de l'aile principale : Main wing attachment nut.

Ecrou de blocage : Ring nut.

Ecrou de blocage de roulement : Bearing locking nut.

Ecrou de raccord de tuyauterie : Union nut.

Ecrou de réglage de friction du manche : Stick friction nut.

Ecrou indessérable : Elastic stop nut.

Ecrou moleté : Knurled nut.

Ecrou Nylstop : Nylstop self-locking nut.

Ecrou papillon : Wing nut.

Ecrou raccord : Union nut.

Ecrouissage : Hammering.

Effacement de sécurité du train : Landing gear safety override.

Effacement des spoilers : Spoiler down travel.

Effacer la piste [navigation] : Overshoot the runway (to).

Effacer une interdiction : Override (to).

Effet de compressibilité en bout de pale : Tip blade compressibility effect.

Effet de masque : Blanking effect.

Effet de masse : *voir Ensemble des connexions...*

Effet de sol : Ground effect.

Effet de sol (DES) (dans l'-) : In ground effect (IGE).

Effet de vague [dans réservoir carburant] : Surge effect [in fuel tank].

Effet pogo [oscillations longitudinales des lanceurs spatiaux dues, en particulier, aux vibrations du moteur] : Pogo effect [longitudinal oscillations induced in launch vehicles, mainly due to engine vibrations].

Effilé : Tapered.

Effilement de l'aile : Wing taper.

Effort : Stress.

Effort au manche : Stick force.

Effort de cisaillement : Shearing stress.

Effort de torsion : Torsion load.

Effort sur le manche : Stick load.

Effritement : Spalling.

Ejectable : Jettisonable.

Ejecter : Jettison (to).

Ejecteur aérodynamique/poussée orientée : Ejector lift/vectored thrust (ELVT).

Ejecteur de paillettes [brouillage des radars ennemis] : Chaff dispenser [radar jamming].

Ejecteur de sous-munitions : Submunition dispenser.

Ejecteur multiple : Multiple ejector rack (MER).

Ejection des gaz par l'arrière de la voilure : Air deflection and modulation (ADAM).

Electro-aimant : Solenoid.

Electro-distributeur : Solenoid valve block assembly.

Electro-robinet : Solenoid valve.

Electro-robinet d'accélération de tuyère : Solenoid valve for nozzle opening acceleration.

Electro-robinet d'allumage : Ignition solenoid valve.

Electrode auxiliaire : Threader bar.

Electrodéposition : Electroplating.

Electroformage : Electro-forming.

Electronique de bord numérique :
Digital avionics.

Electronique de secteur de poussée :
Thrust quadrant electronics.

Electroplastie : Electroplating.

Electrorégulateur de débit [carburant] :
Fuel flow control block.

Electrorégulation d'allumage de postcombustion : Afterburner ignition solenoid valve.

Electrorobinet correcteur de poussée :
Thrust corrector solenoid valve.

Electrorobinet de clapet de décharge :
Relief solenoid valve.

Electrorobinet de démarrage :
Starter solenoid valve.

Electrovalve : Electrovalve. Solenoid valve.

Electrovalve d'effacement :
Withdrawal solenoid.

Electrovanne : Electrovalve.

Electroventilateur : Electric fan.

Elément : Component. Part. Unit.

Elément à remplacement rapide :
Quick-change unit.

Elément de bec de bord d'attaque :
Leading edge slat segment.

Elément de soutien de réservoir souple :
Fuel cell backing board.

Elément de structure : Structural component.

Elément de structure longitudinal : Longeron.

Elément enfichable [électricité] : Plug-in unit.

Elément important d'entretien :
Maintenance significant item (MSI).

Elément important de structure :
Structurally significant item (SSI).

Elément moulé : Moulded structure.

Elément nid d'abeille en papier NOMEX pour structures en sandwich : Nomex paper core material for sandwich structure.

Elément récupérable :
Recoverable item. Salvageable item.

Elément remplaçable en escale :
Line replaceable unit (LRU).

Elément réparable : Repairable item.

Elément transmetteur : Transducer.

Elément transversal : Transverse member.

Eléments et équipements d'avion : Structural components and aircraft equipment.

Elevon : Elevon.

Elevon externe : Outboard elevon.

Elevon interne : Inboard elevon.

Elingue : Sling.

Elingue de chargement : Cargo sling.

Elingue de fret : Freight sling.

Emballement du moteur : Racing.

Emballer le moteur : Race the engine (to).

Embardée : Yaw.

Embase : Mount.

Embiellage : Linkage. Rod assembly.

Embiellage de liaison des volets :
Flap interconnect linkage.

Embout : Bush. End fitting. Stub. Tip. Union.

Embout à rotule : Ball bearing rod end.

Embout à sertir : Stud terminal.

Embout cannelé : Splined end.

Embout d'admission de la fente de bord d'attaque : Rotating leading-edge receiver.

Embout d'articulation : Hinge fitting.

Embout de bielle : Rod end.

Embout de tube : Tube end.

Embout de tuyauterie : Nipple.

Embout double de tuyère multivolet :
Multi-flap nozzle double rod end.

Embout dynamométrique :
Torque wrench adapter.

Embout fileté : Threaded end.

Embout orientable : Swivel joint.

Embout taraudé : Tapped end.

Emboutir : Stamp (to). Swage (to).

Emboutissage à la presse : Press drawing.

Embrayage à friction : Slip clutch.

Embrèvement par rivet : Rivet dimpling.

Emetteur : Transmitter. Xmitter.

Emetteur à magnétron : Magnetron transmitter.

Emetteur IR modulaire : Modularized infra-red transmitting set (MIRTS).

Emetteur omnidirectionnel :
Omni-range transmitter.

Emetteur-pilote d'impulsions : Interrogator.

Emetteur-récepteur : Transceiver. Transmitter-receiver. Transreceiver. XMTR.

Emetteur-récepteur aéroporté :
Airborne transceiver.

Emetteur-récepteur du contrôle de la circulation aérienne :
Air traffic control (ATC) transponder.

Emetteur-récepteur relais combiné :
Interrogator-responder-transponder.

Emetteur-récepteur VHF :
VHF communication transceiver.

Emetteur-répondeur :
Transmitter-responder. Transponder.

Emetteur/localisateur de détresse :
Emergency locator transmitter (ELT).

Emettre : Transmit (to).

Emission sur BLU [bande latérale unique] :
Single-sideband (SSB) transmission.

Emmanchement dur : Tight fit.

Emmanchement en sapin [aube de turbine] : Fir-tree root.

Empattement : Track. Wheel base.

Empennage : Fin. Stabilizer. Tail. Tail empennage. Tail unit.

Empennage : *voir Oscillations de l'empennage... Roquette aéroportée...*

Empennage à poutre : Boom tail.

Empennage en T : T-tail.

Empennage en V : V-tail.

Empennage horizontal : Horizontal stabilizer. Horizontal tail. Stabilator. Stabilizer. Tailplane.

Empennage horizontal entièrement mobile : All-moving horizontal tailplane.

Empennage mobile automatique : Stabilator.

Empennage vertical : Vertical stabilizer. Vertical tail.

Empennage vertical à deux dérives : Twin vertical tail.

Emplanture d'aile : Stub plane. Wing root.

Emplanture de pale : Blade root.

Empochement : Bay. Recess.

Empreinte : Indentation.

Empreinte de bille : Brinelling.

En biseau : Tapered.

En ligne de vol : Level flight position.

En porte-à-faux : Back-balanced.

En saillie : Projecting.

En sens inverse des aiguilles d'une montre : Counterclockwise (CCW).

Encadrement : Frame.

Encadrement de hublot : Window frame.

Encadrement du tableau de bord : Instrument panel coaming.

Encadrement [tableau de bord, pare-brise, etc.] : Coaming.

Encastrement de l'aile : Wing socket.

Encliquetage à bille : Spring ball-fitted pawl.

Encoche : Nick.

Encrassé : Clogged up.

Encrassement des bougies d'allumage : Plug fouling.

Endoscope [inspection de moteurs sans démontage] : Borescope.

Energie : Power.

Enfant non accompagné effectuant un trajet aérien sous la surveillance du personnel de bord : Unaccompanied minor (UM) [a child travelling by plane under the care of the crew].

Enficher : Plug-in (to).

Enfoncement : Dent.

Enfoncer : Dent (to).

Engin : Rocket. Vehicle.

Engin-cible : Target. Target drone.

Engin-cible supersonique [2,5 Mach] évoluant à basse altitude, destiné à tester les moyens de défense des navires américains] : Supersonic low-altitude target (SLAT) [2.5 Mach target missile flying at a low altitude, designed to test the means of defense of US ships].

Engin-cible supersonique réutilisable évoluant à altitude moyenne : Medium altitude supersonic target (MAST) [USA].

Engin d'essais hypersoniques : Hypersonic test vehicle (HTV).

Engin piloté par fibre optique : Fiber optic guided missile (FOG-M).

Engin spatial : Spacecraft.

Engin tactique : Short-range attack missile (SRAM).

Engin téléguidé : Drone. Unmanned vehicle.

Engin télépiloté : Drone. Remotely piloted vehicle (RPV).

Engin tueur à énergie cinétique : Kinetic killer vehicle (KKV).

Engins, satellites ou avions espions : Electronic intelligence (ELINT).

Engrenage : Gear.

Engrenage à chevrons : V-gear.

Engrenage à crémaillère : Rack gear.

Engrenage à vis sans fin : Worm gear.

Engrenage anti-jeu : Anti-backlash gearing.

Engrenage conique : Bevel gear.

Engrenage conique à denture hélicoïdale : Spiral bevel gear.

Engrenage cylindrique : Spur gear.

Engrenage cylindrique sans déport : X-zero cylindrical gear pair.

Engrenage de commande ou de transmission : Driving gear.

Engrenage de démultiplication : Reduction gear.

Engrenage de distribution : Timing gear.

Engrenage de prise directe : Direct drive high gear.

Engrenage de transmission principal : Main transmission gearbox.

Engrenage droit : Spur gear.

Engrenage hypoïde : Hypoid gear.

Engrenage planétaire : Planet gear.

Engrenage principal en spirale de réducteur : Main input spiral bevel gear.

Enjoliveur : Wheel cap.

Enlèvement : Removal.

Enlever : Remove (to). Strip (to).

Enlever des pièces d'un appareil pour les remonter sur un autre : Cannibalize (to).

Enlever le morfil : Remove burrs (to).

Enlever les réserves :
Trim to final dimensions (to).

Enregistreur de conversation dans le cockpit :
Cockpit voice recorder (CVR).

Enregistreur de données de vol de type "en boucle fermée" :
Scratch-foil flight-data recorder.

Enregistreur de paramètres de vol :
Data recorder.

Enregistreur de rafales de vent verticales :
Vertical gust recorder.

Enregistreur de vol : Flight recorder.

Enregistreur des paramètres de vol :
Flight data recorder (FDR).

Enregistreur embarqué de données de vol et de maintenance :
Quick-access recorder (QAR).

Enregistreur graphique [surveillance de l'évolution de certains indicateurs de bord] :
Plotting unit [airborne indicators monitoring].

Enregistreur numérique de données de vol :
Digital flight data recorder (DFDR).

Enregistreur numérique haute densité :
High-density digital recorder.

Enrichisseur de mélange : Mixture primer.

Enroulement : Winding.

Enroulement de déclenchement : Trip coil.

Enroulement de tuyauterie : Tubing coil.

Enroulements de connexions : Wire wrap.

Ensemble : Assembly. Shipset. Unit.

Ensemble aérofrein : Spoiler assy.

Ensemble allumeur : Igniter unit.

Ensemble central de surveillance des systèmes de bord :
Central integrated test system (CITS).

Ensemble compas de train : Torsion link assy.

Ensemble cyclique : Swash-plate assembly.

Ensemble d'embiellage et de tringlerie d'aileron :
Aileron bellcrank and push-pull assembly.

Ensemble d'instruments de vol électroniques :
Electronic flight instrument system (EFIS).

Ensemble de balises d'émetteur :
Transmitter beacon assembly.

Ensemble de bras enrouleur :
Winder arm assembly.

Ensemble de détection : Detector package.

Ensemble de largage :
Eject unit assembly launch tube.

Ensemble de planification de missions :
Total avionics briefing system (TABS).

Ensemble des connexions électriques entre les parties métalliques de l'avion visant à augmenter l'effet de masse : Aircraft bonding [electrical connections between the aircraft metal parts to increase mass effect].

Ensemble des équipements de mission :
Mission equipment package (MEP).

Ensemble détecteur de dérapage :
Sideslip vane assembly.

Ensemble du dispositif de balayage de l'antenne radar : Antenna scanning assembly.

Ensemble électronique de commandes de vol :
Flight control electronic package (FCEP).

Ensemble électronique limiteur de couple et de température de tuyère :
Engine limiter unit (ELU).

Ensemble émetteur-récepteur : Two-way radio.

Ensemble en étoile : Spider body.

Ensemble fuselage inférieur :
Fuselage keel assembly.

Ensemble hors nomenclature :
Non-listed assembly (NLA).

Ensemble hublot : Window assembly.

Ensemble intégrateur : Integrator assembly.

Ensemble motoréducteur : Geared motor.

Ensemble radar : Radar unit.

Ensemble supérieur attenant :
Next higher assembly (NHA).

Entablement : Windshield frame section.

Entaille : Dent. Nick.

Entaille de voilure : Notch fence.

Entailler : Dent (to).

Entièrement opérationnel après deux pannes successives : Fail-operational-squared.

Entièrement transistorisé : Wholly solid-state.

Entraînement : Drive.

Entraînement à vitesse constante :
Constant speed drive (CSD).

Entraînement au pilotage assisté par ordinateur : Computer-based training (CBT).

Entraînement de génératrice : Generator drive.

Entraîner : Drive (to).

Entraxe des pistes : Track pitch.

Entre-axes : Center-to-center distance.

Entrée : Intake. Inlet. Input. Throat.

Entrée d'air : Air inlet, Air intake.

Entrée d'air auxiliaire : Blow-in door.

Entrée d'air de soufflante de turbine :
Turbine-blower intake.

Entrée d'air de ventilation : Vent inlet.

Entrée (ou prise) d'air du réacteur :
Engine air intake.

Entrée d'air dynamique : Ram air inlet.

Entrée d'air moteur fixe :
Fixed geometry engine air intake.

Entrée d'air polyvalente [moteur] :
Multi-purpose air intake.

Entrée d'air variable :
Variable-geometry air intake.

Entrée d'air variable [structure] : Variable-geometry inlet.

Entrée de filetage : Thread lead-in.

Entrée de piste : Runway threshold.

Entrée du répéteur : Transponder input.

Entrefer [entre pièces métalliques] : Air gap.

Entrer dans le circuit d'attente : Take up the hold (to).

Entretenir : Service (to).

Entretien : Maintenance. Upkeep.

Entretien au sol : Ground maintenance.

Entretien courant : Servicing.

Entretien courant non périodique : Unscheduled servicing.

Entretien courant périodique : Scheduled servicing.

Entretien d'escale : Line maintenance.

Entretien de piste : Ramp service.

Entretien non planifié : Unscheduled maintenance.

Entretien périodique : Routine maintenance.

Entretien planifié et non planifié : Scheduled and unscheduled maintenance.

Entretien selon l'état : On-condition maintenance.

Entretien sur piste : Field maintenance.

Entretien systématique : Planned maintenance.

Entretoise : Brace. Spacer. Strut.

Entretoise de jambe de train avant : Nose undercarriage leg strut.

Entretoise (d'écartement) : Jackstay.

Entretoise de support du moteur : Engine bearer strut.

Enveloppe : Housing. Jacket. Shroud.

Enveloppe de rallumage : Relight envelope.

Enveloppe de réchauffage du carburateur : Carburettor jacket.

Enveloppe de turbine : Turbine shroud.

Envergure : Span.

Envergure de la voilure : Wing span.

Envol : Take-off.

Envoler (s'-) : Take-off (to).

Eolienne : Windmill.

Epaisseur de la couche limite : Thickness of boundary layer.

Epaisseur relative : Thickness ratio.

Epaisseur relative d'un profil aérodynamique : Thickness-chord ratio.

Eperon : Spur.

Epinglage [avant rivetage] : Fastening.

Epinglage [avant soudage] : Tack welding.

Epingler : Clamp (to). Pin (to). Temporarily attach (to). Temporarily fasten (to).

Epissure : Splice.

Epreuve : Test. Test run.

Eprouvette : Test piece. Test specimen. Test tube.

Eprouvette d'essai : Test sample.

Eprouvette de traction : Tensile test specimen.

Epurateur : Strainer.

Equilibrage : Trim. Trimming.

Equilibrage des charges : Load balance.

Equilibrage dynamique : Dynamic balancing.

Equilibrage statique : Static balance.

Equilibre : Balance.

Equilibrer : Trim (to).

Equilibrer l'avion : Trim the aircraft (to).

Equilibreur : Trimmer.

Equipe d'opérateurs des systèmes acoustiques de bord : "Wet team" [a team of acoustic systems operators].

Equipement : Attachment. Unit.

Equipement aéroporté de visée thermique et de désignation laser : Thermal imaging airborne laser designator (TIALD).

Equipement anticollision aéroporté : Traffic/collision alert device (T/CAD).

Equipement cellule : Airframe equipment.

Equipement conforme aux normes militaires : Mil-spec equipment.

Equipement d'essai automatique : Automatic test equipment (ATE).

Equipement d'essai incorporé : Built-in test equipment (BITE).

Equipement d'essai polyvalent : Multiple purpose test equipment.

Equipement d'essais au sol : Ground test equipment.

Equipement de bord : Airborne equipment. On-board equipment.

Equipement de bord avertisseur d'émissions laser [hélicoptères] : Helicopter laser warning equipment (HLWE).

Equipement de contrôle automatique des commandes : Digital automatic stabilization equipment (DASE).

Equipement de détection d'alerte : Threat warning equipment (TWE).

Equipement de détection de pannes : Trouble detection unit.

Equipement de gestion des communications : Communications management unit (CMU).

Equipement de mise sur vérin : Jack-up equipment.

Equipement de mission : Role equipment.

Equipement de navigation à imagerie thermique : Thermal imaging navigation set (TINS).

Equipement de pointage : Aiming equipment.

Equipement de remplacement en escale : Line replaceable unit (LRU).

Equipement de sauvetage : Rescue equipment.

Equipement de secours : Emergency equipment.

Equipement de stabilisation automatique : Automatic stabilization equipment (ASE).

Equipement de support de bord : Airborne support equipment (ASE).

Equipement de surveillance et d'enregistrement des incidents de vol : Flight incident recorder and monitoring set (FIRAMS).

Equipement de surveillance et d'enregistrement du fonctionnement des moteurs : Engine monitoring and recording equipment.

Equipement de survie : Survival kit.

Equipement électronique de bord : Avionics.

Equipement IFF : Interrogator set.

Equipement modulaire de test automatique : Modular automatic test equipment (MATE).

Equipement remplaçable en atelier : Shop replaceable unit (SRU).

Equipementier : Equipment manufacturer.

Equipements électroniques : Aviation electronics.

Eraflure : Chafing. Nick. Scoring.

Ergol : Propellant.

Ergol cryotechnique : Cryogenic propellant.

Ergol de refroidissement : Chilldown propellant.

Ergot : Spigot. Spur. Stub.

Ergot conique : Taper spigot.

Ergot d'arrêt : Stop pin.

Ergot d'entraînement de couvercle de tourelle : Turret cover drive pin.

Ergot fileté : Threaded pin.

Erreur de montage : Build error.

Erreur de relèvement causée par la diffraction de l'onde de sol : Ground-path error.

Escadre de reconnaissance tactique : Tactical reconnaissance wing (TRW).

Escadrille : Flight.

Escadrille de reconnaissance tactique : Tactical reconnaissance squadron (TRS).

Escale : Stop. Stopover.

Escale commerciale : Traffic stop.

Escale technique : Technical stopover.

Escalier d'accès : Access stairway.

Escalier d'accès incorporé à l'appareil : Airstair.

Escamotage du train : Landing gear retraction.

Espace aérien contrôlé : Controlled airspace.

Espace aérien inférieur : Lower airspace.

Espace aérien non contrôlé : Uncontrolled airspace.

Espace aérien supérieur : Upper airspace.

Espace entre deux axes de piste [non inférieur à 2000 pieds] : No transgression zone (NTZ) [a space of at least 2000 ft between two runway centerlines].

Espace extra-atmosphérique : Outer space.

Espacement : Clearance.

Essai : Test.

Essai à blanc : Dummy run.

Essai à l'entrave : Tethered trial.

Essai à pleine puissance [moteur] : Full-power test run.

Essai à vide : Off-load test.

Essai au banc : Bench test.

Essai au point fixe : Run-up test.

Essai au sol : Ground test.

Essai avec forte incidence : High angle of attack test.

Essai d'adhérence : Bonding test.

Essai d'amortisseur de rafales : Gust-alleviator test.

Essai d'endurance : Endurance test.

Essai d'endurance mission type : Typical mission endurance test.

Essai d'équilibrage : Balancing test.

Essai d'évaluation : Evaluation test.

Essai d'homologation : Certification test. Type test.

Essai d'homologation [militaire] : Model qualification test.

Essai d'impact contrôlé : Controlled impact demonstration (CID).

Essai d'isolement : Dielectric test.

Essai de claquage : Arcing test.

Essai de dureté au choc : Dynamic hardness test.

Essai de fatigue du métal : Fatigue test.

Essai de fatigue en traction : Tensile fatigue test.

Essai de fonctionnement d'un réacteur avec perte volontaire d'une aube de soufflante : Fan blade-out test.

Essai de givrage : Icing test.

Essai de mise au point : Adjustment test.

Essai de pressurisation : Pressure test.

Essai de puissance [turbo] : Power test.

Essai de qualification : Qualification test.

Essai de qualification pour vol : Flight clearance test.

Essai de qualification pour vol [turbomoteurs avant essais au banc volant] : Preflight rating test (PFRT) [USA].

Essai de qualité : Quality test.

Essai de réacteur en vol : Reactor in-flight test (RIFT).

Essai de relevage du train d'atterrissage : Actuation test.

Essai de roulage à grande vitesse :
High speed taxiing test.

Essai de roulage à vitesse réduite :
Low speed taxiing test.

Essai de rupture : Rupture test.

Essai de surcharge : Overload test.

Essai de torsion et de flexion vers le haut :
Upward torsion and bending test.

Essai de traction : Tension test.

Essai de vibration : Vibration test.

Essai de vibrations au sol :
Ground vibration test.

Essai destructif : Destructive test.

Essai en piscine : Watertank test.

Essai en soufflerie :
Tunnel test. Wind tunnel test.

Essai en vol : In-flight test.

Essai naturel [corrosion] :
Test under natural conditions.

Essai non destructif :
Non-destructive test (NDT).

Essai par ressuage : Penetrant testing.

Essai par temps froid : Cold-weather trial.

Essai sous coiffe :
Test with nose fairing installed.

Essai structural : Structural testing.

Essai sur piste : Field test.

Essai sur place : Field test.

Essais au premier montage : Rigging checks.

Essais en vol :
Development in flight. Flight testing.

Essais préliminaires au sol [avant le premier vol] : Preliminary ground tests [prior to maiden flight].

Essais techniques : Technical trials.

Essence : Gasoline [USA]. Petrol [GB].

Essence : Juice [slang].

Essence aviation : Aviation gasoline (AvGas).

Essence aviation à faible indice d'octane :
Wide-cut fuel.

Essence ordinaire : Two-star petrol.

Essieu : Wheel shaft.

Essuie-glace : Windshield wiper.

Estamper : Stamp (to). Swage (to).

Estimation « à vue de nez » :
Ball-park estimate.

Estimation grossière : Ball-park estimate.

Etage à propergol stockable :
Storage-propellant stage.

Etage cryotechnique : Cryogenic stage.

Etage de compresseur : Compressor stage.

Etage de gavage [réacteur] : Zero stage.

Etage de turbine : Turbine stage.

Etage supérieur de lanceur [pour mise en orbite de satellites militaires] : Inertial upper stage (IUS) [for orbit insertion of military satellites].

Etage supérieur de lanceur [pour mise en orbite des satellites de télécommunications] :
Payload assist module (PAM) [used to put telecommunication satellites into orbit].

Etage supérieur du lanceur [pour mise en orbite de transfert] :
Transfer orbit stage (TOS).

Etage supplémentaire de la fusée Ariane 5 :
Ariane extended stage (ARIES).

Etagère : Rack.

Etages (à deux) : Two-stage.

Etai : Stay.

Etain : Tin.

Etalon : Standard.

Etalonnage : Rating.

Etamé : Tin-plated.

Etanche à l'huile : Oil-tight.

Etanche aux projections : Splash-proof.

Etape de route : Track leg.

Etat actuel de la technique (en l'-) :
State-of-the-art.

Etat de l'appareil : Aircraft status.

Etat de poids et de centrage :
Load and trim sheet.

Etat de surface : Surface condition.

Etat solide (à) : Solid-state.

Eteindre : Switch off (to).

Etirage : Drawing.

Etirer : Stretch (to).

Etranglement : Waist.

Etrave : Stem.

Etre en moulinet [pas maximum; pales dans le sens du vent] : Windmill (to).

Etrier : U-bolt. Yoke joint. Yoke.

Etrier en matériaux composites en fibres de verre [tête de rotor] :
Glass-fiber yoke [rotor head].

Etude : Design.

Etude de faisabilité : Feasibility study.

Etude de faisabilité technique :
Technical feasibility study.

Etude de prédéfinition et de faisabilité :
Feasibility and pre-definition study (FPDS).

Etude préalable : Feasibility study.

EURECA : *voir Plate-forme européenne...*

Evacuation : Exhaust. Outlet.

Evacuation par avion sanitaire : Medevac.

Evacuer : Scavenge (to).

Event : Vent. Vent hole.

Event de décharge : Spill vent.

Evidement : Recess.

Evolutif : Tapered.

Evolution : Development.

Examen au métalloscope :
Magnetic crack detection.

Excédent de puissance spécifique :
Specific excess power (SEP).

Excentrage : Unbalancing mass.

Excentré : Off-centered.

Excursion de trajectoire [l'écran radar du contrôleur affiche des gisements erronés] :
Track wander [the controller's radar displays false indications relating to bearing].

Exécution automatique de l'arrondi précédant l'atterrissage :
Autoflare [automatic landing system].

Exécution de modification : Embodiment of modification. Incorporation of modification.

Expansion métallique à chaud :
Thermal expanded metals (TEM).

Exploitation de bimoteurs long-courriers au-dessus des océans : Extended-range twin-engined operations (ETOPS).

Exploitation de long-courriers au-dessus des océans : Extended-range operations (EROPS).

Explorer : Scan (to).

Extension de bord d'attaque de voilure :
Leading edge root extension (LERX).

Extension de bord d'attaque en dents de scie :
Saw-tooth leading-edge extension.

Extensomètre : Strain gage (gauge).

Extincteur d'incendie moteur :
Engine fire-suppression bottle.

Extinction de moteur en vol :
In-flight shutdown.

Extinction du moteur à la décélération par suite d'excès d'air : Lean die-out.

Extinction du moteur par excès de carburant lors de l'accélération : Rich blow-out.

Extinction du réacteur :
Engine flame-out. Flame-out.

Extinction [par épuisement du carburant] :
Burn-out.

Extrados :
Top skin. Upper surface. Wing upper surface.

Extrados de pale : Blade back.

Extrémité : Tip.

Extrémité d'aile : Wing tip.

Extrémité d'ailette : Vane tip.

Extrémité d'aube : Vane tip.

Extrémité de pale d'hélice dont la forme permet une atténuation du bruit : Q-tip.

F

Fabrication assistée par ordinateur (FAO) :
Computer-aided manufacture (CAM).

Façonnier : Job contractor.

Facteur de charge : G-limit.

Facteur de charge [rapport charge externe/poids de l'avion] : Load factor [ratio of the external load to the weight of the aircraft].

Facteur de surtension : Q.

« Fail-safe » : Fail-safe.

Faire décoller la roue de nez :
Ease nose-gear off the runway (to).

Faire le plein : Replenish (to).

Faire le plein [carburant] : Refuel (to).

Faire le point : Make a fix (to).

Faire route : Steer (to).

Faire un piqué : Pitch down (to).

Faire un tonneau : Roll (to).

Faire une ressource : Pull-out (to).

Faisceau d'analyse : Scanning beam.

Faisceau d'électrons [métallisation, usinage, soudage] : Electron beam.

Faisceau d'électrons dont les déplacements sont gérés par ordinateur [fabrication de masques pour circuits intégrés] :
Electron beam whose shifting is computer-aided (E.BEAM) [manufacture of integrated circuit masks].

Faisceau d'émission : Transmitting beam.

Faisceau d'exploration : Scanning beam.

Faisceau de câbles : Cable harnessing.

Faisceau de conducteurs : Harness.

Faisceau de guidage : Radio beam.

Faisceau de radar : Radar beam.

Faisceau de radioalignement de piste :
Localizer beam.

Faisceau de trajectoire d'atterrissage :
Glide path beam.

Faisceau inverse (ILS) : Back beam.

Faisceau lumineux : Beam.

Faisceau radio : Beam. Radio beam.

Faisceaux de ressorts à lames :
Leaf spring stacks.

Fatigue : Stress.

Fatigué : Worn out.

Faucille : Engine support arch.

Faussage : Warping.

Fausse nervure : False rib.

Faux cardan à membrane : Sliding joint.

Faux châssis : Subframe.

Faux équerrage : Out of square.

Faux longeron : False spar.

Fêlure : Crack.

Fendillement : Crack, Crazing.

Fenestron [rotor] :
Ducted anti-torque rotor, Ducted tail rotor.
Shrouded tail fan. Shrouded tail rotor.

Fenêtre : Window.

Fenêtre [réacteur] : Beam hole.

Fenêtre de poursuite électronique :
Tracking window.

Fenêtre de visite et d'observation :
Inspection and observation window.

Fente : *voir Volet externe... Volet interne...*

Fente d'aile : Wing slot.

Fente de bord d'attaque :
Wing leading edge slot. Wing slot.

Fente de mise à l'air libre : Vent slot.

Fente de voilure fixe : Fixed slot.

Fente du bec de bord d'attaque : Slat slot.

Fer-blanc : Tin.

Ferraille : Junk. Scrap.

Ferrure : Mount.

Ferrure d'articulation : Hinge fitting.

Ferrure d'assemblage : Fish plate.

Ferrure d'attache de voilure :
Wing attachment fitting.

Ferrure d'attache principale :
Main attach fitting.

Ferrure de fixation : Attachment lug.

Ferrure de fixation de pale :
Blade attachment fitting.

Ferrure de fixation usinée [à plusieurs boulons] : Machined multi-bolt attachment fitting.

Ferrure de liaison : Junction fitting.

Ferrure de liaison voilure/fuselage :
Wing/fuselage attachment lug.

Ferrure de pied de pale : Blade cuff.

Ferrure de remorquage au sol : Towing fitting.

Ferrure de support : Bracket.

Ferrure forgée de fixation voilure-fuselage :
Forged wing-to-fuselage attachment fitting.

Ferrure profilée : Section fitting.

Feu à éclats : Revolving light.

Feu aéronautique au sol :
Ground navigation light.

Feu arrière : Rear light. Tail light.

Feu clignotant : Occulting light.

Feu d'alignement : Range light.

Feu d'approche : Airfield proximity light.

Feu d'extrémité de piste : Runway end light.

Feu d'obstacle : Obstacle light.

Feu de balisage : Boundary light.

Feu de formation [aviation militaire] :
Formation-keeping light.

Feu de garde d'aile : Wing clearance light.

Feu de navigation fixe d'aile :
Wing fixed navigation lamp.

Feu de piste d'atterrissage : Landing flare.

Feu de position : Position light.

Feu de reconnaissance :
Identification light. Recognition light.

Feu de roulage : Taxi light.

Feu de saumon d'aile : Wing tip light.

Feu de voilure :
Navigational wing position light.

Feu pulsé de guidage d'approche : Pulsed light approach system indicator (PLASI).

Feu rotatif d'empennage :
Rudder rotating beacon.

Feu stroboscopique d'identification :
Strobe identification light.

Feux d'entrée de piste : Threshold lights.

Feux d'identification par l'avant :
Forward-facing recognition lights (FFRL).

Feux de fuselage : Fuselage lights.

Feux de navigation : Navigation lights.

Feux de navigation clignotants :
Flashing navigation lights.

Feux de navigation fixes :
Steady navigation lights.

Fiabilité : Reliability.

Fiabilité opérationnelle : Operational reliability.

Fiable : Goof-proof.

Fibre kevlar : Kevlar fiber.

Fibre optique : Optical fiber (fibre).

Fibres de verre stratifiées :
Laminated fiber glass.

Fiche : Terminal.

Fiche à deux broches : Two-pin plug.

Fiche à jack : Jack plug.

Fiche femelle : Female socket.

Fiche pour accessoires : Accessory socket.

Fil de contrôle : Whisker.

Fil de masse : Electrical bonding.

Fil de métallisation :
Airframe bonding lead. Bonding lead.

Fil dénudé : Stripped wire.

Fil rosette : Tinsel wire.

Fil volant : Jumper.

Filet : Thread.

Filet d'arrêt mobile pour pistes sommairement aménagées : Advanced tactical low arresting system (ATLAS).

Filet de raccordement : Fillet.

Filet rapporté : Thread insert.

Filet triangulaire : Triangular thread.

Filetage : Thread.

Filetage : *voir Fin de filetage...*

Filetage à droite : Right hand thread.

Filetage conique : Taper thread.

Filetage Whitworth : Whitworth thread.

Filets au pouce : Threads per inch.

Filière : Threading die.

Filière à lunettes : Thread cutting die.

Filtre : Screen. Strainer.

Filtre coupe-bande : Band-stop filter.

Filtre d'entrée d'air du moteur : Engine air intake particle separator.

Filtre passe-bande : Tunable filter.

Filtre passe-bande à trois circuits : Treble-tuned bandpass.

Filtre séparateur de particules [moteur] : Inlet particle separator.

Fin de combustion : Burnout.

Fin de course : End of travel.

Fin de filetage : Thread runout.

Finesse : Fineness ratio.

Finesse aérodynamique : Lift-to-drag (L/D) ratio.

Finesse de l'aile (Cz/Cx) : Efficiency of wing (CL/CD). Wing lift/drag ratio.

Finesse de la pale : Blade lift/drag ratio.

Finition anticorrosion : Corrosion protective finish.

Fissuration intercristalline : Intergranular cracking.

Fissure : Crack.

Fissure superficielle : Scratch. Surface crack.

Fixation : Attachment. Mount.

Fixation de pivot de train d'atterrissage avant : Nose undercarriage pivot fixing.

Fixation des pales au moyeu [hélicoptère] : Blade-to-hub attachment.

Fixation immédiate (à) : Snap-on.

Fixation rapide : Quick-disconnect fastener.

Fixation réservoir/fuselage : Tank/fuselage attachment.

Fixations avant du réacteur : Forward engine mounts.

Fixe-capot : Cover plate.

Fixer : Clamp (to).

Flambage : Buckling.

Flammes en sortie de réacteur : Torching.

Flan : Blank.

Flasque de roue : Wheel flange.

Flèche : Camber.

Flèche [des ailes] : Sweep.

Flèche de bord d'attaque : Leading edge sweep.

Flèche de l'aile : Wing sweepback.

Flèche de la voilure : Wing sweep.

Flèche négative [voilure] : Forward sweep.

Fléchissement de l'aile : Wing droop.

Flettner : Flettner. Spring tab. Tab.

Flettner compensateur : Trimming flap.

Flettner de gouverne de profondeur : Elevator tab.

Flottement : Aerofoil flutter. Flutter.

Flotteur d'extrémité d'aile [hydravion, avion amphibie] : Wing-tip float [seaplane, amphibian].

Flotteurs : Sponsons.

Fluide de refroidissement : Coolant.

Fluotournage : Spin forging.

Flux d'éjection : Jet stream.

Flux de cisaillement : Shear flow.

Flux de soudure : Welding flux.

Flux décapant : Welding flux.

Flux secondaire : By-pass air. Secondary air.

Flux secondaire [réacteur] : Engine bypass air.

Foirage des filets : Stripping of threads.

Fonctionnement : Performance.

Fonctionnement à vide : Off-load operation.

Fonctionnement du moteur sans post-combustion : Non-afterburning engine operation.

Fonctionnement silencieux : Quiet running.

Fond de barque : Fuselage boat hull.

Fond de carter : Well.

Force : Power.

Force d'accélération : G-force.

Force de sustentation : Lift force.

Force de traînée au périgée : Perigee altitude drag loading.

Forer : Drill (to).

Foret : Drill.

Foreuse : Boring machine.

Formage à chaud [métallurgie] : Hot forming.

Formage par étirage [métallurgie] : Stretch forming.

Formage superplastique et assemblage par diffusion : Superplastic forming and diffusion bonding (SPFDB).

Formation de frisures [peinture craquelée] : Alligatoring.

Formation du personnel basée sur l'ordinateur et la vidéo : Video and computer based instruction (VACBI).

Forme populaire de chaff :
« Window » [popular name for chaff].

Foucault : *voir Frein à...*

Fourche : Yoke.

Fourche de train avant : Nosewheel fork.

Foyer aérodynamique de l'aile :
Wing aerodynamic center.

Foyer de l'aile : Wing aerodynamic center.

Frais généraux applicables à l'entretien direct : Applied maintenance burden.

Frais relatifs aux prestations de service en vol :
En-route charges.

Fraisage chimique : Chemical milling.

Fraisage conique : Taper milling.

Fraise : Drill.

Fraiser suivant gabarit : Mill to fixture (to).

Frein : Brake.

Frein à courant de Foucault :
Eddy current brake.

Frein à vide : Vacuum brake.

Frein aérodynamique : Speed brake.

Frein d'écrou : Nut retainer.

Frein d'immobilisation : Stopping brake.

Frein d'immobilisation de roue avant du train d'atterrissage : Mechanical nosewheel brake.

Frein de parc : Parking brake.

Frein de parking : Parking brake.

Frein de piqué : Dive brake.

Frein de rotor : Rotor brake.

Frein de rotor principal : Main rotor brake.

Frein de stationnement : Parking brake.

Frein dynamométrique : Torque brake.

Frein magnétique : Eddy current brake.

Frein magnétique sur manche :
Stick magnetic brake.

Freinage de l'hélice : *voir Mode hôtel*

Freinage par inversion de poussée :
Thrust braking.

Fréquence d'émission : Transmission frequency.

Fréquence de répétition d'impulsions [radar] :
Pulse repetition frequency (PRF).

Fréquence minimale utilisable :
Lowest usable frequency (LUF).

Frettage : Shrinking.

Friction : Galling.

Frisures : *voir Formation de...*

Frittage [métallurgie] : Sintering.

Front arrière : Trailing edge.

Frottement : Abrasion.

« Fruitage » [réception de réponses radar non sollicitées] :
Fruiting [unsolicited radar responses].

Fuite d'huile : Oil leakage.

Fuite de combustible [ou de carburant] :
Fuel leakage.

Fumées d'échappement : Exhaust plume.

Furtif : *voir Avion furtif...*

Fuseau : Pod. Spindle.

Fuseau de train : Landing gear pod.

Fuseau horaire : Time belt. Time zone.

Fuseau-moteur :
Engine nacelle. Engine pod. Nacelle.

Fuseau-réacteur : Engine nacelle. Jet pod.

Fusée : Rocket. Spindle.

Fusée à diergol : Bipropellant rocket.

Fusée à propergol liquide :
Liquid propellant rocket.

Fusée aéroportée à grande vitesse :
High-velocity aircraft rocket (HVAR).

Fusée d'accélération : Ullage rocket.

Fusée d'appoint à poudre :
Solid rocket booster (SRB).

Fusée d'essieu : Wheel spindle.

Fusée de pale : Blade spindle.

Fusée (ou manchon) de pale : Blade cuff.

Fusée de roue :
Stub axle. Wheel axle. Wheel spindle.

Fusée de siège éjectable :
Ejection seat rocket pack.

Fusée de signalisation : Signal flare.

Fusée de statoréacteur : Stato-jet fuse.

Fusée-sonde : Probe.

Fuselage : Body.

Fuselage bipoutre : Twin-boom fuselage.

Fuselage en taille de guêpe :
Waisted fuselage. Coke-bottle fuselage.

Fuselage étanche : Watertight fuselage.

Fuselage monocoque : Monocoque fuselage.

Fuselage pincé :
Coke-bottle fuselage. Waisted fuselage.

Fuselage porteur [véhicule spatial récupérable] : Lifting body [recoverable spacecraft].

Fuselé : Streamlined.

Fusible temporisé : Kick fuse.

G

Gabarit : Jig. Template.

Gabarit d'essai : Test jig.

Gabarit d'estampage : Stamping jig.

Gabarit de cintrage : Bending jig.

Gabarit de contrôle : Checking fixture.

Gabarit de coupe : Cutting jig.

Gabarit de débattement : Travel jig.

Gabarit de détourage : Routing template.

Gabarit de perçage : Drill template.

Gabarit de profil : Profile jig.

Gabarit de traçage : Lofting template.

Gabarit de vérification : Checking template.

Gabarit étalon : Master template.

Gabarit type : Type jig.

Gâchette : Trigger.

Gainage : Jacketing.

Gaine : Tubing

Gaine d'admission d'air prélevé au moteur :
Engine bleed air inlet duct.

Gaine d'empennage : Tail duct.

Gaine de conditionnement d'air :
Conditioned air duct.

Gaine de dégivrage de l'hélice :
Propeller de-icing boot.

Gaine de parachute de queue :
Drag-chute cover.

Gaine de soufflerie : Wind tunnel throat.

Gaine de tuyau d'alimentation en carburant :
Fuel feed line shroud.

Gaine de ventilation : Vent duct.

Gaine de ventilation à soufflet :
Bellow vent duct.

Gaine passe-fil : Wire shield tube.

Gaine tressée [électricité] : Braiding.

Galet : Bearing.

Galet de blocage en position basse :
Down lock roller.

Galet de poussoir : Tappet roller.

Galet-guide : Idle roller.

Galet porteur : Support roller.

Galette de relais : Relay deck.

Galley : Galley.

Gallon américain [3,785 lit.] :
US gallon [3.785 lit.].

Gallon britannique [4,546 lit.] :
UK gallon [4.546 lit.].

Galvanoplastie :
Electrodeposition. Electroplating.

Gamme d'ondes : Wave band.

Garde : Clearance.

Garde au sol de l'hélice : Propeller clearance.

Garde-côte : US Coast Guard (USCG) [USA].

Garde Nationale des USA :
Air National Guard (ANG).

Garnir de graisse : Pack with grease (to).

Garniture : Trimming.

Garniture d'étanchéité : Seal packing.

Garniture de col : Throat liner.

Garniture de joint : Seal packing.

Garniture en téflon : Teflon back-up ring.

Gauchissement :
Banking. Buckling. Warpage. Warping.

Gauchissement des ailettes ou des aubes :
Warpage of blades or vanes.

Gauchissement négatif : Wash-out.

Gauchissement positif : Wash-in.

Gavage : *voir Pompe de gavage...*

Gaz (à plein) :
Full-out. Wide-open throttle (WOT).

Gaz : *voir Mains sur...*

Gaz (mettre les —) : Step on the gas (to).

GCA automatique : Automatic ground-controlled approach (AGCA).

Générateur cartographique numérique :
Digital map generator (DMG).

Générateur d'air chaud : Hot air blower.

Générateur d'images de cibles :
Target image generator.

Générateur de gaz : Core engine. Gas generator.

Générateur de rafales : Gust generator.

Générateur de symboles de collimateur tête haute : Hud symbol generator.

Générateur de tourbillons : Turbulator.

Générateur de tourbillons [structure] :
Vortex generator.

Générateur de très basse fréquence :
Very low frequency generator.

Générateur héliodynamique :
Solar-dynamic power generator.

Génératrice : Power unit.

Génératrice de courant triphasé :
Three-phase generator.

Génératrice de démarrage : Starter generator.

Génératrice de tachymètre :
Tachometer generator.

Génératrice électrique : Electric generator.

Géométrie variable : Variable geometry (VG).

Gestion du trafic aérien :
Air traffic management (ATM).

Gestion du vol tactique :
Tactical flight management (TFM).

Gestion et régulation des flux du trafic aérien :
Air traffic flow management (ATFM).

Gestion intégrée de la trajectoire de vol :
Integrated flight trajectory control (IFTC).

Gestion intégrée du système d'armes en vol :
Integrated flight weapon control (IFWC).

Gicleur : Jet. Nozzle. Spray nozzle.

Gicleur bouché : Choked jet.

Gicleur de carburateur : Carburettor jet.

Gicleur de lave-glace : Windshield washer jet.

Gicleur de ralenti : Idle jet. Idling nozzle.

Gicleur de ralenti [carburateur] :
Low-speed nozzle.

Gicleur injecteur : Restrictor.

Gilet de sauvetage gonflable : Mae West.

Giravion : Rotorcraft.

Girouette de lacet : Yaw vane.

Gisement : Bearing. Relative bearing.

Gisement : *voir Excursion de trajectoire.*

Givrage : *voir Boîtier de détection...*

Glace coulissante [côté pilote] :
Direct vision window.

Glace de hublot : Window pane.

Glace frontale de pare-brise :
Windshield front panel.

Gland de presse-étoupe :
Packing gland. Stuffing gland.

Glide slope : Glide slope.

Glissade sur l'aile : Sideslip.

Glissade sur la queue : Tail slide.

Glissière de verrière : Sliding canopy rail.

Glissière télescopique : Telescopic slide.

Globulation [métallurgie] : Spheroidizing.

Godet à huile : Oil cup.

Gommé : Clogged up.

Gond : Hinge.

Gondolage : Buckling. Warpage. Warping.

Goniomètre : Tracker.

Goniomètre à IR : Infra-red goniometer.

Goniomètre à rayons X : X-ray goniometer.

Goniomètre VHF : VHF direction finder.

Gorge : Recess. Throat. Undercut relief.

Gorge d'étanchéité : Seal groove.

Goujon : Stud.

Goujon de blocage : Locking pin.

Goujon de fixation : Mounting stud.

Goujonner : Pin (to).

Goulot de Venturi : Venturi throat.

Goupille conique : Tapered pin.

Goupille conique filetée : Threaded taper pin.

Goupille d'arrêt : Stop pin.

Goupille de valve : Valve pin.

Goupille élastique : Spring pin.

Goupille fendue : Split pin.

Goupille filetée : Threaded pin.

Gousset : Shoulder bracket.

Goutte de soudure : Weld bead.

Gouttière de câble : Cable channel.

Gouttière de volet : Wing flap eaves.

Gouvernail : Control surface. Moving surface.

Gouvernail de direction : Rudder.

Gouvernail de direction à commande électrique : Electrically-driven rudder.

Gouverne :
Control, Control surface. Moving surface.

Gouverne : *voir Actionneur de gouverne...*

Gouverne compensée :
Balanced control surface. Compensated control surface. Trimmed control surface.

Gouverne de direction : Rudder.

Gouverne de direction en deux parties :
Split rudder.

Gouverne de lacet : Yaw canard.

Gouverne (ou gouvernail) de profondeur :
Elevator.

Gouverne de profondeur droite [tribord] :
Starboard elevator.

Gouverne de profondeur gauche [bâbord] :
Port elevator.

Gouverne horizontale de tangage [hélicoptère] : Elevator.

Gouverne libre : Uncontrolled surface.

Gouverner à un cap : Steer (to).

Gouvernes commandées par câbles incoinçables : Jam-proof cable flight control system.

Gouvernes de type avion :
Airplane-type control surfaces.

Graduation : Scale.

Grain de poudre : Grain.

Graissage : Lubrication.

Graissage par bain d'huile :
Oil bath lubrication.

Graissage par barbotage : Splash lubrication.

Graissage par film d'huile :
Boundary lubrication.

Graissage sous pression :
Grease-gun lubrication.

Graisser : Lubricate (to).

Graisseur : Grease nipple. Lubricator.

« Grand et gros type minable » [surnom humoristique du bombardier lourd à long rayon d'action américain B-52] :
« Big Ugly Fat Fellow » (BUFF) [humorous name given to the long-range, heavy American bomber B-52].

Grand pas [hélice à pas variable] :
Coarse pitch [variable-pitch propeller].

Grande révision : Major overhaul.

Grande visite : Base check « D ». Major check. Major inspection.

Gravure : Etching.

Grenaillage de décapage : Shot blasting.

Grenaille d'acier : Steel shot.

Grille : Screen.

Grille antigivre : Ice guard.

Grille conductrice de sortie : Exducer.

Grille d'aube de soufflante : Fan cascade vane.

Grille d'entrée d'air : Air intake screen.

Grille d'inverseur de poussée :
Thrust reverser cascade. Reverser cascade.

Grille de déviation [moteur] : Cascade.

Grille de protection d'entrée d'air :
Debris guard.

Grille de reprise : Thrust reverser cascade.

Grille directrice d'entrée : Inducer.

Grille-écran : Louvre.

Grippage : Abrasion. Binding. Fretting. Jamming. Rutting. Seizing. Sticking.

Gros hélicoptère de transport civil des années 2000 [projet Sikorsky, 100 passagers] :
Very large commercial helicopter (VLCH) [a Sikorsky project, 100 passengers, in the year 2000].

Gros porteur à réaction : Jumbo jet.

Gros-porteur bimoteur : Widebody twin.

Gros réacteur à double flux : High-bypass ratio turbofan.

Groupe : Unit.

Groupe auxiliaire de puissance :
Auxiliary power unit (APU).

Groupe d'alimentation électrique de secours :
Power stand-by unit.

Groupe d'injecteurs : Nozzle cluster.

Groupe d'utilisateurs européens de la « Space Station » [programme Columbus] :
Space station users panel (SSUP).

Groupe de conditionnement d'air :
Air conditioning plant.

Groupe de cylindres : Cylinder block.

Groupe de démarrage de turbine :
Turbine starter unit.

Groupe de démarrage pneumatique :
Air start unit.

Groupe de parc : Ground power unit (GPU).

Groupe de réfrigération :
Bootstrap cold air unit. Cold air unit.

Groupe de réfrigération de bord :
Air-cycle machine (ACM).

Groupe de saut [parachutisme] : Stick.

Groupe de secours :
Emergency power unit (EPU).

Groupe de transfert :
Power transfer unit (PTU).

Groupe électrogène : Electric power generating unit. Generating set. Power generator.

Groupe électrogène de piste : Electrical ground power unit. Ground power unit (GPU).

Groupe générateur : Power unit.

Groupe moteur : Power plant.

Groupe moteur auxiliaire :
Auxiliary power plant.

Groupe moteur principal : Main power plant.

Groupe propulseur : Power plant. Power plant package. Power egg [slang].

Groupe turbomoteur : Power plant.

Groupe turbomoteur : Turboshaft power plant.

Groupe turboréacteur (GTR) :
Power plant. Turbojet engine assembly.

Groupe turborefroidisseur :
Air cycle installation. Cooling air unit.

Groupe turborefroidisseur de bord :
Air-cycle machine (ACM).

« Guerre des Etoiles » [projet américain abandonné en mai 1993] :
Strategic defense initiative (SDI) [American project cancelled in May 1993].

Guidage : Vectoring.

Guidage : voir Faisceau de guidage...

Guidage inertiel : Inertial guidance.

Guidage radar : Radar vectoring.

Guidage terminal autonome :
Terminal self-guidance.

Guide-câble : Fairlead.

Guide-câble de commande : Control fairlead.

Guide d'ondes : Wave guide.

Guide d'ondes à couche mince :
Thin-film waveguide.

Guide de clapet : Valve guide.

Guide de poussoir : Tappet guide.

Guide de ressort : Spring guide.

Guide de soupape : Valve guide.

Guide technique : Technical guide.

Guider un avion [vitesse et direction] :
Vector (to).

Guignol : Bellcrank. Horn. Walking beam. Yoke.

Guignol d'asservissement :
Follow-up control crank.

Guignol d'interdiction : Interlock bellcrank.

Guignol de changement de pas [tête de rotor] : Blade pitch control horn.

Guignol de décrochage de trappe et de train d'atterrissage : Door unlatch and L/G unlock control bellcrank.

Guignol de gouverne : Control surface horn.

Guignol de verrouillage : Lock crank.

Guignol double : Dual-arm bellcrank.

Guignol droit : Reciprocal lever.

Guignol triple : Three-arm bellcrank.

Guiper : Tape (to).

Guiper un câble : Wrap a cable (to).

Gyro : Gyro.

Gyrolaser : Laser gyro.

Gyrolaser à trois axes : Three-axis laser gyro.

Gyrolaser annulaire [navigation inertielle] : Ring laser gyro (RLG).

Gyromètre : Rate gyro.

Gyromètre à contact [virage] : Switching rate gyro.

Gyromètre à trois axes : Three-axis rate sensor.

Gyromètre de lacet : Yaw gyro. Yaw rate gyro.

Gyromètre de roulis : Roll rate gyro.

Gyromètre de tangage : Pitch rate gyro.

Gyroscope : Gyro.

Gyroscope à suspension dynamique accordée : Tuned-rotor gyroscope.

Gyroscope azimutal : Azimuth gyro.

Gyroscope d'assiette : Attitude gyro.

Gyroscope d'horizon : Gyro horizon.

Gyroscope de commande [sur mât rotor] : Control gyro.

Gyroscope de roulis : Position gyro.

Gyroscope de stabilisation : Bootstrap gyro. Sight line gyro. Stabilizing gyro.

Gyroscope de verticale : Vertical gyro.

Gyroscope directionnel : Directional gyro.

Gyroscope intégrateur : Integrating gyro.

Gyroscope intégré : Integrated gyro.

Gyroscope polaire : Polar gyro.

H

Habitacle : Cockpit.

Hall de montage : Assembly hall.

Harnais d'équipement du pilote : Pilot equipment fitting.

Harnais électrique des bougies d'allumage : Igniter plug electrical lead.

Harnais pyrométrique : Fire detection harness.

Hauban : Guy. Stay. Strut. Wing strut.

Haubaner : Brace (to).

Haute pression (HP) : High pressure (HP).

Hauteur de fuite [hélicoptère] : Air gap.

Hauteur limite de franchissement d'obstacles : Obstacle clearance limit (OCL).

Hélice : Propeller.

Hélice à faible vitesse de rotation : Low-rpm propeller.

Hélice à mise en drapeau automatique : Auto-feathering propeller.

Hélice à mise en drapeau rapide : Quick-feathering propeller.

Hélice à pas fixe : Fixed-pitch propeller.

Hélice à pas réglable : Adjustable-pitch propeller.

Hélice à pas réversible : Reversible-pitch propeller.

Hélice à pas variable : Variable-pitch propeller.

Hélice à pas variable à régulation automatique : Automatically controlled variable-pitch propeller.

Hélice à vitesse constante : Constant speed propeller.

Hélice bipale : Two-blade propeller.

Hélice bipale à pas variable : Two-bladed variable-pitch propeller.

Hélice carénée : Ducted prop.

Hélice claire [en drapeau] : Windmilling propeller.

Hélice contrarotative : Contra-rotating propeller.

Hélice de contrôle de compensation de tangage : Pitch fan.

Hélice de queue carénée : Ring tail.

Hélice en autorotation : Windmilling propeller.

Hélice en drapeau : Feathered propeller.

Hélice en rotation libre : Windmilling propeller.

Hélice métallique à bouts de pales silencieux : Metal Q-type propeller.

Hélice monopale : Single-blade propeller.

Hélice propulsive : Pusher propeller. Pushing propeller.

Hélice sans réducteur : Direct drive propeller.

Hélice transsonique : Free fan. Propfan. Ultra fan. Unducted fan (UDF).

Hélice tripale : Three-blade propeller.

Hélice tripale à vitesse constante : Three-bladed constant-speed propeller.

Hélico [argot] : Helo [slang].

Hélicoptère : Copter, Chopper. Eggbeater [slang]. Whirlybird [slang].

Hélicoptère à cycle chaud : Hot cycle helicopter.

Hélicoptère à cycle tiède : Warm cycle helicopter.

Hélicoptère à moteur à pistons : Piston-engined helicopter.

Hélicoptère à propulsion en bout de pale : Tip-driven helicopter.

Hélicoptère à réaction : Jet helicopter.

Hélicoptère à rotors en tandem : Tandem rotor helicopter.

Hélicoptère à turbine : Turbine-powered helicopter.

Hélicoptère-ambulance : Medicopter.

Hélicoptère anti-char (HAC) : Anti-tank helicopter.

Hélicoptère anti-char commun [franco-allemand] à viseur monté sur mât : Common anti-tank helicopter with mast mounted sight (CATH-M).

Hélicoptère anti-guérilla : Counter-insurgency helicopter (COIN).

Hélicoptère anti-sous-marin piloté : Manned anti-submarine helicopter (MASH).

Hélicoptère bimoteur léger : Light twin helicopter.

Hélicoptère birotor : Dual rotor helicopter.

Hélicoptère biturbine : Twin-engine helicopter. Twin-turbine helicopter.

Hélicoptère combiné : Compound helicopter.

Hélicoptère combiné à poussée auxiliaire : Thrust compounded helicopter.

Hélicoptère combiné à rotor télescopique : Telescopic rotor aircraft (TRAC).

Hélicoptère d'appui-feu : Advanced attack helicopter (AAH).

Hélicoptère d'appui/protection (HAP) : Tactical support/protection helicopter.

Hélicoptère d'assistance médicale d'urgence : Emergency medical service (EMS) helicopter.

Hélicoptère d'attaque et de reconnaissance des années 90 [USA] : LHX [US attack and reconnaissance helicopter of the '90s].

Hélicoptère d'attaque léger : Light attack helicopter (LAH).

Hélicoptère d'héliportage : Sleek helicopter.

Hélicoptère d'observation léger : Light observation helicopter (LOH).

Hélicoptère de haute altitude : High-altitude helicopter (HAH).

Hélicoptère de protection des porte-aéronefs : Carrier-protection helicopter.

Hélicoptère de recherche et de sauvetage en mer : Rescue transport helicopter (RTH).

Hélicoptère de recherches : Rotor systems research aircraft (RSRA).

Hélicoptère de reconnaissance : Scout helicopter.

Hélicoptère de retransmission TV : ENG helicopter.

Hélicoptère de transport civil : *voir Gros hélicoptère*

Hélicoptère de transport de commandos : Troop-landing helicopter.

Hélicoptère de transport de troupes : Troop-lift helicopter.

Hélicoptère de transport léger : Light transport helicopter (LTH).

Hélicoptère de transport lourd : Heavy lift helicopter (HLH).

Hélicoptère de transport tactique : Tactical transport helicopter (TTH).

Hélicoptère embarqué : Carrier-borne helicopter.

Hélicoptère léger d'observation : Unit light helicopter (ULH).

Hélicoptère léger de conception avancée : Advanced light helicopter (ALH).

Hélicoptère léger de lutte anti-sous-marine : Light anti-submarine helicopter (LASH).

Hélicoptère léger polyvalent : Multi-purpose light helicopter (MPLH).

Hélicoptère LHX : *voir Programme ARTI*

Hélicoptère moderne de reconnaissance : Advanced scout helicopter.

Hélicoptère polyvalent à rotors intercalés : Multi-mission intermeshing rotor aircraft (MMIRA).

Hélicoptère pour missions multiples : Multi-purpose helicopter.

Hélicoptère ravitailleur : Helicopter cow.

Hélicoptère SAR : Rescue transport helicopter (RTH).

Hélicoptère spécialisé de lutte antichar : Dedicated anti-tank helicopter.

Hélicoptère téléguidé de lutte anti-sous-marine : Drone anti-submarine helicopter (DASH).

Hélicoptère triturbine : Three-turbine helicopter.

Hélicoptère ultraléger : Ultra-light helicopter (ULH).

Hélicoptères militaires américains : *voir Programme préconisant...*

Héliport : Heliport. Vertiport. VTOL terminal.

Heure [TUC] : Zulu time (UTC).

Heure d'arrivée prévue :
Estimated time of arrival (ETA).

Heure de départ prévue :
Estimated time of departure (ETD).

Heure de passage à la verticale :
Actual time overflight.

Heure du fuseau horaire : Zone time.

Heures de vol : *voir Temps bloc...*

Hissage : *voir Dispositif de hissage...*

Holographique :
voir Visualisation holographique...

Homologation : Certification. Type approval.

Homologation de type : Type certification.

Homologue chinois du Bureau Véritas :
Chinese Airworthiness Research and Management office (CARMAO).

Homologue européen du FAA américain :
Joint Aviation Authority.

Horizon : *voir Ligne d'horizon...*

Horizon directeur de vol :
Attitude director indicator (ADI).

Horizon gyroscopique (ou artificiel) :
Gyro horizon. Gyroscopic horizon.

Horizon gyroscopique de secours :
Standby gyro horizon.

Horizon indicateur de vol :
Horizon flight director.

Hors-circuit : Off-line.

Hors d'usage : Unserviceable (U/S).

Hors effet de sol [hélicoptère] :
Out of ground effect (OGE).

Hors-gabarit : Over dimensional limits.

Hôtel : *voir « Mode d'hôtel »...*

Hôtesse de l'air : Air hostess.

HOTOL :
voir Programme d'étude des projets...

Housse de Pitot : Pitot head cover.

Housse de siège en tissu pare-feu :
Fire-blocking seat covering material.

Hublot : Port hole. Window.

Hublot d'inspection :
Inspection and observation window.

Huile : Oil.

Huile de récupération : Reclaimed oil.

Huile pour circuit hydraulique : Hydraulic oil.

Huile régénérée : Reclaimed oil.

Huiler : Lubricate (to). Oil (to).

Hydraulique de rotation de tourelle :
Turret rotation hydraulics.

Hydravion : Seaplane.

Hydravion à coque : Flying boat.

Hydrogène liquide : Liquid hydrogen (LH2).

Hyperfréquence : Very high frequency (VHF).

Hypersonique :
voir Avion de tranport hypersonique...

Hypersustentateur :
voir Volet hypersustentateur...

Hypsomètre : Thermo barometer

I

Identification ami ou ennemi :
Identification friend or foe (IFF).

Illumination et poursuite de cibles :
Target illumination and tracking.

Image [sur écran radar] : Radar trace.

Image de fond [radar] : Clutter.

Image différée : Afterimage.

Imagerie thermique : Imaging infra-red (IIR).

Immobilisation de l'avion au sol :
Aircraft-on-ground (AOG).

Immobilisation de l'avion pour maintenance :
Active maintenance downtime.

Immobilisation pour maintenance :
Maintenance downtime.

Impact : Dent. Impact

Impact d'oiseau [en vol] :
Bird impact. Bird-strike.

Impact des roues suivi de remise des gaz :
Touch-and-go.

Impesanteur : Zero gravity.

Implantation d'antenne sur la peau d'un avion : Skin mapping.

Imposte [structure] : Transom.

Impulseur : Booster. Initiator.

Impulseur d'accélération et de freinage :
Ullage and retrorocket.

Impulsion d'encadrement [radar] :
Bracket pulse.

Impulsion de déclenchement : Trigger pulse.

Incidence : *voir Echelle d'incidence...*

Incidence : Angle of attack (AOA).

Incidence critique : *voir Dispositif permettant...*

Incidencemètre : Incidence meter.

Incident : Failure.

Incident spécial en vol [foudre, impacts d'oiseaux] : Specified occurrence.

Inclinaison du rotor : Rotor tilt.

Inclinaison latérale : Bank. Roll attitude.

Inclinaison longitudinale : Pitch.

Inclinaison transversale : Bank.

Incorporé : Built-in.

Incrustation : Scale.

Indentation d'usure de roulement : Brinelling.

Indéréglable : Foolproof.

Index bariolé : Barber pole.

Index d'instrument : Marker.

Index de cap : Heading index.

Indicateur à aiguilles : Pointer indicator.

Indicateur à fenêtre : Window-type indicator.

Indicateur altitude-distance :
Range-height indicator (RHI).

Indicateur angulaire de pente : Clinometer.

Indicateur automatique d'azimut :
Omni-bearing indicator (OBI).

Indicateur cartographique :
Moving-map display.

Indicateur cartographique couleur de type numérique : Digital color map unit (DCMU).

Indicateur cartographique numérique :
Digital map display.

Indicateur combiné de position ADF/VOR :
Radio magnetic indicator (RMI).

Indicateur d'alarme : Warning indicator.

Indicateur d'angle azimutal : Azimuth strobe.

Indicateur d'angle d'approche :
Angle of approach indicator.

Indicateur d'angle d'attaque :
Angle-of-attack indicator.

Indicateur d'angle d'attaque ou d'incidence optimal : Safe flight angle-of-attack indicator.

Indicateur d'angle de flèche :
Wing sweep indicator.

Indicateur d'angle de piqué :
Dive angle indicator.

Indicateur d'angle du câble de sonar :
Cable angle indicator.

Indicateur d'approche : To-from indicator.

Indicateur d'assiette gyroscopique :
Gyro attitude indicator.

Indicateur d'attitude : Attitude indicator.

Indicateur d'axes VOR : VOR axis indicator.

Indicateur d'écart de route :
Route deviation indicator.

Indicateur d'EGP :
Exhaust gas temperature (EGT) indicator.

Indicateur d'EPR : Ratiometer.

Indicateur d'erreur de gisement :
Bearing deviation indicator (BDI).

Indicateur d'IAS : IAS indicator.

Indicateur d'inclinaison longitudinale :
Pitch indicator.

Indicateur d'usure des pneus :
Tread wear indicator.

Indicateur de baisse de niveau :
Low level indicator.

Indicateur de baisse de niveau de carburant :
Low-fuel level warning.

Indicateur de baisse de pression :
Pressure-drop warning light.

Indicateur de cap : Heading indicator.

Indicateur de centrage : Trim indicator.

Indicateur de colmatage : Clogging indicator.

Indicateur de compensation du stabilisateur :
Stabilizer trim indicator.

Indicateur de débit : Flowmeter.

Indicateur de débit [carburant] :
Rate of flow indicator [fuel].

Indicateur de débit carburant :
Fuel flow indicator.

Indicateur de décrochage : Stall indicator.

Indicateur de dérapage : Yaw indicator.

Indicateur de dérapage intégral :
Integral slip skid ball.

Indicateur de dérive : Drift indicator. Flight path deviation indicator (FPDI).

Indicateur de déviation de cap :
Course deviation indicator (CDI).

Indicateur de direction : To-from indicator.

Indicateur de direction du vol :
Flight direction indicator.

Indicateur de distance : Range indicator.

Indicateur de distance et de position : Position bearing and distance indicator (PBDI).

Indicateur de g : G-meter.

Indicateur de gisement zéro :
Zero-azimuth indicator.

Indicateur de glissement latéral : Slip bubble.

Indicateur de haute pression à distance :
Remote system high pressure indicator.

Indicateur de lacet : Yaw meter.

Indicateur de lever de doute : To-from arrow.

Indicateur de niveau : Level indicator.

Indicateur de niveau d'huile :
Oil quantity indicator. Oil-level indicator.

Indicateur de pas : Pitch indicator.

Indicateur de pas de pale :
Blade pitch indicator.

Indicateur de pas général :
Collective pitch indicator.

Indicateur de pas maximum [hélicoptère] :
Maximum collective pitch indicator.

Indicateur de pente : Glide path localizer.

Indicateur de pente d'approche d'hélicoptère :
Helicopter approach path indicator (HAPI).

Indicateur de pente de descente :
Glide path indicator.

Indicateur de pente transversale :
Bank indicator.

Indicateur de perte de poussée :
Thrust loss indicator.

Indicateur de portée visuelle de piste :
Runway visual range indicator.

Indicateur de position :
Air position indicator (API).

Indicateur de position de gauchissement :
Aileron position indicator.

Indicateur de position de gouverne :
Control surface position indicator.

Indicateur de position de gouverne de direction : Rudder position indicator.

Indicateur de position de gouverne de profondeur : Elevator position indicator.

Indicateur de position de l'interrupteur :
Switch position indicator.

Indicateur de position de vol :
Flight position indicator.

Indicateur de position des becs et volets :
Flap and slat position indicator.

Indicateur de position des gouvernes :
Flight control position indicator. Surface position indicator.

Indicateur de position des roues et des volets :
Wheels-flaps position indicator.

Indicateur de position des volets : Flap position indicator. Wing flap position indicator.

Indicateur de position du train :
Landing gear position indicator.

Indicateur de position et de commande de train d'atterrissage :
Landing control and position indicator.

Indicateur de pression : Pressure gage (gauge).

Indicateur de pression d'amission d'iar :
Boost gauge.

Indicateur de pression d'air :
Air pressure indicator.

Indicateur de pression d'huile :
Oil pressure indicator.

Indicateur de pression des freins :
Brake pressure indicator.

Indicateur de relèvement VOR :
Omni-bearing indicator (OBI).

Indicateur de roues dans l'axe :
Wheel centered indicator.

Indicateur de route : Course indicator.

Indicateur de situation en gisement :
Pilot's location indicator.

Indicateur de situation (ou d'attitude) horizontale : Horizontal situation indicator (HSI).

Indicateur de surpression cabine :
Cabin overpressure indicator.

Indicateur de température d'huile :
Oil temperature indicator.

Indicateur de température de culasse :
Cylinder-head temperature indicator.

Indicateur de température de sortie de prérefroidisseur :
Precooler outlet temperature indicator.

Indicateur de température de sortie des gaz d'échappement : EGT indicator. Engine exhaust gas temperature indicator.

Indicateur de température de tuyère :
Nozzle temperature indicator.

Indicateur de température des freins :
Brake temperature monitor (BTM).

Indicateur de température des gaz :
Gas temperature indicator.

Indicateur de température entrée turbine :
Turbine inlet temperature indicator.

Indicateur de température intérieure de turbine :
Internal turbine temperature (ITT) gauge.

Indicateur de train d'atterrissage rentré :
Gear up indicator.

Indicateur de traînée : Drag indicator.

Indicateur de trajectoire d'approche :
Precision approach path indicator (PAPI).

Indicateur de trim : Trim indicator.

Indicateur de trim de profondeur :
Elevator trim indicator.

Indicateur de vibrations : Vibration indicator.

Indicateur de vibrations du moteur :
Engine vibration indicator.

Indicateur de virage :
Kymograph. Turn indicator.

Indicateur de virage et d'inclinaison latérale :
Needle and ball indicator. Turn-and-bank indicator.

Indicateur de virage et de dérapage :
Turn-and-slip indicator.

Indicateur de vitesse :
Speedometer. Tachometer.

Indicateur de vitesse ascensionnelle :
Rate of climb indicator.

Indicateur de vitesse de rotation du moteur :
Engine speed indicator.

Indicateur de vitesse et de Mach :
Mach airspeed indicator.

Indicateur de vitesse minimale de sustentation : Stallometer.

Indicateur de vitesse verticale : Variometer.

Indicateur de vitesse vraie :
True airspeed indicator.

Indicateur de zéro :
Zero flag. Zero reading instrument.

Indicateur directeur d'attitude :
Attitude director indicator (ADI).

Indicateur électronique d'assiette :
Electronic attitude direction indicator.

Indicateur électronique d'attitude :
Electronic attitude indicator (EAI).

Indicateur électronique de poste de pilotage :
Electronic cockpit display.

Indicateur électronique de situation horizontale : Electronic horizontal situation indicator.

Indicateur électronique directeur d'attitude :
Electronic attitude director indicator (EADI).

Indicateur embarqué de position d'objectif :
Over target position indicator (OTPI).

Indicateur-enregistreur graphique des paramètres moteur : Graphic engine monitor.

Indicateur gyrodirectionnel :
Gyroscopic direction indicator.

Indicateur lumineux d'angle d'approche :
Visual glide slope indicator.

Indicateur lumineux de mise hors circuit :
Power-off indicator.

Indicateur magnétique de niveau :
Magnetic level indicator.

Indicateur magnétique de pannes :
Fault magnetic indicator.

Indicateur numérique de température totale :
Total temperature digital indicator.

Indicateur panoramique :
Pictorial deviation indicator (PDI).

Indicateur principal de cap et de navigation :
Heading and navigation master indicator.

Indicateur radar de CRPMD :
Radar display sub-unit (RDSU).

Indicateur radiomagnétique :
Radio magnetic indicator (RMI).

Indicateur RMI/VOR :
VOR radio-magnetic indicator.

Indicateur RMI/VOR/DME :
Radio digital distance magnetic indicator.

Indicateur sélectif d'objets mobiles [radar] :
Selective moving target indicator (SMTI).

Indicateur sphérique :
Three-axis attitude indicator.

Indicateur tachymétrique : Revolutions per minute (RPM) indicator. Tachometer indicator.

Indicateur-totaliseur de carburant :
Fuel totalizer. Integrating flowmeter.

Indicateur-totaliseur de consommation carburant : Fuel-gone indicator.

Indicateur visuel de pente d'approche : Visual approach slope indicator system (VASIS).

Indicateur VOR/ADF/RMI :
VOR ADF radio magnetic indicator.

Indicateurs visuels de pente d'approche :
Visual slope aids.

Indicatif d'appel : Call signal.

Indicatif de route : Track designator.

Indication non corrigée du machmètre :
Machmeter reading (MMR).

Indice d'octane : Fuel grade. Octane grade.

Indice de charge des pistes :
Load classification number (LCN).

Indice limite d'oxygène :
Limit oxygen index (LOI).

Inducer [moteur] : Inducer.

Induit : Rotor.

Informations de vol : *voir Cockpit de verre*

Infrarouge : Infra-red.

Ingénieur d'essais [navigant] :
Flight test engineer.

Inhalateur d'oxygène : Face-piece.

Initiative de défense stratégique (IDS) [projet américain abandonné en mai 1993] : Strategic defense initiative (SDI) [American project cancelled in May 1993].

Injecteur : Nozzle.

Injecteur [moteur] : Injector.

Injecteur à double débit : Duplex spray nozzle.

Injecteur de carburant : Fuel nozzle.

Injecteur de démarrage : Starting atomizer.

Injection : Priming.

Injection d'un mélange d'eau et de méthanol :
Water-methanol injection.

Injection de carburant par dosage électronique : Electronic metering of fuel injection.

Injection de résine sur renfort [fabrication de pièces en matériaux composites moulés] :
Resin transfer moulding (RTM) [manufacture of moulded composite materials parts].

Insonorisé : Sound-proofed.

Insonoriser : Sound proof (to).

Inspection : Inspection. Overhaul.

Inspection avant mise en route :
Pre-starting check.

Inspection de type A [après 330 heures de vol] : Check A.

Inspection de type B [après 950 heures de vol] : Check B.

Inspection de type C [après 3400 heures de vol] : Check C.

Inspection de type D [après 8 ans d'exploitation] : Check D.

Inspection des parties chaudes d'un moteur :
Hot-structure inspection (HSI).

Inspection par pénétration :
Dye-penetrant inspection.

Installation : Installation. System. Unit.

Installation d'essais :
Test facility. Trial installation.

Installation d'essais de moteurs :
Engine test facility (ETF).

Installation en rattrapage : Retrofitting.

Installation et mise au point :
Installation and check-out (I and CO).

Installation radar : Radar facility.

Installations au sol :
On-ground facilities. Ground facilities

Installer : Install (to).

Instrument de mesure de l'énergie des élec-trons et des protons et de leur distribution dans l'espace :
Energetic particle analyser (EPA).

Instrument de secours : Stand-by instrument.

Instrument de surveillance de vol :
Flight monitoring instrument.

Instruments de bord :
Flight instruments. On-board instrumentation.

Instruments de vol : Flight instruments.

Instruments de vol fondamentaux [anémomè-tre, variomètre, altimètre, indicateur de cap, horizon gyroscopique, indicateur de virage et d'inclinaison latérale ou bille-aiguille] :
Basic six [airspeed indicator, vertical speed in-dicator, altimeter, heading indicator, gyro hori-zon, turn-and-bank indicator].

Intégrateur altitude-azimut :
Azimuthal display.

Intégrateur d'erreur de cap [pilote automat-ique] : Heading error integrator.

Intégrateur de trajectoire transversale [pilote automatique] :
Lateral path integrator [autopilot].

Intégré : Built-in.

Intensité du champ magnétique :
Magnetic field strength.

Intercepteur de satellites :
Satellite interceptor (SAINT).

Interception : voir Missile d'interception...

Interception courte portée :
Visual range interception.

Interception longue portée :
Long-range interception.

Interdiction : voir Voyant d'interdiction...

Interdiction manette : Throttle locking feature.

Interface [liaison ordinateur/périphériques] :
Interface.

Interface de transmission de données de vol :
Flight data interface unit (FDIU).

Interface mât-voilure : Wing-to-strut interface.

Interface pilote/avion :
Pilot-vehicle interface (PVI).

Interface pilote/systèmes [composée de cinq équipements de visualisation] :
Advanced pilot-system interface (APSI).

Interférence : voir Traînée d'interférence...

Interférence de fréquence radio :
Radio frequency interference (RFI).

Interférence électromagnétique :
Electro-magnetic interference (EMI).

Interlongeron : Inspar.

Interphone : Intercommunication system (ICS).

Interrogateur DME [mesure de distance] :
DME interrogator.

Interrogateur IFF :
Identification friend or foe (IFF) transponder.

Interrompre : Shut off (to).

Interrupteur : Switch.

Interrupteur à bascule :
Toggle switch. Tumbler switch.

Interrupteur à couteau : Knife switch.

Interrupteur à galette : Wafer switch.

Interrupteur à lame : Knife switch.

Interrupteur à levier : Lever switch.

Interrupteur à levier inverseur : Toggle switch.

Interrupteur à vide : Vacuum switch.

Interrupteur d'annulation [pilote auto-matique] : Override switch.

Interrupteur d'arrêt du compensateur de sta-bilisateur : Stabilizer trim cut-out switch.

Interrupteur d'essai au sol d'amortisseur de lacet : Yaw damper ground test switch.

Interrupteur de commande électrique de com-pensation : Trim control switch.

Interrupteur de rallumage en vol :
In-flight relighting switch.

Interrupteur de trim : Trim cutout switch.

Interrupteur général : Master switch.

Interrupteur « marche/arrêt » : On-off switch.

Interrupteur pas-à-pas [sur manche cyclique] :
Beep-switch.

Interrupteur temporisé : Time-delay switch.

Interrupteur thermique : Thermoswitch.

Interrupteur tripolaire : Three-pole switch.

Intervalle depuis pose :
Time since installation (TSI).

Intervalle depuis révision :
Time since overhaul (TSO).

Intervalle effectif entre deux révisions :
Achieved overhaul life (AOL).

Intervalle entre remplacements planifiés :
Time between scheduled replacement (TBSR).

Intervalle entre révisions :
Time between overhauls (TBO).

Intervalle moyen entre défaillances en vol :
Mean flight hours between failure (MFHBF).

Intrados :
Lower surface. Undersurface. Underwing.

Intrados de pale : Blade lower surface.

Inutilisable : Unserviceable (U/S).

Invar [alliage à 36 % de nickel] : Invar.

Inverseur : Switch changeover.

Inverseur de jet : Thrust reverser.

Inverseur de poussée : Thrust reverser.

Inverseur de poussée à coquilles :
W-clamshell thrust reverser.

Inverseur de poussée de soufflante :
Fan reverser assy.

Inversion de jet : Reverse.

Inversion de l'indicateur de direction :
Automatic direction finder (ADF) reversal.

Inversion de pas : Pitch reversing.

Inversion de pas d'hélice : Reverse.

Inversion de poussée : Reverse.

Inversion des commandes : Control reversal.

IR [infrarouge] : Infra-red.

Irréparable : Out-of-repair.

Isoler : Shut off (to).

Issue d'évacuation sur l'aile : Overwing exit.

Issue de secours largable :
Droppable emergency unit.

J

Jack : Jack.

Jambe autobriseuse : Nutcracker strut.

Jambe d'amortisseur de train d'atterrissage :
Oleo leg.

Jambe de force : Stay rod. Strut.

Jambe de roulette avant : Nose gear strut.

Jambe de train : Landing gear leg.

Jambe de train avant à diabolo renforcé :
Nose gear leg with reinforced bogie.

Jambe de train d'atterrissage :
Gear leg. Undercarriage strut.

Jambe de train d'atterrissage principal :
Main gear leg.

Jambe élastique hydraulique : Oleo strut.

Jambe élastique pneumatique [train d'atterrissage] : Pneumatic strut.

Jambe équipée d'atterrisseur auxiliaire arrière : Tail bumper leg assembly.

Jambe oléopneumatique : Oleo strut.

Jante : Wheel rim.

Jauge : Template.

Jauge d'épaisseur : Thickness gage (gauge).

Jauge d'huile : Oil dip rod.

Jauge de carburant : Fuel contents transmitter.

Jauge de contrainte : Strain gage (gauge).

Jauge de filetage : Thread gauge.

Jauge micrométrique : Vernier caliper.

Jauge totalisatrice de carburant :
Integrating fuel quantity indicator.

Jaugeur à niveau visible : Sight gage (gauge).

Jaugeur d'huile : Oil gage (oil gauge).

Jaugeur de réservoir carburant :
Fuel gage tank unit.

Jet : Jet.

Jet d'affaires supersonique [premier vol prévu pour 1994] : Supersonic business jet (SSBJ) [first flight scheduled for 1994].

Jet du réacteur : Jet wash.

Jeu [d'un mécanisme] : Clearance.

Jeu : Shipset.

Jeu axial : Axial play.

Jeu d'usure : Wear play.

Jeu de denture : Backlash.

Jeu des poussoirs de soupape :
Valve tappet clearance.

Jeux et tolérances : Fits and clearances.

Joint : Joint.

Joint à billes : Ball and socket joint.

Joint à cardan : Universal joint.

Joint à recouvrement de fuselage :
Fuselage lap joint.

Joint articulé : Swivel joint.

Joint charnière d'aile repliable :
Wing fold hinge joint.

Joint d'apex : Wing root seal.

Joint d'arbre principal : Main shaft seal.

Joint d'étanchéité : Gasket seal.

Joint de boîte d'engrenage : Gearbox seal.

Joint de bougie : Sparking plug gasket.

Joint de cardan : Cardan joint.

Joint de culasse : Cylinder-head washer.

Joint de dilatation :
Expansion joint. Thermal stress reliever.
Joint de labyrinthe : Labyrinth seal.
Joint de recouvrement : Splice.
Joint de refoulement : Windback seal.
Joint de retenue d'huile : Oil seal.
Joint de volet : Flap seal.
Joint en caoutchouc : Rubber seal.
Joint en élastomère : Elastomeric gasket.
Joint en téflon : Teflon seal.
Joint étanche à la poussière : Dust seal.
Joint glissant : Sliding joint.
Joint métalloplastique : Gasket.
Joint racleur : Scraper ring. Wiper.
Joint structural : Structural joint.
Joint torique : O-ring.
Joint tournant de balise : Beacon slip ring.
Joint universel : Universal joint. Universal link.
Jointure : Joint.
Jonc : Trim strip.

Jonc de bordure : Edge ring.
Jonc de retenue : Retaining ring.
Jonction : Junction.
Jonction des demi-voilures :
Wing center attachment.
Jonction voilure/fuselage :
Wing/fuselage mating.
Jonction voilure/onglet de voilure :
Wing/wing strake intersection.
Jonctions de dérive boulonnées :
Fin attachment bolted joints.
Jour standard : Standard day.
Journal de bord : Log-book.
Jumelage : Ganging.
Jumelles fixées sur le casque du pilote intensifiant la lumière de la lune ou des étoiles :
Aviator's night vision imaging system (ANVIS).
Jupe de piston : Piston skirt.
Jupe souple [hélicoptère] : Flexible skirt.

K

Karman : Fairing. Fillet.
Karman de liaison aile-fuselage :
Wing-to-fuselage fairing.
Karman de mât-réacteur : Stub fillet.
Karman de voilure : Wing fillet.
Kérosène : Aviation jet fuel. Kerosene.
Kérosène contenant un additif anti-vaporisation : Anti-misting kerosene (AMK).
Kérosène ordinaire : Jet A.

Kilomètre à l'heure :
Kilometer per hour (KPH).
Kilowatt (kW) : Kilowatt (kW).
Kit : Kit.
Kit « utilisation sur piste en gravier » [contre l'absorption de gravier par les réacteurs] :
Gravel kit.
Kit de rattrapage : Modification kit.
Klaxon : Horn. Warning horn.
Krarupisation : Coil loading.

L

Laboratoire radar spatial :
Space radar laboratory (SRL).
Laiton : Yellow metal.
Lamage : Spotfacing. Surfacing.
Lame de correction : Trim edge.
Lame équipée : Blade assembly.
Lame ou lamelle de refroidissement :
Heat sink.

Lamelle : Strip.
Lampe d'éclairage de logement de train :
Wheel well light.
Lampe d'éclairage de tableau de bord :
Panel lamp.
Lampe de mesure : Test lamp.
Lampe radioélectrique : Valve.
Lampe témoin : Test lamp. Pilot light.
Lance-fusées : Rocket launcher.

Lance-leurres :
Decoy launcher. Decoy dispenser.

Lance-leurres IR : Infra-red decoy launcher.

Lance-missiles : Missile launcher.

Lance-roquettes : Rocket launcher.

Lancement à course nulle [« tir » de l'avion à partir d'abri nucléaire] :
Zero length launch (ZLL) [« firing » of the aircraft from a nuclear shelter].

Lancement d'un planeur par treuil :
Winch launch.

Lanceur : Booster. Initiator. Launcher.

Lanceur complémentaire non réutilisable : Complementary expendable launch vehicle.

Lanceur lourd non réutilisable : Heavy-lift expendable launcher.

Lanceur non-réutilisable :
Expendable launch vehicle (ELV).

Lanceur récupérable :
Recoverable launch vehicle.

Lanceur réutilisable :
Reusable launch vehicle.

Lanceur rotatif aéroporté [bombes, missiles] :
Rotary launcher assembly (RLA).

Lanceur spatial : Space launcher.

Lanceur spatial non-réutilisable amélioré :
Evolved expendable launch vehicle (EELV).

Languette de métallisation : Earthing lug.

Lanière : Strap.

Largable : Jettisonable.

Largage de bombes : Bomb delivery.

Largage [de bombes] en vol horizontal et rectiligne : Straight-and-level delivery.

Largage de parachutistes : Paratroop-dropping.

Largeur de bande : Band width.

Largeur de faisceau radar : Beam width.

Larguer : Jettison (to).

Laryngophone : Throat microphone.

Laser à grenat d'yttrium-aluminium :
Yttrium aluminium garnet (YAG) laser.

Laser chimique à grande puissance : Mid-infrared advanced chemical laser (MIRACL).

Laser chimique utilisant des gaz nobles ou faiblement réactifs : Excimer laser.

Laser YAG :
Yttrium aluminium garnet (YAG) laser.

Laser YAG en plaques : Slab laser.

Lest : Ballast.

Lesté : Ballasted.

Lettre de transport aérien (LTA) :
Air way bill (AWB).

Leurre : Lure.

Lever de doute : To-from sensor.

Levier : Lever.

Levier coudé : Bellcrank.

Levier d'aérofrein : Speed brake lever.

Levier d'armement de siège éjectable :
Seat arming safety lever.

Levier d'inversion de pas : Reverse pitch lever.

Levier de basculement de bord d'attaque :
Droop lever.

Levier de commande : Control column.

Levier de commande d'angle d'incidence de tuyère : Nozzle angle control lever.

Levier de commande de désembuage :
Defog control lever.

Levier de commande de pas :
Pitch control lever.

Levier de commande de postcombustion :
Reheat control lever.

Levier de commande de toboggan d'évacuation : Evacuation slide actuating lever.

Levier de commande des volets :
Wing flap control lever.

Levier de démarrage : Start lever.

Levier de manoeuvre : Operating lever.

Levier de pas : Blade horn.

Levier de pas collectif (ou général) :
Pitch lever.

Levier de pas général : Collective pitch lever.

Levier de puissance : Throttle control lever.

Levier de réglage pour décollages courts :
Adjustable short take-off stop lever.

Levier de relevage : Retraction lever.

Levier « marche-arrêt » : On-off lever.

Lèvre de clapet : Valve lip.

Lèvre de labyrinthe : Labyrinth lip.

Liaison :
Attachment. Bonding. Interface. Joint. Link.

Liaison de longeron avant de voilure :
Wing spar centre-section carry-through.

Liaison mécanique : Mechanical linkage.

Liaison par diffusion : Eutectic bonding.

Liaison par rivetage : Riveted connection.

Liaison radiotéléphonique :
Radio-telephone link.

Liaison régulière : Regular flight.

Liaison voilure-fuselage :
Wing-to-fuselage attachment.

Liasse [plans, croquis] : Drawing package.

Liasse de données [acquisition et mise en mémoire par ordinateur des caractéristiques d'un élément, d'une pièce ou d'une structure] : Data sheet [acquisition and storage of technical features peculiar to a component, part or structure].

Libérer : Release (to).

Licence de pilote de ligne [USA] :
Air transport pilot license (ATPL).

Licence de pilote professionnel :
Commercial pilot licence (CPL).

Lien : Interface.

Lieutenant-colonel d'aviation : Wing-commander.

Lieutenant d'aviation : Flying officer.

Ligne « O » [graphique] : Baseline.

Ligne : Flight.

Ligne aérienne intérieure : Domestic line.

Ligne aérienne principale : Trunk line.

Ligne d'alimentation [électricité] : Feeder.

Ligne d'horizon bouchée [par ciel couvert et sol enneigé] : White-out [thick weather and snow-covered ground].

Ligne de niveau : Contour line. Level line.

Ligne de retour : Spill line.

Ligne de rivets : Rivet line.

Ligne de vol : Path.

Lignes aériennes desservant plusieurs destinations à partir d'un aéroport principal : Hub and spokes.

Lignes aériennes transversales : Feeder routes.

Limitation de l'amplitude de débattement de la gouverne de direction : Rudder travel limitation.

Limite de fatigue : Stress limit.

Limite de fatigue en fonction du temps : Fatigue limit versus time.

Limite de fonctionnement (à la) : Time-expired.

Limite de rupture : Ultimate strength.

Limite de vie : Expired life.

Limite élastique : Tensile yield. Yield strength. Yield point.

Limite élastique de fatigue [métal] : Fatigue yield strength.

Limites d'utilisation : Operating limits.

Limites de centrage autorisées : Permissible CG range.

Limites masse-altitude-température : Weight-altitude-temperature limitations (WAT).

Limiteur d'admission : Inlet pressure limiter.

Limiteur d'ouverture de valve : Valve adjuster.

Limiteur de braquage : Travel limiter.

Limiteur de charge des volets : Flap load relief.

Limiteur de couple et de température : Torque and temperature limiter (TTL).

Limiteur de course : Travel stop.

Limiteur de débattement : Travel stop :

Limiteur de détente : Release limiter.

Limiteur de souffle : Blast suppressor.

Limiteur de survitesse : Overspeed limiter.

Limiteur de vitesse : Speed limiter.

Limon d'escalier : Stairway string-board.

Liquide antigivre : De-icing fluid.

Liquide hydraulique : Transmission fluid.

Lisse : Strake.

Lisse [fuselage] : Stringer.

Lisse à profil en Z : Z-section stringer.

Lisse clarinette : Tapered stringer.

Lisse de bord de fuite : Trailing edge bordering.

Lisse de voilure : Wing stringer.

Liste de vérifications : Check-list.

Liste des outillages et équipements (LOE) : Tool and equipment list (TEL).

Liste des vérifications à effectuer en cas de présence de fumée dans la cabine : Smoke-removal checklist.

Liste détaillée d'approvisionnement de pièces : Parts provisioning breakdown (PPB).

Liste illustrée des pièces de rechange : Illustrated Parts List (IPL).

Liston : Strake.

Liston [hélicoptère] : Rubbing strake.

Livret des accessoires : Accessory log book.

Livret du moteur : Engine log book.

Livret moteur : Log-book.

Lobe d'émission : Transmitting lobe.

Lobe de rayonnement [antenne] : Radiation lobe.

Localisation : Tracking.

Localisation par ondes radioélectriques : Radio position-finding.

Localizer : Localizer (LOC).

Location d'avion avec équipage : Wet lease.

Location d'un avion sans équipage : Dry lease.

Logé dans l'aile : Wing-mounted.

Logement : Housing. Recess. Well.

Logement d'emplanture de dérive : Fin root housing.

Logement de clavette : Key seat.

Logement de l'arbre d'entraînement, de transmission ou de commande : Drive shaft housing.

Logement de parachute de queue : Brake parachute housing.

Logement de ressort : Spring housing.

Logement de roue de train d'atterrissage avant : Nosewheel bay.

Logement de train : Landing gear well. Wheel bay. Wheel well.

Logement de train d'atterrissage avant : Nose gear bay.

Logement des roues : Wheel arch.

Logement du train d'atterrissage principal : Main landing gear well.

Logement du vérin de train d'atterrissage principal : Main undercarriage jack housing.

Logiciel de bord : On-board software.

Logomètre : Ratiometer.

Long-courrier à réaction : Long-haul jet liner.

Longeron : Beam. Boom. Longeron. Spar.

Longeron arrière : Rear spar.

Longeron arrière d'aile : Wing rear spar.

Longeron arrière de dérive : Stern post.

Longeron avant : Front spar.

Longeron avant de dérive : Fin front spar.

Longeron-caisson : Box spar.

Longeron central : Center spar.

Longeron creux : Hollow spar.

Longeron d'aile : Wing spar.

Longeron de fuselage : Fuselage longeron.

Longeron de gouverne : Control surface spar.

Longeron de pale : Blade spar.

Longeron de pale principale :
Main blade spar. Main rotor blade spar.

Longeron en tôle pliée :
Formed sheet longitudinal member.

Longeron intermédiaire : Sub-spar.

Longrine : Longitudinal beam. Stringer.

Longueur d'onde : Wave length.

Longueur de démarrage : Starting run.

Longueur de piste au décollage : Take-off balanced field length. Take-off field length.

Longueur de piste d'atterrissage :
Landing field length.

Longueur de piste nécessaire au décollage :
Take-off distance required.

Longueur de roulement nécessaire au décollage : Take-off run required.

Longueur de roulement utilisable au décollage : Take-off run available (TORA).

Longueur hors-tout : Overall length.

Looping : Looping.

Looping inversé : Inverted loop.

Loran : Long-range air navigation (LORAN).

Lot : Batch. Kit.

Lot d'équipement de remorquage : Tow kit.

Lot de bord : Aircraft equipment. Board kit.

Lot de modernisation : Update kit.

Lot de modification :
Modification kit. Update kit.

Lot de première nécessité :
Temporary repair kit.

Lot de rattrapage : Retrofit kit.

Lot de réparation : Repair kit.

Lourd sur l'avant : Nose-heavy.

Lubrifiant : Lubricant.

Lubrification : Lubrication.

Lubrification à partir d'un unique réservoir :
Centralized lubrication.

Lubrification au jet : Jet lubrication.

Lubrification par projection : Jet lubrication.

Lubrifier : Lubricate (to).

Lucarne d'objectif [structure] :
Objective window.

Lumière : Port. Vent.

Lunette [d'instrument] : Bezel.

Lunettes de vision à bas niveau de lumière :
Low light-level goggles.

Lunettes de vision nocturne (LVN) montées sur le casque du pilote :
Night-vision goggles (NVG).

Lutte anti-sous-marine (ASM) :
Anti-submarine warfare (ASW).

Lyre : Adjusting plate.

Lyre [commande de pilotage] :
Lyre-shaped bellcrank.

M

Mach : *voir Nombre de Mach...*

Mach à ne jamais dépasser :
Mach never exceed (MNE). Never exceed mach number (MNE).

Mach maximum de démonstration en piqué :
Maximum demonstration mach in dive (MD).

Mach maximum en utilisation normale : Maximum operating limit mach number (MNO).

Machine à aléser : Boring machine.

Machine à cintrer : Bending machine.

Machine à draper : Draping machine.

Machine à ébavurer/chanfreiner :
Deburring and radiusing machine.

Machine à forer : Boring machine.

Machine à fraiser : Milling machine.

Machine à percer et à fraiser pour l'usinage de panneaux de fuselage :
Drilling and milling machine for the machining of fuselage panels.

Machine à rectifier : Grinding machine.

Machine à rectifier les coussinets :
Bush grinding machine.

Machine-outil : Machine tool.

Machmètre : Machmeter.

Machmètre numérique : Digital machmeter

Magnéto de départ : Starting magneto.

Magnétomètre de détection d'anomalies : Magnetic anomaly detector (MAD-BIRD).

Maillage : Lattice structure.

Mains sur manette des gaz et manche : Hands on throttle and stick.

Maintenabilité : Maintainability.

Maintenance : Maintenance.

Maintenance corrective : Unscheduled maintenance.

Maintenance corrective [non planifiée] : Corrective maintenance.

Maintenance dans une période de temps déterminée : Hard time maintenance.

Maintien : *voir Plaque de maintien...*

Maintien en bon état : Maintenance.

Maître-couple : Master cross-section. Maximum cross-section.

Maître-couple utile : Useful cross-section.

Manche : Control column. Stick.

Manche à air : Wind cone. Wind sock.

Manche à air de turbocompresseur : Turbocompressor air inlet.

Manche à balai : Control column, Control stick. Joy-stick. Stick.

« Manche au ventre » : Stick full back.

Manche bloqué : Stick fixed.

Manche collectif : Collective stick.

Manche cyclique : Cyclic pitch stick.

Manche d'évacuation : Escape chute.

Manche d'évacuation du pont supérieur [Boeing 747] : Upper deck escape slide.

Manche de commande latéral à axes multiples : Multi-axis side-arm controller.

Manche de contrôle latéral couplé électroniquement : Electronically-coupled sidestick controller.

Manche de pas général : Collective pitch lever.

Manche de télécommande : Remote control stick.

Manche de vide-vite : Dump chute.

Manche en butée : Stick limit position.

Manche libre : Stick free.

Manche pilote : Pilot's control column.

Manchette : Vane end.

Manchon : Jacket.

Manchon d'accouplement : Jack clutch.

Manchon d'entretoise : Spacer sleeve.

Manchon de circuit d'huile de réacteur : Jet engine oil sleeve.

Manchon de pale : Blade sleeve.

Manchon de pied de pale : Blade root cuff.

Manchon de reprise des pales : Blade attach bar.

Manchon de télécommande : Remote control sleeve.

Manchon isolant : Insulated coupling.

Manchon métallique fileté : Nipple.

Manchonnage : Jacketing.

Maneton : Wrist.

Manette de commande de poussée : Thrust lever.

Manette de sélection des modes radar : Radar hand controller.

Manette des gaz : Engine throttle lever. Throttle control lever. Throttle.

Manette des gaz [moteur extérieur] : Outboard throttle.

Manette des gaz [moteur intérieur] : Inboard throttle.

Manille de liaison : Junction shackle.

Manipulateur de radar : Keyer.

Manipulation de phase : Phase shift keying (PSK).

Manipuler : Transmit (to).

Manivelle de secours de sortie du train : Manual extension hand crank.

Manocontact anémométrique : Ram pressure switch.

Manocontact de baisse de pression : Pressure-drop warning switch.

Manocontact de pression d'huile : Oil pressure switch.

Manocontacteur de pression minimale d'huile : Oil low pressure switch.

Manodétendeur : Pressure reducing gage (gauge).

Manoeuvrabilité : Agility.

Manomètre : Pressure gage (gauge).

Manomètre à écrasement : Crusher.

Manomètre de pression d'huile : Oil pressure gage (gauge).

Manomètre étalon : Master pressure indicator. Standard pressure gauge.

Manomètre triple : Triple reading gauge.

Manotransmetteur : Transmitter gauge.

Manuel d'entretien (ME) : Maintenance manual (MM).

Manuel d'outillage et équipement au sol : Ground equipment manual (GEM).

Manuel d'utilisation : Operating manual. Operation handbook.

Manuel d'utilisation [destiné au personnel navigant technique] : Flight crew operating manual (FCOM).

Manuel d'utilisation du pilote : Pilot operating handbook (POH).

Manuel de l'équipage (ME) :
Crew operation manual (COM).

Manuel de maintenance avion :
Aircraft maintenance manual (AMM).

Manuel de réparations structurales (MRS) :
Structural repair manual (SRM).

Manuel de vol (MV) : Flight manual (FM).

Manuel des masses et centrages (MMC) :
Weight and balance manual (WBM).

Manuel des opérations en vol :
Flight operations manual (FOM).

Manuel des schémas de câblage :
Wiring diagram manual (WDM).

Manuel illustré des outillages et équipements (MIOE) : Illustrated tools and equipment manual (ITEM).

Manuel technique : Technical handbook.

Maquette : Mock-up.

Maquette d'encombrement : Space model.

Maquette d'essai : Test model.

Maquette fixe sur instrument :
Miniature aircraft index.

Maquette sur table : Breadboard model.

Marbre : Surface plate. Surface table.

Marbre de dressage : Dressing table.

Marbre de traçage : Lofting table.

Marche (en) : On.

Marchepieds d'aile : Wing walkways.

Marge de franchissement de l'obstacle dominant : Dominant obstacle allowance (DOA).

Marge de franchissement du relief :
Terrain clearance.

Marge de pompage [moteur] : Surge margin.

Marouflage : Taping.

Maroufler : Tape (to).

Marquage d'axe de piste :
Runway centerline marking.

Marquage latéral de piste :
Runway edge marking.

Marqueur : Marker.

Marqueur d'étalonnage [radar] :
Range marker.

Marqueur de distance : Range ring.

Marqueur de route : Azimuth marker.

Marqueur de zone : Zone marker.

Marteau riveur : Rivet gun.

Martelage : Hammering. Peening.

Masque d'équipage à mise en place rapide :
Sweep-on crew mask.

Masque inhalateur d'oxygène :
Oxygen breathing mask.

Masse : Weight.

Masse à l'atterrissage en ordre d'exploitation :
Operational landing weight (OLW).

Masse à pleine charge :
Maximum all-up weight.

Masse à sec : Dry weight.

Masse à vide de base : Basic empty weight.

Masse à vide en ordre d'exploitation (MVOE) : Operational empty weight (OEW). Operational weight empty (OWE). Basic operating weight.

Masse à vide équipé :
Equipped empty weight (EEW).

Masse à vide indiquée par le constructeur :
Manufacturer's empty weight (MEW).

Masse au cheval : Weight per horsepower.

Masse au décollage : Take-off weight (TOW).

Masse au décollage en ordre d'exploitation :
Operational take-off weight (OTOW).

Masse autorisée au décollage :
Allowable take-off weight.

Masse d'amortissement de stabilisateur :
Tailplane anti-flutter weight.

Masse d'équilibrage : Balance weight.

Masse d'équilibrage de gouverne :
Control surface balancing weight.

Masse d'équilibrage de pale :
Blade balance weight.

Masse de calcul : Design weight.

Masse de l'avion au parking : Ramp weight.

Masse et centrage : Balance and centering.

Masse maximale : All-up weight.

Masse maximale à l'atterrissage :
Maximum landing weight (MLW).

Masse maximale à vide [sans carburant] :
Maximum empty weight [no fuel).

Masse maximale au décollage :
Maximum take-off gross weight (MTOGW).

Masse maximale au départ de l'aire de stationnement : Maximum ramp weight (MRW).

Masse maximale admissible à l'atterrissage :
Maximum permissible landing weight.

Masse maximale admissible au décollage :
Maximum permissible take-off weight.

Masse maximale de calcul à l'atterrissage :
Maximum design landing weight (MLW).

Masse maximale de calcul au décollage :
Maximum design take-off weight (MTOW).

Masse maximale de calcul au roulage :
Maximum design taxi weight (MTW).

Masse maximale de calcul de l'avion en vol :
Maximum design flight weight (MFW).

Masse maximale de calcul pour transfert de carburant : Maximum design fuel transfer weight (MFTW).

Masse maximale de calcul sans carburant :
Maximum design zero fuel weight (MZFW).

Masse maximum en surcharge au décollage :
Emergency overload take-off weight.

Masse opérationnelle sans carburant :
Operational zero fuel weight.

Masse par rapport à la puissance :
Power/weight ratio.

Masse parking :
Maximum ramp weight (MRW).

Masse statique sur l'atterrisseur avant :
Static weight on nose gear (WN).

Masse statique sur l'atterrisseur principal :
Static weight on main L/G (WM).

Masse structurale sans carburant :
Standard zero fuel weight.

Masse totale : Certification weight.

Masse totale [d'un avion] : Gross weight (GW)

Masse totale au décollage :
Gross take-off weight (GTOW).

Masse totale au lâcher des freins :
Brake release gross weight (BRGW).

Masse totale du carburant : Total fuel weight.

Masse totale en surcharge :
Overload gross weight.

Masse totale réelle sans carburant :
Actual zero fuel weight (AZFW).

Masse totale sans carburant :
Zero fuel weight (ZFW).

Masse unitaire : Mass per unit of thrust.

Masses de réglage des pales : Tuning weights.

Masses et centrage : Weight and balance.

Mastic d'étanchéité : Sealant.

Mât : Mast. Pylon. Strut.

Mât d'aile : Wing pylon. Wing strut.

Mât d'intrados : Underwing pylon.

Mât de flotteur [hélicoptère] :
Sponson support strut.

Mât de liaison [réacteur] : Stub wing.

Mât de nacelle : Nacelle strut.

Mât de support provisoire [avion à ailes repliables] : Jury strut.

Mât de voilure : Wing hard point. Wing pylon.

Mât en V : V-strut.

Mât en Y : Y-strut.

Mât extérieur : Outboard pylon.

Mât profilé : Streamlined strut.

Mât-réacteur :
Engine nacelle stub. Engine pylon. Pylon.

Mât-réacteur latéral : Side engine strut.

Mât-rotor : Main rotor shaft. Rotor mast.

Mât-support : Pylon.

Mât support de moteur : Engine support strut.

Mât support de stabilisateur :
Stabilizer bracing strut.

Matage : Peening.

Matériau absorbant les ondes émises par les radars : Radar-absorbent material (RAM).

Matériau composite : Composite material.

Matériau composite carbone/carbone renforcé : Reinforced carbon/carbon (RCC).

Matériau composite en fibres de bore enrobées de carbure de silicium : Borsic.

Matériau composite en fibres de carbone ou de verre : Fiber composite material.

Matériau composite thermodurcissable :
Heat-setting composite.

Matériau composite tissé :
Non-crimp woven fabric (NCW).

Matériau en nid d'abeille :
Honeycomb material.

Matériau en nid d'abeille absorbant les micro-ondes :
Honeycomb microwave-absorbent material.

Matériau érodable : Ablative material.

Matériaux composites :
voir Programme préconisant...

Matériaux composites : Composite materials.

Matériaux composites à base de fibres de carbone : Carbon-fibre composites (CFC).

Matériaux de protection thermique :
Heat-shielding materials.

Matériaux thermoformés :
Thermoformed materials.

Matériel d'armement aéronautique :
Aeronautical armament.

Matériel d'armement de bord :
Aircraft armament equipment.

Matériel d'essai : Test equipment.

Matériel d'essai pour vérification automatique rapide et évaluation des circuits électriques et électroniques : Test equipment for rapid automatic check-out and evaluation (TRACE).

Matériel de servitude : Field support equipment.

Matériel de servitude au sol :
Ground support equipment (GSE).

Matériel de servitude utilisé sur les aires de manoeuvre ou de stationnement :
Apron/ramp equipment.

Matériel spécialisé d'essais au sol :
Peculiar ground support equipment (PGSE).

Matière plastique renforcée par fibres de carbone :
Carbon-fibre reinforced plastic (CFRP).

Matriçage : Die forging.

Matrice à découper : Blank die.

Matrice d'emboutissage : Stamping die.

Matricer : Stamp (to).

Mauvais fonctionnement du moteur :
Engine malfunction.

Mauvaise visibilité : Poor visibility.

Mécanicien de bord : Flight engineer.

Mécanicien de piste : Runway mechanic.

Mécanique arrière : Tail rotor transmission.

Mécanisme à cardan : Universal joint assembly.

Mécanisme d'alignement : Aligner.

Mécanisme d'entraînement : Drive mechanism.

Mécanisme d'entraînement des volets :
Flap drive mechanism.

Mécanisme de changement de pas de moyeu d'hélice :
Propeller hub pitch-change mechanism.

Mécanisme de commande de pas de rotor de queue : Tail rotor pitch control mechanism.

Mécanisme de débrayage : Release mechanism.

Mécanisme de direction : Steering mechanism.

Mécanisme de largage de parachute :
Parachute release mechanism.

Mécanisme de relevage de train avant :
Nosewheel retraction mechanism.

Mécanisme de rentrée automatique des volets :
Automatic flap-retraction mechanism.

Mécanisme de restitution des efforts sur le manche : Pitch feel and trim mechanism.

Mécanisme de tête de rotor :
Rotor head mechanism.

Mécanisme de transmission de l'hélicoptère :
Helicopter transmission system.

Mécanisme de verrouillage de gouverne de profondeur : Elevator locking mechanism.

Mécanisme de verrouillage des roues :
Wheel-lock mechanism.

Mèche : Drill.

Mèche à vis : Worm bit.

Meeting d'aviation : Air display.

Mélange carburant-comburant :
Fuel-air mixture.

Mélange pauvre : Lean mixture. Weak mixture.

Mélange riche : Rich mixture.

Mélangeur forcé à lobes de grande profondeur : Deep-chute forced mixer.

Mélangeur mécanique de profondeur-gauchissement : Mechanical aileron-elevator mixer.

Membrane : Bellows.

Membranes métalliques soudées :
Welded metal bellows.

Membre de l'équipage chargé de la coordination tactique [surveillance maritime] :
Tactical co-ordinator (TACCO) [maritime surveillance].

Membre de l'équipage responsable de la navigation et de la mise en oeuvre des instruments électriques de bord :
Weapons system operator (WSO) [crew member responsible for the navigation and airborne electrical equipments].

Membrure : Rib.

Mémento technique : Technical order (TO).

Mentonnet : Wiper.

Mer de force 4 : State 4 sea.

Message relatif aux phénomènes météorologiques dangereux pour la navigation : Significant meteorological message (SIGMET).

Mesures de renseignements électroniques (MRE) : Electronic support measures (ESM).

Mesureur de couple :
Sensing torquemeter. Torque meter.

Métal antifriction : Babbit metal.

Métal blanc : White metal.

Métallisation :
Bonding. Electrical bonding. Metal spraying.

Métallisation plasma : Plasma metal spraying.

Métalloscope [détecteur de criques] :
Magnetic crack detector.

Méthode de contrôle non destructif de composants électroniques :
Particle impact noise detection (PIND) test.

Mettre en circuit : Switch on (to).

Mettre en marche : Start (to).

Mettre en place : Install (to).

Mettre en route : Start (to).

Mettre hors circuit : Switch off (to).

Mettre le contact : Switch on (to).

Mettre un bouton à zéro : Clear a button (to).

Meuble-office de bord : Galley.

Meuble radio : Radio rack.

Meulage : Machine grinding.

Meuler : Abrade (to).

Microfissure : Microcrack.

Micromètre pneumatique :
Air gage (Air gauge).

Microrafale [rafale de vent verticale à basse altitude] : Microburst [low altitude vertical gust of wind].

Microrupteur de blocage des gouvernes :
Gust lock switch.

Microrupteur de verrouillage de porte :
Door lock switch.

Mille instructions par seconde [ordinateur de bord] :
Thousand instructions per second (KIPS).

Mille marin [1852 m] :
Nautical mile (NM). (Nmi).

Mille nautique : Nautical mile (Nmi).

Mille opérations par seconde [ordinateur de bord] :
Thousand operations per second (KOPS).

Milles terrestres [1609 m] par heure :
Statute mile per hour (MPH).

Million d'opérations complexes par seconde :
Million of complex operations per second (MCOPS).

Mini-manche : Mini stick.

Mini-manche latéral : Side-stick controller.

Minimum [d'une courbe] : Valley point.

Ministère de l'Energie :
Department of Energy (DOE).

Ministère de l'Environnement :
Department of Environment (DOE).

Ministère de la Défense :
Department of Defense (DOD) [USA]. Ministry of defence (MOD) [GB].

Minutage : Timing.

Minuterie : Timer.

Mire : Test pattern.

Mire de radar météo :
Weather radar test pattern.

Mise à l'air libre du fuselage : Fuselage vent.

Mise à l'air libre du réservoir : Tank air vent.

Mise à la masse : Bonding. Earthing.

Mise à la terre : Earthing.

Mise au point : Development. Tuning.

Mise au point de précision : Fine-tuning.

Mise au point finale :
Full-scale development (FSD).

Mise en marche : Start-up.

Mise en place : Installation.

Mise en rotation rapide [stabilisation des satellites, sondes, véhicules spatiaux] : Spin up.

Mise en route : Start-up.

Mise en stationnaire : Transition to hovering.

Mise en virage : Banking.

Mise hors circuit : Turning-off.

Mise sous tension de l'appareil [premier essai des circuits de l'avion] : Aircraft power-up [first check on the aircraft circuitry].

Missile à guidage IR : Stinger.

Missile à longue portée autonome après son lancement :
Long-range stand-off missile (LRSOM).

Missile à longue portée lancé par sous-marin :
Underwater long-range missile system (ULMS).

Missile à ogives multiples guidées séparément :
Multiple independently targeted reentry vehicle (MIRV).

Missile à vol rasant : Skimming missile.

Missile aéroporté à énergie cinétique :
Kinetic energy penetrating destroyer (KEPD).

Missile air-air : Air-to-air missile (AAM).

Missile air-air à courte portée : Advanced short-range air-to-air missile (ASRAAM).

Missile air-air à moyenne portée : Advanced medium-range air-to-air missile (AMRAAM). Medium-range air-to-air missile.

Missile air-air d'interception :
Interception air-to-air missile.

Missile air-air de conception avancée :
Advanced air-to-air missile (AAAM).

Missile air-sol : Air-to surface missile (ASM).

Missile air-sol à courte portée :
Short-range air-to-ground missile (SRAM).

Missile air-sol à dispersion : Modular bird with dispensing container (MOBIDIC).

Missile air-sol à guidage IR : Maverick.

Missile air-sol à moyenne portée :
Medium-range air-to-surface missile.

Missile antibalistique :
Anti-ballistic missile (ABM).

Missile antichar [portée 70 km] :
Joint tactical missile system (JTACMS).

Missile antimissile balistique :
Light exoatmospheric projectile (LEP).

Missile antimissile balistique tactique :
Anti-tactical ballistic missile (ATBM).

Missile antimissile et antiavion :
Tactical antiballistic missile (TABM).

Missile antiradar :
High-speed anti-radiation missile (HARM) [USA]. Anti-radar missile (ARM).

Missile antiradar à courte portée [mise en service 1995] :
Short-range anti-radiation missile (SRARM).

Missile antiradar lancé par avion [GB] :
Air-launched anti-radar missile (ALARM).

Missile antisatellite aéroporté :
Anti-satellite (ASAT) [USA].

Missile autonome après son lancement :
Fire-and-forget missile.

Missile balistique à portée variable :
Variable-range ballistic missile (VRBM).

Missile balistique à rayon d'action augmenté :
Extended range ballistic missile (ERBM).

Missile balistique de portée intermédiaire :
Intermediate range ballistic missile (IRBM).

Missile balistique intercontinental :
Intercontinental ballistic missile (ICBM).

Missile balistique tactique :
Tactical ballistic missile (TBM).

Missile d'attaque au sol dont le tir s'effectue à distance de sécurité :
Stand-off land attack missile (SLAM).

Missile d'attaque au sol dont le tir s'effectue à distance de sécurité, à performances améliorées : Stand-off land attack missile – expanded response – (SLAM-ER).

Missile d'autoprotection aéroporté :
Advanced self-protect (ASP) missile.

Missile d'interception endoatmosphérique :
High endoatmospheric defense interceptor (HEDI) [USA].

Missile de croisière :
Ground launched anti-ship system (GLASS).

Missile de croisière aéroporté :
Air-launched cruise missile (ALCM).

Missile de croisière de conception avancée [USA] :
Advanced cruise missile (ACM) [USA].

Missile de croisière embarqué :
Launched cruise missile (LCM).

Missile de défense aérienne très rapprochée :
Very short range air defence missile.

Missile dont l'autodirecteur se verrouille sur la cible après le lancement :
Lock-on after launch (LOAL) missile.

Missile dont l'autodirecteur se verrouille sur la cible avant le lancement :
Lock-on before launch (LOBL) missile.

Missile éjecteur de sous-munitions à distance de sécurité :
Short-range stand-off missile (SRSOM).

Missile filoguidé : Wire-guided missile.

Missile guidé air-air :
Guided aircraft missile (GAM).

Missile guidé antichar héliporté :
Anti-tank guided weapon (ATGW).

Missile hypersonique à guidage laser :
Starstreak.

Missile mer-air à moyenne portée : Surface-to-air medium-range active missile (SAMRAM).

Missile modulaire aéroporté de type « stand-off » [1990/95] :
Modular stand-off weapon (MSOW).

Missile polyvalent air-sol [USA] : Advanced interdiction weapon system (AIWS) [USA].

Missile quasi-autonome après tir :
Near-fire-and-forget missile.

Missile sol-air : Ground-to-air missile (GAM). Surface-to-air missile (SAM).

Missile sol-sol :
Ground-to-ground missile (GGM).

Missile sous-marin-air :
Underwater-to-air missile (UAM).

Missile supersonique aéroporté :
Hyper-velocity missile (HVM) [USA].

Missile supersonique antinavire :
Supersonic anti-ship missile (SASM) [USA].

Missile tactique air-sol :
Tactical air-to-surface missile (TASM).

Missile tactique éjecteur de sous-munitions :
Tactical missile system (TACMS).

Missile téléguidé : Teleguided missile.

Missile TOW [lancé par tube, à pilotage optique et filoguidé] : Tube-launched optically-tracked wire-guided (TOW) missile.

Missile TOW amélioré [muni d'un dispositif d'explosion à distance] : Improved TOW (ITOW) [fitted with a remotely controlled explosion device].

Missiles balistiques :
voir Système de protection...

Mission « bas-haut-bas » [largage du missile à basse altitude, accélération, montée, croisière et piqué sur la cible] : Low altitude launch , boost, climb, cruise and terminal dive onto the target (LO-HI-LO) mission [missile launching].

Mission CAS : Close air support (CAS) mission.

Mission d'appui-feu : Tactical support mission.

Mission d'appui tactique rapproché : Close air support (CAS) mission.

Mission d'appui tactique rapproché et d'interdiction du champ de bataille :
Close air support/battlefield air interdiction (CAS/BAI) mission.

Mission de contrôle aérien avancé :
Forward air control (FAC) mission.

Mission de lutte anti-sous-marine :
Anti-submarine warfare (ASW) mission.

Mission de reconnaissance armée :
Combat air patrol mission.

Mission SAR sur courte distance :
Short-range search-and-rescue mission.

Mission se déroulant uniquement à basse altitude : LO-LO-LO-mission.

Missions se déroulant à des altitudes différentes : HI-LO-LO-HI missions.

Mitrailleur : Gunner.

MLS à référence de temps :
Time-referenced scanning beam (TRSB).

Mode d'asservissement de l'altitude [pilote automatique] : Height-lock mode.

Mode de fonctionnement : Operating mode.

Mode « gel radar » [évite le risque de détection] : Radar freeze mode.

« Mode hôtel » [dispositif de freinage de l'hélice empêchant sa rotation bien que le moteur tourne, permettant ainsi une production d'électricité autonome pour les besoins de la climatisation pendant les escales] : Hotel mode [braking device preventing propeller rotation without stopping the engine to allow operation of the air conditioning system during stopover].

Modèle : Mock-up. Standard. Type.

Modèle de démonstration :
Proof of concept (POC).

Modèle de laboratoire : Breadboard model.

Modèle de présérie : Preproduction model.

Modèle de qualification : Qualification model.

Modèle réduit : Scale model.

Modernisation : Refurbishing.

Modernisation d'un avion parvenu à la moitié de sa vie : Mid-life update (MLU).

Modification : Retrofit.

Modification de cap : Heading alteration.

Modifications apportées à la voilure pour améliorer la traînée aérodynamique :
Soflite [modifications incorporated in the wing to improve aerodynamic drag].

Modifier : Fix (to).

Modulateur à « état solide » :
Solid-state modulator.

Modulation d'impulsions en amplitude :
Pulse amplitude modulation (PAM).

Module : Unit. Module.

Module carter inter-turbine :
Turbine mid-frame.

Module d'analyse des données expérimentales obtenues au cours d'essais en vol :
Test data analysis system (TDAS).

Module d'expériences en microgravité de la station Columbus :
Columbus orbital facility (COF).

Module d'exploration lunaire :
Lunar exploration module (LEM).

Module de dent : Tooth pitch.

Module de roulis [pilote automatique] :
Roll module.

Module de servitude [véhicule spatial] :
Service module [space vehicle].

Module pressurisé raccordé à la station spatiale du programme Columbus :
Attached pressurized module (APM) [Columbus programme].

Modules du répéteur : Transponder modules.

Moignon : Stub.

Moignon d'aile : Stub wing.

Molikotage : Molibonding. Molikote treatment.

Moment de tangage : Pitching moment.

Monergol : Monopropellant.

Moniteur : Monitor.

Moniteur de cycle thermique :
Thermal cycle monitor.

Monolithique : Solid-state.

Monolongeron : Monospar.

Monoplan à aile haute haubanée :
Braced high-wing monoplane.

Monoturbopropulseur :
Single engine turboprop.

Montage : Assembly. Installation. Mount.

Montage d'essai : Test rig.

Montage de laboratoire :
Breadboard construction.

Montage en étoile : Wye connection.

Montage en triangle [électricité] :
Delta connection.

Montage partiel : Sub-assembly.

Montage sur table : Breadboard construction.

Montant de pare-brise : Windshield post.

Monte-charge : Cargo hoist.

Monté dans l'aile : Wing-mounted.

Monté en étoile : Star-connected.

Monté sur châssis : Rack-mounted.

Montée en chandelle : Zooming-up.

Montée en régime : Spin-up.

Monter : Assemble (to). Install (to).

Monter en chandelle : Zoom (to).

Monter en rattrapage : Retrofit (to).

Monture : Frame. Mount.

Morceau : Part.

Moteur : Engine. Motor.

Moteur à cage d'écureuil : Squirrel cage motor.

Moteur à chambre de combustion annulaire :
Annular combustor engine.

Moteur à combustion étagée :
Staged combustion engine.

Moteur à combustion interne :
Internal combustion engine.

Moteur à compresseur : Supercharged engine.

Moteur à cycle variable : Variable-cycle engine.

Moteur à deux hélices contrarotatives directement entraînées par la turbine : Contra-rotating direct-drive turbine and fan assembly.

Moteur à double corps : Two-shaft turbofan.

Moteur à double corps double flux :
Twin-spool turbofan.

Moteur à double flux : Double-flow engine.

Moteur à faible consommation spécifique [programme NASA] :
Energy efficient engine (E3).

Moteur à faible poussée spécifique :
Low specific thrust (LST) engine.

Moteur à injection : Fuel-injection engine.

Moteur à large corps : Wide-body engine.

Moteur à pistons :
Piston engine. Reciprocating engine.

Moteur à poussée orientable :
Vector-thrust engine.

Moteur à puissance augmentée :
Uprated engine.

Moteur à puissance constante :
Flat-rated engine.

Moteur à quatre temps : Four-stroke engine.

Moteur à réaction : Jet engine.

Moteur à réducteur : Geared-down engine.

Moteur à refroidissement par eau :
Water-cooled engine.

Moteur à simple corps : Single-shaft engine.

Moteur à soufflante non carénée, ou propfan :
Ultra high bypass (UHB) engine.

Moteur à soufflante réduite :
Cropped-fan engine.

Moteur à soupapes en tête :
Overhead valve (OHV) engine.

Moteur à turbine : Turbine engine.

Moteur aérobie : Air-breathing engine.

Moteur asynchrone protégé :
Splash-proof asynchronous motor.

Moteur avionné :
Embodied engine. Installed engine.

Moteur basculant : Swivelling engine.

Moteur bride-à-bride : Flange-to-flange engine.

Moteur certifié pour le vol :
Flight-cleared engine.

Moteur coupé : Engine cut-off. Power off.

Moteur couple : Torque motor.

Moteur couple de gyroscope : Gyro torquer.

Moteur d'accélération : Boost motor.

Moteur d'appoint : Booster engine.

Moteur d'appoint à poudre amélioré destiné à la navette spatiale américaine :
Advanced solid rocket motor (ASRM) [intended for US space shuttle].

Moteur d'azimut : Azimuth drive.

Moteur d'entraînement d'antenne plate de radar : Scanner drive unit.

Moteur d'entraînement des volets :
Flap drive motor.

Moteur dans sa définition de vol :
Flight-type engine.

Moteur de commande : Actuator.

Moteur de commande de volet de manoeuvre de bord d'attaque :
Leading edge maneuver flap drive motor.

Moteur de commande des becs :
Slat control unit.

Moteur de commande des volets : Flap control unit. Control flap drive motor.

Moteur de compensation du PA :
Autopilot trim motor.

Moteur de croisière : Sustainer.

Moteur de démonstration de technologie avancée :
Advanced technology demonstrator engine.

Moteur de démonstration de technologie moderne : Modern technology demonstration engine (MTDE).

Moteur de gyroscope : Gyro motor.

Moteur de repliage de pale :
Blade folding motor.

Moteur de sustentation : Lift engine.

Moteur de technologie poussée :
Advanced technology engine (ATE).

Moteur de validation : Certification engine.

Moteur des volets de courbure :
Wing flap motor.

Moteur démultiplié : Geared-down engine.

Moteur destiné au chasseur tactique des USA :
Joint advanced fighter engine (JAFE).

Moteur dont l'allumage est défectueux :
Balking engine.

Moteur électrique de trim :
Electric trim motor. Trim servo-motor.

Moteur en double étoile :
Twin-row radial engine.

Moteur en étoile : Radial engine.

Moteur en étoile avec plusieurs rangées de cylindres : Multi-row radial engine.

Moteur en V : V-engine.

Moteur et différentiel de rampe :
Ramp motor and gear-box unit.

Moteur étalon : Reference engine.

Moteur extérieur : Outboard engine.

Moteur fonctionnant sans air ambiant :
Rocket combustion engine.

Moteur-fusée : Rocket motor. Rocket engine.

Moteur-fusée à impulsions : Pulse rocket motor.

Moteur-fusée canalisé : Ducted rocket.

Moteur gonflé :
Hotted-up engine. Uprated engine.

Moteur inversé [moteur en ligne dont les cylindres sont sous le vilebrequin pour améliorer la visibilité] : Inverted engine [an in-line engine having its cylinders below the crankshaft to improve the visibility].

Moteur monté en fuseau :
Strut-mounted engine.

Moteur noyé : Flooded engine.

Moteur poussé : Hotted-up engine.

Moteur principal de compensateur :
Trim drive unit.

Moteur principal de la navette spatiale :
Space shuttle main engine (SSME) [USA].

Moteur réduit : Motor at idle.

Moteur rotatif : Rotary engine.

Moteur sec : Basic engine. Dry engine.

Moteur suralimenté : Supercharged engine.

Moteur thermique : Heat engine.

Moteurs à turbine : *voir Programme TEAM*

Moto-planeur : Powered sail-plane.

Motoréducteur d'entraînement :
Driving geared motor.

Motorisation d'antenne de radar de veille :
Surveillance radar folding mechanism.

Motorisation hydraulique :
Hydraulic actuator assembly.

Motoriste : Engine manufacturer.

Motovariateur : Speed-change drive unit.

Moufle : Hoisting block.

Moulage au sac [matériaux composites] :
Bag moulding.

Moulage de préimprégnés :
Sheet molding compound (SMC).

Moulage en coquille : Gravity die casting.

Moulage par réaction avec renforts : Reinforce-reaction injection molding (R-RIM).

Moulinet : Vane. Windmill.

Moulinet (en) : Windmilling.

Mouvement : Traffic.

Mouvement de traînée de pale : Lagging blade.

Mouvements de lacet : Yawing.

Moyenne des cycles entre déposes : Mean cycle between removals (MCBR).

Moyenne des cycles entre remplacements non planifiés : Mean cycle between unscheduled replacement (MCUR).

Moyenne des temps d'apparition des défaillances : Mean time to failure (MTTF).

Moyenne des temps d'immobilisation : Mean downtime (MDT).

Moyenne des temps de bon fonctionnement : Mean time between failure (MTBF).

Moyenne des temps de bon fonctionnement entre anomalies : Mean time to maintenance.

Moyenne des temps de retard : Mean time of delay (MTOD).

Moyenne des temps de travaux de réparation : Mean time to repair (MTTR).

Moyenne des temps entre actions d'entretien : Mean time between maintenance actions (MTBA).

Moyenne des temps entre déposes : Mean time between removals (MTBR).

Moyenne des temps entre déposes non planifiées : Mean time between unscheduled removals (MTBUR).

Moyenne des temps entre déposes prématurées : Mean time between premature removals (MTBP).

Moyenne des temps entre rebuts : Mean time between scraps (MTBS).

Moyenne des temps entre remplacements non planifiés : Mean time between unscheduled replacement (MTUR).

Moyenne des temps entre visites planifiées en atelier : Time between scheduled shop visits (TBSV).

Moyenne garantie des temps de bon fonctionnement : Guaranteed mean time between failure (GMTBF).

Moyens de guerre électronique (MGE) : Electronic warfare (EW).

Moyeu : Hub. Stub axle.

Moyeu cannelé : Spline hub.

Moyeu d'hélice : Propeller hub.

Moyeu de rotor : Rotor hub.

Moyeu de rotor arrière (MRA) : Tail rotor hub (TRH).

Moyeu de rotor principal (MRP) : Main rotor hub (MRH).

Moyeu de roue : Wheel hub.

Moyeu intégré rigide : Integral rigid head.

Moyeu monobloc [moteur] : Monoblock hub assembly.

Moyeu rotor à deux directions de transmission d'efforts [hélicoptère] : Dual load paths in the rotor hub.

Moyeu rotor Sphériflex : Spheriflex rotor hub.

Multimètre : Breadbox.

Multimètre numérique : Digital multimeter (DMM).

Multiplicateur d'électrons : Channel electron multiplier (CEM).

Multivolet [tuyère] : Multi-flap.

Munition guidée par GPS : GPS-aided munition (GAM).

Mur de la chaleur : Thermal barrier.

Mylar [matière plastique] : Mylar.

N

Nacelle : Nacelle. Pod.

Nacelle à tuyère courte : Short fixed core nozzle (SFCN).

Nacelle à tuyère longue : Fixed core exit nozzle.

Nacelle amovible : Removable pod.

Nacelle d'extrémité de voilure : Wing tip pod.

Nacelle d'illuminateur laser : Laser target designator (LAST) pod.

Nacelle de groupe turbopropulseur : Turboprop pod.

Nacelle de reconnaissance : Recce pod.

Nacelle de train : Landing gear pod.

Nacelle lance-leurres : Podded chaff/flare dispenser.

Nacelle optronique : Electro-optical forward looking infra-red (EO-FLIR) pod.

Nacelle sous voilure : Underslung pod.

Nacelle ventrale pour bagages : External baggage pod.

Nageoire stabilisatrice latérale : Tip float.

Nageoire ventrale : Stub wing.

Nageoires : Sponsons.

NASA : National Aeronautics and Space Administration (NASA) [USA].

Navette à deux étages à ascension directe : Two-stage to orbit (TSTO).

Navette aérospatiale habitée, récupérable [destinée à remplacer la navette spatiale américaine des années 80] : Advanced aerospace plane [manned, recoverable, designed to replace the US shuttle of the '80s].

Navette monoétage à ascension directe : Single-stage to orbit (SSTO).

Navette spatiale : Space transport system (STS). Space shuttle.

Navette spatiale américaine destinée au transport du personnel des stations orbitales : Personal launch system (PLS) [USA].

Navette spatiale habitée réutilisable à décollage et atterrissage en position horizontale [GB] : Horizontal take-off and landing (HOTOL) launcher [manned, reusable space shuttle].

Navigation à l'estime [en fonction de la distance et de la vitesse] : Dead-reckoning.

Navigation aérienne tactique : Tactical aerial navigation (TACAN).

Navigation automatique « droit devant » : Automatic « direct-to » nav.

Navigation tactique souple : Adaptive tactical navigation (ATN).

Navigation transversale : Lateral navigation (LNAV).

Navigation VHF : VHF navigation.

Nébulosité [météorologie] : Cloudiness [meteorologie].

Nécessaire : Kit.

Nervure : Rib. Web.

Nervuré : Webbed.

Nervure à âme pleine : Webbed rib.

Nervure-caisson : Box rib.

Nervure d'aile : Wing rib.

Nervure d'aile renforcée : Strengthened wing rib.

Nervure d'emplanture d'aile : Wing root rib.

Nervure d'encastrement : Root rib.

Nervure d'extrémité : End rib.

Nervure d'extrémité de section centrale : Centre-section end rib.

Nervure de bec de volet : Wing flap nose rib.

Nervure de bord d'attaque : Leading edge rib.

Nervure de cloisonnement de réservoir carburant : Fuel tank dividing rib.

Nervure de gouverne de direction : Rudder rib.

Nervure de gouverne de profondeur : Elevator rib.

Nervure de guignol : Bellcrank rib.

Nervure de nez : Nose rib.

Nervure de rive : Closure rib. End rib.

Nervure de section centrale de voilure : Wing panel centerline joint rib.

Nervure en arc : Crescent-shaped rib.

Nervure en treillis : Lattice rib.

Nervure forte : Bulkhead rib. Main rib. Strong rib.

Nervure NACA : NACA profile.

Nervure principale : Main rib.

Nervure triangulée : Braced rib.

Nervure verticale : Vertical rib.

Nervures de fixation de mât réacteur : Nacelle pylon mounting ribs.

Nettoyage par projection d'abrasifs par voie humide : Wet abrasive blast cleaning.

Nettoyeur à ultrasons : Ultrasonic cleaning unit.

Nez : *voir Piquer du...*

Nez : Nose.

Nez articulé : Variable-geometry nose.

Nez avant : Nose fairing.

Nez basculant : Droop nose.

Nez basculant [Concorde] : Droop snoot [Concorde].

Nez d'entrée : Nose fairing.

Nez de base : Base extension.

Nid d'abeille : Honeycomb.

Nid d'abeille collé : Bonded honeycomb.

Nid d'abeille NOMEX : Nomex honeycomb.

NIDA : Honeycomb.

Niveau à vue : Sight gage (gauge).

Niveau de bruit au décollage : Departure noise level.

Niveau de bruit perçu : Perceived noise decibel (PNDB).

Niveau de qualité ou de fiabilité acceptable : Acceptable quality level (AQL).

Niveau de vol : Flight level (FL).

Niveau du sol (au-dessus du) : Above ground level (AGL).

Niveau limite moyen de qualité : Average outgoing quality level (AOQL).

Nodulation : Coring.

Noeud [1852 m/h] : Knot (Kn). Knot (Kt).

Noix de cardan : Yoke.

Noix de serrage : Tightening yoke.

Nombre d'heures depuis la dernière visite en atelier : Hours since last shop visit.

Nombre de décibels effectivement perçus : Effectively perceived noise decibels (EPNdB).

Nombre de Mach [rapport de la vitesse d'un avion à celle du son dans le même milieu] : Mach number [ratio of the speed of an aircraft to the speed of sound in the same medium].

Nombre de Mach critique :
Critical Mach number.

Nombre de Mach en utilisation normale :
Normal operating Mach number (Mno).

Nombre de Mach en vitesse de croisière :
Cruise Mach number.

Nombre de Mach indiqué [MMR corrigé de l'erreur instrumentale] :
Indicated Mach number (IMN) [MMR corrected from instrument error].

Nombre de Mach maximal d'utilisation :
Maximum operating mach number (MMO).

Nombre de Mach maximum admissible : Maximum permissible indicated Mach number (Mne).

Nombre de Mach vrai [IMN corrigé de l'erreur de position] :
True Mach number (TMN).

Nombre de mises en service : Off-on cycle.

Nombre de tours/minute :
Revolutions per minute (RPM).

Nombre de tours/minute au décollage :
RPM at take-off.

Nombre de tours/minute maximum :
Maximum RPM.

Nomenclature des pièces : Part list.

Non consommable [carburant] : Trapped.

Non-fonctionnement : Failure to operate.

Non polymérisé : Uncured.

Non séché : Uncured.

Normal : Standard.

Normalisation : Standardization.

Normalisé : Standard.

Normaliser l'aluminium [par chauffage à 500°C et immersion dans l'eau froide] :
Normalize aluminium (to).

Norme : Specification. Standard.

Normes standardisées britanniques :
British standard specification (BSS).

Normes USA pour profilés extrudés :
Army and Navy drawings (AND).

Note technique : Technical data sheet.

Notice technique :
Technical data sheet. Technical handbook.

Nourrice : Feeder tank. Tank.

Nourrice de secours : Emergency supply tank.

Nourrice en charge : Header tank.

Nouvel avion de combat européen [destiné à remplacer l'EFA] : New European fighter aircraft (NEFA) [scheduled to replace EFA].

Nouvel avion de ligne régional :
New regional aircraft (NRA).

Nouvel avion long-courrier de très grande capacité [USA/Airbus Industrie] : New large airplane (NLA) [USA/Airbus Industrie].

Noyautage : Coring.

Noyer le moteur : Bog down the engine (to).

Nu : Unequipped.

Nucléaire, biologique, chimique :
Nuclear, biological, chemical (NBC).

Numéro d'usine : Shop number (SN).

Numéro de pièce : Part number.

Numéro de série : Serial number.

O

Objectif : Target.

Objectif recherché par radar : Rabbit.

Objet volant non identifié :
Unidentified flying object (UFO).

Obturateur : Throttle.

Obturateur d'échappement : Exhaust cover.

Obturateur d'entrée d'air : Air intake cover.

Obturateur d'évacuation d'air du refroidisseur : Air cooling unit outlet blanking cover.

Obturateur de fente d'aile : Spoiler.

Obturateur de hublot : Window shade.

Obturateur de prise statique :
Static port stopper. Static vent plug.

Obturateur de turbine :
Turbine protection cover.

Obturer : Blank off (to).

Œil de câble : Thimble.

Œillet DZUS : Dzus grommet.

Office : Galley.

Office sous plancher : Underfloor galley.

Officier chargé de la navigation et des communications : Navigation and communication (NAV/COM) officer.

Officier chargé des systèmes offensifs :
Offensive systems officer (OSO).

Officier de contre-mesures électroniques :
Electronic countermeasures officer (ECMO).

Officier de guerre électronique :
Electronic war officer (EWO).

Ogive : Pod.

Ogive à charge nucléaire : Nuclear warhead.

Ogive à guidage terminal :
Terminally guided warhead (TGW).

« Oiseau » :
Magnetic anomaly detector (MAD-BIRD).

Ombre aérodynamique : Blanking effect.

Onde continue à fréquence modulée [altimètre radar] : Frequency modulated continuous wave (FMCW).

Onde d'émission : Transmitting wave.

Onde de choc : Shock wave.

Onde de sol : Ground wave.

Onde ultracourte : Ultra-short wave (USW).

Ondes de choc :
voir Technique de largage de bombes...

Onglet : Strake.

Opérateur chargé des systèmes acoustiques de bord [surveillance maritime] : Acoustic systems operator (ASO) [maritime surveillance].

Opérateur d'interception radar :
Radar interception officer (RIO).

Opérateur d'une station radio-amateur :
Ham operator.

Opérateur de capteurs :
Sensor operator (SENSO).

Opérateur de guerre électronique :
Electronic warfare operator (EWO).

Opérateur des systèmes de reconnaissance :
Reconnaissance systems operator (RSO).

Opérateur des systèmes non acoustiques de bord [surveillance maritime] :
Non-acoustic systems operator (NASO) [maritime surveillance].

Opération de sous-traitance :
Subcontracting operation.

Opérations de préparation pour le vol :
Turnaround operations.

Optique électronique : Optoelectronics.

Optoélectronique : Optoelectronics.

Optronique : Optronics.

Orbite circulaire : Circular orbit.

Orbite circumterrestre : Near Earth orbit.

Orbite d'attente : Parking orbit.

Orbite de dérive [véhicule spatial] :
Drift orbit [spacecraft].

Orbite de parking : Parking orbit.

Orbite de transfert géostationnaire :
Geostationary transfer orbit (GTO).

Orbite des satellites géostationnaires :
Geostationary satellite orbit (GSO).

Orbite équatoriale : Equatorial orbit.

Orbite géostationnaire :
Geostationary Earth orbit (GEO).

Orbite géosynchrone :
Geosynchronous orbit (GEO).

Orbite héliosynchrone : Heliosynchronous orbit. Sun-synchronous orbit (SSO).

Orbite terrestre basse [entre 300 et 800 kilomètres d'altitude] : Low earth orbit (LEO).

Orbite terrestre moyenne :
Medium Earth orbit (MEO).

Orbite très excentrique :
Highly eccentric orbit (HEO).

Orbiter : Orbiter.

Ordinateur : Computer.

Ordinateur :
voir Système de génération d'images par...

Ordinateur d'identification d'un engin volant inconnu et dirigeant les contre-mesures électroniques éventuelles : Semi-automatic ground environment (SAGE) [computerized identification of an unknown flying machine and possible initiation of electronic countermeasures].

Ordinateur de bord :
Airborne integrated data system (AIDS).

Ordinateur de gestion de vol :
Flight management computer (FMC).

Ordinateur de traitement programmé de l'information [simulateur de vol] :
SCI-CLONE.

Ordinateur embarqué :
On-board computer (OBC).

Ordinogramme : Block diagram.

Ordre d'allumage : Ignition sequence.

Ordre d'allumage [moteur à pistons] :
Fire order.

Ordre de vol (en) : Ready for flight.

Organe : Component. Part.

Organigramme technique :
Work breakdown structure (WBS).

Organisation de défense contre les missiles balistiques [USA] : Ballistic missile defense organization (BMDO) [USA].

Organisation de l'Aviation Civile Internationale (OACI) : International Civil Aviation Organization (ICAO).

Organisation internationale de gestion des télécommunications intercontinentales par satellite : International telecommunication satellite (INTELSAT).

Organisation Internationale de Normalisation : International Standardization Organization (ISO).

Organisation météorologique mondiale :
World meteorological organization (WMO).

Organisation professionnelle des contrôleurs de la circulation aérienne :
Professional air traffic controllers organization (PATCO) [USA].

Organisme de gestion des télécommunications aéronautiques :
Aeronautical Radio Inc. (ARINC).

Orientable : Steerable. Swivelling.

Orientation de la poussée en vol horizontal :
Vector in forward flight (VIFF).

Orientation de la roue avant : Wheel steering.

Orientation en gisement : Azimuth setting.

« Orient Express » :
voir Avion Aérospatial National...

Orifice : Port. Vent.

Orifice d'admission : Inlet port.

Orifice d'échappement turbine :
Turbine exhaust outlet.

Orifice d'entrée : Access port. Input port.

Orifice d'entrée d'air de turbine :
Turbine air inlet port.

Orifice de mise à l'air libre : Vent hole.

Orifice de prélèvement d'air : Bleed hole.

Orifice de remplissage carburant [sur l'aile] :
Overwing fuel filler.

Oscillateur à battement de fréquence :
Beat frequency oscillator (BFO).

Oscillation non amortie : Undamped oscillation.

Oscillations de l'empennage : « Fishtailing ».

Oscillations sur l'axe de tangage :
Pilot's induced oscillations (PIO).

Oscilloscope cathodique :
Cathode-ray oscilloscope (CRO).

Ossature : Framework. Skeleton.

Ouïe : Gill. Scoop.

Ouïe d'air de refroidissement :
Cooling air louvre.

Ouïe [de prise d'air] : Louvre.

Ouïe de prise d'air de radiateur d'huile :
Oil cooler intake scoop.

Outil d'évasement de tubes : Tube flaring tool.

Outil de cintrage de tubes : Tube bending tool.

Outil de démontage de connexions enroulées :
Wrap removal tool.

Outillage et appareils de contrôle :
Test equipment and tools.

Outillages divers : Jigs and tools.

Ouvert : On.

Ouverture : Port.

Ouverture retardée [parachute] :
Delayed opening.

Ouvrir : Switch on (to).

Ouvrir le circuit : Switch off (to).

Ouvrir les gaz : Open the throttle (to).

OVNI : Unidentified flying object (UFO).

Oxyde d'azote [polluant] :
Nitrogen oxide (NOx) [polluting agent].

Oxygène liquide : Liquid oxygen (LOX).

P

Paillette : Chaff.

Pain de propergol à combustion latérale :
Side-burning grain.

Pain de propergol à perforations en étoile :
Star-perforated grain.

Pain de propergol solide :
Solid propellant grain.

« Paix des Etoiles » [projet américain abandonné en mai 1993] :
Strategic defense initiative (SDI) [American project cancelled in May 1993].

Palan : Hoist.

Pale : Blade.

Pale à bord d'attaque cambré :
Droop snoot rotor blade.

Pale à extrémité amincie : Thin-tipped blade.

Pale à extrémité recourbée : Bent-tip blade.

Pale à géométrie de technique avancée :
Advanced geometry blade.

Pale à profil cambré : Cambered blade.

Pale col de cygne : Swan neck blade.

Pale commandée par la couche limite :
Boundary layer controlled blade.

Pale d'hélice : Propeller blade.

Pale de diffuseur [structure] : Diffuser vane.

Pale de rotor : Rotor blade.

Pale de rotor à géométrie variable :
Variable-geometry rotor blade.

Pale de rotor anticouple : Tail rotor blade.

Pale de rotor arrière : Tail rotor blade.

Pale de soufflante : Fan blade.

Pale de soufflante à corde large :
Wide-chord fan blade.

Pale décalée : Out-of pitch blade.

Pale en plastique renforcé par des fibres de verre : Fiberglass-reinforced plastic blade.

Pale orientable : Swivelling blade.

Pale principale : Main rotor blade.

Pale repliable : Folding blade.

Pale souple encastrée : Restrainer flexible blade.

Pale traînante : Hunting blade.

Palette : Vane. Wing.

Palette porte-réacteur : Jet engine pallet.

Palier : *voir Vol en palier...*

Palier : Bearing. Bearing surface.

Palier (se mettre en) : Level off (to).

Palier à alignement automatique :
    Ball self-aligning bearing.

Palier à bague : Sleeve bearing.

Palier à billes : Ball bearing.

Palier à friction : Friction bearing.

Palier à rotule : Swivel bearing.

Palier arrière : Rear bearing.

Palier avant principal : Front main bearing.

Palier d'alignement : Align reaming box.

Palier d'arbre de transmission :
    Transmission shaft bearing.

Palier de butée :
    Kingsbury bearing. Thrust bearing.

Palier de butée à billes : Ball thrust bearing.

Palier de changement de pas [tête de rotor] :
    Pitch-change bearing.

Palier de poussée : Thrust bearing.

Palier de réacteur : Main line bearing.

Palier de turbine : Turbine bearing.

Palier de turboréacteur :
    Jet engine bearing. Turbine engine bearing.

Palier de vilebrequin : Crankshaft bearing.

Palier en élastomère : Elastomeric bearing.

Palier équipé : Ball bearing assembly.

Palier lisse :
    Eye bearing. Journal bearing. Plain bearing.

Palier moteur : Drive bearing.

Palier-support : Support bearing.

Palier-support de réacteur :
    Jet engine attach fitting.

Palonnier : Cross bar. Directional cross bar. Pedal. Rudder bar.

Palonnier de mise en place de reverse :
    Thrust reverser hoist.

Palpeur : Sensor.

Panier lance-roquettes : Rocket pod.

Panne : Failure.

Panne d'émission : Transmission failure.

Panne d'essence : Fuel starvation.

Panne de moteur :
    Engine breakdown. Engine failure.

Panne dormante : Undetected failure.

Panne électrique totale de l'avion :
    Complete aircraft power loss.

Panne prévisible : Wear-out failure.

Panne sèche : Fuel starvation.

Panne totale et brusque : Catastrophic failure.

Panneau : Panel.

Panneau alvéolé : Waffle panel.

Panneau articulé : Hinged panel.

Panneau articulé de carénage moteur :
    Hinged engine cowling panel.

Panneau avant : Front panel.

Panneau avertisseur central :
    Central warning panel (CWP].

Panneau central : Center panel.

Panneau central d'alarmes :
    Central warning panel (CWP].

Panneau d'accès articulé : Hinged access panel.

Panneau d'affichage des vols :
    Flight information panel.

Panneau d'alarmes lumineuses :
    General warning panel.

Panneau d'équipements supérieur :
    Upper equipment panel.

Panneau d'extrados : Upper skin panel.

Panneau d'indicateurs du type «tout éteint = tout va bien » : Smart panel.

Panneau d'insonorisation :
    Sound-proofing panel.

Panneau d'intrados : Lower skin panel.

Panneau de barque :
    Bottom panel. Fuselage belly panel.

Panneau de bordure : Edging panel.

Panneau de capot articulé : Hinged cowl panel.

Panneau de carénage moteur :
    Engine cowling panel.

Panneau de commande des équipements de radiocommunication :
    Radio management panel (RMP).

Panneau de commande des fonctions multiples : Multifunction control panel (MFCP).

Panneau de commande et de visualisation des tests : Test control panel.

Panneau de commande frontal :
    Up front control panel.

Panneau de commutation : Jack panel.

Panneau de connexions : Jack panel.

Panneau de contacteurs : Circuit breaker panel.

Panneau de contrôle des becs :
    Slat monitor panel.

Panneau de coupe-circuit :
    Electric circuit-breaker panel.

Panneau de descente : Hatch.

Panneau de détection des pannes :
    Fault-detection panel.

Panneau de fuselage : Fuselage skin panel.

Panneau de hublot : Window glazing.

Panneau de hublot de cabine :
Cabin window panel.

Panneau de maintenance : Maintenance panel.

Panneau de raccordement :
Connection panel. Junction panel. Patch panel.

Panneau de revêtement de voilure :
Wing skin panel.

Panneau de revêtement renforcé :
Stiffened skin panel.

Panneau de signalisation : Indicating panel.

Panneau de visite :
Hand hole. Inspection door. Inspection panel.

Panneau de visite des équipements électriques de bord : Electrical system servicing panel.

Panneau de voûte : Arch panel.

Panneau du mécanicien de bord :
Flight engineer panel.

Panneau en nid d'abeille : Honeycomb panel.

Panneau fraisé : Milled-out panel.

Panneau indicateur de mode :
Mode annunciator panel.

Panneau intégral [revêtement d'aile] :
Integral panel.

Panneau latéral du mitrailleur :
Gunner side panel.

Panneau monobloc de revêtement d'intrados :
One-piece lower skin panel.

Panneau NIDA : Honeycomb panel.

Panneau ouvrant : Hinged panel.

Panneau sélecteur de fréquence radio :
Radio frequency selector unit.

Panneau sélecteur de fréquences radioélectriques : Radio select unit (RSU).

Panneau solaire déployable :
Deployable solar array.

Panneau supérieur de contacteurs :
Overhead systems switch panel.

Panneau supérieur du pilote : Overhead panel.

Panneau vitré latéral largable :
Jettisonable side window panel.

Panneaux de signalisation et de commande :
Instrument and control panels.

Pantalon [pylône] : Instrument panel fairing.

Pantalon anti-g : G-pants.

Papillon : Throttle.

Papillon [des gaz] :
Throttle valve. Butterfly valve

Parachute : *voir Soute à parachute...*

Parachute de freinage :
Brake chute. Chute. Parabrake. Tail chute.

Parachute de queue [pour réduire la distance de roulement à l'atterrissage] : Landing parachute [used as an airbrake]. Brake chute.

Parachute-frein : Drogue chute.

Parachute rudimentaire [largage de colis, conteneurs, etc.] : Parasheet.

Parachute-siège : Cushion chute.

Parachute stabilisateur : Drogue chute.

Parachute ventral : Reserve chute.

Parachutiste largué le premier pour déterminer la dérive : Siky [dropping a parachutist to determine drift angle].

Parallélisme des roues : Wheel alignment.

Paramètre d'avancement : Advance ratio.

Paramètre de glissement : Advance ratio.

Paramètres de décollage : Take-off data.

Parasite radar [sur écran cathodique] :
Hash line.

Parcours : Path.

Pare-brise :
Windscreen [GB]. Windshield [USA].

Pare-soleil : Glare-shield. Visor.

Paroi-cloison : Partition panel.

Paroi extérieure du canal de soufflante :
Fan duct outer wall.

Paroi intérieure du canal de soufflante :
Fan duct inner wall.

Paroi souple étanche : Vapor seal membrane.

Partie : Part.

Partie arrière de voilure : Wing aft section.

Partie arrière du fuselage :
Fuselage rear section. Fuselage tail section.

Partie avant : Front section.

Partie avant du fuselage : Front section of the fuselage. Fuselage forward section. Fuselage front section. Fuselage nose section.

Partie centrale de fuselage :
Fuselage center section.

Partie chaude [moteur] : Hot-end temperature.

Partie continentale des Etats-Unis [circuit de télécommunications par satellites] :
Continental US (CONUS) area [satellite telecommunications network].

Partie extérieure de la chambre de combustion : Combustion chamber outer shell.

Partie filetée : Threaded section.

Partie inférieure de la coque : Bottom structure.

Partie inférieure de pointe avant :
Lower part of nose section.

Partie inférieure du capot : Undercowl area.

Partie intérieure de la chambre de combustion : Combustion chamber inner shell.

Partie médiane principale de l'aile :
Main centre wing section.

Parties en contact : Bearing surfaces.

Pas : Pitch.

Pas (de vis) : Thread.

Pas à droite : Right hand thread.

Pas collectif : Collective pitch.

Pas cyclique : Cyclic pitch.

Pas cyclique [moteur] : Blade angle.

Pas cyclique latéral [hélicoptère] :
Lateral cyclic pitch.

Pas cyclique longitudinal :
Fore-and-aft cyclic pitch.

Pas de dent : Tooth pitch.

Pas de filetage : Thread pitch.

Pas de l'hélice : Propeller pitch.

Pas de la pale : Blade pitch.

Pas de tir : Launch pad.

Pas du rotor arrière : Tail rotor pitch.

Pas général : Collective pitch.

Pas inverse : Reverse pitch.

Pas négatif : Reverse pitch.

Pas nominal [hélice] : Standard pitch.

Passage : Transit. Vent.

Passage de câble : Cable trough.

Passage en palier : Transition to level flight.

Passager : Pax.

Passager en surnombre : Dupoff.

Passerelle : Gangway.

Passerelle télescopique :
Extendable jetway. Jetway.

Pastille d'écouteur : Earphone inset.

Pastille de renfort : Reinforcement stub.

Patin de frein : Brake friction pad.

Patin de queue : Tail bumper pad. Tail skid.

Patrouille de combat aérien :
Combat air patrol (CAP).

Patte : Strap. Tab.

Patte d'attache : Attach tab.

Patte d'usinage : Tooling lug.

Patte de fixation : Mounting lug.

Patte de fixation [de moteur] : Foot.

Patte de fixation de réservoir carburant :
Fuel tank mounting lug.

Patte de métallisation : Bonding tab.

Patte de positionnement du carter central :
Central casing locating lug.

Paupières de canal de postcombustion :
Reheat nozzle lids.

Pavé [plot lumineux sur instrument] : Label.

Pavillon : Bellmouth.

Pavillon supérieur [structure] :
Upper fuselage panels.

PDCS amélioré : Performance navigation computer system (PNCS).

Peau : Skin.

Pédale : Pedal.

Pédale de contrôle en lacet :
Yaw control rudder pedal.

Pédale de palonnier : Rudder pedal.

Pendule accordé [absorbeur de vibrations] :
Tuned pendulum damper.

Pente : Bias.

Pente longitudinale : Pitch.

Percée en GCA :
Ground-controlled approach (GCA).

Percentile d'ordre Q de la durée de vie :
Q-percentile of life.

Percer : Drill (to).

Perche à instruments [loge le tube de Pitot et les sondes d'incidence et de lacet] :
Instrument boom [pitot tube, incidence and yaw probes housing].

Perche de magnétomètre de détection d'anomalies : Mad boom.

Perche de nez : Nose probe.

Perche de Pitot : Pitot boom.

Perche de ravitaillement en vol :
Flight refuelling boom. In-flight refuelling boom. Refuelling boom.

Perche de ravitaillement en vol [carburant] :
Air refuelling boom (ARB) [fuel].

Perche escamotable de ravitaillement en vol :
Retractable in-flight refuelling boom. Retractable in-flight refuelling probe.

Perfectionnement : Development.

Performance : Performance.

Période de rodage : Run-in period.

Périodicité anticipée de dépose non programmée : Target mean time between unscheduled removal.

Persistance [écran radar] : Afterimage.

Personnel d'entretien sur piste :
Field support crew.

Personnel navigant commercial (PNC) :
Cabin crew.

Personnel navigant technique (PNT) :
Flight crew.

Perte de conscience due à la force d'accélération [pilotes d'avions supersoniques] :
G-Loss of consciousness (G-LOC) [supersonic aircraft pilots].

Perte de puissance [moteur] :
Loss of power [engine].

Perte de vitesse : Stall.

Perte de vitesse marginale : Tip stall.

Perte marginale : Tip loss.

Pétale du diagramme de rayonnement :
Radiating pattern lobe.

Petit avion très manoeuvrable prévu pour lutter contre les hélicoptères et les avions de combat évoluant à basse altitude au-dessus du champ de bataille [projet britannique] :
Small agile battlefield aircraft (SABA) [a British project for a very maneuverable plane designed to fight against helicopters and combat

aircraft flying at a low altitude over the battle-field].

Petit missile balistique intercontinental à deux ogives : Small intercontinental ballistic missile (SICBM).

Petit salon [Boeing 747] : Lounge.

Petite compagnie aérienne exploitant quelques avions sur de courtes distances [USA] : Mum and Pop airline [a small American air-line operating a few planes over short distances].

Petite visite : Base check « C ». Minor check.

Petites ailettes d'extrémité d'aile : Wing tip fences (WTF).

Petites ondulations du revêtement des ailes et du fuselage : Ribblets.

Pétrole : Oil.

Phare : Beacon.

Phare d'atterrissage : Landing light.

Phare d'atterrissage orientable : Controllable landing light.

Phare d'éclairage de voilure : Wing illumination light.

Phare radiocompas : Compass locator.

Phase d'évaluation préliminaire en vol : Preliminary flight rating stage (PFRS).

Phase de définition du projet : Project definition phase (PDP).

Photocalque : Blueprint.

Photogrammétrie : Photo-mapping.

Pièce : Component. Part.

Pièce (ou article) à mettre au rebut : Item to be scrapped.

Pièce au rebut : Rejected part.

Pièce brute : Blank.

Pièce d'appui : Backing piece.

Pièce d'équipement : Item of equipment.

Pièce de consommation courante : Bulk item.

Pièce de dérivation : Tapping part.

Pièce de rechange : Replacement part. Spare part.

Pièce de rechange à cotes spéciales : Sized part.

Pièce de remplacement : Replacement part.

Pièce de renfort : Stiffener.

Pièce de retenue : Retainer.

Pièce défectueuse : Failed part.

Pièce détachée : Spare part.

Pièce élémentaire : Basic part. Detail part (DP).

Pièce en T : Tee.

Pièce forgée : Forged part.

Pièce inutilisable : Unusable part.

Pièce matricée : Drop forging.

Pièce matricée de précision : Precision drop-forging.

Pièce normalisée : Standard part.

Pièce près des cotes [pièces dont les contours ont été ébauchés] : Near net shape part.

Pièce primaire : Detail part (DP).

Pièce récupérée : Reclaimed part.

Pièce réformée : Rejected part.

Pièce refusée : Rejected part.

Pièces estampées : Stampings.

Pied : Stand.

Pied à coulisse : Vernier caliper.

Pied d'aube [moteur] : Blade root.

Pied de bielle : Rod small end.

Pied de pale : Blade shank.

Pied de pale d'hélice : Propeller blade shank.

Pierrage : Honing.

Pignon : Gear. Wheel.

Pignon à chaîne : Sprocket.

Pignon à ergot : Pick-up gear.

Pignon conique : Bevel pinion.

Pignon conique d'entraînement ou d'attaque : Driving input bevel gear.

Pignon d'angle : Bevel pinion.

Pignon d'entraînement : Driving gear.

Pignon d'entraînement du relais d'accessoires : Internal wheel case driving gear.

Pignon de commande de postcombustion : Afterburner control gear.

Pignon de distribution : Timing gear.

Pignon denté : Sprocket.

Pignon droit : Spur gear.

Pignon fou : Idle pinion.

Pignon satellite : Planet gear.

Pignon satellite [hélicoptère] : Differential pinion.

Pignonnerie : Gear assembly.

Pignonnerie à rattrapage de jeu : Take-up gear.

Pile d'attente [avant autorisation d'atterrissage] : Holding stack.

Pile de polarisation : Bias cell.

Pilotage automatique transparent : Limited-authority autopilot.

Pilotage en force [missile] : Side-force steering [missile].

Pilotage optique : *voir Missile TOW*.

Pilotage sans visibilité : Blind flying.

Pilotage transparent : Control wheel steering (CWS). Fly-through steering.

Pilotage transparent [pilote automatique] : Transparent steering.

Pilotage «yeux dehors » : Eyes-off flying.

Pilote automatique (PA) : Autopilot (A/P).

Pilote automatique [argot] : «George » [slang].

Pilote automatique numérique : Digital autopilot.

Pilote automatique transparent :
  Fly-through automatic pilot.

Pilote de ligne : Airliner transport pilot (ATP).

Piloter : Fly (to).

Pince à dénuder : Stripping pliers.

Pince à ressort : Spring clip.

Pince d'agrafage : Fastening clip.

Pion : Spigot.

Pion de butée : Stop pin.

Pipe d'arrivée : Inlet pipe.

Pipe d'entrée d'antenne : Aerial lead-in tube.

Piquage : Tapping.

Piquage d'un circuit : Tapping of a circuit.

Piqué : *voir Faire un piqué...*

Piqué (en) : Nose down attitude.

Piqué léger : Shallow dive.

Piquer : Pitch down (to).

Piquer du nez : Nose dive (to).

Piquer du nez [tendance à —] : Nose heaviness.

Piqûre de corrosion : Corrosion pitting.

Piraterie aérienne : Hijacking. Skyjacking.

Piste : Runway. Track.

Piste : *voir Feu d'extrémité... Mécanicien...*

Piste d'atterrissage : Landing field. Strip.

Piste d'atterrissage en herbe : Grass strip.

Piste d'envol : Tarmac.

Piste de dégagement : Secondary runway.

Piste de roulement : Taxi lane.

Piste en dur : Hard runway.

Piste en gravier : Gravel runway.

Piste en service : Duty runway.

Piste sommairement aménagée :
  Makeshift airfield.

Piton : Stud.

Pivot de mouvement azimutal de pale :
  Lagging hinge.

Pivot de train : Trunnion block.

Pivotant : Swivelling.

Placage électrolytique : Electrolytic plating.

Plafond absolu : Absolute ceiling.

Plafond en vol avec un seul moteur :
  Single-engined ceiling.

Plafond et visibilité OK :
  Ceiling and visibility OK (CAVOK).

Plafond opérationnel : Operational ceiling.

Plafond pratique : Service ceiling.

Plafond théorique : Absolute ceiling.

Plage d'utilisation sans décrochage :
  Unstalled operating range.

Plage de ralenti : Idling range.

Plage des tolérances : Tolerance range.

Plan : Drawing. Map.

Plan central de voilure : Wing center section.

Plan d'aménagement : Layout drawing.

Plan d'extrémité de pale : Disc plane.

Plan d'installation : Installation drawing.

Plan de cheminement des câbles :
  Wiring installation drawing.

Plan de dérive : Fin.

Plan de détail : Detail drawing.

Plan de forme : Contour drawing.

Plan de gouverne compensé : Balanced surface.

Plan de montage :
  Assembly drawing. Construction drawing.

Plan de structure :
  Work breakdown structure (WBS).

Plan de vol : Flight plan.

Plan de vol aux instruments :
  Instrument flight plan.

Plan des extrémités de pales : Tip path plane.

Plan du disque : Tip path plane.

Plan fixe : Stabilizer.

Plan fixe horizontal :
  Horizontal stabilizer. Tailplane.

Plan fixe sustentateur : Lifting-type tailplane.

Plan fixe vertical :
  Fin. Tail fin. Vertical stabilizer.

Plan horizontal réglable :
  Trimmable stabilizer. Trimming tailplane.

Plan incliné : Ramp.

Plan mobile : Stabilator.

Plan porteur [hélicoptère] : Hydrofoil.

Plan trois-vues : Three-view drawing.

Plan vertical : Z-plane.

Planche de bord : Dash-board. Facia panel. Instrument panel. Panel.

Planche de bord du copilote :
  Copilot instrument panel.

Planche de bord du navigateur :
  Navigator instrument panel.

Planche de bord du pilote :
  Pilot instrument panel.

Planche de bord latérale :
  Side instrument panel.

Planche de bord supérieure :
  Upper instrument panel.

Plancher du poste de pilotage :
  Cockpit floor level.

Plancher mécanique :
  Transmission support platform.

Planeur : Airframe [cellule].

Planeur : Sail-plane.

Planeur dynamique : Dynamic sailplane.

Plans de queue : Tail surfaces.

Plaque à bornes : Terminal block. Terminal board. Terminal plate.

Plaque brise-jet de couche limite :
  Boundary layer splitter plate.

Plaque d'appui : Backing plate.

Plaque d'arrêt : Stop plate.

Plaque d'assise : Base plate.

Plaque d'identification : Identification plate.

Plaque d'immatriculation : Identification plate.

Plaque d'obturation : Blanking plate.

Plaque de butée : Stop plate.

Plaque de connexions : Terminal board.

Plaque de fermeture : Cover plate.

Plaque de flexion [hélicoptère] : Flex-beam.

Plaque de jonction : Junction plate.

Plaque de maintien : Retaining plate.

Plaque de raccordement à bornes :
Terminal block.

Plaque de recouvrement : Butt plate.

Plaque de refroidissement : Heat sink.

Plaque de regard : Manhole coverplate.

Plaque de renfort : Reinforcement plate.

Plaque flexible [tête de rotor Dynaflex] :
Flexible beam.

Plaque signalétique : Identification plate.

Plaque-support : Support plate.

Plaque tournante : Hub airport.

Plaque tournante internationale :
International hub.

Plaquer l'avion : Pancake (to).

Plaquette : Strip.

Plaquette à connexions : Terminal strip.

Plaquette de métallisation : Earth bonding plate.

Plaquette de relais : Relay board.

Plastique armé de fibres de verre :
Plastic-bonded fiberglass.

Plastique renforcé au bore :
Boron-reinforced plastic.

Plate-forme à trois gyroscopes :
Three-gyro platform.

Plate-forme bigyroscopique :
Two-gyro platform.

Plate-forme bigyroscopique non inertielle :
Non-inertial twin-gyro platform.

Plate-forme d'atterrissage pour hélicoptères :
Helipad.

Plate-forme de lancement : Launch platform.

Plate-forme de levage : Gantry.

Plate-forme européenne porte-instruments récupérable destinée à des expérimentations biologiques et métallurgiques en microgravité : European retrievable carrier (EURECA) [a European recoverable instrument-carrying platform designed to conduct biological and metallurgical experiments in microgravity].

Plate-forme fixe de haute altitude destinée à la transmission de signaux radio [Canada] : Stationary high altitude relay platform (SHARP) [Canada].

Plate-forme fixe de haute altitude destinée à l'obsevation de la Terre : High altitude long range observation platform (HALROP).

Plate-forme gyroscopique : Gyro platform.

Plate-forme inertielle : Inertial platform.

Plate-forme polaire [programme Columbus] :
Polar platform (PPF).

Plate-forme volante d'alerte lointaine et de poste de commandement : Airborne early warning and control (AEW and C).

Plate-forme volante de surveillance à détecteurs multiples :
Multi-sensor surveillance aircraft (MSSA).

Plateau à billes : Ball-bearing plate.

Plateau cyclique :
Cyclic swashplate. Swash plate.

Plateau cyclique fixe : Non-rotating star.

Plateau cyclique inférieur [hélicoptère] :
Lower swashplate [helicopter].

Plateau cyclique supérieur [hélicoptère] :
Upper swashplate [helicopter].

Plateau de commande : Spider.

Plateau de commande de pas :
Pitch-change spider.

Plateau de commande de rotor arrière :
Pitch-change spider.

Plateau de distribution : Valve plate.

Plateau de moyeu de rotor : Rotor hub plate.

Plateau de route :
Horizontal situation indicator.

Plateau mobile [hélicoptère] : Rotating star.

Plateau oscillant : Wobble plate.

Plateau rotatif de réglage du pas des pales [hélicoptère] :
Blade pitch control rotating swashplate.

Plateau tournant : Turntable.

Platine de base : Support plate.

Platine de poursuite : Tracking panel.

Plein : *voir Faire le plein... Faire le plein [carburant]...*

Plein gaz : Full throttle.

Plein petit pas [hélice à pas variable] :
Full fine pitch [variable-pitch propeller].

Plein ralenti : Lowest idling speed.

Plein régime : Full throttle.

Pleine puissance : Full power level (FPL).

Plexiglas : Perspex.

Pliage : Bending.

Plinthe de cockpit : Edging.

Plongeur réglable à galet :
Adjustable roller plunger.

« Plot éclaté » [l'écran radar du contrôleur affiche la présence de deux avions au lieu d'un seul] : Split plot [two planes instead of one are shown on the controller's radar display].

Poche de gaz : Vapor lock.

Pod : Pod.

Pod à écoulement laminaire naturel :
Natural laminar flow (NLF) pod.

Pod convertible de désignation laser :
Convertible laser designation pod (CLDP).

Pod de désignation laser :
Laser designation pod.

Pod de reconnaissance : Recce pod.

Pod de reconnaissance aérienne tactique : Tactical air reconnaissance pod system (TARPS).

Pogo : *voir Effet pogo...*

Poids : Weight.

Poids à vide en ordre d'exploitation :
Operating empty weight.

Poids à vide équipé : Empty weight equipped.

Poids à vide opérationnel :
Operational empty weight.

Poids au décollage : Lift-off weight.

Poids brut initial : Basic empty weight.

Poids de calcul : Design weight.

Poids en ordre de vol : Laden weight.

Poids total au décollage [véhicule spatial] :
Gross lift-off weight (GLOW) [spacecraft].

Poids total sans carburant :
Zero fuel weight (ZFW).

Poids volumique : Specific gravity.

Poignée d'aérofrein : Speed brake handle.

Poignée d'ouverture [parachute] : Ripcord.

Poignée d'ouverture de porte [au sol] :
Door ground release handle.

Poignée d'ouverture extérieure de verrière :
Canopy external latch.

Poignée de commande des becs et volets :
Flap and slat control handle assembly.

Poignée de déclenchement : Release handle.

Poignée de déverrouillage : Release handle.

Poignée de déverrouillage mécanique train rentré : Uplock mechanical release handle.

Poignée de largage : Jettison handle.

Poignée de largage de parachute :
Parachute release handle.

Poignée de pointage en gisement :
Bearing handle.

Poignée des gaz : Throttle hand grip.

Poignée du manche : Stick handgrip.

Poignée haute de commande d'éjection :
Face blind firing handle.

Poil : Whisker.

Poinçon : Drift punch.

Poinçonner : Stamp (to).

Point : *voir Faire le point...*

Point [géographique] : Fix.

Point convenu de ravitaillement en vol :
Air refuelling control point (ARCP).

Point d'accrochage : Hard point.

Point d'ancrage intérieur de voilure :
Inboard wing pylon.

Point d'appui de vérin : Jacking point.

Point d'articulation : Pivot point.

Point d'articulation de roue de train avant :
Nosewheel pivot point.

Point d'attache : Hard point. Wing hard point.

Point d'attache antivibrations :
Vibration isolating mount.

Point d'attache de la jambe de train d'atterrissage principal :
Main landing gear brace strut attachment.

Point d'attache sous voilure :
Underwing hard point.

Point d'atterrissage : Touch-down zone.

Point de dérivation : Tapping point.

Point de liaison : Junction point.

Point de passage [indiqué sur le plan de vol] :
Waypoint [shown on the flight plan].

Point de transfert [contrôle de la circulation aérienne] : Release point.

Point fixe :
Engine run-up. Power check. Run-up.

Point lumineux : Spot.

Point mort bas : Bottom dead center (BDC). Low dead center (LDC).

Point mort haut : Top dead-center (TDC). Upper dead center (UDC).

Pointage : Tack welding. Tracking.

Pointe : Tip.

Pointe (en) : Tapered.

Pointe arrière : Tail cone.

Pointe avant : Nose. Nose cone. Nose section.

Pointe avant de fuselage :
Nose cap. Fuselage nose.

Pointe d'aile : Wing tip.

Pointeau de réglage de ralenti :
Idling adjustment needle.

Pointeau de soupape : Valve needle.

Polarisation : Bias.

Polarisation automatique [réduction de brouillage antiradar] : Detector balanced bias.

Polissage : Honing. Surfacing.

Polissage électrochimique :
Electro-chemical machining (ECM).

Polymérisation : Curing.

Polymérisation : *voir Processus de...*

Polyvalent : All-purpose.

Pompage : Surge. Surging.

Pompage piloté :
Pilot's induced oscillations (PIO).

Pompe à ailettes : Vane pump.

Pompe à barillet : Wobble pump.

Pompe à carburant [réacteur] :
Jet engine fuel pump.

Pompe à débit variable : Variable-flow pump.

Pompe à huile : Oil pump.

Pompe à huile : *voir By-pass de...*

Pompe à injection : Injection pump.

Pompe à palette : Vane pump.

Pompe à plateau oscillant : Wobble pump.

Pompe à vide : Vacuum pump.

Pompe alternative : Reciprocating pump.

Pompe auxiliaire : Backing pump.

Pompe carburant haute pression :
Main fuel pump (MFP).

Pompe d'alimentation :
Donkey pump. Supply pump.

Pompe d'alimentation à basse pression :
Engine feed pump.

Pompe d'amorçage : Primer pump.

Pompe d'amorçage électrique [carburant] :
Electric fuel booster pump.

Pompe de gavage : Booster pump.

Pompe de mise en drapeau : Feathering pump.

Pompe de récupération : Scavenge pump.

Pompe de suralimentation :
Backing pump. Fuel booster pump.

Pompe de vidange : Scavenge pump.

Pompe électrique installée dans un réservoir de carburant : Immersed pump.

Pompe immergée : Tank pump.

Ponçage : Sanding.

Pont : Strap.

Pont à redresseurs statiques :
Static rectifier bridge.

Pont de franc-bord [hélicoptère] :
Freeboard deck.

Pont quotientométrique : Ratiometric bridge.

Portance (Cz) : Lift (L).

Portance de l'aile : Wing lift.

Porte à tenons [structure] : Plug door.

Porte additionnelle : Blow-in door.

Porte/aérofrein de train avant :
Nosewheel door/airbrake.

Porte arrière de soute à fret :
Rear freight hold door.

Porte arrière éjectable : Rear jettisonable door.

Porte avant éjectable : Front jettisonable door.

Porte-balai d'essuie-glace :
Windshield wiper arm assembly.

Porte d'accès au cockpit : Cockpit access door.

Porte d'accès au compartiment de nez :
Nose compartment access door.

Porte d'accès aux avions [aéroport] : Gate.

Porte d'accès du compartiment des instruments : Instrument compartment access door.

Porte d'étrave : Stem hatch.

Porte de compartiment d'électropompe :
Electropump compartment door.

Porte de logement de train d'atterrissage :
Undercarriage bay door.

Porte de reverse [inverseur de poussée] :
Blocker door.

Porte de soute à marchandises en vrac :
Bulk cargo hold door.

Porte de soute arrière : Rear cargo hold door.

Porte de visite : Access plate. Inspection door.

Porte en dépression : Suck-in door.

Porte-garniture : Packing retainer.

Porte passagers avant : Front pax door.

Porte-rampe de soute : Cargo ramp-door.

Porte-satellites : Planet pinion cage.

Porte-taraud : Tap holder.

Portée : Bearing surface. Range. Span.

Portée d'arbre sur palier : Journal.

Portée de radio : Radio range.

Portée visuelle de piste (PVP) :
Runway visual range (RVR).

Portillon de cabine : Cabin subdoor.

Portique [grue] : Gantry crane.

Pose : Installation.

Posé-décollé : Touch-and-go.

Poser : Install (to).

Poser (se) : Land (to)

Position «coupé » : Off-position.

Position d'attente : Stand-off position.

Position d'attente d'autorisation de circulation : Taxi-holding position.

Position d'équilibre : Trimmed position.

Position de la fente de soufflage :
Blast slot position.

Position «fermé » : Off-position.

Position «fermé » [train d'atterrissage] :
Retracted position.

Position géographique : Fix.

Position interdisant le décollage [sur sélecteur de freinage automatique] :
Rejected take-off (RTO).

Position «rentré » [train d'atterrissage] :
Retracted position.

Position «sorti » [train d'atterrissage] :
Extended position.

Positionnement continu des volets : Dial a flap.

Positionnement de la voilure : Wing setting.

Positionnement des cadres de fuselage :   .
Fuselage frame location.

Positionner sur bâti : Position on jig (to).

Postcombustion (PC) :
Afterburning. Reheat (RH).

Poste d'équipage : Flight compartment.

Poste de commandement aéroporté :
Airborne control post (ABCP).

Poste de guidage inverse en azimut :
Back-azimuth (BAZ) unit.

Poste de pilotage :
Cockpit. Flight compartment. Flight deck.

Poste de pilotage à deux : Two-man cockpit.

Poste de pilotage à instrumentation numérique : Digital cockpit

Poste de pilotage «tout à l'avant » :
Forward-facing crew cockpit (FFCC).

Poste de poursuite radar :
Radar tracking station (RTS).

Poste émetteur : Transmitting station.

Poste émetteur [radio] : Radio transmitter.

Poste machine-outil (PMO) :
Machine tool terminal (MTT).

Pot d'équilibrage : Plenum chamber.

Pot de détente : Dash-pot.

Pot de gyroscope : Gyro housing.

Potence : Longeron end panel. Support beam.

Potentiel : Service life. Voltage.

Potentiel (à fin de) : Time-expired.

Potentiel de vie : Estimated service life.

Potentiel entre révisions : Overhaul life. Time between overhauls (TBO).

Potentiel théorique de durée de service :
Design service life (DSL).

Potentiomètre : Trim-pot.

Potentiomètre rectiligne à trois éléments :
Three-gauged rectilinear potentiometer.

Poudre à roder : Abradant.

Poulie à gorge pour courroie trapézoïdale :
V-pulley.

Poulie de câble de commande :
Control cable pulley.

Poursuite : Tracking.

Poursuite avec extraction de plots [radar] :
Extracted target tracking.

Poursuite d'une cible et recherche simultanée d'autres cibles : Track while scan.

Poursuite multiradar (PMR) :
Multi-radar tracking (MRT).

Poursuite radar : Radar tracking.

Poursuite sur information discontinue :
Track while scan.

Pousse-manche : Stick pusher.

Poussée : Thrust.

Poussée : *voir Commande de contrôle...*

Poussée à flux dirigé : Vectored-lift thrust.

Poussée [de réacteur] au niveau de la mer :
Sea-level thrust.

Poussée au point fixe : Engine run-up thrust. Static jet thrust. Static thrust.

Poussée au point fixe en livres :
Static thrust in pounds (Lb. S.T.).

Poussée brute [réacteur] : Gross thrust.

Poussée d'inversion : Reverse thrust.

Poussée dans le vide du SSME :
Rated power level (RPL).

Poussée de décollage : Take-off thrust.

Poussée disponible : Available thrust.

Poussée dissymétrique : Asymmetric thrust.

Poussée du jet : Jet thrust.

Poussée du réacteur : Engine thrust.

Poussée du rotor arrière : Tail rotor thrust.

Poussée inverse maximale :
Maximum reverse thrust.

Poussée maximale avec réchauffe :
Maximum reheated thrust.

Poussée «maximum continu » :
Maximum continuous rating.

Poussée nette [réacteur] : Net thrust.

Poussée nominale : Rated thrust.

Poussée nominale au décollage au niveau de la mer : Nominal take-off thrust at sea level.

Poussée orientable : Vectored thrust.

Poussée réduite : Derated thrust.

Poussée sans réchauffe [réacteur] : Dry thrust.

Poussée spécifique : *voir Moteur à faible...*

Poussée utile : Useful thrust.

Poussée vectorielle : Vector thrust.

Pousseur de manche : Stick pusher.

Poussoir à impulsions : Beep-switch.

Poussoir à tige : Tappet.

Poussoir automatique/manuel de commande de groupe : Pack auto/manual switch.

Poussoir bipolaire : Two-pole push-button.

Poussoir d'essai : Test button.

Poussoir d'essai du détecteur de vibrations :
Vibration monitor test button.

Poussoir de réglage : Set button.

Poussoir de soupape : Valve tappet.

Poutre : Beam. Girder.

Poutre [dans le sens de l'envergure] :
Spanwise beam.

Poutre centrale de fuselage :
Fuselage center box.

Poutre de caisson : Box beam.

Poutre de fuseau d'empennage : Tail boom.

Poutre de moteur : Engine boom.

Poutre de queue : Tail boom.

Poutre de quille : Keel beam.

Poutre de raidissement : Stiffening beam.

Poutre de réservoir sous voilure :
Wingdrop tank pylon.

Poutre en porte-à-faux : Cantilever beam.

Poutre en treillis : Lattice girder. Transverse truss. Truss boom.

Poutre encastrée : Embedded beam.

Poutre longitudinale : Keel beam.

Poutre maîtresse : Main keel beam.

Poutre sur trois appuis : Three-base beam.

Poutre transversale : Transverse beam.

Poutrelle : Beam. Boom. Girder.

Poutrelle en U : Channel section.

PPI à alignement automatique [nord vrai en haut de l'écran de visualisation] : Azimuth stabilized PPI [true North above display].

Préchauffage : Preheating.

Prélèvement : Tapping.

Prélèvement d'air du réacteur : Engine air bleed.

Prélèvement d'air sur compresseur : Compressor air bleed.

Premier vol : Maiden flight.

Prendre de la vitesse : Pick-up speed (to).

Prendre un cap : Take a heading (to).

Prendre un relèvement : Take a bearing (to).

Prérefroidisseur : Intercooler. Precooler.

Près des cotes [matriçage] : Net shape.

Présélection d'altitude : Altitude pre-select.

Présélection de cap : Heading preselection.

Présence d'huile : Oil contamination.

Présentation au sol [première sortie d'usine] : Roll-out.

Présentation en vol : Flying display.

Présentation synoptique : Diagrammatic layout.

Préservo : Booster unit.

Pressage isostatique à chaud : Hot isostatic pressing (HIP).

Presse à emboutir : Stamping press.

Presse à profiler : Extrusion press.

Presse de pliage : Bending press.

Presse-étoupe : Packing gland. Stuffing box.

Presse-garniture : Gland.

Pression à débit nul : Zero flow pressure.

Pression absolue en livres par pouce carré : Absolute pressure in pounds/sq.in (PSIA) [1 PSIA = 0,07 kg/cm2].

Pression aérodynamique moyenne : Mean aerodynamic pressure (MAP).

Pression au niveau moyen de la mer : Mean sea level (MSL) pressure.

Pression d'admission : Inlet pressure. Manifold pressure.

Pression d'admission d'air [moteur] : Boost pressure.

Pression d'air dynamique : Ram air pressure.

Pression d'ouverture de porte : Door open pressure.

Pression de fluage : Yield pressure.

Pression de sortie turbine : Turbine discharge pressure.

Pression de suralimentation : Supercharger boost-pressure.

Pression dynamique : Dynamic pressure. Impact air pressure. Q.

Pression effective moyenne nominale : Indicated mean effective pressure (IMEP).

Pression moyenne effective au frein : Brake mean effective pressure (BMEP).

Pression pleine admission : Maximum inlet pressure.

Previsions météo : Weather forecast.

Prime d'encouragement accordée à l'auteur d'une innovation technique : Value engineering (VE) [incentive bonus granted to the author of a technical innovation].

Principal sous-traitant : Main subcontractor.

Principaux composants de la cellule : Major airframe assembly.

Priorité (avoir - sur ...) : Override (to).

Prise : Input. Jack. Terminal.

Prise d'air : Air inlet, Air intake. Gill. Louvre. Scoop.

Prise d'air de refroidissement : Air gills, Air scoop.

Prise d'air de refroidissement de la chambre de postcombustion : Afterburner cooling air intake.

Prise d'air de ventilation : Bleed air tap. Fresh air intake.

Prise d'air du carburateur : Carburettor air intake.

Prise d'air du moteur : Engine air inlet.

Prise d'air dynamique : Dynamic air intake. Ram air scoop. Ramming intake.

Prise d'air statique : Static air intake.

Prise d'air variable [moteur] : Variable-geometry inlet.

Prise d'alimentation : Supply plug.

Prise d'angle d'incidence : Angle-of-attack vane.

Prise d'oxygène à débit constant : Oxygen constant flow outlet.

Prise d'oxygène d'appoint : Supplemental oxygen outlet.

Prise de baladeuse : Utility outlet.

Prise de compte-tours : Tachometer drive.

Prise de contact [avec le sol] : Touch-down.

Prise de courant : Utility outlet.

Prise de courant femelle : Socket.

Prise de jack : Jack outlet.

Prise de mouvement [hélicoptère] : Clutch unit.

Prise de pression dynamique : Ramming intake.

Prise de ravitaillement carburant d'aile : Wing fuelling station.

Prise de test : Test plug.

Prise de ventilation d'aile : Wing ventilation intake.

Prise de ventilation du mât-réacteur : Stub ventilation inlet.

Prise directe : Top gear.

Prise électrique extérieure : External electrical receptacle.

Prise intermédiaire : Tap.

Prise largable : Release plug.

Prise statique : Static port.

Prix [d'un avion] départ usine : Fly-away factory (FAF) price.

Probabilité d'erreur circulaire : Circular error probability (CEP).

Probabilité d'erreur sphérique : Spherical error probability (SEP).

Probabilité de pannes : Failure probability.

Procédé de fabrication : Manufacturing process.

Procédé de projection d'abrasifs par voie sèche [préparation des surfaces par grenaillage] : Shot peening process.

Procédure d'arrivée aux instruments imposée par le Contrôle de la Circulation Aérienne : Standard terminal arrival route (STAR).

Procédure de départ aux instruments imposée par le Contrôle de la Circulation Aérienne : Standard instrument departure (SID).

Processeur à jeu d'instructions réduit : Reduced instruction set computer (RISC).

Processeur programmable de signal [radar] : Programmable signal processor (PSP).

Processus de polymérisation en deux étapes : Two-stage curing procedure.

Production : Output.

Profil : Profile.

Profil à écoulement laminaire : Laminar flow aerofoil.

Profil d'aile : Aerofoil profile. Airfoil profile. Wing airfoil. Wing section.

Profil d'aile supercritique : Supercritical airfoil.

Profil de référence de l'aile : Wing reference profile.

Profil de voilure : Aerofoil section. Airfoil profile.

Profil des pales : *voir Programme BERP...*

Profil moyen : Mean aerodynamic chord (MAC).

Profil têtard : Tadpole airfoil.

Profilé : Streamlined.

Profilé avant : Front section.

Profilé de bordure : Edging.

Profilé de recouvrement : Overlapping extrusion.

Profilé en acier : Steel frame section.

Profilé en L : L-section.

Profilé en T : Tee section. T-profile.

Profilé en U : Channel section. U-channel.

Profilé en U [tôle pliée] : U-section.

Profilé en V : V-section.

Profilé étiré : Drawn section.

Profilé NACA : NACA profile.

Profilé oméga : Hat section.

Profilé stratifié : Laminated section.

Profondeur d'aile : Wing chord.

Profondeur de caisson : Spar box depth.

Profondeur de l'empennage vertical : Vertical stabilizer chord.

Profondeur du profil : Profile chord.

Programmateur de tir : Armament control and monitoring system. Fire control unit.

Programme américain de défense spatiale [projet américain abandonné en mai 1993] : Strategic defense initiative (SDI) [American project cancelled in May 1993].

Programme ARTI [étude de définition de la charge de travail des pilotes du futur hélicoptère d'attaque et de reconnaissance américain LHX] : Advanced rotorcraft technology integrator (ARTI) program [definition of the workload to be borne by the pilots of the future US attack and reconnaissance helicopter LHX].

Programme BERP [visant à optimiser le profil des pales] : British Experimental Rotor Programme (BERP) [a programme aimed at optimizing blade profiles].

Programme conjoint [France, Allemagne, Italie, Pays-Bas] prévoyant la mise en service en 1995 d'un hélicoptère de transport européen [sortie d'usine le 29 septembre 1995] : NATO helicopter 90 (NH90) program [roll-out on September 29, 1995].

Programme d'amélioration des performances [USA] : Performance improvement program (PIP).

Programme d'analyse spectrométrique de l'huile : Spectrometric oil analysis program (SOAP).

Programme d'essais en vol : Flight test schedule.

Programme d'étude d'antimissiles balistiques tactiques [USA] : Extended range interceptor technology (ERINT) [USA].

Programme d'étude de l'avion de transport prévu pour remplacer les C-130 et C-160 : European future large aircraft group (EURO-FLAG) programme [a study programme for designing the transport plane due to replace the C-130 and C-160].

Programme d'étude de plusieurs caractéristiques importantes de l'ATF : Stol/maneuver technology demonstrator (SMTD).

Programme d'étude des paramètres relatifs au vol à incidence très élevée (NASA) : High angle of attack technology program (HATP).

Programme d'étude des projets HOTOL, SANGER et avion hypersonique Aérospatiale : Future European space transport infrastructure programme (FESTIP) [a study programme for Hotol, Sanger and Aerospatiale hypersonic plane projects].

Programme d'étude des soufflantes canalisées :
Ducted propfan investigations (DUPRIN).

Programme d'exploration spatiale américain :
Space exploration initiative (SEI) [USA].

Programme de développement d'un système aéroporté de commandes de vol actionnées par la voix du pilote :
Fly-by-speech (FBS) program.

Programme de maintenance progressive :
Progressive maintenance schedule (PMS).

Programme de production :
Production schedule.

Programme de recherche sur les vitesses supersoniques [NASA] : High speed research program (HSRP) [NASA].

Programme de recherches en vue de la réalisation d'un appareil « convertible » [c'est-à-dire décollant et atterrissant comme un hélicoptère et volant comme un avion] :
European future advanced rotorcraft (EUROFAR) programme [a research programme for designing a « convertible » aircraft, i.e. taking off and landing like a helicopter and flying like a plane].

Programme de recherches européen en vue de la réalisation d'un avion de transport supersonique [France, GB, Allemagne] :
European supersonic research program (ESRP) [France, GB, Germany].

Programme de recherches européen sur les problèmes relatifs à l'écoulement laminaire naturel : European laminar flow investigation (ELFIN) programme.

Programme de sélection du futur avion d'entraînement de base [USAF et US NAVY] :
Joint primary aircraft training system (JPATS) [USAF and US NAVY].

Programme de transport spatial habité :
Manned space transport programme (MSTP).

Programme préconisant l'utilisation massive de matériaux composites dans la structure des hélicoptères militaires américains : Advanced composite airframe program (ACAP) [a programme recommending large scale utilization of composite materials in the structure of American military helicopters].

Programme TEAM [maintenance et dépannage de moteurs à turbine] : Turbine engine analysis and management (TEAM) program.

Projecteur : Searchlight.

Projecteur d'éclairage de voilure :
Wing flowlight.

Projecteur de voilure [surveillance traces de givrage] : Wing icing inspection light.

Projectile terminal du missile ASAT :
Miniature homing vehicle (MHV).

Projection : *voir Procédé de...*

Projection azimutale : Zenithal projection.

Projet américain d'avion de transport commercial à grande vitesse [Mach 2,5 et +] :
High-speed commercial transport (HSCT).

Projet d'avion de transport militaire/civil [destiné à remplacer les HERCULE C-130 et TRANSALL au début des années 2000] : Future international military/civil airlifter (FIMA) [a project aimed at the replacement of Hercules C-130 and Transalls at the turn of the century].

Projet d'équipement de mesure de l'atmosphère : Futur laser atmospheric measurement equipment (FLAME).

Projet de fiche-programme :
Outline staff target.

Projet de système de navigation aérienne par satellites :
Future air navigation system (FANS).

Projet international de station spatiale habitée [programme Columbus] : International space station (ISS) [Columbus programme].

Prolongement de bord d'attaque près de l'emplanture de l'aile :
Wing leading edge root extension.

Prolongement du longeron avant d'aile :
Wing front spar carry-through.

Propergol : Propellant.

Propergol à deux composants ou diergol [carburant et comburant] :
Bipropellant [fuel-air mixture].

Propergol pour réacteur : Jet propellant (JP).

Propergol thermostable pour réacteur :
Thermally stable jet propellant (JPTS).

Propfan : Propfan.

Propfan [appellation Boeing] : Free fan.

Propfan caréné à haut rendement :
Advanced ducted propeller (ADP).

Propfan contrarotatif :
Counter-rotation propeller (CRP).

Propfan double caréné : Counter-rotating integrated shrouded propfan (CRISP).

Propfan simple [par opposition au contra-rotatif] : Single rotation (SR).

Proportion : Ratio.

Propulseur :
Booster. Engine. Propeller. Thruster.

Propulseur à poudre à deux étages :
Two-stage solid-propellant propulsion unit.

Propulseur à propergol liquide :
Liquid-fuelled motor.

Propulseur additionnel : Booster engine.

Propulseur auxiliaire à hydrazine :
Auxiliary hydrazine thruster.

Propulseur d'appoint : Strap-on booster.

Propulseur d'appoint à ergols liquides (PAL) :
Liquid strap-on booster.

Propulseur d'appoint à poudre (PAP) :
Solid strap-on booster.

Propulseur de cap : Yaw axis motor.

Propulseur de croisière : Sustainer motor.

Propulseur de gyroscope : Gyro motor.

Propulseur de type propfan :
Ultra bypass engine (UBE).

Propulseur ionique : Ionic propellant.

Propulsion par réaction : Jet propulsion.

Protecteur d'oreilles : Earmuff.

Protocole d'accord :
Memorandum of understanding (MOU).

Prototype d'expérimentation : Test prototype.

Puisard d'huile : Oil sump.

Puissance : Power.

Puissance au frein : Brake horse power (BHP).

Puissance de croisière : Cruise power.

Puissance de décollage : Take-off power.

Puissance de démarrage : Starting power.

Puissance de secours en vol :
In-flight emergency power.

Puissance équivalente à la poussée :
Thrust equivalent horsepower (TEHP).

Puissance équivalente sur l'arbre :
Equivalent shaft horsepower (ESHP).

Puissance homologuée : Certified power.

Puissance indiquée en chevaux :
Indicated horsepower (IHP).

Puissance inférieure à 1 cv :
Fractional horsepower (FHP).

Puissance intermédiaire d'urgence :
Contingency intermediate power (CIP).

Puissance isotrope rayonnée équivalente (PIRE) :
Equivalent isotropic radiated power (EIRP).

Puissance massique : Power/weight ratio.

Puissance maximale au sol :
Maximum ground power.

Puissance maximale d'urgence :
Maximum contingency power.

Puissance maximum continue (PMC) :
Maximum continuous power (MCP).

Puissance moteur avec injection d'eau :
Wet power.

Puissance nominale :
Design power. Rated power. Power rating.

Puissance nominale au décollage :
Take-off power.

Puissance nominale de croisière :
Rated cruise power (RCP).

Puissance par cheval : Rated horse-power.

Puissance sur l'arbre : Shaft horsepower (SHP).

Puits : Well.

Puits de chaleur : Heat sink.

Pulsoréacteur : Pulse jet engine. Pulsojet.

Pulvériser : Spray (to).

Pupitre d'interphone : Intercom panel.

Pupitre de commande : Control panel.

Pupitre de commande central :
Centre control pedestal.

Pupitre de commande central [volant de trim] : Central control console.

Pupitre de commande de tir :
Fire control panel.

Pupitre de commande du poste de pilotage :
Control pedestal.

Pupitre de radar de veille :
Surveillance radar panel.

Purge de réservoir carburant :
Fuel tank blow-off.

Purgeur d'air : Breather.

Pylône :
Engine pylon. Mast. Pylon. Strut. Wing pylon.

Pylône (se mettre en) : Nose over (to).

Pylône central de fuselage : Centreline pylon.

Pylône central de voilure : Wing centre pylon.

Pylône de commande : Control pedestal.

Pylône de queue : Tail pylon.

Pylône de rotor : Rotor pylon.

Pylône latéral démontable [emport de charges militaires] : Removable stub wing.

Pylône universel d'armement :
Universal stores pylon.

Q

Q-mètre : Q-meter.

Quadriréacteur : Quadrijet.

Quadriréacteur à deux couloirs :
Twin-aisle four-engined aircraft.

Qualification de type : Type rating.

Qualification opérationnelle initiale :
Initial operating capability (IOC).

Qualification simplifiée [pilotes tranférés d'un type d'avion à un autre] : Cross-crew qualification (CCG) [pilots tranferred to another type of aircarft].

Qualité : *voir Essai de qualité...*

Qualités de vol :
voir Banc d'essai volant destiné à...

Quarte [ensemble de quatre conducteurs isolés] :
Quad [a set of four insulated conductors].

Quasi-collision [en vol] : Near miss.

Queue : Tail.

Queue de poussée : Thrust decay. Thrust tail-off.

Queue de rivet : Rivet shank.

Queue de soupape : Valve stem.

Quille : Hull. Keel. Ventral fin.

Quille d'angle : Chine.

Quille de poussée : Thrust member. Wing-to-fuselage attachment load distribution beam.

Quille de voilure : Wing bolster beam.

Quitter le circuit d'attente :
Depart holding pattern (to).

R

Raccord : Fillet. Joint. Nipple. Splice. Union.

Raccord à sphère d'obturation (RSO) :
Rotating shut off (RSO) coupling.

Raccord aile-fuselage :
Wing root fillet. Wing-to-fuselage fairing.

Raccord auto-obturateur :
Self-sealing coupling.

Raccord banjo : Banjo union.

Raccord de dérivation : By-pass adapter.

Raccord de distribution : Supply fitting.

Raccord de graissage : Grease nipple.

Raccord de remplissage [carburant sous pression] : Pressure refuelling connection [pressurized fuel].

Raccord de tuyauterie : Tube fitting.

Raccord droit : Straight connector.

Raccord en croix : Cross fitting.

Raccord en T : Tee connection. Tee coupling. Tee fitting. Tee union. T-coupling.

Raccord en Y :
Y-branch. Y-connector. Y-shaped coupling.

Raccord fileté : Threaded union. Union nut.

Raccord orientable : Universal elbow.

Raccord pompier : Quick-fitting pipe union.

Raccord presse-étoupe : Gland.

Raccord rapide : Quick-action coupling.

Raccord universel :
Union coupling. Universal coupling.

Raccordement : Joint. Junction.

Raccordement aile-fuselage :
Wing-to-fuselage junction.

Raccordement d'aile : Wing fillet.

Raccordement d'emplanture de dérive :
Fin root fillet.

Raccordement d'entrée d'air du réacteur :
Engine air intake extension.

Raccordement de bord d'attaque d'aile au fuselage : Wing root leading-edge fillet.

Raccordement de bord de fuite d'aile au fuselage : Wing root trailing edge fillet.

Racler : Strip (to).

Radar : *voir Laboratoire...*

Radar à antenne latérale :
Side-looking antenna radar.

Radar à balayage : Scanning radar.

Radar à balayage électronique :
Electronically scanning radar (ESR).

Radar à balayage mécanique :
Mechanically scanning radar.

Radar à couverture au-delà de l'horizon visuel [à onde de surface ou à onde de ciel] : Over-the-horizon (OTH) radar [surface wave or sky wave].

Radar à émetteur-récepteur cohérent à compression d'impulsions : Pulse-compression coherent radar.

Radar à émission continue : Continuous wave radar.

Radar à faisceau orientable électronique : Electronic scanning radar system.

Radar à impulsions : Pulse radar.

Radar à IR : Infra-red radar (IRRAD).

Radar à laser : Laser radar.

Radar à lecture directe : Visual-doppler indicator (VDI).

Radar à ondes millimétriques : Millimeter-wave radar.

Radar à ouverture synthétique : Synthetic aperture radar (SAR).

Radar à simple impulsion : Monopulse radar.

Radar à synthèse d'ouverture : Synthetic aperture radar (SAR).

Radar à visée latérale : Side-looking radar (SLR).

Radar à visualisation couleur : Color-display radar.

Radar aéroporté à balayage en direction du sol [détection d'engins mobiles] : Pulse Doppler non elevation scan (PDNES) [moving target detection].

Radar aéroporté à balayage vertical [détermination de l'altitude de l'engin détecté] : Pulse Doppler elevation scan (PDES) [used to determine the target altitude].

Radar aéroporté à ouverture synthétique [assurant la détection et la poursuite d'objectifs mobiles au sol] : Joint surveillance and target attack radar system (JSTARS) [a system made up of an airborne synthetic aperture radar designed to detect and track on-ground mobile targets].

Radar aéroporté encastré dans la cellule : Conformal radar.

Radar aéroporté utilisable à distance de sécurité : Airborne stand-off radar (ASTOR).

Radar cartographique à haute résolution : High resolution mapping radar.

Radar d'alerte avancée : Early-warning radar.

Radar d'approche : Approach radar. Forward area warning (FAW).

Radar d'approche de précision : Precision approach radar (PAR).

Radar d'atterrissage ou d'approche : Approach control radar (ACR).

Radar d'avion de combat à balayage électronique : Phase-array combat aircraft radar.

Radar d'avion logé dans l'empennage : Aircraft tail warning (ATW).

Radar d'avion pour basse altitude : Terrain-following radar (TFR).

Radar d'azimut : Azimuth radar.

Radar d'interception aéroporté : Airborne interception radar.

Radar d'obstacles : Terrain avoidance radar.

Radar de bord à balayage électronique : Phase-phase steered radar.

Radar de conduite de tir : Fire control radar (FCR).

Radar de contrôle d'approche fonctionnant sur bande S : S-band approach control radar.

Radar de contrôle de vol : Air route surveillance radar (ARSR).

Radar de contrôle des mouvements d'avions au sol : Airfield surface movement indicator (ASMI).

Radar de détection de turbulences : Turbulence weather radar.

Radar de figuration du relief : Ground-mapping radar.

Radar de poursuite : Tracking radar.

Radar de recherche : Search radar.

Radar de recherche et de poursuite : Searchtracking radar.

Radar de reconnaissance à balayage latéral : Side-looking reconnaissance radar (SLRR).

Radar de repérage de cibles au-delà de l'horizon : Beyond-the-horizon (BTH) radar.

Radar de site : Elevation radar.

Radar de sol [pour déterminer l'altitude des avions] : Decimeter height-finder (DMH).

Radar de surveillance : Scanner.

Radar de surveillance d'aéroport et des lignes aériennes : Airport and airways surveillance radar (AASR).

Radar de surveillance de région terminale : Terminal surveillance radar (TSR).

Radar de surveillance des mouvements au sol : Surface surveillance radar.

Radar de surveillance secondaire : Secondary surveillance radar (SSR).

Radar de surveillance secondaire indépendant : Independent secondary surveillance radar (ISSR).

Radar de veille : Search radar. Zone position indicator (ZPI).

Radar de veille à basse altitude : Low-altitude surveillance radar (LASR).

Radar de veille aéroporté : Airborne search radar.

Radar de veille d'aéroport : Airport surveillance radar (ASR).

Radar directeur de tir :
Accurate position finder (APF). Fire control radar (FCR). Gunfire control system (GFCS).

Radar directeur de tir de DCA :
Ground anti-aircraft control.

Radar Doppler pulsé d'interception :
Pulse-doppler interception radar.

Radar embarqué à balayage latéral :
Side-looking airborne radar (SLAR).

Radar embarqué polyvalent à balayage latéral : Side-looking airborne modular multi-mission radar (SLAMMR).

Radar en gisement : Radar in azimuth position.

Radar en site : Radar in elevated position.

Radar enregistreur d'images : Imaging radar.

Radar fonctionnant en mode télémétrie seulement : Range-only radar.

Radar indicateur de distance et de position :
Elevation-position indicator (EPI).

Radar indicateur de position :
Ground position indicator (GPI).

Radar intégrateur de position :
Air position indicator (API).

Radar léger à compression d'impulsions :
Lightweight pulse-compression radar.

Radar météo : X-band radar.

Radar météo à affichage couleur :
Color weather radar.

Radar météorologique : Weather radar.

Radar météorologique d'aéroport [détection des microrafales] :
Terminal Doppler weather radar (TDWR).

Radar météorologique de la prochaine génération : Next generation weather radar (NEXRAD) [USA].

Radar mobile de détection d'hélicoptères en vol stationnaire et d'avions rapides à basse altitude :
Low-altitude surveillance radar (LASR).

Radar moderne à ouverture synthétique :
Advanced synthetic aperture radar system (ASARS).

Radar navette intégré [NASA] :
Shuttle integrated radar (SIR).

Radar panoramique :
Plan position indicator (PPI).

Radar passif : Passive radar.

Radar PPI : Plan position indicator (PPI).

Radar primaire : Primary radar.

Radar sans porteuse [dont les impulsions n'ont pas de fréquence porteuse] : Carrier-free radar [pulses without carrier frequency].

Radar secondaire : Secondary radar.

Radar secondaire mode S :
Discrete address beacon system (DABS). Mode S secondary radar.

Radar télémétrique : Ranging radar.

Radar terrestre : Ground-based radar (GBR).

Radar tridimensionnel à balayage électronique : Phase-array 3D radar.

Radar ultrafiable : Ultra-reliable radar (URR).

Radar volant : Airborne warning and control system (AWACS).

Radariste : Radar operator.

Radial VOR : VOR track.

Radiateur d'huile : Oil cooler.

Radioalignement de descente :
Glide path. Glide slope.

Radioalignement de piste : Localizer (LOC).

Radioaltimètre : Radalt.

Radiobalise : Beacon. Locator. Marker beacon. Radio beacon.

Radiobalise sous-marine de détresse :
Underwater locator beacon.

Radioborne :
Marker. Marker beacon. Radio marker.

Radioborne de bordure : Inner marker beacon.

Radioborne extérieure :
Outer marker beacon. Outer locator.

Radioborne intérieure : Boundary marker.

Radioborne intermédiaire : Medium marker.

Radiocompas : Homing device. Radio compass.

Radiocompas automatique :
Automatic direction finder (ADF).

Radiogoniomètre : Radio direction finder.

Radiogoniomètre à cadres croisés :
Crossed-coil antenna.

Radiogoniomètre à oscilloscope :
Cathode-ray direction finder (CRDF).

Radiogoniomètre automatique :
Automatic direction finder (ADF).

Radiogoniomètre d'approche :
Visual omni-range (VOR).

Radiogoniométrie :
Digital finding (DF), Direction finding (DF).

Radiogoniomètrie ondes courtes :
High-frequency direction finding (HFDF).

Radiogoniométrie sur ondes longues :
Low-frequency direction finding (LFDF).

Radioguidage : Homing. Radio guidance.

Radioguidage d'avion sur bande « S » [entre 2 et 4 GHz, radar] :
Beacon airborne « S » band (BAS).

Radioguidage en tangage :
Vertical approach coupler.

Radiolocaliseur : Radio localizer.

Radiométallographie : X-ray metallography.

Radionavigation aérienne à longue portée :
Long-range air navigation (LORAN).

Radiophare : Beacon. Radio beacon.

Radiophare basse fréquence :
Low-frequency beacon.

Radiophare d'alignement :
Radio range. Radio range beacon.

Radiophare d'alignement de descente :
Glide path transmitter.

Radiophare d'alignement de piste :
Localizer beacon.

Radiophare d'approche : Approach beacon.

Radiophare d'atterrissage : Landing beam beacon. Runway localizer.

Radiophare directionnel : Directional localizer.

Radiophare omnidirectionnel :
Non-directional beacon (NDB). Omni-range radio. Visual omni-range (VOR). Omnidirectional radio beacon (ORB).

Radiophare omnidirectionnel VHF :
VHF omnidirectional radiorange.

Radioralliement : Directional homing. Homing.

Radiorepérage par satellite :
Radio determination satellite service (RDSS).

Radiosonde : Radio altimeter.

Radôme : Radome.

Radôme diélectrique : Dielectric radome.

Rafale ascendante : Upward gust.

Rafale de vent descendante : Downburst.

Ragréage [détourage] : Trimming.

Ragréer : Trim (to).

Raidir : Stiffen (to).

Raidisseur : Stringer.

Raidisseur transversal : Cross stiffener.

Rail d'éjection de siège :
Ejection seat launch rail.

Rail de guidage des volets :
Flap guide rail. Flap track.

Rail de soute : Cargo compartment rail.

Rail de volet extérieur : Outboard flap track.

Rail de volet interne : Inboard flap track.

Rail du bec de bord d'attaque : Slat track.

Rail guide de bec : Slat guide rail.

Rail lance-missiles : Missile launching rail.

Rainurage : Grooving.

Rainure en V : V-groove.

Rainures de graissage : Oil grooves.

Ralenti au sol [moteur] : Ground idle.

Ralenti en vol : In-flight idle.

Ralentissement de la rotation [stabilisation des satellites, véhicules spatiaux, sondes] :
Despin [rotation decrease aiming at the stabilization of satellites, space vehicles, probes].

Ralliement en distance : Range alignment.

Rallonge : Tail pipe.

Rallonge de capot avant : Nose cowl extension.

Rallonge de conduit de sortie de soufflante :
Fan exit duct extension.

Rallonge de goulotte de remplissage :
Extended tank-filler neck.

Rallumage en vol : Relight in flight.

Rampe : Ramp.

Rampe d'alimentation en munitions :
Ammunition feed chute.

Rampe d'allumage : Ignition harness.

Rampe d'évacuation : Escape slide.

Rampe d'extincteurs :
Extinguisher discharge tube.

Rampe d'extinction : Fire extinguishing ring.

Rampe d'injection [moteur] : Injection harness.

Rampe de distribution : Supply duct.

Rampe de graissage : Oil manifold.

Rampe de lancement :
Launcher. Launching ramp.

Rampe de pulvérisation : Spraying bar.

Rampe de volet interne : Internal flap track.

Rampe primaire d'injection de carburant :
Primary fuel nozzle and manifold assembly.

Rampe secondaire d'injection de carburant :
Secondary fuel nozzle and manifold assembly.

Rampe thermocouple : Thermocouple harness.

Rangeur : Unscrambler.

Rappel de manche : Beeper trim. Stick trim.

Rappel de pale élastique :
Blade elastic return device.

Rapport : Briefing. Ratio.

Rapport air-carburant : Air-fuel ratio.

Rapport air-huile : Air-oil ratio (AOR).

Rapport course-alésage : Stroke-bore ratio.

Rapport d'engrenage : Gear ratio.

Rapport de démultiplication :
Reduction ratio. Step down ratio.

Rapport de densité de bruit :
Noise power ratio (NPR).

Rapport de finesse : Fineness ratio.

Rapport de mélange : Mixture ratio.

Rapport de mélange comburant-carburant :
Oxidiser-to-fuel mixture ratio.

Rapport de pression de soufflante :
Fan pressure ratio.

Rapport de pression global du moteur :
Overall engine pressure ratio.

Rapport de pression moteur :
Engine pressure ratio (EPR).

Rapport de pression total :
Overall compression ratio.

Rapport HARP [établi à la demande de la CAA pour améliorer la sécurité en vol des hélicoptères commerciaux] : Helicopter airworthiness review panel (HARP) report [drawn up at the CAA request to improve commercial helicopters in-flight safety].

Rapport massique : Weight ratio.

Rapport poids/puissance : Power loading ratio.

Rapport portance/traînée :
Lift-to-drag (L/D) ratio.

Rapport poussée-masse : Thrust-to-weight ratio.

Rapport poussée-surface frontale :
Thrust-to-frontal area ratio.

Rapport puissance/masse : Power/weight ratio.

Rapporteur d'angle : Vernier protractor.

Rase-mottes : Treetop level.

Raser : Trim (to).

Raté d'allumage : Misfire.

Râtelier : Rack.

Râtelier d'équipement électronique :
Avionics equipment rack.

Râtelier d'équipement radar :
Radar equipment rack.

Ratés (avoir des) : Splutter (to).

Rattrapage : Retrofit.

Rattrapage avant livraison :
Retro before delivery (RBD).

Rattrapage de jeu : Play take-up.

Rattraper : Take-up (to).

Rattraper le décrochage : Unstall (to).

Ravinement [érosion de criques] : Guttering.

Ravitaillement [carburant] : Refuelling.

Ravitaillement en carburant avec moteur en marche et rotor tournant : Hot refuelling.

Ravitaillement en mer par ADAV :
Vertical replenishment service (VERTREP).

Ravitaillement en vol [carburant] : Aerial refueling (refuelling). In-flight refuelling.

Ravitaillement en vol (membre de l'équipage de l'avion ravitailleur qui effectue l'opération de -) : Boomer [crew member in charge of refuelling operations].

Rayon d'action : Range.

Rayon d'action à charge maximum :
Range at maximum payload.

Rayon d'action augmenté (à) :
Extended range (ER).

Rayon d'action en mission d'attaque :
Strike radius.

Rayon de braquage : Steering radius.

Rayon de virage : Turn radius.

Rayon de virage en vol : Radius of turn.

Rayon périphérique : Tip radius.

Rayure : Scoring. Scratch.

Rayure d'étirage : Drawing score.

Réacteur : *voir Durée d'autorotation...*

Réacteur : Engine. Jet engine.

Réacteur à chambre de combustion annulaire double :
Double annular combustor (DAC) engine.

Réacteur à CO$_2$ et U enrichi :
Advanced gas reactor (AGR).

Réacteur à double corps, soufflante centrale, double flux et cycle variable : Mid-tandem fan (MTF) [dual-core, variable cycle fan jet].

Réacteur à double flux :
By-pass engine. Dual flow jet engine. Fan engine. Fan jet. Turbofan engine (TFE).

Réacteur à double flux, à faible taux de dilution et à réchauffe :
Low-bypass-ratio afterburning turbofan.

Réacteur à double flux et à poussée vectorielle : Vectored thrust turbofan engine.

Réacteur à poussée augmentée :
Augmented thrust engine.

Réacteur à poussée constante :
Flat-rated engine.

Réacteur à poussée vectorielle :
Vector-thrust engine.

Réacteur à simple flux : Single-flow jet engine.

Réacteur double corps à écoulement axial :
Twin-spool axial flow engine.

Réacteur en bout de pale : Tip jet.

Réacteur sans réchauffe : Unreheated engine.

Réacteur sec : Dry engine.

Réarmer : Reset (to).

Rebondir à l'atterrissage : Kit-off (to).

Rebut : Junk. Scrap.

Recalage de gyroscope : Gyro resetting.

Recentrage : Retrimming.

Recentrer : Trim (to).

Réceptacle de ravitaillement en vol :
Universal air refuelling receptacle.

Récepteur de glide slope : Glide slope receiver.

Récepteur de navigation VHF :
VHF navigation radio.

Récepteur de pente : Glide slope receiver.

Récepteur de positionnement GPS/NAVSTAR : GPS/NAVSTAR receiver.

Récepteur de radioborne : Marker receiver.

Récepteur de radioguidage : Homing receiver.

Récepteur de radioralliement :
Terminal guidance unit.

Récepteur du FMI :
Receiver signal processor (RSP).

Récepteur-indicateur VOR :
Receiver and VOR indicator.

Récepteur LOC/VOR : Localizer/visual omnirange (LOC/VOR) receiver.

Récepteur VOR : VOR receiver.

Rechange : Spare.

Réchauffe : Afterburning. Reheat (RH).

Réchauffeur carburant : Fuel de-icing heater.

Réchauffeur d'huile : Oil heater.

Recherche de pannes : Trouble-shooting.

Recherche du nord géographique par centrale de navigation inertielle : Gyrocompassing.

Recherche et développement :
Research and development (R and D).

Recherche et mise au point :
Research and development (R and D).

Recherche et sauvetage :
Search and rescue (SAR).

Recherche, mise au point, essai et évaluation :
Research, development, test and evaluation (RDTE).

Reconnaissance optique de caractères :
Optical character recognition (OCR).

Reconnaissance stratégique :
Strategic reconnaissance.

Reconnaissance tactique :
Tactical reconnaissance.

Recopie de gisement :
Remote azimuth indication.

Recouvrement de soudure : Weld overlay.

Rectification des filets : Thread grinding.

Rectifier : Straighten (to). True (to).

Rectifieuse : Grinding machine.

Recuit [matériaux composites] : After-bake.

Récupération : Salvage.

Récupération automatique des RPV :
Automatic recovery of remotely piloted air-craft (AURORA).

Récupérer : Scavenge (to).

Redan [coque] : Step.

Redevances aéroportuaires : Airport charges.

Redondance : Redundancy.

Redresser : Straighten (to).

Redresser l'avion : Level off the plane (to).

Redresseur : Stator.

Réducteur : Reduction gear.

Réducteur d'hélice : Propeller reduction gear.

Réducteur de portance : Lift dumper.

Réducteur de tir : Trimmer.

Réduire les gaz :
Throttle back (to). Throttle down (to).

Réenclenchement manuel : Hand-reset.

Réenclencher : Reset (to).

Référence de pièce : Part number.

Réflecteur radar en tissu métallique :
Metallic-cloth radar reflector.

Réforme : Scrap.

Refroidissement par film [refroidissement des tuyères] : Film cooling [nozzle cooling].

Refroidissement par transpiration [refroidissement des tuyères] :
Sweat cooling [nozzle cooling].

Refroidissement régénératif [par circulation d'ergols] : Regenerative cooling.

Regard : Inspection hole. Man hole. Peep hole.

« Regard vers l'extérieur et mains sur les gaz et le manche » [conception moderne de commande des systèmes] :
Head out and hands on throttle and stick (HO-TAS) [latest concept of systems control].

Régime : Power. Rate. Rating. Revolutions per minute (RPM). Speed.

Régime avec injection d'eau : Wet thrust.

Régime de croisière : Cruising power.

Régime de décollage : Take-off rating.

Régime de ralenti de vol : Flight idle power.

Régime de soufflante : Fan speed.

Régime moteur : Engine RPM.

Régime moteur intermédiaire d'urgence :
Intermediate contingency power.

Régime normal [moteur] : Normal RPM.

Régime pour rayon d'action maximum :
Maximum range power (MRP).

Région d'information de vol :
Flight information region (FIR).

Région de contrôle terminal :
Terminal control area.

Région supérieure d'information de vol :
Upper flight information region (UIR).

Réglage : Tuning.

Réglage automatique d'amplitude :
Automatic amplitude control (AAC).

Réglage automatique du ralenti :
Automatic engine trim.

Réglage d'allumage : Timing.

Réglage de l'assiette : Trimming.

Réglage de l'incidence du plan fixe horizontal :
Tailplane incidence adjustment.

Réglage de la distribution : Valve timing.

Réglage de la richesse du mélange :
Mixture setting.

Réglage du pas de pale : Blade pitch setting.

Réglage du plan horizontal : Tail trim.

Réglage fin : Fine adjustment.

Réglage micrométrique : Fine adjustment.

Réglage rapide et automatique de la voilure :
Mission-adapted wing (MAW).

Règlement de vol aux instruments [hélicoptère] : Helicopter instrument rules (HIR).

Réglementation antibruit :
Noise abatement procedure.

Réglementation fédérale de l'aviation civile [USA] : Federal Aviation Regulations (FAR).

Règlements de navigabilité conjoints :
Joint airworthiness requirements (JAR).

Règles de l'art (dans les) : State-of-the-art.

Règles de vol à vue : Visual flight rules (VFR).

Règles de vol à vue du sol :
Contact flight rules (CFR).

Règles de vol à vue pour hélicoptères :
Helicopter visual rules (HVR).

Règles de vol aux instruments :
Instrument flight rules (IFR).

Réglette : Strip board.

Régulateur : Governor assembly. Trimmer.

Régulateur à dépression : Vacuum regulator.

Régulateur altimétrique : Barometric controller.

Régulateur antigivrage de pare-brise :
Windshield anti-ice controller.

Régulateur barométrique : Barostat.

Régulateur carburant :
Flow control unit (FCU). Fuel control unit.
Main engine control (MEC).

Régulateur carburant de postcombustion :
Afterburner fuel control unit.

Régulateur d'alternateur :
Generator control unit (GCU).

Régulateur d'hélice : Propeller governor.

Régulateur d'oxygène : Oxygen regulator.

Régulateur de carburant hydromécanique :
Hydromechanical fuel control.

Régulateur de débit : Flow control unit (FCU).

Régulateur de débit carburant :
Fuel flow control unit.

Régulateur de pilote automatique :
Autopilot controller.

Régulateur de pression : Pressure regulator.

Régulateur de régime : Speed governor.

Régulateur de roulis : Lateral trim.

Régulateur de survitesse :
Acceleration governor. Overspeed governor.

Régulateur de tangage : Longitudinal trim.

Régulateur de température :
Temperature controller.

Régulateur de température de compartiment :
Zone vernier temperature controller.

Régulateur de température de groupe :
Pack temperature control.

Régulateur de trafic radio :
Radio traffic controller.

Régulateur de trajectoire : Flight governor.

Régulateur de tuyère : Nozzle control unit.

Régulateur de vitesse :
Speed control unit. Speed governor.

Régulateur électronique : Electronic control.

Régulateur numérique à pleine autorité :
Full-authority digital autothrottle.

Régulateur par tout ou rien :
Hit-or-miss governor. On-off regulator.

Régulateur pneumatique :
Pneumatic continuous flow control unit.

Régulateur tachymétrique : Speed governor.

Régulation : Control.

Régulation de la vitesse : Speed control.

Régulation de tuyère : Nozzle control.

Régulation tachymétrique :
Speed regulation. Tachometer control.

Régulation tachymétrique [turbo] :
Revolutions per minute (RPM) control.

Régulation thermique : Temperature control.

Régule : White metal.

Réguler : Remetal (to).

Relâcher : Release (to).

Relais : Relay.

Relais à double effet : Two-step relay.

Relais à fermeture (ou ouverture) retardée :
Time-delay relay.

Relais d'accessoires :
Gearbox. Internal wheel case.

Relais d'extinction d'avertisseur sonore :
Warning horn silencing relay.

Relais d'interdiction : Interlock relay.

Relais de gauchissement [hélicoptère] :
Helicopter relay.

Relais de sécurité : Interlock relay.

Relais de signalisation d'erreur de trim :
Trim error warning relay.

Relais électromagnétique : Solenoid relay.

Relais électronique : Trigger relay.

Relais hydraulique : Anti-surge valve.

Relais manométrique : Anti-surge valve.

Relais mécanique : Bellcrank block.

Relais polarisé : Biased relay.

Relais primaire : Initiating relay.

Relais sous vide : Vacuum relay.

Relais temporisé : Time-locking relay.

Relais thermique de temporisation :
Thermal timer relay.

Relais thermique temporisé :
Time-delay thermal relay.

Relation : Ratio.

Relevage du train : Undercarriage retraction.

Relèvement : Bearing.

Relèvement en direction du point de passage :
Bearing to way-point.

Relèvement gonio : Loop bearing.

Relèvement magnétique :
Compass bearing. Magnetic bearing.

Relèvement radiogoniométrique :
Radio bearing. Radio fix.

Relèvement visuel : Visual bearing.

Relèvement vrai : True bearing.

Rémanence de l'écran radar : Afterglow.

Rémanence sur l'écran radar :
Radar scope afterglow.

Remettre à zéro : Reset (to).

Remettre en état : Fix (to).

Remise à neuf : Refurbishing.

Remise à neuf et réparation :
Refurbishment and repair.

Remise des gaz : Overshooting.

Remise des gaz [à l'appontage] : Wave-off.

Remise des gaz [après atterrissage manqué] :
Go-around (GA).

Remise en état : Overhaul. Refurbishing.

Remise en marche : Restart.

Remontage : Reassembly. Reinstallation.

Remous : Eddy. Vortices.

Remous d'air : Wash.

Remous [de l'hélice] : Wake.

Remplacement : Spare.

Remplissage sous pression [carburant] :
Underwing fuelling.

Rendement : Output. Performance. Throughput.

Rendement [antenne] : Radiation efficiency.

Rendement de l'hélice : Propeller efficiency.

Rendement de la tuyère : Nozzle efficiency.

Rendement du moteur : Engine efficiency.

Rendement propulsif : Propulsive efficiency.

Rendre la main après le décollage :
Ease the stick forward (to).

Renforcer : Stiffen (to). Strengthen (to).

Renfort de liaison : Junction doubler.

Reniflard : Breather. Oil breather.

Reniflard [moteur] : Venting pipe.

Rentrée des becs : Slat retraction.

Rentrée des spoilers : Spoiler retraction.

Rentrer au parking : Taxi-in (to).

Renversement : Stall turn.

Renvoi : Bellcrank.

Renvoi d'angle de bec : Slat bevel gearbox.

Renvoi de combinateur : Mixer bellcrank.

Renvoi en T : T-section gearbox.

Réparation d'aubes de turbine par diffusion de matériaux :
Activated diffusion healing (ADH) [repair of turbine blades by diffusion of materials].

Réparation provisoire : Temporary repair.

Réparation sommaire et provisoire des dégâts subis par un avion au cours d'opérations militaires :
Aircraft battle damage repair (ABDR).

Réparation structurale importante :
Heavy structural repair.

Réparations selon l'état : As-found repairs.

Réparer : Fix (to). Service (to).

Répartiteur de frein : Brake control valve.

Répartition des charges : Load distribution.

Répartition des charges de pale :
Blade loading distribution.

Répartition des poids : Weight distribution.

Repérage d'objectifs au-delà de l'horizon :
Over-the-horizon targeting (OTHT).

Repérage de l'objectif : Target acquisition.

Repérage sur carte : Mapping.

Repère d'approche aux instruments :
Instrument approach fix.

Repère DME : DME fix.

Repère lumineux : Spot.

Repère visuel de verrouillage train sorti :
Visual down lock.

Répéteur : Transponder.

Répétiteur de cap : Repeater.

Répétiteur de signaux de cap :
Gyro data repeater.

Repliage de pale : Blade folding.

Répondeur : Transreceiver.

Répondeur de bord : Transponder.

Report d'images de radar PPI sur carte géographique : Auto-radar plot.

Repose-pieds de siège éjectable :
Ejection-seat footrest.

Repoussage [métallurgie] : Spinning.

Repousser : Stamp (to).

Reprendre : Rework (to).

Réseau : System.

Réseau d'alimentation électrique :
Power supply network.

Réseau d'anémomètres entourant l'aéroport à protéger et indiquant la force et la direction du vent : Low level wind shear alert system (LLWSAS) [a network of anemometers surrounding the airport to be protected and indicating the force and direction of the wind].

Réseau d'antennes : Antenna array.

Réseau de communications entre la Terre et l'espace lointain (NASA) :
Deep-space network (DSN).

Réseau de secours : Backup system.

Réseau de stations radar terrestres d'alerte lointaine :
Distant early warning (DEW) line [Canada].

Réseau intégré de transmission de données :
Integrated service data network (ISDN).

Réseau plan à fentes [radar] :
Slotted planar array.

Réserve (de) (en) : Stand-by.

Réserve normale de carburant :
Standard fuel tankage.

Réservoir : Reservoir. Tank.

Réservoir à fond mobile [lutte contre le feu] :
Trap door bucket.

Réservoir à panneaux sandwich collés :
Bonded sandwich panel pod.

Réservoir à rechange rapide :
Quick-change tank.

Réservoir amovible : Slipper tank.

Réservoir arrière d'équilibrage :
Rear fuel transfer tank.

Réservoir auxiliaire de carburant : Fuel pod.

Réservoir auxiliaire fixe ou largable, monté sous le fuselage [carburant] : Belly tank.

Réservoir auxiliaire semi-encastré muni d'un système d'emport de bombes ou de missiles : Conformal fuel tank (CFT).

Réservoir basse pression : Low pressure tank.

Réservoir carburant d'aile : Wing fuel tank.

Réservoir carburant du plan central de voilure : Wing center section fuel tank.

Réservoir carburant en bout d'aile :
Wing tip fuel tank.

Réservoir carburant externe :
External fuel tank.

Réservoir central supplémentaire :
Additional center tank (ACT).

Réservoir d'aile : Wing tank.

Réservoir d'aile intégral :
Integral wing fuel tank.

Réservoir d'alimentation directe :
Direct-feed tank.

Réservoir d'emplanture : Stub tank.

Réservoir d'équilibrage :
Surge tank. Transfer tank. Trim tank.

Réservoir d'huile : Oil tank.

Réservoir d'huile moteur : Engine oil tank.

Réservoir d'hydrogène liquide :
Liquid hydrogen (LH2) tank.

Réservoir d'oxygène liquide :
Liquid oxygen (LOX) tank.

Réservoir de bord d'attaque :
Wing leading edge tank.

Réservoir de carburant : Fuel tank.

Réservoir de carburant [au-dessus du moteur] : Gravity feed tank [above the engine].

Réservoir de carburant auto-obturant :
Foamed fuel tank.

Réservoir de carburant de fuselage arrière :
Rear fuselage fuel tank.

Réservoir de carburant en bout d'aile :
Tip fuel tank.

Réservoir de carburant extérieur :
External fuel tank.

Réservoir de carburant souple :
Fuel cell bladder tank.

Réservoir de carburant structural :
Integral fuel tank.

Réservoir de comburant : Oxidiser tank.

Réservoir de lestage : Ballast tank.

Réservoir de liquide hydraulique :
Hydraulic reservoir.

Réservoir de mise à l'air libre :
Vent box. Vent tank.

Réservoir de mise à l'air libre en bout d'aile :
Wing tip vent tank.

Réservoir de stockage repliable :
Collapsible storage tank.

Réservoir de trop-plein [en bout d'aile] :
Tip surge tank.

Réservoir en charge : Header tank.

Réservoir externe : Outboard tank.

Réservoir extrême [en bout d'aile] : Tip tank.

Réservoir fixe d'extrémité d'aile :
Fixed tip tank.

Réservoir interne : Inboard tank.

Réservoir largable :
Drop container. Drop tank. Jettison tank.

Réservoir souple : Bag tank. Bladder tank.

Réservoir sous pression : Pressurized tank.

Réservoir structural :
Built-in tank. Integral tank.

Réservoir structural d'aile :
Wing integral fuel tank.

Réservoir structural de dérive [carburant] :
Fin integral fuel tank.

Réservoir structural extérieur [carburant] :
Outboard integral fuel tank.

Réservoir supplémentaire : Auxiliary tank.

Réservoir supplémentaire d'intrados :
Underwing fuel tank.

Réservoir supplémentaire de siège : Torso tank.

Réservoir supplémentaire en bout d'aile :
Wing tip auxiliary fuel tank.

Résilience avec effet d'entaille :
Notch impact strength.

Résine thermoplastique : Thermoplastic resin.

Résistance [électricité] : Resistor.

Résistance à la fatigue en torsion :
Torsional fatigue strength.

Résistance à la flexion : Bending strength.

Résistance à la traction : Tensile strength.

Résistance au cisaillement : Shear strength.

Résistance de rupture : Ultimate shear strength.

Résistance maximale à la compression :
Ultimate compressive strength.

Résistance variable : Varistor.

Ressort : Spring.

Ressort d'équilibrage : Balancing spring.

Ressort d'équilibrage de trim : Trim spring.

Ressort de sensation musculaire :
Q-spring assembly.

Ressort de soupape :
Valve retainer. Valve spring.

Ressort de verrouillage des volets :
Flap lock spring.

Ressort éjecteur : Stud ejector spring.

Ressort en spirale : Hair spring.

Ressort lyre : Spring clip.

Ressort tendeur : Bungee.

Ressource : *voir Faire une...*

Ressource brusque : Abrupt pull-up.

Ressource brutale : Emergency pull-out.

Ressource d'entrée : Entry pull-up.

Ressources : *voir Satellite d'observation et...*

Ressuage : Dye check. Dye-penetrant inspection.

Ressuage [recherche de criques] :
Penetrant inspection.

Ressuage fluorescent :
Fluorescent penetrant inspection. Ziglo.

Restricteur : Restrictor.

Résultat : Performance.

Retard : Lag.

Réticule de visée : Hair cross.

Retirer : Remove (to).

Retouche : Rectification in situ.

Retouche de fabrication :
Manufacturing rework.

Retoucher : Rework (to).

Retour à la bâche : Reservoir return line.

Retour de flamme : Backfire.

Retrait : Shrinkage.

Rétrécissement : Shrinking.

Rétrécissement [d'une pièce] : Waist.

Rétreint : Necking. Shrinking.

Rétreint [chambre de combustion] : Throat.

Rétrofusée : Retrorocket.

Réusiner : Rework (to).

Reverse : Reverse.

Revêtement : Shroud. Skin.

Revêtement d'aile : Wing skin.

Revêtement d'aile ondulé :
Corrugated wing-cover.

Revêtement d'extrados : Wing top skin.

Revêtement d'intrados : Wing bottom skin.

Revêtement de carénage : Shroud skin.

Revêtement de fuselage : Fuselage skin plating.

Revêtement de pale en fibre de verre [hélicoptère] : Glass-fibre blade skin.

Revêtement de turbine isolant :
Jet pipe shroud.

Revêtement du fuselage : Fuselage skin.

Revêtement électrolytique :
Electrolytic coating.

Revêtement embrevé à chaud :
Hot-dimpled skin.

Revêtement entre deux cadres : Frame bay.

Revêtement extérieur du cône avant :
Nose skin panelling.

Revêtement intérieur ondulé :
Corrugated inner skin.

Revêtement protecteur d'aube de turbine :
Turbine blade diffusion coating.

Revêtement travaillant : Stressed skin.

Revêtement yttrium + chrome/aluminium :
Yeralisation.

Revêtements collés métal sur métal :
Metal-metal bonded skins.

Révision : Overhaul.

Révision contrôlée : Time-controlled overhaul.

Révision d'étude préliminaire :
Preliminary design review (PDR).

Révision du 3ème degré : Minor overhaul.

Révision du 4ème degré : Major overhaul.

Révision en une seule fois : Block overhaul.

Révision générale : Complete overhaul.

Revue aérienne [exhibition] : Flypast.

Revue critique de définition :
Critical design review (CDR).

Revue d'aptitude au vol :
Flight readiness review (FRR).

Richesse du mélange : Mixture compositon.

Rivet bouterollé : Snap-head rivet.

Rivet explosif : Pop rivet.

Rivet fusible : Fuse pin.

Rivetage à couvre-joint : Butt riveting.

Rivetage automatique : Automatic riveting.

Rivetage humide [application d'un produit d'étanchéité entre la tête du rivet et la fraisure] : Wet riveting [application of sealant between the rivet head and the countersinking].

Riveter à froid : Rivet cold (to).

Riveteuse : Rivet gun.

Robinet : Cock. Tap. Valve

Robinet à guillotine : Gate valve.

Robinet à passage intégral :
Non-restricted valve.

Robinet à piston : Piston valve.

Robinet à pointeau : Needle valve.

Robinet à raccord : Union cock.

Robinet basse pression : LP cock.

Robinet BP : LP cock.

Robinet carburant : Fuel cock.

Robinet carburant basse pression :
Fuel low-pressure cock.

Robinet carburant haute pression :
Fuel high-pressure cock.

Robinet coupe-feu :
Fuel cut-out. Fuel shut-off cock.

Robinet coupe-feu du moteur :
Engine fuel shutoff handle.

Robinet coupe-feu électrique :
Electrical shut-off valve.

Robinet d'admission d'air : Air inlet cock.

Robinet d'arrêt : Gate valve. Shut-off valve.

Robinet d'arrêt automatique :
Ball cock assembly.

Robinet d'enrichissement au démarrage :
Start enrich valve.

Robinet d'intercommunication carburant :
Fuel cross-feed valve.

Robinet de débit : Throttle valve.

Robinet de mise à l'air libre : Vent valve.

Robinet de purge : Bleed valve.

Robinet de transfert : Transfer valve.

Robinet de vidange : Drain cock.

Robinet de vidange de réservoir :
Tank dump valve.

Robinet vide-vite : Fuel dump valve.

Rodage [moteur] : Run-in.

Rodage de soupapes : Valve grinding.

Roder : Abrade (to).

Rondelle : Washer.

Rondelle à crans : Toothed washer.

Rondelle à dents :
Star washer. Tooth lockwasher.

Rondelle à ergot : Tab washer.

Rondelle à ressort : Spring washer.

Rondelle autofreineuse : Stop washer.

Rondelle biseautée : Bevelled washer.

Rondelle chambrée : Recessed washer.

Rondelle conique : Taper hub washer.

Rondelle d'appui : Thrust washer.

Rondelle d'arrêt : Stop washer.

Rondelle d'écartement : Spacer washer.

Rondelle d'épaisseur :
Thickness washer. Timing washer.

Rondelle d'équilibrage : Balance washer.

Rondelle d'équilibrage de pale :
Blade balance washer.

Rondelle de butée : Thrust washer.

Rondelle de contre-rivure : Tailing washer.

Rondelle de poussée : Thrust washer.

Rondelle de réglage : Timing washer.

Rondelle-entretoise : Shim washer.

Rondelle éventail :
Star washer. Tooth lockwasher.

Rondelle filetée : Threaded washer.

Rondelle-frein : Keywasher.

Rondelle frein d'écrou : Tab washer.

Rondelle-frein d'écrou : Nut lockwasher.

Rondelle Grower : Spring washer.

Rondelle-joint : Gasket.

Rondelle ouverte : Open washer.

Roquette : Rocket.

Roquette aéroportée à empennage repliable :
Folding fin aircraft rocket (FFAR).

Rotation : Turnaround time.

Rotation libre (en): Windmilling.

Rotation rapide : Spinning.

Rotation réelle : Basic utilization.

Rotodôme [dôme rotatif disposé sur la partie supérieure du fuselage des AWACS et logeant les antennes de divers radars de surveillance] : Rotodome [a dome-shaped, rotary structure, mounted on the upper part of the fuselage of AWACS and housing the antennas of various surveillance radars].

Rotor : Rotor. Wheel.

Rotor à articulation complète :
Fully articulated rotor.

Rotor à balancier : Teetering rotor.

Rotor à diamètre variable :
Variable diameter rotor (VDR).

Rotor à pales tronquées : Cropped rotor.

Rotor à volet fluide : Jet flapped rotor.

Rotor à volet soufflé : Jet flapped rotor.

Rotor à vrillage d'extrémité de pale :
Controlled twist rotor (CTR).

Rotor anticouple : Auxiliary rotor. Tail rotor.

Rotor anti-couple [hélicoptère] :
Anti-torque rotor.

Rotor anticouple caréné :
Ducted tail rotor. Shrouded tail rotor.

Rotor anti-couple caréné de type fenestron :
Fenestron-type tail rotor.

Rotor arrière : Tail rotor.

Rotor basculant :
Teetering rotor. Tilting rotor. Tilt-rotor.

Rotor basculant à pales repliables :
Tilt stop fold rotor.

Rotor d'hélicoptère : Helicopter rotor.

Rotor de compresseur : Compressor impeller.

Rotor de compresseur centrifuge :
Centrifugal compressor impeller.

Rotor de concept dit à pale avançante :
Advancing blade concept (ABC) rotor.

Rotor de queue : Auxiliary rotor. Tail rotor.

Rotor de queue caréné :
Enclosed tail rotor. Shrouded tail rotor.

Rotor de queue remplacé par une soufflante éjectant l'air par un orifice latéral [à l'arrière du fuselage] : No Tail Rotor (NOTAR) system [replacement of the tail rotor by a fan at the rear part of the fuselage ejecting air through a side outlet].

Rotor de turbine : Turbine wheel.

Rotor en élastomère quadripale :
Four-blade elastomeric rotor.

Rotor escamotable : Retractable rotor.

Rotor fenestron : Fan-in-fin. Shrouded tail fan.

Rotor non articulé : Hingeless rotor.

Rotor non caréné : Open rotor.

Rotor pivotant : Swinging rotor.

Rotor principal : Main rotor.

Rotor principal combiné :
  Compound main rotor.

Rotor principal quadripale repliable :
  Foldable four-blade main rotor.

Rotor principal sans articulation :
  Bearingless main rotor (BMR).

Rotor repliable : Folding rotor.

Rotor repliable vers l'arrière en vol :
  Trailing rotor.

Rotor rigide : Hingeless rotor.

Rotor rigide à pales souples :
  Flexible blade hingeless rotor.

Rotor Starflex : Starflex rotor.

Rotor sustentateur : Lift rotor.

Rotors en tandem : Overlapping rotors.

Rotors engrenants : Synchropter rotor system.

Rotule : Spherical joint. Toggle joint. Universal
  joint gimbal.

Rotule amovible : Removable ball end.

Rotule de friction du manche :
  Stick friction ball.

Rotule lisse : Plain bearing.

Roue : Wheel.

Roue à aubes : Impeller.

Roue à cliquet : Ratched wheel.

Roue arrière : Tail landing gear.

Roue d'arbre à cames : Camshaft gear.

Roue d'entrée : Inducer.

Roue d'entrée [moteur] : Impeller front section.

Roue de compensation de profondeur :
  Elevator trim wheel.

Roue de proue : Nosewheel.

Roue de réaction sur palier magnétique [stabilisation de satellites] : Momentum wheel on
  magnetic bearing [satellite stabilization].

Roue de train : Landing gear wheel.

Roue de train avant hydrauliquement orientable et rétractable vers l'arrière : Hydraulically steerable rearward retracting nosewheel.

Roue de train d'atterrissage avant :
  Nosewheel.

Roue de train d'atterrissage avant escamotable : Retractable nosewheel.

Roue de train d'atterrissage principal :
  Main gear wheel.

Roue de turbine : Turbine wheel.

Roue dentée : Gear wheel.

Roue mobile : Rotor.

Roue orientable : Steerable wheel.

Roue voilée : Warped wheel.

Roues jumelées : Twin wheels. Dual wheels.

Roues jumelées de train avant :
  Twin nosewheels.

Roulage : *voir Essai de roulage à...*

Rouleau : Roll.

Roulement : Bearing.

Roulement à aiguilles : Needle bearing.

Roulement à aiguilles à alignement automatique : Self-aligning needle bearing.

Roulement à billes : Ball bearing.

Roulement à billes à gorge profonde :
  Deep-groove ball bearing.

Roulement à contacts obliques :
  Skew-angle roller bearing.

Roulement à double rangée : Duplex bearing.

Roulement à friction : Friction bearing.

Roulement à galets : Roller bearing.

Roulement à galets coniques :
  Tapered roller bearing.

Roulement à garniture téflon :
  Teflon-lined bearing.

Roulement à rotule : Self-aligning bearing.

Roulement à rotule à tonneaux :
  Drum self-aligning bearing.

Roulement à rouleaux : Roller bearing.

Roulement à rouleaux coniques :
  Taper roller bearing.

Roulement à segments : Slipper bearing.

Roulement de butée : Thrust bearing.

Roulement de fusée de pale :
  Blade spindle bearing.

Roulement de support : Support bearing.

Roulement pendulaire à billes :
  Universal ball bearing.

Rouler à l'arrivée : Taxi-in (to).

Rouler au départ : Taxi-out (to).

Rouler au sol : Taxi (to).

Roulette : Wheel.

Roulette avant orientable :
  Steerable nose wheel.

Roulette de queue :
  Tail landing gear. Tail wheel.

Roulis : Roll.

Roulis hollandais : Dutch roll.

Route : *voir Faire route... Mettre en route... Mise
  en route...*

Route : Heading. Track.

Route à suivre : Desired track.

Route loxodromique [navigation aérienne] :
  Rhumb line track.

Route magnétique : Magnetic heading (MH).

Route optimale à suivre : Course to steer (CTS).

Route orthodromique : Orthodromic track.

Route vraie : True course.

Routier automatique : Pictorial map display.

Ruban : Strip.

Ruban à masquer pour traitement à la flamme :
Flame spray masking tape.

Ruban adhésif : Adhesive tape.

Rupteur thermique :
Thermal cut-out. Thermal switch.

Rythme : Rate.

S

Sablage [métallurgie] : Sand blasting.

Sablage humide : Vapor blasting. Wet blasting.

Sablage liquide : Vapor blasting.

Sabot de balai d'essuie-glace :
Wiper blade shoe.

Sabot de queue : Tail bumper.

Saccade : Jerk.

Saisie automatique des données :
Automatic data acquisition (ADA).

Salle de réception des passagers : Lounge.

Sandow de rappel : Bungee.

SANGER :
voir Programme d'étude des projets...

Sangle : Strap.

Satellite captif [relié à un autre satellite] :
Tethered satellite.

Satellite d'alerte avancée :
Early warning satellite (EWS).

Satellite d'alerte avancée de la nouvelle génération (1997) :
Follow-on early warning system (FEWS).

Satellite d'étude de la formation et de la structure du cosmos [USA] :
Cosmic background explorer (COBE) [USA].

Satellite d'étude de la haute atmosphère :
Upper atmospheric research satellite (UARS).

Satellite d'observation astronomique dans l'infrarouge [lancé le 17 novembre 1995] :
Infrared space observatory (ISO) [launched on November 17, 1995].

Satellite d'observation astronomique IR :
Infra-red astronomy satellite (IRAS).

Satellite d'observation de la Terre :
Earth observation satellite (EOS).

Satellite d'observation du Soleil :
Orbiting solar observatory (OSO).

Satellite d'observation et de localisation des ressources naturelles de la Terre :
Earth resources satellite (ERS).

Satellite d'observation héliosphérique et solaire [étude des basses fréquences et du vent solaire, lancé le 2 décembre 1995] : Solar and heliospheric observation (SOHO) programme [launched on December 2, 1995].

Satellite d'observation militaire :
Military observation satellite.

Satellite de démonstration de l'ESA [lancement prévu en 1995] :
Advanced orbital test system (AOTS).

Satellite de relais de transmission de données :
Tracking and data relay satellite (TDRS).

Satellite de télédétection destiné à l'étude et à l'évaluation des particularités agricoles et géologiques de la Terre [mission n° 1 du satellite de l'ESA] : ESA remote sensing satellite mission n° 1 (ERS-1) [a satellite designed to study and evaluate the Earth's agricultural and geological features].

Satellite de télédétection destiné à l'étude des dimensions de l'ozonosphère [version modernisée d'ERS-1] :
ESA remote sensing satellite mission n° 2 (ERS-2) [ERS-1 upgraded version].

Satellite de télédétection muni d'un radar à ouverture synthétique :
RADARSAT [Canada].

Satellite géosynchrone :
Geosynchronous satellite.

Satellite météorologique en orbite géostationnaire : Geostationary operational environmental satellite (GOES).

Satellite météorologique et d'étude de l'environnement [USA] : National Oceanic and Atmospheric Administration (NOAA) satellite.

Satellite météorologique géostationnaire :
Synchronous meteorological satellite.

Satellite militaire :
Defense support program (DSP) [USA].

Satellite pour la santé et l'éducation rurale [le programme SHARE a été lancé en 1985 pour favoriser le développement de l'aide médicale et de l'enseignement dans les pays du tiers monde] :
Satellite for health and rural education (SHARE) [a programme launched in 1985 to promote the development of medical aid and education in the Third World countries].

Satellite pour services fixes :
Orbital test satellite (OTS).

Satellite radar : Radar satellite.

Satellite-radar de détection d'avions et de missiles [élément de l'ex-SDI américaine] :
Space-based radar.

Satellite-relais de données :
Data relay satellite (DRS).

Satellite relié par un câble à une navette spatiale : Tethered satellite system (TSS).

Satellite stabilisé par rotation :
Spin-stabilized satellite.

Satellite stabilisé sur les trois axes :
Body-stabilized satellite.

Satellites de télécommunications :
voir Etage supérieur de lanceur

Satellites militaires :
voir Etage supérieur de lanceur

Saturation [d'écran d'affichage] :
Display overload.

Saumon : Tip fairing.

Saumon d'aile : Wing tip.

Saumon de dérive : Fin tip. Variable stabilizer tip. Vertical stabilizer tip.

Saumon de dérive diélectrique :
Dielectric fin tip.

Saumon de pale : Blade tip cap.

Saumon de plan fixe horizontal :
Horizontal stabilizer tip.

Saut de fréquence : Frequency hopping (FH).

Sauter en parachute : Bail out (to).

Schéma d'alimentation des prises :
Circuit flow.

Schéma de branchement :
Wiring schematic diagram.

Schéma de câblage : Wiring diagram.

Schéma de circuit électrique :
Electric circuit diagram.

Schéma de métallisation : Bonding diagram.

Schéma de montage : Installation diagram.

Schéma de principe : Block diagram. Schematic diagram.

Schéma de raccordement :
Terminal connection diagram.

Schéma des connexions :
Connection diagram. Diagram of connections.

Schéma électrique : Circuit diagram.

Schéma simplifié : Block diagram

Schoopage : Metal spraying.

Scope : Scope.

Scotchbrite : Scotchbrite.

Secoueur de manche : Shaker. Stick shaker.

Secours (de) : Stand-by.

Secousse : Jerk.

Secteur : Quadrant.

Secteur de commande : Control quadrant.

Secteur de passage [sur l'aile] : Walk area.

Secteur de réglage : Adjustment quadrant.

Secteur denté : Toothed quadrant.

Secteur gradué : Graduated quadrant.

Section à épaisseur décroissante :
Tapered section.

Section arrière : Aft section.

Section avant : Front section :

Section centrale : Center section.

Section centrale de l'aile : Centre wing section.

Section d'aile : Wing section.

Section de fuselage : Fuselage section.

Section de fuselage bilobée :
Double-bubble fuselage cross-section.

Section de générateur de gaz [turbine à gaz] :
Gas generator section [gas turbine].

Section de pale : Blade cross-section.

Section de pale de rotor :
Rotor blade cross-section.

Section en T : Tee section. T-section.

Section évolutive : Tapered section.

Section extérieure des volets :
Flap outer section.

Section filetée : Threaded section.

Section fixe de bord de fuite :
Fixed trailing edge section.

Section intérieure des volets :
Flap inner section.

Section transversale : Cross section.

Section turbine de réacteur :
Engine turbine section.

Sectionneur :
Isolator [GB]. Disconnector [USA].

Sécurité : Reliability.

Sécurité (de) : Stand-by.

Sécurité de commande d'aérofrein :
Speed brake control safety clip.

Sécurité de dégonflage d'amortisseur :
Wheel displacement restrainer.

Sécurité en vol : *voir Rapport HARP*

Segment de piston : Piston ring.

Segment externe de bec de bord d'attaque :
Outboard leading edge slat segment.

Segment interne de bec de bord d'attaque :
Inboard leading-edge slat segment.

Segment racleur : Scraper ring. Wiper ring.

Segment racleur d'huile : Oil wiper ring.

Sélecteur à clavier : Knob selector.

Sélecteur de canal : Channel selector

Sélecteur de cap :
Azimuth selector. Heading selector (HS).

Sélecteur de commande de train :
Undercarriage selector.

Sélecteur de frein : Brake change-over selector.

Sélecteur de mode : Mode control.

Sélecteur de mode virage : Turn selector switch.

Sélecteur de route :
Course selector. Track selector.

Sélecteur de vol [pilote automatique] :
Mode selector switch.

Sélecteur omnidirectionnel d'azimut :
Omni-bearing selector (OBS).

Sélecteur principal : Main changeover control.

Sélecteur sol/vol : Ground/flight switch.

Semelle : Base plate.

Semelle d'attache de voilure :
Wing attachment fishplate.

Semelle de caisson : Box cap.

Semelle de longeron : Spar boom.

Semelle de longeron [moulée] : Spar flange.

Semelle de longeron [rapportée] : Spar cap.

Semelle de renfort : Reinforcing plate.

Semelle supérieure : Upper box cap.

Semi-conducteurs (à) : Solid-state.

Semi-fenestron [rotor anticouple] : Ring fin.

Sens des aiguilles d'une montre (dans le) :
Clockwise (CW).

Sensation de fatigue due au décalage horaire après un long voyage en avion :
Jet-lag [a feeling of tiredness after a long flight by plane].

Sensations du pilotage :
voir Dispositif de restitution...

Senseur : Sensor.

Senseur de niveau : Level-sensing switch.

Senseur inertiel intégré :
Integrated inertial sensor assembly (IISA).

Sensibilité au brouillage : Jamming sensitivity.

Séparateur de couche limite :
Boundary layer splitter plate.

Séparation du premier étage de la fusée :
First staging.

Séparation verticale [de deux avions] :
Vertical interval.

Séquence de rentrée des volets :
Flap retraction schedule.

Séquenceur : Timer.

Série : Batch.

Serpentin : Tubing coil.

Serre-glace : Window pane retainer.

Serrer : Clamp (to).

Serrer en quinconce :
Tighten alternatively on left and right sides (to). Tighten in staggered sequence (to).

Serrer entre 500 et 700 livres par pouce :
Tighten to 500-700 lb/in (to).

Sertir : Swage (to).

Service aérien régulier : Scheduled air service.

Service après-vente : Service support.

Service automatique d'information de région terminale : Automatic terminal information service (ATIS).

Service courant : Servicing.

Service d'escale : Ramp handling service.

Service d'informations de vol d'aéroport :
Airport flight information service (AFIS).

Service de l'avion : Ramp service.

Service de prévisions météorologiques d'aéroport : Terminal air forecast (TAF).

Service en escale : Handling.

Services aériens intercontinentaux :
Trunks [USA].

Services aériens locaux : Commuters [USA].

Services de télédiffusion par satellites :
Broadcasting-satellite service (BSS).

Services fixes par satellites [récepteurs et émetteurs au sol stationnaires] :
Fixed satellite service (FSS) [ground stationary transceiver].

Services mobiles par satellites :
Mobile satellite service (MSS).

Services réguliers et charter :
Scheduled and chartered services.

Services techniques : Backup facilities.

Services techniques de 1er échelon :
First-echelon maintenance facilities.

Servitudes : Ancillary equipment.

Servoamplificateur de trim :
Trim servo amplifier.

Servocommande :
Booster control. Booster unit. Powered control. Servo-actuator. Servocontrol.

Servocommande d'aileron :
Aileron power control unit.

Servocommande de direction :
Rudder servo-actuator.

Servocommande de flaperon :
Flaperon servo-actuator.

Servocommande de gauchissement :
Aileron servo-actuator.Aileron servo-loop.

Servocommande de profondeur :
Elevator booster. Elevator servo-actuator.

Servocommande de relais : Relay servo-control.

Servocommande de rotor de queue :
Tail rotor servocontrol.

Servocommande de rotor principal :
Main rotor servocontrol.

Servocommande de stabilisateur :
Tailplane servo-actuator.

Servocommande des spoilers et aérofreins :
Spoiler/airbrake servocontrol.

Servocommande hydraulique :
Hydraulic boost system.

Servocommande irréversible :
Non-reversible servomotor.

Servodyne double : Tandem actuator.

Servofrein : Servo-brake.

Servomécanisme : Servo mechanism.

Servomécanisme de repliage du pylône de queue : Powered tail-boom fold.

Servomoteur à rotor hélicoïdal :
Disc rotor servomotor.

Servomoteur de gouverne : Surface servo.

Servomoteur de stabilisation de lacet :
Yaw damper servomotor.

Servotab : Aerodynamic control tab.

Servotab de profondeur : Elevator control tab.

Seuil de piste : Runway threshold.

Siège à réglage hydraulique :
Hydraulically adjustable seat.

Siège de clapet : Valve seat.

Siège de l'observateur : Observer seat.

Siège de soupape : Valve seat.

Siège du copilote : First-officer's seat.

Siège éjectable : Ejection seat.

Siège éjectable [utilisé dans l'Aéronavale américaine] :
Navy air crew ejection system (NACES).

Siège éjectable de conception moderne :
Advanced crew ejection seat (ACES).

Siège éjectable zéro-zéro :
Zero-zero ejection seat.

Signal : Radar trace.

Signal [d'alarme] : Warning.

Signal d'alignement de piste :
Path-course signal.

Signal de commande de gouverne :
Surface command signal.

Signal émis par un répondeur de bord permettant au contrôleur de zone de connaître la position de l'avion émetteur (USA) :
Squawk [a signal transmitted by a plane to indicate its position] [USA].

Signalisation de la reverse des réacteurs :
Thrust-reversal indication.

Signalisation de piste : Marshalling.

Silencieux : Hush kit. Noise suppressor.

Silencieux de piste : Jet noise suppressor.

Silentbloc : Shock-mount.

Sillage : Track. Wake.

Sillage de l'aile : Wing wake.

Sillage turbulent : Turbulence wake.

Sillonnement d'usure : Grooving.

Simple arbre à cames en tête :
Single overhead camshaft (SOHC).

Simulateur d'entraînement à la maintenance :
Maintenance training simulator (MTS).

Simulateur de cockpit :
Cockpit system simulator (CSS).

Simulateur de vol : Aircraft management simulator (AMS). Flight simulator. Link trainer.

Simulateur de vol [fixe] :
Fixed base simulator (FBS).

Simulateur de vol [mobile] :
Full flight simulator (FFS).

Simulateur de vol polyvalent :
Multi-task training system (MTTS).

Simulation de vol destinée à l'étude des relations homme-machine (Installation de) :
Man-vehicle systems research facility (MVSRF) [a flight simulation facility designed to study man-vehicle relationship].

Siphon : Trap of a drain.

Socle : Base plate. Mount. Stand.

Solénoïde : Solenoid.

Solénoïde d'interdiction de relevage du train :
Landing gear retraction safety lock solenoid.

Solénoïde de blocage : Snubber.

Sollicitation en torsion : Torsional stress.

Sonar à basse fréquence embarqué :
Airborne low frequency sonar (ALFS).

Sonar d'hélicoptère à longue portée :
Helicopter long range sonar (HLRS).

Sonde : Probe. Sensor.

Sonde à thermistance : Thermistance sensor.

Sonde altimétrique : Radio altimeter.

Sonde anémobarométrique : Air data sensor.

Sonde anémométrique : Pitot tube.

Sonde d'assiette et commande de trim :
Pitot feel and trim actuator.

Sonde d'étude et d'exploration du rayonnement ultraviolet :
International ultra-violet explorer (IUE) probe.

Sonde d'incidence :
Angle-of-attack probe. Pitch vane.

Sonde de dérapage : Yaw vane.

Sonde de détection : Sensing probe.

Sonde de pression : Pressure sensing probe.

Sonde de température : Thermocouple probe.

Sonde de température carburant :
Fuel temperature probe.

Sonde de température d'entrée de compartiment : Zone-in temperature sensor.

Sonde de température de bec d'attaque :
Leading edge temperature probe.

Sonde de température extérieure :
Outside air temperature probe.

Sonde de température totale :
Total temperature probe.

Sonde interplanétaire : Interplanetary probe.

Sonde Pitot : Pitot probe.

Sonde Pitot statique compensée :
Compensated pitot-static pressure probe.

Sonde spatiale : Space probe.

Sonde statique : Static pressure probe.

Sonde thermocouple : Thermocouple probe.

Sonde thermométrique : Temperature probe.

Sonder un circuit : Check circuit continuity (to).

Sonomètre : Noise meter.

Sonorisation de cabine passagers :
Public address (PA) system.

Sortie : Exhaust. Outlet. Terminal.

Sortie [traversée du fuselage] : Feed through.

Sortie d'air de dégivrage planeur :
Airframe de-icing air outlet.

Sortie d'air de ventilation : Vent outlet.

Sortie d'air dynamique : Ram air exhaust.

Sortie de décrochage : Stall recovery.

Sortie de secours : Emergency exit.

Sortie de soufflage : Yaw port.

Sortie de vrille : Spin recovery.

Sortie des becs : Slat extension.

Sortie des spoilers : Spoiler extension.

Sortie des volets retardée :
Delayed flaps approach (DFA).

Sortie du train : Landing gear extension.

Sortie manuelle du train :
Landing gear manual extension.

Sortir d'un piqué : Pull-out (to).

Sortir de la piste [accidentellement] :
Veer off the runway (to).

Sortir du parking : Taxi-out (to).

Sortir les volets :
Extend the flaps (to). Lower the flaps (to).

Soucoupe volante :
Unidentified flying object (UFO).

Soudage : Bonding.

Soudage à l'arc sous gaz inerte :
Tungsten arc welding.

Soudage aux ultrasons : Ultrasonic welding.

Soudage par diffusion : Eutectic bonding. Gas pressure bonding. Hot pressure bonding.

Soudage par diffusion [métallurgie] :
Diffusion bonding [metallurgy].

Soudage par fusion du métal : Fusion welding.

Soudage sous vide : Vacuum welding.

Soudé à l'étain : Tin-soldered.

Soudure de raccordement :
Fillet weld. Tie-in weld.

Soudure par points : Spot welding.

Soudure par points continus : Stitch weld.

Soufflage d'extrados de voilure [par jet de réacteur] : Upper surface blowing (USB).

Soufflage sur bord de fuite :
Trailing edge blowing.

Soufflante : Blower. Fan.

Soufflante : *voir Rotor de queue...*

Soufflante arrière : Aft fan.

Soufflante avant : Front fan.

Soufflante canalisée : Ducted fan.

Soufflante carénée : Ducted fan.

Soufflante carénée entraînée par réducteur :
Gear-driven ducted fan.

Soufflante de diamètre réduit : Cropped fan.

Soufflante de suralimentation : Supercharger.

Soufflante de sustentation : Lift fan.

Soufflante flux secondaire :
By-pass flow engine fan.

Soufflante frontale de réacteur :
Engine front fan.

Soufflante hybride/poussée orientée :
Hybrid fan/vectored thrust (HFVT).

Soufflante monoétage : Single-stage fan.

Soufflante non carénée : Unducted fan (UDF).

Soufflante située à la périphérie d'une turbine libre : Tip-fan free turbine.

Souffle d'hélice : Slipstream.

Souffle de l'hélice : Wash.

Souffle de réacteur : Jet blast.

Soufflerie à basses vitesses :
Low-speed air tunnel.

Soufflerie aérodynamique : Wind tunnel.

Soufflerie aérodynamique à veine libre :
Open-jet wind tunnel.

Soufflerie subsonique : Subsonic wind tunnel.

Soufflerie supersonique :
Supersonic wind tunnel.

Soufflerie transsonique européenne :
European Transonic Windtunnel (ETW).

Soufflet : Bellows.

Soupape : *voir Tête de soupape...*

Soupape : Valve.

Soupape à clapet : Trap valve.

Soupape d'admission : Intake valve. Inlet valve.

Soupape d'arrêt à solénoïde :
Solenoid shut-off valve.

Soupape d'échappement : Exhaust valve.

Soupape de détente : Expansion valve.

Soupape de détente des gaz :
Gas shut-off valve.

Soupape de purge : Bleed valve.

Soupape de sécurité : Safety valve.

Soupape de surpression : Surge relief valve.

Soupape va-et-vient : Shuttle valve.

Souplisseau : Spaghetti tubing.

Souplisso : Spaghetti tubing.

Sous-ensemble : Sub-assembly.

Sous-ensemble servant d'interface entre le véhicule porteur et le récepteur RSP :
Flexible modular interface (FMI).

Sous-munition : Bomblet.

Sous-munition à guidage terminal :
Terminally-guided sub-munition (TGSM).

Sous-système de contrôle thermique actif :
Active thermal control sub-system (ATCS).

Sous-traitant : Subcontractor.

Sous-vitesse : Underspeed.

Soute : Bay. Hold.

Soute à bagages : Luggage bay.

Soute à bagages avant : Forward cargo hold.

Soute à bombes : Bomb rack.

Soute à équipements : Equipment bay.

Soute à équipements électriques :
Electrical equipment bay.

Soute à équipements hydrauliques :
Hydraulic equipment service bay.

Soute à fret :
Cargo compartment. Freight compartment.

Soute à fret arrière sous plancher :
Rear underfloor cargo hold.

Soute à fret sous plancher :
Underfloor freight hold.

Soute à marchandises : Cargo bay.

Soute à marchandises sous plancher [avions-cargos] : Bellyhold.

Soute à parachute : Parachute stowage.

Soute avant : Gun bay.

Soute avant d'équipement électronique sous plancher :
Forward underfloor electronic equipment bay.

Soute canon : Gun bay.

Soute cargo : Cargo compartment.

Soute CME [contre-mesures électroniques] :
ECM bay.

Soute de train : Wheel well.

Soute électronique : Avionics bay. Electronics compartment. Electronics bay.

Soute inférieure avant :
Lower front cargo compartment.

Soute radio : Radio equipment bay.

Soutien technique : Maintenance support.

Soyage : Joggling.

« Space station » [désigne la future station spatiale habitée composée de plusieurs modules dont la fabrication doit être assurée par la NASA, le Japon, le Canada et divers pays d'Europe. Elle devrait être opérationnelle en 1995] : Space station [made up of several modules manufactured by NASA, Japan, Canada, and various European countries. It should be operational by 1995].

« Spaghettis » [argot] : Harness.

Spécification : Specification.

Spécifications de test (Simplification de la lecture et de la compréhension des) : Abbreviated test language for all systems (ATLAS).

Spécifications JAN :
Joint army and navy (JAN) specifications.

Spécifications techniques :
Technical specification.

Spécifications US Army et US Navy :
A.N. specifications.

Spectrophotomètre : Spectrophotometer.

Spoiler : Ground spoiler. Spoiler.

Spoilers de contrôle de roulis et de charge :
Roll control and load alleviation spoilers.

Spot : Spot.

Stabilisateur : Stabilizer. Tailplane.

Stabilisateur à commande hydraulique :
Hydraulically-powered tailplane.

Stabilisateur à incidence variable :
Variable-incidence tailplane.

Stabilisateur de cadre : Frame doubler.

Stabilisateur de cap : Heading hold stabilizer.

Stabilisateur de roulis : Roll stabilizer.

Stabilisateur gyroscopique : Gyrostabilizer.

Stabilisateur monobloc : All-moving tailplane.

Stabilisation de satellites :
voir Roue de réaction...

Stabilité en tangage : Pitch axis stability.

Standard : Standard.

Standard [téléphonique] : Switchboard.

Standardisation : Standardization.

Station d'informations de vol :
Flight service station (FSS).

Station émettrice : Transmitting station.

Station gonio d'aéroport : Homer.

Station principale [radionavigation] :
Master station [radio-navigation].

Station spatiale : *voir Space Station.*

Station spatiale habitée : Manned space station.

Station terrestre de guidage et de contrôle :
Ground-controlled intercept (GCI).

Station VOR : VOR station.

Station-service aéronautique :
Fixed-base operator (FBO).

Stato-fusée : Rocket ramjet.

Stator : Stator.

Stator à incidence variable :
Variable stator vanes (VSV).

Stator de turbine : Turbine stator.

Statoréacteur : Ram jet engine.

Statoréacteur à carburant liquide :
Liquid-fuelled ramjet.

Statoréacteur à carburant solide dopé au bore : Boron-doped solid ramjet.

Statoréacteur à combustion subsonique :
Subsonic-combustion ramjet.

Statoréacteur à combustion supersonique [scramjet] :
Scramjet. Supersonic-combustion ramjet.

Statoréacteur à moteur-fusée intégré :
Integral rocket ramjet (IRR).

Statoréacteur à poudre :
Solid-fuel ramjet (SFRJ).

Stopper : Shut down (to).

Stratifié aluminium-aramide :
Aramid aluminium laminate (ARALL).

Stratifié au carbone : Carbon laminate.

Stratifié en fibres de verre :
Glass-fiber laminate.

Striction : Necking.

Strie : Rib. Scratch.

Structure : Skeleton.

Structure absorbant l'énergie émise par les radars : Radar-absorbent structure (RAS).

Structure alvéolaire : Honeycomb structure. Waffle-pattern structure.

Structure caisson : Box-type structure.

Structure collée : Bonded structure.

Structure de l'habitacle :
Cockpit frame construction.

Structure de la dérive : Tail fin construction.

Structure de support de dérive :
Fin support structure.

Structure du mât : Pylon structure.

Structure en carbone autoraidie :
Self-stiffened carbon structure.

Structure en coque : Shell structure.

Structure en nid d'abeille :
Honeycomb structure.

Structure en nid d'abeille du bord de fuite de l'empennage horizontal :
Tailplane honeycomb trailing edge.

Structure en treillis :
Lattice structure. Truss structure.

Structure externe [inverseur de poussée] :
Outer barrel.

Structure interlongeron d'aile :
Wing inspar structure.

Structure primaire : Primary structure.

Structure principale : Main frame.

Structure semi-monocoque :
Semi-monocoque design.

Structure soudée : Welded structure.

Structure support de plancher :
Floor supporting structure (FSS).

Suiveur : Tracker.

Suivi de terrain : Terrain following (TF).

Suivi de terrain et évitement d'obstacles :
Advanced terrain following/terrain avoidance (ATF/TA).

Suivre sa route : Steer one's course (to).

Suivre son cap : Steer one's course (to).

Suivre un cap : Steer a course (to).

Suivre une route : Steer a course (to).

Super décrochage : Super stall.

Super décrochage à plat : Deep stall.

Super gros-porteur à réaction [rayon d'action : 13 500 km] :
Very large commercial transport (VLCT) [a super-jumbo jet with a range of 13,500 km].

Superpuissance maximale d'urgence :
Supercontingency power.

Super statoréacteur : Super ramjet.

Support : Bracket. Cradle. Mount. Stand. Stay. Strut. Support bracket.

Support caisson : Box-type support.

Support d'antenne de radar de tir :
Track radar antenna support.

Support d'appui : Bearing block.

Support de câble : Fairlead.

Support de fixation : Mount bracket.

Support de jambe de train :
Landing gear leg support.

Support de palier :
Bearing block. Bearing support.

Support de prise : Socket base.

Support de profondeur :
Fore-and-aft cyclic control support.

Support de propulseur :
Thruster bracket assembly.

Support de radiogoniomètre automatique :
Automatic direction finder (ADF) mount.

Support de réacteur principal :
Main engine mounting.

Support de théodolite : Transit frame.

Support de turbine : Engine mount.

Support de tuyère :
Nozzle bearing. Thruster bracket.

Support du moteur : Engine bearer.

Support en U : U-shaped bracket.

Support en V : V-holder.

Support équipé : Support assembly.

Support et mécanisme de l'antenne de radar météo :
Scanner mounting and tracking mechanism.

Suppresseur d'échos fixes :
Moving-target indicator (MTI).

Supprimer : Remove (to).

Supprimer les arêtes : Remove edges (to).

Suralimentation au décollage :
Take-off boost (TOB).

Surcharge : Overload.

Surchauffe d'air de turbine :
Turbine air overheat.

Sûreté intégrée (à) : Fail-safe.

Surfaçage : Spotfacing. Surface grinding.

Surface alaire : Wing area. Wing surface.

Surface alaire totale : Gross wing area.

Surface alaire totale diminuée de celle du fuselage : Net wing area.

Surface d'appui :
Bearing surface. Support surface.

Surface de contact : Mating surface.

Surface de l'empennage horizontal :
Horizontal stabilizer area.

Surface de la gouverne de direction :
Rudder area.

Surface des volets de courbure :
Wing flap area.

Surface équivalente radar (SER) :
Equivalent radar cross-section. Radar cross-section (RCS). Radar reflective area (RRA). Radar equivalent area.

Surface mobile : Moving surface.

Surface portante : Bearing surface.

Surface portante hydrodynamique : Hydrofoil.

Surface portante supplémentaire :
Augmentor wing.

Surface réfléchissante [radar] :
Echo area [radar].

Surface totale : Wetted surface.

Surface totale de l'aile : Gross wing area.

Surfaces en contact : Faying surfaces.

Surfaces portantes arrière : Tail surfaces.

Surintensité : Surge.

Surpassement de compensateur de Mach :
Mach trim override.

Surpasser : Override (to).

Surplus : Redundancy.

Surpression : Overpressure.

Surtension : Surge.

Surtension anormale du courant électrique :
Surge current.

Surveillance de l'état des moteurs :
Engine condition monitoring (ECM).

Surveillance des tendances du moteur :
Engine trend monitoring (ETM).

Survitesse : Overspeed. Spinning.

Survol : Fly-by.

Survoler : Overfly (to).

Suspendu à la cardan : Gimbal-mounted.

Suspension articulée : Hinged suspension.

Suspension de cardan : Universal mount.

Suspension de l'exploitation commerciale d'avions de ligne :
Withdrawal from revenue service.

Suspente de parachute : Sling.

Sustentation du rotor : Translational lift.

Sustentation dynamique : Dynamic lift.

Synchrodétecteur de tangage :
Pitch detector synchro.

Synchro-émetteur : Transmitter synchro.

Synchronisation : Ganging.

Synchronisation automatique : Selsyn.

Synchroniseur de cap : Heading synchronizer.

Synchroniseur gaz-pas : Throttle synchronizer.

Synthétiseur de vol : Flight monitor.

Système : System.

Système à cardan : Universal joint assembly.

Système à laser de désignation d'objectifs :
Laser target designator set (LTDS).

Système à laser de poursuite de précision :
Precision automated tracking system (PATS).

Système à plans porteurs séparés : Split foil.

Système à réaction de commande d'assiette en vol lent ou stationnaire [avion à atterrissage vertical] :
Reaction control system (RCS) [a trim control system used in slow or hovering flights].

Système adaptable d'élimination d'echos parasites [radar] : Adaptive clutter rejection.

Système aéroporté avertisseur d'alerte radar :
Radar warning system (RWS).

Système aéroporté d'alerte avancée : Airborne warning and control system (AWACS).

Système aéroporté d'informations de vol :
Airborne flight information system (AFIS).

Système aéroporté de centralisation et de visualisation des données météorologiques émises par les stations terrestres :
Cockpit weather information needs (CWIN).

Système aéroporté de détection lointaine : Airborne warning and control system (AWACS).

Système aéroporté de détermination automatique d'un cap : Doppler navigator system [automated dead reckoning system].

Système aéroporté de gestion du transfert de carburant en vol :
Fuel control and monitoring system (FCMS).

Système aéroporté de localisation et d'attaque de précision des radars ennemis :
Precision location strike system (PLSS).

Système aéroporté de protection contre les mesures radar :
Airborne radar warning system.

Système aéroporté de reconnaissance tactique : Advanced tactical airborne reconnaissance system (ATARS).

Système aéroporté de surveillance à basse altitude :
Low-altitude surveillance system (LASS).

Système anémobarométrique : Air data system.

Système anti-collision :
Collision avoidance system (CAS).

Système anticollision embarqué : Airborne collision avoidance system (ACAS). Traffic alert and collision avoidance system (T/CAS).

Système ARTS [radar anticollision automatisé] : Automated ou Automatic radar terminal system (ARTS).

Système asservi : Slaved system.

Système asservi en boucle ouverte [maintien du régime moteur] :
Open-loop control system.

Système assisté de classement et de localisation des cibles : Aided target acquisition and classification (ATAC).

Système augmentateur de stabilité et de maintien d'assiette : Stability augmentation and attitude hold system (SAAHS).

Système automatique d'acquisition de cibles :
Automatic target hand-off system (ATHS).

Système automatique de contrôle du vol et d'amortissement des mouvements angulaires autour des axes de l'avion :
Command and stability augmentation system.

Système automatique de gestion des commandes de vol, de l'amortissement en lacet, de l'automanette et de la compensation longitudinale : Automatic flight control and augmentation system (AFCAS).

Système automatique de gestion du vol : Automatic flight management system (AFMS).

Système automatique de poursuite et d'illumination laser : Automatic tracking laser illumination system (ATLIS).

Système automatique de vol [contrôle de la gestion du vol, du pilote automatique et de la poussée des moteurs] : Automatic flight system (AFS) [flight management, autopilot and engine thrust control].

Système avertisseur central :
Master caution system.

Système avertisseur d'alerte missile :
Missile approach warning system (MAWS).

Système avertisseur de décrochage :
Stall-warning system (SWS).

Système avertisseur de proximité du sol :
Ground-proximity warning system (GPWS).
Ground collision avoidance system (GCAS).

Système avertisseur de proximité du sol [GPWS amélioré] :
Advanced ground proximity warning system (AGPWS) [GPWS enhanced version].

Système centralisé enregistreur des données de fonctionnement des équipements et de détection des pannes : Centralized fault detection interface unit (CFDIU).

Système composé de radiophares omnidirectionnels à très haute fréquence : Very high frequency omnidirectional range (VOR) system.

Système d'acquisition de données en vol :
Airborne integrated data system (AIDS).

Système d'acquisition et d'identification de cibles : Target identification and acquisition system (TIAS).

Système d'activation des volets et de l'empennage canard :
Flap and canard actuation system.

Système d'aide à l'approche et à l'atterrissage :
Tacan approach landing system (TALS).

Système d'aide à la navigation et à l'atterrissage pour hélicoptères :
Helicopter multi-function system (HELMS).

Système d'aide au pilotage pour avions militaires de la nouvelle génération [planification des missions, surveillance des systèmes de bord, etc...] : Pilot's associate system [mission planning, system monitoring, etc.].

Système d'alarme vocal :
Voice warning system.

Système d'alimentation électrique à l'épreuve des pannes : Fault-tolerant electrical power system (FTEPS).

Système d'amélioration de la vision en cas de fumée dans le cockpit :
Emergency visual assurance system (EVAS).

Système d'amélioration de la vision par mauvais temps : Enhanced vision system (EVS).

Système d'analyse des vibrations :
Vibration analysis system.

Système d'armes intégré :
Integrated weapon system (IWS).

Système d'arrimage [véhicule spatial] :
Docking mechanism [spacecraft].

Système d'aspiration de la couche limite :
Boundary layer spill duct.

Système d'asservissement du gyroscope directionnel : Slueing assembly.

Système d'attaque au sol totalement automatisé : Automated maneuvering and attack system (AMAS).

Système d'attaque d'hélicoptère :
Helicopter attack system (HATS).

Système d'attaque de nuit à basse altitude :
Low-altitude night attack (LANA) system.

Système d'atténuation du bruit dans le cockpit et la cabine passagers [par génération d'ondes sonores de même amplitude mais de phase opposée] :
Active noise control system [toning down of unwanted noise by generation of sound waves with same amplitude but opposite phase].

Système d'atterrissage à faisceau battant à référence de temps :
Time-referenced scanning beam (TRSB).

Système d'atterrissage aux instruments :
Instrument landing system (ILS).

Système d'atterrissage aux instruments (ILS) [selon la terminologie de l'OTAN] : « Swift rod » [instrument landing system, according to NATO terminology].

Système d'atterrissage de précision [basé sur le GPS] : Global landing system (GLS).

Système d'atterrissage radioguidé par impulsions : Pulsed glide path (PGP).

Système d'atterrissage sans visibilité : Blind approach beacon system (BABS).

Système d'atterrissage tous temps fonctionnant sur micro-ondes à 84 GHz : Microwave landing system (MLS).

Système d'augmentation de la stabilité en lacet : Yaw stability augmentation system.

Système d'augmentation du contrôle de la stabilité : Stability control augmentation system (SCAS).

Système d'avertissement de proximité : Proximity warning system (PWS).

Système d'avionique d'hélicoptère centralisé : Integrated helicopter avionics system (IHAS).

Système d'emport de charges externes : External stores support system (ESSS).

Système d'entraînement de rotor : Rotor drive system.

Système d'entraînement rotor [hélicoptère] : Integrated dynamic system (IDS).

Système d'entrée vocale directe : Direct voice input (DVI).

Système d'équilibrage assisté par ordinateur : Computer-aided balancing (CAB) system.

Système d'essai automatique de maintenance de l'avionique numérique : Automatic test equipment complex (ATEC).

Système d'essais au sol assisté par ordinateur : Computer-aided ground test system.

Système d'évaluation des équipements électroniques de bord : Avionics flight evaluation system (AFES).

Système d'extraction de parachute à basse altitude : Low-altitude parachute extraction system (LAPES).

Système d'identification ami ou ennemi (IFF) selon la terminologie de l'OTAN : « ODD ROD ».

Système d'identification de l'OTAN : Nato identification system (NIS).

Système d'imagerie thermique à double champ de vision : Simultaneous dual field-of-view (SDFOV) system.

Système d'injection d'eau [turbomoteur] : Water injection system [turbine engine].

Système d'injection de satellites en orbite circulaire géosynchrone : Apogee and maneuvering system (AMS).

Système d'inspection en vol à référence inertielle : Inertial referenced flight inspection system.

Système d'instruments de vol intégrés : Integrated flight system (IFS)

Système d'instruments moteur : Engine instrument system (EIS).

Système d'interception de missiles balistiques à haute altitude [par missiles sol-air d'une portée supérieure à 150 km] : Theater high altitude area defense (THAAD).

Système d'observation à haute altitude et d'autonomie élevée par aéronef sans pilote [projet] : High-altitude long-endurance (HALE) system.

Système d'observation infrarouge modulaire : Thermal imaging common module (TICM).

Système d'optimisation de la répartition des charges sur la voilure en vol : In-flight load-alleviation system.

Système d'orientation de la poussée : Jet vector control (JVC) system.

Système de balises radar répondeuses du Contrôle de la Circulation Aérienne : Air traffic control radar beacon system (ATCRBS) transponder.

Système de blocage de gouverne : Control surface locking system.

Système de bombardement à basse altitude : Low altitude drop delivery (LADD).

Système de bombardement orbital fractionnel : Fractional orbital bombardment system (FOBS).

Système de bombardement permettant au pilote d'échapper à l'effet de souffle : Toss-bombing.

Système de brouillage tactique : Tactical jamming system (TJS).

Système de calage des aubes : Blade spacing system.

Système de calage du stabilisateur : Stabilizer trim system.

Système de chauffage de pare-brise : Windshield heating system.

Système de commande de pale : Blade control system.

Système de commande des becs de voilure : Wing slat actuating system.

Système de commande du gouvernail de direction : Rudder control system (RCS).

Système de commande hydraulique du gouvernail de profondeur : Power elevator control system (PECS).

Système de commandes de vol : Flight control system (FCS).

Système de commandes de vol actives à trois voies doublées : Duo-triplex active control system.

Système de commandes de vol mécaniques : Mechanical flight control system.

Système de commandes électriques de vol à quatre voies : Quadriplex fly-by-wire system.

Système de communication, navigation et identification : Communications, navigation and identification (CNI) system.

Système de communication/navigation/identification intégré : Integrated communication/navigation/identification avionics (ICNIA).

Système de communications radioélectriques discrètes résistant au brouillage : Electronic countermeasures resistant information transmission system (ECMRITS).

Système de conditionnement d'air du poste de pilotage : Cockpit air conditioning plant.

Système de conduite de tir : Fire control system.

Système de contrôle de l'écoulement laminaire : Laminar-flow control system.

Système de contrôle de la pression cabine : Cabin pressure control system (CPCS).

Système de contrôle des paramètres moteur et d'alerte équipage : Engine indication and crew-alerting system (EICAS).

Système de contrôle des structures des composites par ultrasons : Laser ultrasonic inspection system (LUIS).

Système de contrôle des turbulences atmosphériques : Low altitude ride control (LARC).

Système de contrôle dont le fonctionnement est autonome après réglage : Set-and-forget control system.

Système de contrôle du trafic aérien : Traffic monitoring system (TMS).

Système de contrôle en roulis : Roll control system.

Système de contrôle intégré du pilote automatique : Integrated flight control system.

Système de contrôle non-destructif sans contact : Non-contacting NDT system.

Système de défense aérienne du champ de bataille : Short-range air defense system (SHORAD).

Système de défense contre les missile balistiques : Ballistic missile defence (BMD).

Système de dégivrage de pale : Blade de-icing system.

Système de dégivrage du réacteur : Engine de-icing system.

Système de désignation d'objectif : Target designation system.

Système de détection acoustique à longue portée pour hélicoptère : Helicopter integrated sonic system (HISOS).

Système de détection avancée des missiles intercontinentaux : Ballistic missile early warning system (BMEWS).

Système de détection d'alerte radar et d'autoguidage : Radar homing and warning system (RHAWS).

Système de détection d'incendie : Fire alarm system.

Système de détection de cisaillement du vent : Windshear detection system.

Système de détection de la quantité d'ozone dans la stratosphère et la troposphère : Global ozone measuring experiment (GOME).

Système de détection de lignes de force près du terrain : Wire obstacle warning system (WOWS).

Système de détection de microrafales embarqué : On-board windshear detection system.

Système de détection de perte d'étanchéité et de degré d'usure des moteurs : Monitoring engine oil system (MEOS).

Système de détection et d'identification informatisé des anomalies de fonctionnement des systèmes de bord, des commandes et des moteurs : Cockpit emergency directed action program (CEDAP).

Système de détection par l'avant aux rayons infrarouges : Forward-looking infra-red (FLIR).

Système de détection passif : Passive detection system (PDS).

Système de détermination de la masse et du centrage : On-board cargo operation (OBCO).

Système de détermination de position d'un avion sur courte distance : Short range (SHORAN) navigation system.

Système de détermination des positions sur le terrain : Position location reporting system (PLRS).

Système de documentation électronique : Electronic library system (ELS).

Système de freinage intégré : Brake-by-wire.

Système de génération d'images par ordinateur : Computer-generated imagery (CGI).

Système de génération d'oxygène embarqué : On-board oxygen generation system (OBOGS).

Système de génération de gaz inerte embarqué : On-board inert gas generating system (OBIGGS).

Système de génération électrique : Variable speed constant frequency (VSCF).

Système de gestion de l'économie du vol : Performance data computer system (PDCS).

Système de gestion de la documentation relative à l'entretien de l'Airbus A 320 : General integrated publication system (GIPSY).

Système de gestion de la navigation : Navigation management system (NMS).

Système de gestion de missions multiples : Multi-mission management system (MMMS).

Système de gestion de vol :
Flight management system (FMS).

Système de gestion des communications de bord [annonces aux passagers, diffusion d'ordres, etc.] : Cabin intercommunication data system (CIDS).

Système de gestion des informations avion :
Aircraft information management system (AIMS).

Système de gestion des ressources humaines au cours du pilotage :
Cockpit ressources management (CRM).

Système de gestion du vol et de guidage automatique : Flight management and guidance system (FMGS).

Système de gestion du vol indicateur de l'état des équipements tel qu'il est fourni par le CFDIU : Multifunction control and display unit (MCDU) [a flight management system showing the equipment condition as supplied by the CFDIU].

Système de guerre électronique tactique :
Tactical electronic warfare system (TEWS).

Système de guidage automatique :
Automatic guidance system.

Système de guidage aux instruments :
Instrument guiding system (IGS).

Système de guidage auxiliaire :
Tracking adjunct system (TAS).

Système de lance-roquettes multiple :
Multiple-launch rocket system (MLRS).

Système de localisation des émissions de faisceaux laser : Common opto-electronic laser detection system (COLDS).

Système de manœuvre et de maintien d'assiette [satellite] :
Orbit attitude and manœuvre system (OAMS).

Système de mémorisation et d'actualisation des caractéristiques du terrain survolé :
Integrated terrain access and retrieval system (ITARS).

Système de mesure de la visibilité le long de la piste : Runway visual range (RVR).

Système de mise en pression du cockpit :
Cockpit pressurization system.

Système de navigation [azimut-distance] UHF : Tactical aerial navigation (TACAN).

Système de navigation à longue distance :
Long range navigation system (LRNS).

Système de navigation à référence topographique [associant l'INS et l'altimètre radar pour optimiser la trajectoire de vol] :
Terrain-referenced navigation (TRN) system [joining INS and radar altimeter to optimize flight path].

Système de navigation aérienne par satellites :
Global positioning system (GPS/NAVSTAR).

Global satellite navigation system (GLO-NASS) [CEI].

Système de navigation avec transmission par fibres optiques : Fly-by-light (FBL).

Système de navigation de zone :
Area navigation system (RNAV).

Système de navigation et d'attaque :
Nav/Attack system.

Système de navigation et d'attaque tête basse : Nav/Attack head-down display unit.

Système de navigation et de pointage des armes de bord : Navigation and weapon-aiming system (NAVWAS).

Système de navigation et de suivi de terrain autonome embarqué : Terrain profile matching (TERPROM) system [GB].

Système de navigation et de surveillance IR pour hélicoptère :
Helicopter infra-red system (HIRS).

Système de navigation et de tir : Weapon delivery and navigation system (WDNS).

Système de navigation inertielle :
Inertial navigation system (INS).

Système de navigation inertielle par faisceau laser :
Laser inertial navigation system (LINS).

Système de navigation inertielle sur palette :
Palletized inertial navigation system.

Système de navigation par gyrolaser à trois axes :
Three-axis laser gyro navigation system.

Système de navigation par inertie associé à un collimateur tête haute et à un indicateur cartographique : Display, attack, ranging and inertial navigation (DARIN) system.

Système de navigation pour hélicoptère : Tactical terrain matching (TACTERM).

Système de neutralisation des alarmes au cours du décollage : Take-off inhibition (TO INHI).

Système de pilotage automatique avant le largage d'un projectile sur une cible identifiée : Air-to-surface automated maneuvering attack system (AMAS).

Système de pointage de précision des télescopes équipant les véhicules spatiaux de recherches astronomiques :
Instrument pointing system (IPS) [precision pointing system for astronomical telescope on board space vehicles].

Système de positionnement mondial différentiel [approches de précision] : Differential global positionning system (DGPS) [precision approaches].

Système de poursuite automatique :
Automatic tracking system.

Système de poursuite d'objectifs à verrouillage/poursuite automatique :
Auto lock/follow target tracker (ALF).

Système de prédiction de turbulences :
Turbulence predictor system (TPS).

Système de préguidage inertiel :
Inertial initial-guidance system.

Système de projection de cibles pour simulateurs de combats aériens : Multiple action raid simulation (MARS) system.

Système de propulsion du deuxième étage :
Second-stage propulsion system (SSPS).

Système de propulsion électrique [véhicules spatiaux] :
Electrical propulsion system [spacecraft].

Système de propulsion par réaction destiné à diriger la poussée vers le bas pour faciliter le décollage et l'atterrissage :
Jet deflection [take-off and landing aid].

Système de protection à l'échelle mondiale contre les attaques limitées de missiles balistiques tactiques [USA] : Global protection against limited strikes (G-PALS) system [USA].

Système de pulvérisation à l'élingue :
Helicopter underslung spray system (HUSS).

Système de ravitaillement en vol :
Probe and drogue.

Système de ravitaillement en vol [carburant] :
Aerial refuelling system (ARS).

Système de ravitaillement en vol à perche pilotable : Flying boom.

Système de recentrage : Trimming device.

Système de recherche/poursuite IR :
Infra-red search and tracking system (IRSTS).

Système de reconnaissance automatique de la parole :
Automatic speech recognition (ASR) system.

Système de reconnaissance électronique tactique : Tactical electronic reconnaissance (TE-REC) system.

Système de référence à inertie :
Inertial reference system (IRS).

Système de référence de cap à anneaux de cardan : Gimballed heading reference system.

Système de référence de cap et d'assiette :
Attitude heading reference system (AHRS).

Système de référence de cap magnétique :
Magnetic heading reference system.

Système de référence de vitesse indicateur de l'assiette optimale de la vitesse ascensionnelle : Speed reference system (SRS).

Système de refroidissement d'huile de la transmission : Transmission oil cooling system.

Système de régulation d'entrée d'air :
Air inlet regulating system.

Système de régulation électronique du carburant : Electronic fuel control.

Système de régulation électronique numérique à pleine autorité du moteur :
Electronic engine control (EEC). Full-authority digital engine control (FADEC).

Système de régulation électronique numérique du groupe propulseur : Digital electronic engine control (DEEC) system.

Système de régulation pour moteur :
Multi-application control system (MACS).

Système de régulation thermique :
Thermal control system.

Système de remplissage carburant sous pression : Pressure refuelling system.

Système de remplissage de carburant :
Hydrant fuelling system.

Système de repartition d'informations multifonction : Multi-function information distribution system (MIDS).

Système de repliage automatique des pales :
Automatic blade-folding system.

Système de réservation par ordinateur : Computer reservation system (CRS).

Système de secours mécanique :
Mechanical back-up system.

Système de sécurité intégré : Fail-safe system.

Système de sensation artificielle :
Q-feel system.

Système de sensibilité artificielle [pilote automatique] : Feel augmentation system.

Système de sortie vocale directe :
Direct voice output (DVO).

Système de stabilisation artificielle [pilote automatique] :
Stability augmentation system (SAS).

Système de stabilité variable :
Variable stability system (VSS).

Système de suivi de terrain passif :
Passive TF system.

Système de surveillance de bon fonctionnement : On-board health monitoring system.

Système de surveillance de l'environnement à l'échelle planétaire [par satellites d'observation] : Global environment monitoring system (GEMS) [operating through observation satellites].

Système de surveillance de l'état de l'APU [groupe auxiliaire de puissance] :
APU health monitoring system (AHMS).

Système de surveillance de l'état des équipements de bord : Aircraft condition monitoring system (ACMS).

Système de surveillance de l'état des rotors :
Rotor analysis development system (RADS).

Système de surveillance de l'état du moteur, du fonctionnement de la turbine et des élé-

ments de la transmission [hélicoptère] :
Health and usage monitoring system (HUMS).

Système de surveillance de la pression des pneus : Tire-pressure monitor (TPM).

Système de surveillance de zones très étendues :
Wide area surveillance system (WASS).

Système de surveillance du fonctionnement des moteurs :
Turbine engine monitoring system (TEMS).

Système de surveillance du groupe moteur :
Engine monitoring system.

Système de surveillance du groupe propulseur : Engine health monitor.

Système de surveillance et d'acquisition d'objectifs fonctionnant à distance de sécurité : Stand-off surveillance and target acquisition system (SOSTAS).

Système de surveillance incorporé :
Built-in monitoring system.

Système de sustentation intégré d'hélicoptère :
Integrated lift propulsion system.

Système de télédétection optique :
Light detection and ranging (LIDAR).

Système de télédétection par ondes radioélectriques :
Radio detection and ranging (RADAR).

Système de télésurveillance et télémaintenance : Remote monitoring and maintenance (RMM) system.

Système de traitement des signaux radar :
Radar signal-processing system.

Système de traitement et d'enregistrement des informations fournies par les capteurs :
Integrated avionics processor system (IAPS).

Système de transmission d'informations aux avions en vol par satellites et stations terrestres :
Wide area augmentation system (WAAS).

Système de transmission de données numériques entre l'avion en vol et le sol et inversement : Aircraft communication, addressing and reporting system (ACARS).

Système de tuyère à gaz froid :
Cold gas jet system.

Système de ventilation de réservoir d'huile :
Oil breather system.

Système de verrouillage de pas :
Pitch locking system.

Système de visée intégré au casque du pilote :
Operational sight integrated system (OPSIS).

Système de visée optique [hélicoptère] :
Sight optical system (SOS).

Système de visée par GPS :
GPS-aided targeting system (GATS).

Système de vision du pilote :
Pilot vision system (PVS).

Système de visualisation : Visual display.

Système de visualisation centralisée des pannes : Centralized fault display system (CFDS).

Système de visualisation de l'environnement par images synthétiques [simulateur de vol] : Computer-generated image visual system (CGIVS).

Système de visualisation optronique :
Electro-optical viewing system.

Système de visualisation radar :
Radar display system.

Système de visualisation radar à balayage cursif : Cursive radar display.

Système de visualisation tête haute :
Head-up flight display system (HFDS).

Système détecteur de défectuosités du radar :
Radar test system.

Système électronique d'affichage des paramètres d'état du moteur :
Integrated engine instrument system.

Système électronique de bord intégré : Multi airborne integrated avionics (MAIA) system.

Système électronique de commandes de vol par fibres optiques :
Light electronic control system (LECOS).

Système électronique de contrôle de séparation de deux avions : Separation, monitoring and control system (SMCS).

Système électro-optique d'identification de cibles : Target identification system electro-optical (TISEO).

Système éliminateur par sélection d'images parasites [radar] :
Selective moving target indicator (SMTI).

Système embarqué de détermination des masses et du centrage :
Weight and balance system (WBS).

Système expert embarqué d'identification des pannes d'avionique : Avionics integrated maintenance expert system (AIMES).

Système FLIR monté en nacelle [destiné aux avions de combat] : Airborne targeting, low altitude navigation, thermal imaging and cueing (ATLANTIC) [a pod-mounted FLIR system for combat aircraft].

Système héliporté de surveillance du champ de bataille :
Heliborne battlefield surveillance system.

Système IIS : Integrated instrument system (IIS).

Système indicateur d'attitude et de direction :
Heading and attitude reference system (HARS).

Système indicateur de données tactiques :
Tactical data system (TDS).

Système indicateur de la pression des pneus :
Tire-pressure indicating system (TPIS).

Système indicateur de quantité de carburant :
Fuel quantity indication system (FQIS).

Système inertiel à composants liés : Strapdown inertial reference system (STIRS).

Système informatique automatisé de conception et de fabrication basé sur la productibilité : Productibility-based automated design and manufacturing system (PADMS).

Système informatique d'accès aux données relatives à la maintenance d'un avion [Airbus] : Aircraft documentation retrieval system (ADRES).

Système informatisé de détection de pannes avion : Computer assisted aircraft trouble shooting (CAATS).

Système informatisé de gestion et de planification de la maintenance : Maintenance information and planning system (MIPS).

Système infrarouge de navigation et de désignation d'objectifs à basse altitude de nuit : Low-altitude navigation and targeting IR at night (LANTIRN).

Système intégré d'enregistrement des paramètres :
Airborne integrated data system (AIDS).

Système intégré de contre-mesures :
Integrated countermeasures system (ICMS).

Système intégré de guerre électronique aéroporté : Integrated electronic warfare system (INEWS).

Système intégré de navigation avec référence cartographique :
Passive enhanced navigation with terrain-referenced avionics (PENETRATE).

Système intégré de transmission de données numériques résistant au brouillage [pour avions de combat et centres terrestres de commandement tactique] :
Jam-resistant terminal integrated digital system (JTIDS) [for combat aircraft and ground tactical command stations].

Système laser de détection d'obstacles à proximité du terrain d'atterrissage : Laser obstacle terrain avoidance warning system (LOTAWS).

Système logique câblé de pilotage :
Hard-wired pilotage logic.

Système modulaire d'alignement en azimut :
Modular azimuth position system (MAPS).

Système mondial de navigation par satellites :
Global navigation satellite system (GNSS).

Système numérique d'avionique offensive :
Offensive avionics system (OAS).

Système numérique de commandes de vol :
Digital flight control system.

Système numérique de contrôle moteur :
Digital engine control unit (DECU).

Système numérique de régulation moteur :
Digital engine control system (DECS).

Système oléopneumatique de train :
Undercarriage oleo.

Système optronique d'acquisition et de désignation de cibles : Electro-optical target acquisition and designation system (EOTADS).

Système périscopique de visière :
Visor periscope system.

Système pour l'observation de la Terre (SPOT) : Earth observation test system.

Système radar de détection au-delà de l'horizon de missiles de croisière :
Over-the-horizon backscatter (OTH-B).

Système spatial de surveillance et de poursuite : Space surveillance and tracking system (SSTS).

Système supplémentaire d'identification de décrochage :
Supplementary stall recognition system.

Système turboréfrigérateur auto-entretenu :
Bootstrap cooling system.

Systèmes :
voir Opérateur chargé des... Opérateur des...

T

T : Tee.

T d'atterrissage : Landing T.

T de raccordement : Tee connection.

T oblique : Y-branch.

Tab : Tab.

Tab à ressort : Spring tab.

Tab ajustable : Trim tab.

Tab automatique : Gear tab. Geared tab.

Tab commandé : Adjustable trim tab.

Tab d'équilibrage d'aileron : Aileron trim tab.

TAB   282   TEC

Tab de compensation de gouverne de profondeur : Elevator anti-balance tab.

Tab de compensation de profondeur : Elevator trim tab.

Tab de direction : Rudder tab.

Tab de réglage d'incidence de pale : Blade trim tab.

Tab de trim à commande électrique : Electrically-actuated trim tab.

Table de lancement : Launch platform.

Table de simulation de vol à trois axes : Three-axis flight simulation table.

Table des paramètres de décollage : Take-off data chart.

Table tournante : Turntable.

Tableau : Chart. Panel.

Tableau d'affichage des vols [aérogare] : Flight information board [air etrminal].

Tableau de bord : Cockpit console. Dash-board. Instrument panel.

Tableau de bord principal : Main instrument panel.

Tableau de commande : Control panel. Keyboard.

Tableau de commande de train : Landing gear control panel.

Tableau de commande radio : Radio control panel.

Tableau de commutation : Keybox.

Tableau de connexions : Jack panel. Wiring board. Wiring table.

Tableau de dépannage : Fault-finding chart.

Tableau de distribution : Switchboard.

Tableau de gestion carburant : Fuel management panel.

Tableau de pilotage sur planche de bord : Flight instrument panel.

Tableau de protection électrique : Electrical protection panel.

Tableau des alarmes : Failure warning panel.

Tableau des commandes de vol : Flight control panel.

Tableau des voyants du pupitre de tir : Fire control panel lamp board.

Tableau lumineux d'indicateurs d'alarme : Central failure warning panel.

Tacan : Tactical aerial navigation (TACAN).

Tachymètre : RPM indicator. Speedometer. Tachometer.

Tachymètre enregistreur : Indicating tachometer.

Tachymètre étalon : Master tachometer.

Talon de lisse : Stringer cap.

Tambour de frein : Brake drum.

Tampon abrasif : Scotchbrite.

Tampon élastique : Bumper.

Tangage : Pitch.

Tangage : voir Moment de tangage... Oscillations...

Tangage autour de l'axe transversal : Pitch about lateral axis.

Tapis à billes : Ball-mat.

Taquet : Bracket.

Taraud : Tap.

Taraudage : Tapping.

Taraudeuse : Thread cutter.

Taux : Rate. Ratio.

Taux constant de fausses alarmes : Constant false alarm rate (CFAR).

Taux d'effacement [pilote automatique] : Wash-out rate.

Taux d'extinction des réacteurs en vol : In-flight shut-down (IFSD) rate.

Taux d'ondes stationnaires (TOS) : Voltage standing wave ratio (VSWR).

Taux de compression : Compression ratio. Pressure ratio.

Taux de débit : Flow-out rate.

Taux de dépose : Removal rate.

Taux de descente : Rate of sink.

Taux de dilution [réacteur] : By-pass ratio.

Taux de disponibilité : Operational availability.

Taux de montée : Climb rate.

Taux de montée optimal : Best rate of climb (Vy).

Taux de pannes : Failure rate.

Taux de pannes en vol : Rate of in-flight failures.

Taux de pente de descente de vol plané : Glide ratio.

Taux de ponctualité technique : Technical dispatch reliability.

Taux de roulis : Rate of roll.

Taux de virage : Rate of turn.

Taux de virage stabilisé : Sustained turn rate (STR).

Taxe d'atterrissage et frais aéroportuaires connexes : Landing and associated airport charges.

Taxes d'atterrissage : Landing fees.

Té : Tee.

Technique de largage de bombes à basse altitude permettant d'échapper aux ondes de choc : Low-altitude bombing system (LABS) [allowing to keep clear of shock-waves].

Technique de pointe : State-of-the-art technique.

Technique « des chaussettes » [matériaux composites] : Socks technique (Composite materials).

Technique empirique :
Seat-of-the-pants technique.

Technologie avancée :
State-of-the-art technology.

Technologie de la "furtivité" :
Low-observables technology (LOT).

Technologie de pointe :
Cutting-edge technology.

Technologies des bus de données :
Data-bus technology.

Technologies de pointe :
voir Banc d'essais volant

Technologies visant à rendre l'avion qui les utilise très difficile à détecter :
Stealth technologies.

Télécommande : Remote control. Telecontrol.

Télécommunications spatiales : Space telecoms.

Télédétecteur : Remote sensor.

Télédétection : *voir Satellite de télédétection...*

Téléguidage de fusées par laser :
Laser-aided rocket system (LARS).

Télé-indicateur : Remote indicator.

Télémesure :
Remote metering. Telemetering. Telemetry.

Télémètre : Range finder.

Télémètre à laser : Laser rangefinder.

Télémètre à laser aéroporté de conduite de tir : Airborne fire-control laser ranger.

Télémètre radar : Radar ranging system.

Télémétrie : Telemetry.

Télémétrie par l'écho : Echo-ranging.

Télévision à faible niveau de lumière :
Low light level television (LLLTV).

Télévision à tous niveaux de lumière :
All light levels television (ALLTV).

Télévision directe par satellite (TDS) :
Direct TV broadcasting by satellite (DBS).

Témoin clignotant : Flashing warning light.

Température : *voir Sonde de...*

Température à l'entrée de la turbine :
Power turbine inlet temperature (PTIT).

Température ambiante extérieure :
Outside ambient temperature (OAT).

Température corrigée de l'air ambiant :
Corrected outside air temperature (COAT).

Température d'échappement tuyère :
Jet pipe temperature (JPT).

Température d'impact : Total air temperature.

Température de l'air dynamique :
Ram air temperature (RAT).

Température de l'air statique :
Static air temperature (SAT).

Température de sortie des gaz :
Exit gas temperature (EGT).

Température de sortie des gaz d'échappement : Exhaust gas temperature (EGT).

Température de sortie turbine :
Turbine outlet temperature.

Température entrée compresseur :
Compressor inlet temperature (CIT).

Température entrée turbine [turboréacteur] :
Turbine entry temperature (TET).

Température gaz turbine :
Turbine gas temperature (TGT).

Température indiquée de l'air ambiant :
Indicated outside air temperature (IOAT).

Température intérieure de turbine :
Internal turbine temperature (ITT).

Température maximale atteinte devant la première roue de turbine :
Turbine entry temperature (TET).

Temporisateur : Time-delay unit. Timer.

Temporisateur de relais : Relay delay.

Temporisateur thermique : Thermal timer.

Temporisation : Timing.

Temps bloc : Ramp-to-ramp time. Range time.

Temps bloc [nombre d'heures de vol d'un avion depuis le moment où il se déplace par ses propres moyens jusqu'à son arrêt après l'atterrissage] :
Block time [number of flight hours between the moment an aircraft leaves its parking station and comes to a standstill after landing].

Temps cale à cale : Ramp-to-ramp time.

Temps d'arrêt du moteur [après coupure des gaz] : Run-down time.

Temps d'attente [avant autorisation d'atterrissage] : Holding time.

Temps d'entretien actif :
Active maintenance time.

Temps d'escale : Turnaround time.

Temps d'établissement de la poussée :
Thrust rise time.

Temps d'étape : Take-off to touch down time.

Temps d'expansion : Expansion stroke.

Temps d'immobilisation : Layover time.

Temps de chauffage : Warm-up time.

Temps de chute de la poussée :
Thrust drop-off time.

Temps de fonctionnement :
Time since new (TSN).

Temps de mise en route [gyro] : Warm-up time.

Temps de montée :
Time of climb. Time-to-climb.

Temps de montée de la poussée :
Thrust build-up time.

Temps de passage en autorotation :
Autorotation transition time.

Temps de repos de l'équipage : Layover time.

Temps de vol : Take-off to touch down time.

Temps de vol de cale à cale :
Block-to-block time.

Temps de vol des équipements :
Unit flying hours.

Temps de vol limite : Flight-time limit.

Temps depuis la dernière visite en atelier :
Time since last shop visit.

Temps moyen de bon fonctionnement :
Mean time between failures (MTBF).

Temps moyen entre défaillances :
Mean time between failures.

Temps moyen entre défauts :
Mean time between defects (MTBD).

Temps moyen entre déposes :
Mean time between removals (MTBR).

Temps moyen entre deux défaillances :
Mean time to failure (MTTF).

Temps moyen entre révisions :
Mean time between overhauls (MTBO).

Temps passé au dépannage :
Time to repair (TTR).

Temps perdu avant découverte de la panne :
Diagnosis lost time (DLT).

Temps universel coordonné (TUC) :
Universal time coordinated (UTC).

Tendance au basculement latéral :
Wing drooping.

Tendance au cabrage : Tail heaviness.

Tendance au flambage : Elastic instability.

Tendance au retour du manche au neutre :
Stick tendency to neutral.

Tendeur : Tension adjuster.

Tendeur à vis : Straining screw.

Tendeur à vis [pour câbles] : Turnbuckle.

Tendeur automatique de la commande de trim : Control cable compensator. Trim spring tightener unit.

Tenon : Stud.

Tension : Stress.

Tension [électrique] : Power. Voltage.

Tension aux bornes : Terminal voltage. Voltage across terminals.

Tension d'essai : Test voltage.

Tension de claquage : Breakdown voltage (BDV).

Tension de collage : Tripping voltage.

Tension de polarisation : Bias.

Tension de régime : Service voltage.

Tension de rupture : Breakdown voltage (BDV).

Tension de serrage : Torque value.

Tension de service : Working voltage.

Tension de sortie nulle : Zero output voltage.

Tension de surface : Surface stress.

Tension du courant alternatif :
Voltage alternating current (VAC).

Tension du courant continu :
Voltage direct current (VDC).

Tension nominale : Rated voltage.

Tension transversale : Transverse voltage.

Terminal [d'aérogare] : Terminal.

Terminal à très petite ouverture [transmission de données à grande vitesse] : Very small aperture terminal (VSAT) [high speed data transmission].

Terrain d'accès difficile : Hard field.

Terrain d'atterrissage : Landing field.

Test : Test.

Test : *voir Spécifications de test*

Test de localisation de pannes :
Fault location test.

Testeur : Tester.

Tête d'autodirecteur : Homing head.

Tête d'avertisseur de givrage :
Ice detector head.

Tête d'essuie-glace : Wiper head.

Tête de bielle : Rod big end.

Tête de biellette : Wrist-pin end.

Tête de cylindre : Cylinder head.

Tête de piston : Piston head.

Tête de rotor : Rotor head.

Tête de rotor à articulation à la cardan en élastomère : Elastomeric gimballed rotor head.

Tête de rotor arrière : Tail rotor head.

Tête de rotor quadripale :
Four-blade rotor head.

Tête de soupape : Valve head.

Tête du manche pilote : Control column boss.

Tête gyroscopique de l'autodirecteur infra-rouge :
Gyroscopic head of infra-red homing head.

Tête haute : *voir Viseur électronique...*

Théodolite : Transit.

Théodolite à boussole : Transit-compass.

Thermistance : Thermistor.

Thermistor : Thermistor.

Thermocontact : Thermal switch.

Thermocontact de surchauffe :
Thermal protection cutout.

Thermocontact de température excessive :
Zone trim overtemperature switch.

Thermocouple :
Temperature datum valve. Thermocouple.

Thermodurcissable : Thermosetting.

Thermographie IR [contrôle non destructif des structures composites] :
Infra-red thermography [non-destructive inspection of composite structures].

Thermoplastique : Thermoplastic.

Thermopropulseur : Thermal jet engine.

Thermorégulation :
Temperature control. Thermo control.

Thermorétractable : Thermoshrinkable.

Thermosonde : Temperature probe.

Thermosoudable : Thermoweldable.

Thermosoudé : Thermosealed.

Thermostat pneumatique de sortie de compresseur : Pneumatic compressor discharge thermostat.

Tierçage : Blade spacing system.

Tige : Rod. Spindle. Stem. Stud.

Tige de commande de soupape :
Valve actuating stem.

Tige de culbuteur : Valve rocker shank.

Tige de piston : Piston rod.

Tige de rivet : Rivet shank.

Tige de soupape : Valve rod. Valve stem.

Tige de vérin : Cylinder rod.

Tige filetée : Threaded pin. Threaded rod.

Tige-poussoir : Tappet rod.

Tige-support : Stinger rod.

Tige témoin [réservoir carburant] :
Warning rod.

Timonerie : Linkage. Steering gear.

Timonerie à ressort : Spring linkage.

Timonerie d'asservissement :
Follow-up linkage.

Timonerie d'asservissement du train d'atterrissage : Gear follow-up linkage.

Timonerie de commande : Control linkage.

Timonerie de commande d'aileron :
Aileron circuit linkage.

Timonerie de commande de tab :
Tab control linkage.

Timonerie de gouverne de direction :
Rudder circuit linkage.

Timonerie de sortie des spoilers :
Spoiler extension linkage.

Timonerie des commandes sous plancher :
Underfloor control linkage.

Tir avorté [extinction des moteurs du lanceur commandée par ordinateur à la suite de la détection d'une défaillance] : Aborted launch [computer-controlled cutoff of launcher engines as a result of a failure detection].

Tirage [Ozalid] : Blueprint.

Tirage par radio : Homing.

Tirant : Tie bar. Truss.

Tire-rivet : Rivet extractor.

Tirette de déblocage de frein de stabilisateur :
Stabilizer brake release handle.

Tirette de désembuage de pare-brise :
Windshield air control.

Tiroir de distribution : Piston valve.

Tissu de verre imprégné : Bonded-glass cloth.

Toboggan : Escape chute. Escape slide.

Toboggan d'évacuation : Chute. Emergency escape slide. Evacuation slide.

Toboggan d'évacuation encastré dans la porte : Door-mounted escape chute.

Toboggan gonflable : Inflatable slide.

Tôle à bords tombés : Bent-over edge plate.

Tôle bleue : Spring sheet metal.

Tôle d'acier : Steel sheet.

Tôle d'âme : Web plate.

Tôle d'obturation : Blanking plate.

Tôle de liaison : Junction panel.

Tôle de réglage : Setting plate.

Tôle de renfort : Reinforcing plate.

Tôle feuilletée : Laminated iron.

Tôle gaufrée : Wafer plate. Wafered sheet.

Tôle laminée : Laminated plate.

Tôle mince : Thin sheet.

Tôle monobloc : One-piece sheetmetal element.

Tôle pare-feu moteur : Engine firewall.

Tôle stratifiée : Laminated plate.

Tolérance d'usure : Wear tolerance.

Tolérances à respecter : Tolerance to be met.

Tolérances admises : Tolerance band.

Tomographie assistée par ordinateur :
Computer-assisted tomography (CAT).

Tonneau : *voir Faire un tonneau...*

Tonneau [Partie arrière du fuselage] : Tail end.

Tonneau [voltige] : Roll.

Tonnelage : Tumbling.

Top d'écho [radar] : Blip.

Top de cible [radar] : Target pip.

Tore bosselé : Bumpy torus.

Torquemètre : Torque spanner.

Totalisateur horaire : Time totalizing meter.

Touche drapeau [en bout de pale] :
Tracking finger.

Toucher des roues : Touch-down.

Toupie : Wheel.

Toupie de gyroscope : Gyro spinner.

Toupilleuse : Routing machine.

Tour à dégrossir : Roughing lathe.

Tour à fileter : Thread cutter.

Tour de contrôle : Control tower. Tower (TWR). Traffic control tower.

Tourbillon : Eddy. Vortex.

Tourbillon de Karman : Karman vortex.

Tourbillon de sillage : Wake turbulence.

Tourbillon libre au bord de fuite :
Trailing edge free vortex.

Tourbillon marginal : Tip vortex.

Tourbillons : Vortices.

Tourbillonnement à l'intérieur du réacteur : Windage.

Tourelle aéroportée équipée de plusieurs capteurs [identification et attaque d'objectifs] : Target recognition and attack multi-sensor (TRAM) turret.

Tourillon : Trunnion. Trunnion block. Wrist.

Tournant : Swivelling.

Tourne-à-gauche : Tap handle.

Tourner au grand ralenti : Tick over (to).

Tourner au ralenti : Run at idle (to).

Tourner autour de l'axe de lacet : Yaw (to).

Tourner en autorotation : Windmill (to).

Tourner en survitesse : Over-rev (to).

« Tourner rond » : Run smoothly (to).

Tournevis dynamométrique : Torque driver.

Touniquet : Wheel.

Tournoiement : Spin.

Tout appareil [liste de pièces] : All-commission aircraft (ALL-COM).

« Tout rentré » : Clean configuration.

Trace : Spot.

Tracé d'un câblage électrique sur un tableau de distribution : Mimic bus.

Trace d'usure : Wear mark.

Trace de broutage : Chatter mark.

Traceur de cap : Course tracer.

Traceur de route : Course tracer. Flight plotter. Pictorial computer.

Tracking : Tracking.

Tracteur de piste : Tow tractor.

Traducteur audible de l'effet Doppler [radar] : Audible Doppler enhancer (ADE).

Trafic : Traffic.

Trafic aérien intérieur : Domestic air traffic.

Train : Landing gear (L/G). Undercarriage.

Train à patins à voie large [hélicoptère] : Widened track skid L/G.

Train avant orientable : Steerable nose gear.

Train d'atterrissage : Landing gear (L/G). Undercarriage.

Train d'atterrissage à diabolo : Castor landing-gear.

Train d'atterrissage à patins : Skid landing gear.

Train d'atterrissage à taux d'enfoncement élevé : High sink rate undercarriage.

Train d'atterrissage avant : Nose gear. Nose landing gear (NLG).

Train d'atterrissage baraquable : Kneeling-type landing gear.

Train d'atterrissage bloqué en position « rentré » : Gagged undercarriage.

Train d'atterrissage caréné : Faired landing gear.

Train d'atterrissage coincé : Jammed gear.

Train d'atterrissage escamotable : Retractable landing gear.

Train d'atterrissage monojambe : Single-leg landing gear.

Train d'atterrissage principal : Main gear. Main landing gear (MLG).

Train d'atterrissage rentré : Gear retracted.

Train d'atterrissage rentré et verrouillé : Gear up and locked. Undercarriage up and locked.

Train d'atterrissage rétractable à roues : Retractable wheeled landing gear.

Train d'atterrissage semi-escamotable : Semi-retractable landing gear.

Train d'atterrissage sorti : Gear extracted.

Train d'atterrissage sorti et verrouillé : Gear down and locked.

Train d'atterrissage tout-terrain : Rough-field undercarriage.

Train d'atterrissage tricycle : Tricycle landing gear.

Train d'atterrissage tricycle escamotable : Retractable tricycle landing gear.

Train non verrouillé : Unsafe gear.

Train rentrant : Retractable landing gear.

Train tricycle : Tricycle undercarriage.

Traînage lumineux : Afterglow.

Traînée aérodynamique : *voir Modifications apportées à la voilure*

Traînée d'interférence [aérodynamique] : Interference drag.

Traînée de compressibilité [brusque augmentation de la traînée observée quand la vitesse indiquée approche de celle du son] : Compressibility drag [the sharp increase of drag as airspeed approaches the speed of sound].

Traînée de condensation : Cone trail.

Traînée de culot en vol supersonique : Supersonic base drag.

Traînée de frottement : Friction drag.

Traînée de sillage : Wake drag.

Traînée de voilure : Wing drag.

Traînée engendrée par le moulinet de l'hélice : Windmilling drag.

Traînée engendrée par les ondes de choc [quand l'avion approche de la vitesse du son] : Wave drag.

Traînée générée par le fuselage : Body drag.

Traînée induite : Induced drag.

Traitement automatique des listes de matériel : Bill of material processor (BOMP).

Traitement de surface : Surface treatment.

Traitement thermique : Heat treatment.

Trajectographie : Flight path analysis. Tracking.

Trajectoire : Path. Track.

Trajectoire d'approche finale :
Final approach path.

Trajectoire de décollage : Take-off path.

Trajectoire de l'avion : Aircraft flightpath.

Trajectoire de vol : Flight path.

Trajectoire de vol : *voir Système de navigation
à référence topographique*

Trajet : Path.

Transducteur : Transducer.

Transducteur numérique de pression d'air :
Digital air pressure transducer.

Transfert de carburant modifiant le centrage :
Center of gravity change.

Transfert de métal par usure : Metal pick-up.

Transfert intempestif de carburant :
Unscheduled fuel transfer.

Transformateur redresseur :
Transformer rectifier.

Transformée de Fourier rapide :
Fast Fourier transform (FFT).

Transformée simplifiée de Fourier :
Fast Fourier transform (FFT).

Transistorisé : Solid-state.

Transition « aller » [avion à décollage et atterrissage verticaux] :
Transition to horizontal flight.

Transition automatique et tenue de vol stationnaire [hélicoptère] : Automatic transition to hover and subsequent hold.

Transition « retour » [avion à décollage et atterrissage verticaux] :
Transition to vertical flight.

Transmetteur : Transmitter.

Transmetteur à distance : Remote transducer.

Transmetteur d'angle d'attaque :
AOA transmitter.

Transmetteur de direction : Rudder follow-up.

Transmetteur de gauchissement :
Aileron follow-up.

Transmetteur de pas de pale :
Blade pitch transmitter.

Transmetteur de position des volets :
Wing flap follow-up.

Transmettre : Drive (to). Transmit (to).

Transmission : Drive. Gear. Shaft.

Transmission arrière : Tail rotor drive.

Transmission de données :
voir Terminal à très petite ouverture

Transmission de données numériques :
voir Système intégré de transmission...

Transmission de rotor arrière :
Tail rotor drive shaft.

Transmission de rotor principal lubrifiée à la graisse : Grease-lubricated main rotor transmission.

Transmission oblique [hélicoptère] :
Inclined drive shaft.

Transmission par arbre creux : Quill drive.

Transmission par crémaillère et pignon :
Rack and gear mechanism.

Transmission par vis sans fin : Worm drive.

Transpondeur : Transponder.

Transporteur aérien de premier niveau :
First-level carrier.

Transporteur régional : Third-level carrier.

Transposeur d'émission :
Transmitting converter.

Trappe : Hatch.

Trappe d'inverseur de poussée :
Thrust reverser petal door.

Trappe de remplissage [carburant] :
Refuelling panel.

Trappe de roue avant : Nosewheel well.

Trappe de soute à bombes : Bomb door.

Trappe de train :
Landing gear door. Undercarriage door.

Trappe de train avant :
Nosewheel door. Nose gear door.

Trappe de train d'atterrissage : Gear door.

Trappe de train d'atterrissage principal :
Main gear door.

Trappe de turbine : Turbine door.

Trappe ou panneau d'accès : Man hole.

Trappe pantalon :
Landing gear fairing. Main leg fairing.

Trappe principale du train d'atterrissage avant : Front door.

Traqueur : Tracker.

Traqueur IR : Infra-red search and track system.

Travail agricole aérien : Fly-on farming.

Travail en cours : Work in progress (WIP).

Travée : Bay.

Travée d'aile : Rib.

Traverse : Tie bar. Transverse beam.

Traversée de cloison : Bulkhead passage.

Traversée de fuselage :
Wing carry-through structure.

Treillis : Truss.

Tremblement : Buffeting.

Tremblement de compressibilité : Mach buffet.

Tremplin [pose et dépose des roues] :
Wheel ramp [wheel installation and removal].

Très basse fréquence :
Very low frequency (VLF).

Tresse de mise à la masse :
Bonding strip. Earthing strip.

Treuil : Hoist.

Triangle des vitesses : Velocity triangle.

Triangulation de voilure :
Wing bracing installation.

Triangulation du train d'atterrissage :
Landing gear bracing installation.

Tribord : Starboard (STB).

Trichite : Whisker.

Triergol : Tripropellant.

Trim : Trim.

Trim automatique : Automatic trim.

Trim de Mach : Mach trim.

Trim de profondeur :
Elevator trim. Tailplane trim.

Trim de stabilisateur : Stabilizer trim.

Trimoteur : Three-engine aircraft.

Tringle : Rod.

Tringlerie : Linkage.

Tringlerie de commande des gaz :
Control linkage.

Tringlerie du carburateur :
Accelerator rod assembly.

Tringlerie intermédiaire : Auxiliary linkage.

Triode d'émission : Transmitting triod.

Triplace : Three-seater.

Triple corps : Triple spool.

Triréacteur : Three-engine jet aircraft.

Trompe : Venturi.

Trompe à air : Exducer.

Trompe à air de soupape : Valve air jet pump.

Trompe de Venturi : Venturi nozzle.

Trompette de gouverne de direction :
Rudder arm.

Tronçon : Stub.

Tronçon arrière de fuselage :
Aft-fuselage section. Rear fuselage.

Tronçon central : Center section.

Tronçon de fuselage : Fuselage section.

Tronçon de fuselage [généralement ajouté à un fuselage existant pour obtenir une version allongée] : Fuselage plug [generally added to an existing fuselage to obtain an extended version].

Tronçon intermédiaire arrière de fuselage :
Intermediate aft-fuselage section.

Trou : Vent. Well.

Trou d'homme : Man hole.

« Trou » dans la carburation : Flat spot.

Trou de clavette : Pilot hole.

Trou de freinage [aérofrein] : Suppressor hole.

Trou de regard : Peep hole.

Trou de visite : Inspection hole.

Trou fileté : Threaded hole.

Trou fraisé : Recessed hole.

Trousse : Kit.

Trousse de sauvetage en mer : Sea-rescue kit.

Tube (à plein) : Full-out.

Tube à essais : Test tube.

Tube à flamme : Combustor casing.

Tube à flamme [chambre de combustion] :
Flame tube [combustion chamber].

Tube à vide : Vacuum tube.

Tube cathodique : Cathode-ray tube (CRT).

Tube d'arbre de transmission [moteur] :
Horizontal drive shaft housing.

Tube de Pitot : Venturi tube. Pitot head.

Tube de Venturi : Venturi tube.

Tube EFIS : EFIS display.

Tube électronique : Valve.

Tube émetteur : Transmitting tube.

Tube équipé : Valve assembly.

Tube fixe de l'avion ravitailleur branché dans le réceptacle de l'avion ravitaillé :
Probe-refuelling.

Tubulure : Manifold. Tubing.

Tubulure d'échappement : Exhaust manifold.

Tubulure oblique : Y-branch.

Tulipage : Gyro caging.

Tunnel de câblage : Wiring tunnel.

Tunnel de la bielle de torsion :
Torsion rod well.

Turbine : Vane.

Turbine : *voir Réparation d'aubes...*

Turbine à air dynamique :
Ram air turbine (RAT).

Turbine à deux étages : Two-stage turbine.

Turbine à écoulement axial :
Axial flow turbine.

Turbine à écoulement radial :
Radial-flow turbine.

Turbine à gaz : Gas turbine.

Turbine à trois étages à débit axial :
Three-stage axial flow turbine.

Turbine basse pression :
Low pressure turbine (LPT).

Turbine BP : Low pressure turbine (LPT).

Turbine d'hélicoptère : Turboshaft engine.

Turbine fixe : Single-shaft turbine.

Turbine HP : High-pressure turbine.

Turbine libre : Free turbine.

Turbine libre à hélice propulsive :
Free turbine pusher.

Turbine motrice : Turbine engine.

Turbine multiétage : Multi-stage turbine.

Turbine supersonique avec soufflante :
Fan and supersonic turbine (FAST).

Turbo-alternateur :
Turbine-type generator. Turbo-alternator.

Turbocompressé : Turbocharged.

Turbocompresseur :
Turbocharger. Turbocompressor.

Turbocompresseur (à) : Turbocharged.

Turbocompresseur auxiliaire : Flow multiplier.

Turbocompresseur de suralimentation :
Turbo-supercharger.

Turbo-hélice : Turbo-prop.

Turbomoteur : Engine turbine. Gas turbine engine. Turbine engine. Turbo-motor. Turboshaft engine.

Turbomoteur de démarrage : Turbostarter.

Turbopropulseur :
Jet prop engine. Propfan. Turbo-prop.

Turbopropulseur à grande vitesse :
High-speed propfan.

Turbopropulseur à turbine libre :
Free turbine turbo-prop.

Turboréacteur :
Power jet. Turbojet engine (TJE).

Turboréacteur à double flux : By-pass turbojet.

Turboréacteur à écoulement axial :
Axial engine, Axial flow turbojet.

Turboréacteur à faible taux de dilution :
Low-bypass turbofan.

Turboréacteur à réchauffe et faible taux de dilution : Low-bypass reheated turbofan.

Turboréacteur à simple corps :
Single shaft turbojet. Single-spool turbojet.

Turboréacteur à soufflante canalisée :
Ducted-fan turbine engine.

Turboréacteur civil :
Commercial turbojet engine.

Turboréacteur double corps :
Twin-spool turbojet.

Turboréacteur double flux : Two-flow turbojet.

Turboréacteur double flux à soufflante avant :
Front fan twin-spool turbofan.

Turboréacteur sans réchauffe :
Unreheated turbofan.

Turboréacteur simple flux :
Straight-flow turbojet.

Turboréacteur triple corps :
Three-spool turbofan.

Turboréacteur triple flux : Three-flow turbojet.

Turboréfrigérateur : Turbine cooler unit.

Turbosoufflante : Turbo-blower.

Turbo-statoréacteur :
Air-turborocket (ATR). Turbo-ramjet.

Turbulence : Eddy.

Turbulence en air limpide :
Clear air turbulence.

Tuyau d'alimentation : Feed pipe.

Tuyau d'alimentation vertical : Stand pipe.

Tuyau d'arrivée : Inlet pipe.

Tuyau d'échappement du moteur :
Engine exhaust duct.

Tuyau d'évacuation d'air : Exhaust air duct.

Tuyau de décharge : Overflow pipe.

Tuyau de dérivation : By-pass line.

Tuyau de trop-plein : Overflow pipe.

Tuyau souple de masque à oxygène :
Oxygen mask hose.

Tuyautage : Tubing.

Tuyauterie : Tubing.

Tuyauterie carburant : Fuel line.

Tuyauterie d'air de dégivrage de bec :
Slat de-icing air piping.

Tuyauterie d'air de refroidissement d'enveloppe de turbine :
Turbine shroud cooling air tube.

Tuyauterie d'arrivée d'air sous pression pour le contrôle en tangage :
Nose pitch reaction control air duct.

Tuyauterie de mise à l'air libre : Vent line.

Tuyauterie de mise à l'air libre du réservoir :
Venting pipe of tank.

Tuyauterie de purge : Blow-off pipe.

Tuyauterie de raccordement : Union tube.

Tuyauterie de récupération : Scavenge oil line.

Tuyauterie de refoulement : Delivery line.

Tuyauterie de retour : Return line.

Tuyauterie de ventilation : Vent line.

Tuyauterie du circuit d'alimentation carburant : Fuel system piping.

Tuyauterie en Y : Y-pipe.

Tuyère : Jet. Jet pipe. Nozzle. Tail pipe.

Tuyère : *voir Support de...*

Tuyère à deux positions : Two-position nozzle.

Tuyère à section variable :
Adjustable nozzle. Fully variable exhaust nozzle. Variable ejector nozzle.

Tuyère avant à section rectangulaire sans biais : Rectangular zero-scarf front nozzle.

Tuyère axiale : Axial nozzle.

Tuyère carénée : Shrouded nozzle.

Tuyère convergente-divergente :
Convergent-divergent (CD) exhaust nozzle.

Tuyère d'échappement :
Exhaust nozzle. Jet tube.

Tuyère d'éjection à sortie fixe :
Fixed exhaust nozzle area.

Tuyère d'éjection de bout de pale :
Blade tip nozzle.

Tuyère d'éjection des gaz :
Jet pipe propelling nozzle.

Tuyère d'éjection sur pale : Blade nozzle.

Tuyère de commande de lacet :
Yaw control nozzle.

Tuyère de croisière : Sustainer tail pipe.

Tuyère de mise en rotation : Spin thruster.

Tuyère de postcombustion :
Reheat tail pipe nozzle.

Tuyère de propulsion : Thrust nozzle.

Tuyère de roulis : Roll control nozzle.

Tuyère en régime sonique : Choked nozzle.

Tuyère fixe : Fixed area nozzle.

Tuyère insonorisée : Sound-proofed nozzle.

Tuyère orientable : Swivelling jet pipe.

Tuyère orientable [moteur-fusée] :
Swivelling nozzle [rocket motor].

Tuyère primaire variable :
Variable primary nozzle.

Tuyère principale orientable :
Gimballed main exhaust nozzle.

Tuyère rotative : Thrust vectoring nozzle.

Tuyère variable : Variable area nozzle.

Tuyère vectorielle : Vectored-thrust nozzle.

Tuyère vrillée :
Twisted blast-pipe. Twisted nozzle.

Type : Standard. Type.

U

ULM : Ultra light motorized (ULM). Powered ultralight. Microlight aircraft.

Ultra-haute fréquence [300-3000 MHz] :
Ultra-high frequency (UHF).

Ultraléger motorisé (ULM) :
Ultra light motorized (ULM).

Ultrasons : *voir Nettoyeur... Soudage aux...*

Unité : Unit.

Unité avionique d'hélicoptère d'observation léger : Light observation helicopter avionics package (LOHAP).

Unité calculatrice de données de navigation :
Tactical air navigation system (TANS).

Unité centrale d'ordinateur :
Central processing unit (CPU).

Unité d'indications thermiques :
Thermal cueing unit (TCU).

Unité de calcul du programme d'avionique modulaire américain Pave Pillar : VHSIC avionic modular processor (VAMP) [USA].

Unité de commutation d'antenne :
Aerial switching unit.

Unité de fréquence de défaillances horaires :
Failure in time (FIT).

Unité de mesure inertielle (UMI) :
Inertial measurement unit (IMU).

Unité de ravitaillement en vol :
Air refuelling group (ARG).

Unité de traitement électronique :
Processing electronic unit (PEU).

Unité de transformation du personnel navigant : Operational conversion unit (OCU).

Unité portable de recueil de données :
Portable data store (PODS).

Universel : All-purpose.

Usage général : All-purpose.

Usagé : Worn out.

Usé : Worn out.

User par frottement : Abrade (to).

Usinage chimique à grande vitesse (UGV) :
High-speed chemical etching.

Usinage électrochimique :
Electro-chemical machining (ECM).

Usinage manuel : Hand machining.

Usinage par électro-érosion :
Spark erosion-machining.

Usinage par étincelage :
Spark erosion-machining.

Usinage par jet électrolytique :
Electrolytic jet machining.

Usiné dans la masse : Machined from solid.

Usiner : Machine (to).

Usiner chimiquement : Chemi-etch (to).

Usure : Abrasion.

Usure : *voir Tolérance d'...*

Usure : *voir Transfert de métal par...*

Usure normale : Fair tear and wear.

Usure par contact : Fretting.

Usure par frottement :
Fretting. Friction wear. Galling.

V

Va-et-vient : Switch changeover.

Vaisseau spatial : Spacecraft.

Valeur de dureté Brinell :
Brinell hardness number (BHN).

Valeur indiquée : Instrument reading.

Valeurs [fusibles] : Ratings.

Valeurs de serrage : Torque data.

Validation : Certification.

Valve : Valve.

Valve à deux voies : Two-way valve.

Valve antiretour : Check valve.

Valve d'étranglement : Throttle valve.

Valve de détente : Relief valve.

Valve de mise en pression : Pressurizing valve.

Valve de prélèvement d'air au compresseur :
Bleed-air system blow-off valve.

Valve de vidange carburant :
Fuel jettison valve.

Vanne : Valve.

Vanne antigivrage d'aile : Wing shutoff valve.

Vanne bypass de turbine :
Turbine bypass valve.

Vanne d'admission d'air : Air intake valve.

Vanne d'équilibrage : Trim valve.

Vanne d'intercommunication :
Cross bleed valve.

Vanne d'isolement : Shut-off valve.

Vanne de décharge :
Bleed valve. Variable bypass valve (VBV).

Vanne de dégivrage du réacteur :
Engine anti-icing valve.

Vanne de dégivrage planeur :
Airfoil de-icing valve.

Vanne de démarrage : Starter shut-off valve.

Vanne de dérivation de turbine :
Turbine bypass valve.

Vanne de direction : Yaw control valve.

Vanne de dosage carburant :
Fuel metering valve.

Vanne de prélèvement d'air :
Pneumatic pressure regulator valve.

Vanne de prélèvement d'air chaud :
Hot air bleed valve.

Vanne de récupération de poussée :
Thrust recover valve.

Vanne de régulation à deux étages :
Two-stage regulating vane.

Vanne de régulation d'échappement :
Outflow valve.

Vanne de régulation de température :
Temperature control valve.

Vanne de remplissage/vidange [carburant] :
Refuel/defuel valve.

Vanne de répartition : Distribution valve.

Vanne de sécurité de surpression :
Overpressure safety valve.

Vanne de surpression :
Overpressure valve assembly.

Vanne principale carburant : Main fuel valve.

Vapor blast : Wet blasting.

Vaporiser : Spray (to).

Variateur de vitesse : Variable speed unit.

Variation du jeu des aubes et grilles :
Blade and vane radial clearance change.

Variomètre :
Climb indicator. Rate of climb indicator. Variometer. Vertical speed indicator (VSI).

Variomètre IVSI :
Instantaneous vertical speed indicator (IVSI).

Variomètre nouvelle génération :
Advanced vertical speed indicator (AVSI).

Vaseline : Petrolatum. Petroleum jelly.

Véhicule : Vehicle.

Véhicule à effet de sol :
Air-cushion vehicle (ACV).

Véhicule aérien léger polyvalent : Light airborne multipurpose system (LAMPS).

Véhicule aéroportuaire de sécurité incendie :
Airport crash fire rescue vehicle.

Véhicule de base : Baseline vehicle.

Véhicule de recherche :
Variable stability aircraft (VSA).

Véhicule de rentrée dans l'atmosphère terrestre : Orbiting reentry experiment (OREX).

Véhicule de sécurité incendie :
Crash fire rescue (CFR).

Véhicule de transfert automatique :
Automatic transfer vehicle (ATV).

Véhicule de transfert orbital :
Orbital transfer vehicle (OTV).

Véhicule de transfert orbital réutilisable :
Reusable orbital transfer vehicle.

Véhicule de transport et d'évacuation d'urgence des stations orbitales :
Crew transport and rescue vehicle (CTRV).

Véhicule logistique automatique :
Automatic logistics vehicle (LOVE).

Véhicule orbital : Orbiter.

Véhicule spatial : Spacecraft.

Véhicule spatial inhabité :
Unmanned spacecraft.

Véhicule spatial non-récupérable :
Expendable space vehicle.

Veille météorologique mondiale :
World weather watch (WWW).

Veine [soufflerie] : Throat.

Veine d'essai : Wind tunnel test section.

Vent debout : Front wind.

Vent rabattant : Downdraft wind.

Vent relatif : Ram air.

Ventilateur : Blower. Fan.

Ventilateur d'émetteur : Transmitter blower.

Ventilateur de coffret : Unit blower.

Ventilateur de coffret de servo :
Servo-unit blower.

Ventilateur de lacet : Yaw fan.

Ventilateur de refroidissement de groupe :
Pack cooling fan.

Ventilation du moteur : Motoring.

Venturi : Venturi.

Venturi : *voir Trompe de...*

Venturi : *voir Tube de Venturi...*

Vérificateur d'angle de pale :
Blade angle check gage.

Vérificateur de positionnement d'axe de train : Tool for checking L/G alignment.

Vérification : Inspection. Test.

Vérification après vol : Post-flight check.

Vérification cyclique de redondance :
Cyclic redundancy check (CRC).

Vérification de verrouillage train rentré :
Uplatch check.

Vérification des freins, de l'atterrisseur, de la richesse du mélange, de l'angle d'incidence et des volets : Brakes, undercarriage, mixture, pitch, flaps (BUMPF).

Vérification départ [avant décollage] :
Preflight check.

Vérin : Jack. Ram.

Vérin correcteur d'effort [commande] :
Pitch corrector unit.

Vérin d'aérofrein hydraulique :
Airbrake hydraulic jack.

Vérin d'antenne de télécommande :
Remote control antenna actuator.

Vérin d'aube de guidage :
Intake guide vane ram.

Vérin d'entraînement des volets :
Aileron spoiler flap drive actuator.

Vérin d'interdiction :
Throttle interlock actuator assembly.

Vérin d'orientation [train d'atterrissage avant] : Steering cylinder.

Vérin d'orientation de train avant :
Nosewheel steering jack.

Vérin d'orientation hydraulique :
Hydraulic steering jack.

Vérin de commande : Actuator.

Vérin de commande de porte de soute :
Cargo compartment door actuating cylinder.

Vérin de commande de train d'atterrissage avant : Nose gear actuating cylinder.

Vérin de commande de tuyère :
Nozzle control jack.

Vérin de commande des spoilers :
Spoiler actuating cylinder.

Vérin de compensation : Trim actuator.

Vérin de contre-fiche : Truss actuating jack.

Vérin de contre-fiche de train :
Landing gear actuating cylinder.

Vérin de décrochage d'escalier :
Stairway unlocking cylinder.

Vérin de décrochage de train :
Landing gear unlocking cylinder.

Vérin de déverrouillage :
Release jack. Unlocking cylinder.

Vérin de direction de train avant :
Nosewheel steering cylinder.

Vérin de manoeuvre de train d'atterrissage principal : Main gear actuating cylinder.

Vérin de plan horizontal réglable : Trimmable horizontal stabilizer actuator (THSA).

Vérin de pliage de pale : Blade folding cylinder.

Vérin de relevage de train :
Landing gear actuating cylinder.

Vérin de relevage de train d'atterrissage :
Gear retraction actuator.

Vérin de relevage de train avant :
Nosewheel retraction jack.

Vérin de relevage hydraulique :
Hydraulic retraction jack.

Vérin de rétraction : Retraction jack.

Vérin de rétraction hydraulique :
Hydraulic retraction jack.

Vérin de rétraction hydraulique de train d'atterrissage principal :
Main undercarriage hydraulic retraction jack.

Vérin de roulis : Roll actuator.

Vérin de sécurité verrouillage de train bas :
Landing gear down lock safety cylinder.

Vérin de train : Landing gear cylinder.

Vérin de trappe de train d'atterrissage principal : Main gear door actuating cylinder.

Vérin de trim : Trim actuator.

Vérin de tuyère : Nozzle actuator.

Vérin de verrouillage : Lock actuator.

Vérin de verrouillage de train d'atterrissage principal relevé : Main undercarriage up-lock ram.

Vérin de volet : Flap actuator. Flap jack.

Vérin du verrou d'escamotage de train d'atterrissage : Stow latch cylinder.

Vérin électrique : Electric actuator.

Vérin électrique de trim de stabilisateur : Main electric stabilizer trim actuator.

Vérin hydraulique : Hydraulic actuator. Hydraulic jack.

Vérin hydraulique d'atterrisseur auxiliaire arrière : Tail bumper hydraulic cylinder.

Vérin hydraulique d'escamotage de train d'atterrissage : Hydraulic retraction jack.

Vérin hydraulique de commande de bec de bord d'attaque : Slat hydraulic jack.

Vérin hydraulique de commande des volets : Flap hydraulic jack.

Vérin hydraulique de porte-rampe arrière : Aft ramp door hydraulic jack.

Vérin hydraulique de spoiler : Spoiler hydraulic jack.

Vérin télescopique : Telescopic cylinder.

Verre feuilleté : Laminated glass.

Verre trempé : Toughened glass.

Verrière : Canopy.

Verrière bombée : Bubble canopy.

Verrière monobloc en plexiglass coulissante et largable : Sliding jettisonable monoblock plexiglass canopy.

Verrière sans arceau : Frameless bubble canopy.

Verrou à fermeture rapide : Dzus fastener.

Verrou à ressort : Spring lock.

Verrou d'antenne de télécommande : Remote control antenna latch.

Verrou d'interdiction de relevage du train : Landing gear retracting lock.

Verrou de gisement : Bearing latch.

Verrou de pale : Blade lock.

Verrou électromagnétique : Snubber.

Verrouillage automatique (à) : Self-locking.

Verrouillage d'interdiction de braquage de train d'atterrissage avant : Nose gear steer lock.

Verrouillage de commande de repliage de pale : Blade folding control lock.

Verrouillage de l'autodirecteur d'un missile sur sa cible : Missile lock-on.

Verrouillage de sécurité à clé : Key-operated safety latch.

Verrouillage des gouvernes (au sol) : Gust lock.

Verrouillage du train : Landing gear locking.

Verrouillage en position "rentré" : Uplatch.

Verrouillage en position "train sorti" : Down locking.

Verrouillage haut : Uplatch.

Verrouillage manométrique de l'altitude : Manometric lock of altitude.

Verrouillage rapide : Quick connection.

Verrouillage train rentré : Uplock.

Version : Type.

Version à échelle réduite : Scaled version.

Version allongée : *voir Tronçon de fuselage*

Version allongée [fuselage] : Stretched derivative.

Version « attaque au sol » : Interdictor strike (IDS) version.

Version d'origine : Basic version.

Version de base : Basic layout.

Version « Défense Aérienne » : Air defense variant (ADV).

Version détarée [réduction volontaire des performances d'un moteur] : Derated version.

Version « guerre électronique et reconnaissance » : Electronic combat and reconnaissance (ECR) version.

Version modernisée : Upgraded version.

Version navalisée de l'hélicoptère NH 90 : NATO frigate helicopter (NFH).

Version navalisée du futur avion américain de supériorité aérienne des années 95 : Carrier-based version of the future US advanced tactical fighter.

Version perfectionnée : Uprated version.

Vibration : Buffeting.

Vibration aléatoire : Random vibration.

Vibration de l'aile : Wing flutter.

Vibrations : *voir Dispositif aéroporté de...*

Vibrations aéroélastiques : Flutter.

Vibrations de grande amplitude pouvant affecter une gouverne au cours d'un vol supersonique : Buzz.

Vibro-gravure : Vibro-etching.

Vidange d'huile : Oil scavenge.

Vidange de carburant en vol : Dumping. Fuel dumping.

Vidange de la bâche : Tank discharge.

Vidanger : Jettison (to). Scavenge (to).

Vidanger [carburant] : Defuel (to).

Vide-vite : Dump. Fuel jettison.

Vidéo radar : Radar display.

Vieillissement par écrouissage [métallurgie] : Strain aging.

Vilebrequin : Crankshaft.

Virage : *voir Mise en virage...*

Virage à la verticale : Steep bank. Vertical turn.

Virage à plat : Flat turn. Level flight turn. Pancake turn.

Virage incliné : Bank turn.

Virer à plat : Underbank (to).

Virole d'espacement : Spacer ring.

Virole intérieure de réacteur : Inner shroud.

Vis à tête moletée : Thumb screw.

Vis bouchon : Threaded cover.

Vis d'arrêt : Stop screw.

Vis d'équilibrage de rotor de compresseur : Compressor rotor balancing setscrew.

Vis de butée : Stop screw.

Vis de calage : Setting screw.

Vis de réglage : Setting screw.

Vis de remise à zéro : Zero adjustment screw.

Vis de trim de stabilisateur : Stabilizer trim jack screw.

Vis épaulée : Washer head screw.

Vis moletée : Knurled screw.

Vis papillon : Thumb screw.

Viscosité cinématique : Kinematic viscosity.

Viseur : Aiming device. Sight unit. View finder.

Viseur de bombardement : Bombing gunsight.

Viseur de jour : Day sight.

Viseur de mât pour missile TOW : TOW mast-mounted sight (TMMS).

Viseur de nuit monté sur mât [hélicoptère] : Mast-mounted sight (MMS).

Viseur de poursuite : Tracking sight.

Viseur électronique tête haute de conception avancée à fonctions multiples [génération de symboles, conduite de tir, approche, navigation, air-sol, air-air] : Smart head-up display (SHUD) [symbol generation, fire control, approach, navigation, air-to-ground, air-to-air].

Viseur gyrostabilisé : Gyro-stabilized sight.

Viseur gyrostabilisé de toit [hélicoptère militaire] : Gyro-stabilized roof-mounted sight.

Viseur/indicateur monté sur le casque : Helmet-mounted sight/display (HMS/D).

Viseur IR : Infra-red sight unit.

Viseur tête haute : Head-up display (HUD)

Viseur/visuel de casque et localisateur de ligne de visée : Helmet-mounted display/line-of-sight locator (HMD/LOSL).

Viseur/visuel monté sur casque : Helmet-mounted display (HMD).

Visibilité : *voir Mauvaise...*

Visière : Eye shade. Visor.

Visière [anti-éblouissement] : Anti-glare shield.

Visionique : Optronics.

Visite : Inspection. Overhaul.

Visite d'arrivée d'un avion [venant du constructeur] : Acceptance check.

Visite d'escale : Line check.

Visite [de l'avion] en bout de ligne : Walkaround inspection.

Visite en bout de ligne : Turnaround inspection.

Visite non interruptive de potentiel (VNIP) : Inspection non interrupting TBO.

Visite non périodique : Unscheduled maintenance check.

Visite pré-vol : Pre-flight inspection.

Vissé à fond : Screwed home.

Visualisation holographique tête haute : Holographic head-up display.

Visualisation tête basse : Head-down display (HDD).

Visualisation tête haute : Head-up display (HUD). Windshield projection display.

Visuel d'ordinateur : Computer display.

Vitesse : Speed.

Vitesse à ne jamais dépasser : Never exceed speed. Velocity never exceed (VNE).

Vitesse au badin : Indicated airspeed (IAS). Speed IAS.

Vitesse au moment du cabrage pour décollage : Rotation speed.

Vitesse au moment du déjaugeage de la roue avant : Lift-off speed.

Vitesse au sol : Ground speed (GS).

Vitesse ambiante du son : Local speed of sound (LSS).

Vitesse anémométrique : Indicated airspeed (IAS).

Vitesse angulaire de lacet : Angular rate of yaw.

Vitesse angulaire de virage : Rate of turn.

Vitesse ascensionnelle (VZ) : Rate of climb (RC). Climbing speed. Vertical rate-of-climb.

Vitesse ascensionnelle au niveau de la mer : Climb at sea level.

Vitesse ascensionnelle initiale : Initial rate of climb.

Vitesse ascensionnelle nulle : Zero rate of climb.

Vitesse avec train sorti (VLE) : Landing gear extended speed (VLE).

Vitesse calculée : Calculated airspeed.

Vitesse commerciale : Block-to-block speed.

Vitesse compensée : Trimmed speed.

Vitesse corrigée : Rectified airspeed (RAS).

Vitesse critique : Critical engine failure speed (V1). Hump speed.

Vitesse d'approche : Approach speed.

Vitesse d'autonomie réacteur : Starter cutoff speed.

Vitesse d'impact : Touch-down speed.

Vitesse de calcul : Design airspeed.

Vitesse de calcul à l'atterrissage : Design landing speed.

Vitesse de calcul avec volets en position atterrissage : Flap limiting speed (VF).

Vitesse de calcul en atmosphère turbulente : Design speed for maximum gust intensity.

Vitesse de calcul en croisière : Design cruising speed (VC).

Vitesse de calcul en manoeuvre : Design maneuvering speed (VA).

Vitesse de calcul en piqué : Design diving speed (VD).

Vitesse de configuration atterrissage (VSO) : Constant RPM, L/G and flap extended speed (VSO).

Vitesse de configuration croisière, décollage et approche (VS1) : Constant RPM, specified configuration speed (VS1).

Vitesse de croisière : Cruising speed.

Vitesse de croisière économique : Best-range cruising speed.

Vitesse de croisière rapide : Fast-cruise speed.

Vitesse de croisière supersonique : Supersonic cruise speed.

Vitesse de décision au décollage : Take-off decision speed (V1).

Vitesse de décollage : Lift-off speed. Take-off speed.

Vitesse de décrochage (VS) : Stalling speed (VS)/(V3).

Vitesse de décrochage avec train et volets rentrés : Stalling speed with gear and flaps up.

Vitesse de décrochage avec train et volets sortis : Stalling speed with gear and flaps down.

Vitesse de décrochage avec volets braqués : Stalling speed with flaps extended.

Vitesse de décrochage avec volets rentrés : Stalling speed with flaps retracted.

Vitesse de décrochage des pales : Blade stalling speed.

Vitesse de décrochage en bout de pale : Tip stalling speed.

Vitesse de défilement de gisement : Bearing speed.

Vitesse de descente : Rate of sink.

Vitesse de descente maximum autorisée : Approved maximum rate of descent.

Vitesse de descente minimale en autorotation : Minimum descent rate in autorotation.

Vitesse de descente verticale : Sinking speed.

Vitesse de largage : Jettison speed.

Vitesse de libération [permettant d'échapper au champ gravitationnel de la Terre] : Escape velocity [allowing to escape from the earth's gravitational field].

Vitesse de montée conforme à la réglementation anti-bruit : Noise abatement initial climb speed.

Vitesse de pointe : Dash speed.

Vitesse de reconnaissance de panne : Failure recognition speed (V'1).

Vitesse de référence en approche : Velocity reference (VREF).

Vitesse de régime : Rating speed.

Vitesse de rotation par minute sans réducteur : Ungeared output REV/MIN.

Vitesse de sécurité [vitesse minimum avant le décrochage] : Safety speed [minimum speed above stalling speed].

Vitesse de sécurité au décollage (VSD) : Take-off safety speed (TOSS). Minimum take-off safety speed (V2).

Vitesse du vent : Wind velocity.

Vitesse descensionnelle : Rate of descent.

Vitesse en bout de pale [hélicoptère] : Blade tip speed.

Vitesse en palier : Horizontal speed.

Vitesse en piqué : Diving speed.

Vitesse équivalente au sol : Equivalent airspeed (EAS).

Vitesse équivalente au sol à laquelle des vibrations aéroélastiques peuvent se produire : Flutter speed.

Vitesse indiquée : Indicated airspeed (IAS).

Vitesse indiquée corrigée : Corrected indicated airspeed (CIAS), Calibrated indicated airspeed (CIAS).

Vitesse indiquée exprimée en noeuds : Indicated airspeed in knots (KIAS).

Vitesse limite : Top speed. Velocity never exceed (VNE).

Vitesse limite avec volets : Design flap speed.

Vitesse limite en piqué : Design diving speed (VD).

Vitesse lue : Observed speed.

Vitesse lue corrigée : Corrected indicated airspeed (CIAS), Calibrated indicated airspeed (CIAS).

Vitesse maximale : Velocity maximum (Vmax).

Vitesse maximale admissible : Maximum permissible speed.

Vitesse maximale avec volets sortis : Maximum speed with flaps.

Vitesse maximale d'utilisation : Velocity maximum operating (VMO).

Vitesse maximale de sortie du train (VLO) : Velocity landing gear operation (VLO).

Vitesse maximale en atmosphère turbulente : Rough air speed (VRA).

Vitesse maximale en vol horizontal : Maximum forward flight.

Vitesse maximale train d'atterrissage sorti : Maximum landing gear extended speed.

Vitesse maximale volets sortis : Maximum flap extended speed.

Vitesse maximum avec volets sortis (VFE) : Flap extended speed (VFE).

Vitesse maximum d'utilisation normale : Normal operating limit speed (VNO).

Vitesse maximum de sortie du train (VLO) : Landing gear operating speed (VLO).

Vitesse maximum en palier : Maximum level speed.

Vitesse minimale admissible : Minimum permissible speed.

Vitesse minimale de contrôle sur un moteur : Minimum single-engined control speed (VMCA).

Vitesse minimale de décollage : Minimum unstick speed.

Vitesse minimale de largage : Minimum jettison speed.

Vitesse minimum de contrôle : Minimum control speed (VMC).

Vitesse minimum de contrôle au sol : Minimum control speed on ground.

Vitesse minimum de croisière : Threshold cruising speed.

Vitesse nulle : Zero airspeed.

Vitesse par rapport au sol : Ground speed (GS).

Vitesse périphérique : Tip speed.

Vitesse propre : True airspeed (TAS).

Vitesse propre corrigée : Calibrated airspeed (CAS).

Vitesse propre corrigée en noeuds : Knots calibrated airspeed (KCAS).

Vitesse propre équivalente en noeuds : Knots equivalent airspeed (KEAS).

Vitesse subsonique : Subsonic speed.

Vitesse supersonique : Supersonic speed.

Vitesse tenue : Indicated airspeed (IAS) hold.

Vitesse théorique de manoeuvre : Design maneuvering speed (VA).

Vitesse ultrasonique : Ultrasonic speed.

Vitesse verticale : Vertical velocity (Vz).

Vitesse verticale admissible à l'impact : Sink rate.

Vitesse verticale d'impact : Vertical touch-down speed.

Vitesse verticale de battement de pale : Heaving velocity.

Vitesse verticale de descente : Rate of descent.

Vitesse vraie (VV) : Actual airspeed. True airspeed (TAS).

Vitesse vrai (VV) en noeuds : Knots true airspeed (KTAS).

Vobulateur : Sweep unit.

Voie : Track.

Voie de circulation : Taxi way (Taxiway).

Voie de circulation autour d'un aéroport : Perimeter track.

Voie de roulage : Taxi strip.

Voilage : Buckling. Warpage.

Voile : Partition wall. Web.

Voiles structuraux : Bulkheads. Partition walls.

Voilure : *voir Point d'attache...*

Voilure : Wing.

Voilure à flèche négative : Forward swept wing (FSW).

Voilure centrale : Center wing.

Voilure de parachute : Parachute canopy.

Voilure en X : X-wing.

Voilure pivotante : Swing wing.

Voilure principale reliée par ses extrémités à une deuxième voilure prolongeant la dérive : Advanced concept joined wing.

Voilure tournante : Rotary wing.

Voilure tournante d'hélicoptère : Rotor.

Vol : Flight.

Vol à voile : Gliding.

Vol à vue : VFR flight.

Vol au long cours : Long-haul flight.

Vol au ras des flots : Sea-skimming.

Vol aux instruments : IFR flight. Instrument flying.

Vol affrété avec réservation : Advanced booking charter (ABC).

Vol aller-retour : Round trip.

Vol cabré : Steep attitude.

Vol d'entraînement : Training flight.

Vol d'essai : Trial flight. Test flight.

Vol d'étalonnage : Calibration flight.

Vol de convoyage : Ferry flight.

Vol de démonstration : Demonstration flight.

Vol de mise au point : Development flight.

Vol de présentation : Demonstration flight.

Vol de qualification : Qualification flight.

Vol de réception : Acceptance flight.

Vol de recette : Acceptance flight.

Vol direct : Through flight.

Vol en attente [d'autorisation d'atterrissage] : Loiter.

Vol en crabe : Quartering flight.

Vol en dérapage : Quartering flight.

Vol en palier : Level flight.

Vol en palier stabilisé : Steady level flight.

Vol en piqué plein gaz : Power dive.

Vol en rase-mottes : Hedgehopping flight.

Vol libre : Free flight (FF).

Vol non régulier : Unscheduled flight.

Vol orbital : Orbital flight.

Vol plané : Gliding flight.

Vol rasant : Nap-of-the-earth (NOE) flight.

Vol rectiligne horizontal :
Straight and level flight.

Vol régulier : Regular flight. Scheduled flight.

Vol remorqué : Tow flight. Towed flight.

Vol sans visibilité : Blind flight.

Vol spatial : Space flight.

Vol stationnaire : Hovering.

Vol stationnaire automatique :
Hands-off hover flight.

Vol subsonique : Subsonic flight.

Vol suivant le profil du sol : Contour flying.

Vol supersonique : Supersonic flight.

Vol tactique : Nap-of-the-earth (NOE) flight.

Vol VFR : VFR flight.

Volant : Wheel.

Volant d'orientation de train avant :
Nose steering wheel.

Volant de commande de trim :
Trim control wheel.

Volant de commande de vol :
Flight control wheel.

Volant de direction : Steering wheel.

Volant de gauchissement :
Aileron control wheel.

Volant de gyroscope : Gyro wheel.

Volant de trim : Trim wheel.

Volant du trim de stabilisateur :
Stabilizer trim wheel.

Voler : Fly (to).

Voler en crabe : Yaw (to).

Voler en rase-mottes : Tree-top height (to fly).

Volet : Flap. Foil flap.

Volet à double fente : Dual-slot flap.

Volet à fente : Slot flap.

Volet à revêtement souple :
Flexible-skinned flap.

Volet à une fente : Single-slotted flap.

Volet anti-piqué : Pull-out flap.

Volet compensateur : Trim tab. Trimming tab.

Volet compensateur commandé :
Controllable tab.

Volet compensateur de gouverne : Flettner.

Volet correcteur : Trimming flap.

Volet d'aérofrein : Airbrake flap.

Volet d'atterrissage : Landing flap.

Volet d'atterrissage à double fente :
Double-slotted wing flap.

Volet d'atterrissage à fente :
Split-type landing flap.

Volet d'équilibrage : Balance flap.

Volet d'extrados soufflé [par jet de réacteur] :
Upper surface blowing (USB) flap.

Volet d'intrados : Split flap. Underwing flap.

Volet d'inverseur de poussée de soufflante :
Fan reverser door.

Volet de bord d'attaque :
Leading edge flap. Kruger flap.

Volet de bord d'attaque extérieur :
Outboard leading edge flap.

Volet de bord de fuite : Trailing edge flap.

Volet de bord de fuite à quatre fentes :
Quadruple-slotted trailing edge flap.

Volet de capot : Louvre.

Volet de compensation : Balance tab. Tab.

Volet de courbure : Flap. Wing flap.

Volet de dérive : Fin flap.

Volet de dérive braquable : Deflectable fin flap.

Volet de freinage : Braking flap.

Volet de gouverne de direction : Rudder flap.

Volet de mise à l'air libre : Vent scoop.

Volet de porte : Door flap.

Volet de ressource : Dive recovery flap.

Volet de tuyère : Nozzle flap.

Volet double fente à simple pivot :
Single-hinge double-slotted flap.

Volet droit : Plain flap.

Volet extérieur : Outboard flap.

Volet externe à double fente :
Double-slotted outboard flap.

Volet fixe : Fixed tab.

Volet-frein de piqué : Dive braking flap.

Volet générateur de tourbillons : Vortex flap.

Volet hypersustentateur : Wing flap.

Volet interne : Inboard flap. Inner flap.

Volet interne à double fente :
Double-slotted inboard flap.

Volet interne à fente unique :
Inboard single-slotted flap.

Volet mécanique : Mechanical flap.

Volet mobile : Mobile flap shutter.

Volet mobile d'escalier : Stairway shutter.

Volet mobile destructeur de portance :
Ground spoiler.

Volet pare-feu : Fire flap.

Volet soufflé : Blown flap.

Volet soufflé par jet du réacteur :
Externally blown flap.

Volet tourbillonnaire de bord d'attaque :
Leading edge vortex flap (LEVF).

Volet Zap : Zap flap.

Volets à deux éléments : Two-segment flaps.

Volets Fowler : Fowler flaps.

Volets jumelés : Split flaps.

Voltampèremètre : Voltammeter.

Voltmètre : Voltmeter.

Voltmètre à affichage numérique :
Digital voltmeter (DVM).

Voltmètre-ampèremètre : Voltammeter.

Volucompteur : Volume meter.

Volume habitable : Cabin space.

VOR de région terminale :
Terminal visual omnirange (TVOR).

Voyager [par air] : Fly (to).

Voyant : Pilot light.

Voyant à éclats : Flashing indicator light.

Voyant automanette :
Throttle light. Throttle warning light.

Voyant avertisseur : Warning light.

Voyant d'alignement de piste : Localizer light.

Voyant d'essai : Test light.

**Voyant d'interdiction de démarrage autonome
[température des batteries de bord dépassant 57°C]** : No bat start.

Voyant de compensateur de stabilisateur :
Stabilizer trim light.

Voyant de décrochage : Stall light.

Voyant de démarreur : Starter indicator light.

Voyant de déréglage de compensation du stabilisateur : Stabilizer out of trim light.

Voyant de désaccord des fentes de bord d'attaque : Wing slot disagreement light.

Voyant de mauvais fonctionnement :
Failure warning light.

Voyant de mauvais fonctionnement du train d'atterrissage : Gear unsafe light.

Voyant de panne :
Failure warning light. Malfunction light.

Voyant de porte de soute :
Cargo door warning light.

Voyant de position de vanne :
Valve position light.

Voyant de pression d'huile : Oil pressure light.

Voyant de sortie de l'atterrisseur :
Gera extension light.

Voyant de surchauffe : Overheat light.

Voyant de test : Push-to-test light.

Voyant indicateur d'incendie :
Fire warning light.

Voyant indicateur d'incidence :
Incidence warning light.

Voyant lumineux de baisse de pression de carburant : Fuel-pressure drop warning light.

Voyant lumineux de bouton-poussoir :
Push-button integral light.

Voyant lumineux de centrage :
Center of gravity (CG) caution light.

Voyant lumineux indicateur de présence de particules métalliques : Nuisance chip light.

Voyant mobile : Barber pole.

Voyant principal de mise en garde :
Master caution warning light.

Voyants "spoilers sortis" : Spoiler extend light.

Voyants éteints : *voir Cockpit sombre*

Vrille : Spin.

Vrille dissymétrique [en vol] :
Asymmetric spin.

Vrille serrée : Steep spin.

Vrille sur le dos : Inverted spin.

Vu-mètre : Volume meter.

Vue à vol d'oiseau : Bird's eye view.

Vue coupée : Cutaway view.

Vue de côté : Side elevation.

Vue éclatée : Blow-up view. Exploded view.

Vue en coupe : Cutaway view. Sectional view.

Vulcanisation : Curing.

Z

Zero : *voir Mettre un bouton...*

Zicral : Zicral alloy.

Ziglo : Fluorescent penetrant inspection.

Zone aérienne réservée aux avions dotés d'équipements de navigation performants :
Minimum navigation performance system (MNPS).

Zone d'atterrissage :
Touch-down area. Touch-down zone.

Zone d'exclusion aérienne : No-fly zone.

Zone de brouillage [radar] :
Interference area. Mush area.

Zone de cassure de fatigue :
Fatigue failure area.

Zone de dégivrage thermique :
Thermal de-icing area.

Zone de glissement : Slipflow zone.

Zone de largage [parachutage] : Drop zone.

Zone de manœuvre radar :
Radar .manoeuvering area (RMA) .

Zone de parachutage : Dropping zone (DZ) .

Zone de retouche : Permissible rework area.

Zone de soufflage [moteur] :
Blast area [engine].

Zone des contraintes : Stress area.

Zone non desservie : Off-line area.

Zones de débattement [gouvernes] :
Travel range.

Troisième partie

ABREVIATIONS ET SIGLES

ABBREVIATIONS AND ACRONYMS

A

AAA : **Advanced amphibious aircraft [Aeritalia/Dornier project]** ; Avion amphibie de conception avancée [projet Aeritalia/Dornier].

AAAM : **Advanced air-to-air missile** ; Missile air-air de conception avancée.

AAC : **Automatic amplitude control** ; Contrôle automatique d'amplitude. Réglage automatique d'amplitude.

AAH : **Advanced attack helicopter** ; Hélicoptère d'appui-feu.

AAM : **Air-to-air missile** ; Missile air-air.

AASR : **Airport and airways surveillance radar** ; Radar de surveillance d'aéroport et des lignes aériennes.

ABC : **Advanced booking charter** ; Vol affrété avec réservation.

ABC : **Advancing blade concept** ; Concept de pale avançant.

ABC : **Advancing blade concept (ABC) rotor** ; Rotor de concept dit à pale avançante.

ABCCC : **Airborne battlefield control and command center** ; Centre de contrôle du champ de bataille et de commandement aéroporté.

ABCP : **Airborne control post** ; Poste de commandement aéroporté.

ABDR : **Aircraft battle damage repair** ; Répartition sommaire et provisoire des dégâts subis par un avion au cours d'opérations militaires.

ABM : **Anti-ballistic missile** ; Missile antibalistique.

A/C : **Aircraft** ; Appareil. Avion.

AC : **Alternating current** ; Courant alternatif (ca).

AC : **Anti-clutter** ; Dispositif éliminateur de signaux parasites [radar].

ACAP : **Advanced composite airframe program [a programme recommending large-scale utilization of composite materials in the structure of American military helicopters]** ; Programme préconisant l'utilisation massive de matériaux composites dans la structure des hélicoptères militaires américains [USA].

ACARS : **Aircraft communication, addressing and reporting system** ; Système de transmission de données numériques entre l'avion en vol et le sol et inversement.

ACAS : **Airborne collision avoidance system** ; Système anticollision embarqué.

ACC : **Active clearance control** ; Contrôle actif des jeux [turbine].

ACC : **Area control center** ; Centre de contrôle régional.

ACE : **Altimeter control equipment** ; Commande altimétrique.

ACES : **Advanced crew ejection seat** ; Siège éjectable de conception moderne.

ACM : **Advanced cruise missile [USA]** ; Missile de croisière de conception avancée [USA].

ACM : **Air-cycle machine** ; Groupe de réfrigération de bord. Groupe turborefroidisseur de bord.

ACMS : **Aircraft condition monitoring system** ; Système de surveillance de l'état des équipements de bord.

ACMS : **Aircraft monitoring system (ACMS) computer** ; Calculateur d'enregistrement et de surveillance de l'état de l'avion.

ACR : **Approach control radar** ; Radar d'atterrissage ou d'approche.

ACSR : **Active control of structural response [vibration limiter]** ; Contrôle actif des réactions structurales [réduction des vibrations].

ACT : **Active control technology** ; Conception automatique généralisée (CAG).

ACT : **Additonal center tank** ; Réservoir central supplémentaire.

ACU : **Acceleration control unit** ; Dispositif de contrôle de l'accélération.

ACV : **Air-cushion vehicle** ; Aéroglisseur. Véhicule à effet de sol.

ADA : **Automatic data acquisition** ; Saisie automatique des données.

ADAM : **Air deflection and modulation** ; Ejection des gaz par l'arrière de la voilure.

ADC : **Air data computer** ; Centrale anémobarométrique.

ADE : **Audible Doppler enhancer** ; Traducteur audible de l'effet Doppler [radar].

ADF : **ADF loop** ; Cadre radiocompas. Cadre ADF.

ADF : **ADF loop aerial cover** ; Cache-antenne de cadre ADF.

ADF : **ADF mount** ; Support de radiogoniomètre automatique.

ADF : **ADF reversal** ; Inversion de l'indicateur de direction.

ADF : **Automatic direction finder** ; Radiocompas automatique. Radiogoniomètre automatique.

ADH : **Activated diffusion healing [repair of turbine blades by diffusion of materials]** ;

Réparation d'aubes de turbine par diffusion de matériaux.

ADI : Attitude director indicator ; Horizon directeur de vol. Indicateur directeur d'attitude.

ADIRS : Air data and inertial reference system ;
Centrale de référence inertielle intégrant les fonctions de la centrale anémobarométrique.

ADP : Advanced ducted propeller ;
Propfan caréné à haut rendement.

ADRES : Aircraft documentation retrieval system ;
Système informatique d'accès aux données relatives à la maintenance d'un avion [Airbus].

ADV : Air defense variant ;
Version "Défense Aérienne".

AEW : Airborne early warning ;
Détection et identification d'avions lointains.

AEW and C : Airborne early warning and control ; Plate-forme volante d'alerte lointaine et de poste de commandement.

A/F : A/F dimension : Across flats dimension ;
Cotes sur plats. Dimension d'ouverture [clés].

AFB : Air force base ; Base Aérienne [USA].

AFC : Automatic frequency control ;
Contrôle automatique de fréquence (CAF).

AFCAS : Automatic flight control and augmentation system ; Système automatique de gestion des commandes de vol, de l'amortissement en lacet, de l'automanette et de la compensation longitudinale.

AFCS : Automatic flight control system ; Commande automatique de vol (CADV).

AFES : Avionics flight evaluation system ;
Système d'évaluation des équipements électroniques de bord.

AFIS : Airborne flight information system ;
Système aéroporté d'informations de vol.

AFIS : Airport flight information service ;
Service d'informations de vol d'aéroport.

AFMS : Automatic flight management system ; Système automatique de gestion du vol.

AFS : Automatic flight system [flight management, autopilot and engine thrust control] ; Système automatique de vol [contrôle de la gestion du vol, du pilote automatique et de la poussée des moteurs].

AFTI : Advanced fighter technology integration ; Avion de combat américain à courbure variable.

AGCA : Automatic ground-controlled approach ; Approche automatique contrôlée du sol. GCA automatique.

AGL : Above ground level ;
Au-dessus du niveau du sol.

AGPWS : Advanced ground proximity warning system [GPWS enhanced version] ;
Système avertisseur de proximité du sol [GPWS amélioré].

AGR : Advanced gas reactor ;
Réacteur à CO_2 et U enrichi.

AHMS : APU health monitoring system ;
Système de surveillance de l'état de l'APU [groupe auxiliaire de puissance].

AHRS : Attitude heading reference system ;
Système de référence de cap et d'assiette.

AIDS : Airborne integrated data system ;
Ordinateur de bord. Système d'acquisition de données en vol. Système intégré d'enregistrement des paramètres.

AIMES : Avionics integrated maintenance expert system ; Système expert embarqué d'identification des pannes d'avionique.

AIMS : Aircraft information management system ;
Système de gestion des informations avion.

AIWS : Advanced interdiction weapon system [USA] ; Missile polyvalent air-sol [USA].

ALARM : Air-launched anti-radar missile ;
Missile antiradar lancé par avion [GB].

ALCM : Air-launched cruise missile ;
Missile de croisière aéroporté.

ALF : Auto lock/follow target tracker ;
Système de poursuite d'objectifs à verrouillage/poursuite automatique.

ALFS : Airborne low frequency sonar ;
Sonar à basse fréquence embarqué.

ALH : Advanced light helicopter ;
Hélicoptère léger de conception avancée.

ALL-COM : All-commission aircraft ;
Tout appareil [liste de pièces].

ALLTV : All light levels television ;
Télévision à tous niveaux de lumière.

ALS : Automatic landing system ;
Dispositif d'atterrissage automatique.

AMAS : Air-to-surface automated maneuvering attack system ;
Système de pilotage automatique avant le largage d'un projectile sur une cible identifiée.

AMAS : Automated maneuvering and attack system ; Système d'attaque au sol totalement automatisé.

AMK : Anti-misting kerosene ; Kérosène contenant un additif anti-vaporisation.

AMM : Aircraft maintenance manual ;
Manuel de maintenance avion.

AMRAAM : Advanced medium-range air-to-air missile ; Missile air-air à moyenne portée.

AMS : Aircraft management simulator ;
Simulateur de vol.

AMSA : Advanced manned strategic aircraft ;
Bombardier supersonique pour vol à basse altitude.

A N : A N specifications ;
Spécifications US Army et US Navy

AND : Army and Navy drawings ;
Normes USA pour profilés extrudés.

ANG : Air National Guard ;
Garde Nationale des USA.

ANVIS : Aviator's night vision imaging system ;
Jumelles fixées sur le casque du pilote intensifiant la lumière de la lune ou des étoiles.

AOA : Angle of attack ; Angle d'incidence. Incidence. Angle d'attaque.

AOG : Aircraft-on-ground ; Appareil immobilisé. Immobilisation de l'avion au sol.

AOG : AOG order ;
Commande de dépannage d'urgence.

AOL : Achieved overhaul life ;
Intervalle effectif entre deux révisions.

AOQL : Average outgoing quality level ;
Niveau limite moyen de qualité.

AOR : Air-oil ratio ; Rapport air-huile.

AOSP : Advanced on-board signal processor ;
Calculateur embarqué de traitement du signal.

AOTS : Advanced orbital test system ;
Satellite de démonstration de l'ESA [lancement prévu en 1995].

A/P : Autopilot ; Pilote automatique [PA].

APF : Accurate position finder ;
Radar directeur de tir.

API : Air position indicator ; Indicateur de position. Radar intégrateur de position.

APM : Attached pressurized module [Columbus programme] ;
Module pressurisé raccordé à la station spatiale du programme Columbus.

APSI : Advanced pilot-system interface ;
Interface pilote/systèmes [composé de cinq équipements de visualisation].

APU : Auxiliary power unit ;
Groupe auxiliaire de puissance.

AQL : Acceptable quality level ;
Niveau de qualité ou de fiabilité acceptable.

ARALL : Aramid aluminium laminate ;
Stratifié aluminium-aramide.

ARB : Air refuelling boom [fuel] ;
Perche de ravitaillement en vol [carburant].

ARCP : Air refuelling control point ;
Point convenu de ravitaillement en vol.

ARD : Atmospheric reentry demonstrator [experimental version of CTV] ; Démonstrateur de la capsule de transport de personnel.

ARG : Air refuelling group ;
Unité de ravitaillement en vol.

ARIES : Ariane extended stage ;
Etage supplémentaire de la fusée Ariane 5.

ARINC : Aeronautical Radio Inc. ;
Organisme de gestion des télécommunications aéronautiques.

ARM : Anti-radar missile ; Missile antiradar.

ARS : Aerial refuelling system ;
Système de ravitaillement en vol [carburant].

ARSR : Air route surveillance radar ;
Radar de contrôle de vol.

ARTB : Advanced radar test bed ;
Banc d'essai pour radars [projet américain].

ARTI : Advanced rotorcraft technology integrator (ARTI) program [definition of the workload to be borne by the pilots of the future US attack and reconnaissance helicopter LHX] ; Programme ARTI [étude de définition de la charge de travail des pilotes du futur hélicoptère d'attaque et de reconnaissance américain LHX].

ARTS : Automated radar terminal system ;
Système ARTS [radar anticollision automatisé].

ARTS : Automatic radar terminal system ;
Système ARTS [radar anticollision automatisé].

ASARS : Advanced synthetic aperture radar system ;
Radar moderne à ouverture synthétique.

ASAT : Anti-satellite ;
Missile anti-satellite aéroporté [USA].

ASDA : Accelerate-stop distance available ;
Distance accélération-arrêt disponible.

ASE : Airborne support equipment ;
Equipement de support de bord.

ASE : Automatic stabilization equipment ;
Equipement de stabilisation automatique.

ASI : Airspeed indicator ; Anémomètre. Badin.

ASIR : Airspeed indicator reading ;
Affichage de la vitesse indiquée.

ASM : Air-to surface missile ; Missile air-sol.

ASMI : Airfield surface movement indicator ;
Radar de contrôle des mouvements d'avions au sol.

ASO : Acoustic systems operator [maritime surveillance] ; Opérateur chargé des systèmes acoustiques de bord [surveillance maritime].

ASOC : Air support operation centre ;
Centre opérationnel d'appui aérien.

ASP : Advanced self-protect (ASP) missile ;
Missile d'autoprotection aéroporté.

ASPA : Advanced strategic pentrating aircraft ; Avion de pénétration stratégique de conception avancée.

ASPJ : Airborne self-protection jammer ;
Brouilleur embarqué d'autodéfense.

ASPU : Advanced signal processing unit ;
Calculateur de traitement du signal radar.

ASR : Airport surveillance radar ;
Radar de veille d'aéroport.

ASRAAM : Advanced short-range air-to-air missile ; Missile air-air à courte portée.

ASRM : Advanced solid rocket motor [intended for US space shuttle] ;
Moteur d'appoint à poudre amélioré destiné à la navette spatiale américaine.

AST : **Advanced supersonic transport [a future supersonic transport expected to take over from Concorde early next century]** ; Avion de transport supersonique [devrait prendre la relève de Concorde au début du siècle prochain].

ASTOR : **Airborne stand-off radar** ; Radar aéroporté utilisable à distance de sécurité.

ASTOVL : **Advanced short take-off vertical landing** ; Avion de combat à décollage court et atterrissage vertical.

ASU : **Altitude sensing unit** ; Contrôleur d'altitude.

ASW : **Anti-submarine warfare** ; Lutte anti-sous-marine (ASM).

ASW : **Anti-submarine warfare (ASW) mission** ; Mission de lutte anti-sous-marine.

ASWOC : **Anti-submarine warfare operation center** ; Centre opérationnel de lutte anti-sous-marine [USA].

ATA : **Advanced tactical aircraft** ; ATF (version navale de l'-).

ATAC : **Aided target acquisition and classification** ; Système assisté de classement et de localisation des cibles.

ATARS : **Advanced tactical airborne reconnaissance system** ; Système aéroporté de reconnaissance tactique.

ATB : **Advanced tactical bomber [a flying wing-type American bomber, virtually undetectable by radar]** ; Avion de bombardement américain, de type « aile volante », pratiquement indétectable par radar.

ATB : **Advanced technology bomber** ; Avion de bombardement de technologie avancée.

ATBM : **Anti-tactical ballistic missile]** ; Missile antimissile balistique tactique.

ATC : **Air traffic control** ; Contrôle de la circulation aérienne.

ATC : **Air traffic control (ATC) clearance** ; Autorisation du contrôle de la circulation aérienne.

ATC : **Air traffic control (ATC) transponder** ; Emetteur-récepteur du contrôle de la circulation aérienne.

ATCRBS : **Air traffic control radar beacon system (ATCRBS) transponder** ; Système de balises radar répondeuses du Contrôle de la Circulation Aérienne.

ATCS : **Active thermal control sub-system** ; Sous-système de contrôle thermique actif.

ATE : **Advanced technology engine** ; Moteur de technologie poussée.

ATE : **Automatic test equipment** ; Contrôleur automatique. Equipement d'essai automatique.

ATEC : **Automatic test equipment complex** ; Système d'essai automatique de maintenance de l'avionique numérique.

ATF : **Advanced tactical fighter [USAF air superiority aircraft of the '95s]** ; Avion américain de supériorité aérienne des années 95.

ATFM : **Air traffic flow management** ; Gestion et régulation des flux du trafic aérien.

ATF/TA : **Advanced terrain following/terrain avoidance** ; Suivi de terrain et évitement d'obstacles.

ATGW : **Anti-tank guided weapon** ; Missile guidé antichar héliporté.

ATHS : **Automatic target hand-off system** ; Système automatique d'acquisition de cibles.

ATIS : **Automatic terminal information service** ; Service automatique d'information de région terminale.

ATLANTIC : **Airborne targeting, low altitude navigation, thermal imaging and cueing [a pod-mounted FLIR system for combat aircraft]** ; Système FLIR monté en nacelle destiné aux avions de combat.

ATLAS : **Abbreviated test language for all systems** ; Simplification de la lecture et de la compréhension des spécifications de test.

ATLAS : **Advanced tactical low arresting system** ; Filet d'arrêt mobile pour pistes sommairement aménagées.

ATLIS : **Automatic tracking laser illumination system** ; Système automatique de poursuite et d'illumination laser.

ATM : **Air traffic management** ; Gestion du trafic aérien.

ATN : **Adaptive tactical navigation** ; Navigation tactique souple.

ATP : **Advanced turbo-prop [UK]** ; Avion de transport de deuxième niveau [GB].

ATP : **Airliner transport pilot** ; Pilote de ligne.

ATPL : **Air transport pilot license** ; Licence de pilote de ligne [USA].

ATR : **Air-turborocket** ; Turbo-statoréacteur.

ATS : **Acceptance test specifications** ; Conditions de réception.

ATTAS : **Advanced technologies testing aircraft system [a flying test-bench designed to study state-of-the-art technologies applicable to civil aircraft]** ; Banc d'essais volant [destiné à l'étude des technologies de pointe applicables aux avions civils].

ATTT : **Advanced technology tactical transport** ; Avion de transport militaire tactique de technologie avancée.

ATV : **Automatic transfer vehicle** ; Véhicule de transfert automatique.

ATW : **Aircraft tail warning** ; Radar d'avion logé dans l'empennage.

AURORA : **Automatic recovery of remotely piloted aircraft** ; Récupération automatique des RPV.

AVAD : **Automatic voice alert device** ; Dispositif d'alerte automatique par message vocal.

AvGas : **Aviation gasoline** ; Essence aviation.

AVM : **Airborne vibration monitor** ;
Dispositif aéroporté de contrôle des vibrations.

AVSI : **Advanced vertical speed indicator** ;
Variomètre nouvelle génération.

AWACS : **Airborne warning and control system** ; Radar volant. Système aéroporté d'alerte avancée. Système aéroporté de détection lointaine.

AWB : **Air way bill** ;
Lettre de transport aérien (LTA).

AWO : **Automated weather observation unit** ;
Dispositif automatisé d'observation météo.

AZFW : **Actual zero fuel weight** ;
Masse totale réelle sans carburant.

B

BABS : **Blind approach beacon system** ;
Système d'atterrissage sans visibilité.

BAS : **Beacon airborne « S » band** ;
Radioguidage d'avion sur bande « S » [entre 2 et 4 GHz].

BAZ : **Back-azimuth - unit** ;
Poste de guidage inverse en azimut.

BDC : **Bottom dead center** ; Point mort bas.

BDI : **Bearing deviation indicator** ;
Indicateur d'erreur de gisement.

BDV : **Breakdown voltage** ;
Tension de rupture. Tension de claquage.

BERP : **British Experimental Rotor Programme [a programme aimed at optimizing blade profiles]** ; Programme BERP [visant à optimiser le profil des pales].

BFO : **Beat frequency oscillator** ;
Oscillateur à battement de fréquence.

BHN : **Brinell hardness number** ;
Valeur de dureté Brinell.

BHP : **Brake horse power** ; Puissance au frein.

BITE : **Built-in test equipment** ; Equipement d'essai incorporé. Contrôleur intégré.

BLKD : **Bulkhead** ; Cloison. Cadre fort. Cadre étanche. Cadre renforcé.

BMD : **Ballistic missile defence** ; Système de défense contre les missiles balistiques.

BMDO : **Ballistic missile defense organization [USA]** ; Organisation de défense contre les missiles balistiques [USA].

BMEP : **Brake mean effective pressure** ;
Pression moyenne effective au frein.

BMEWS : **Ballistic missile early warning system** ; Système de détection avancée des missiles balistiques intercontinentaux.

BMI : **Bismaleimide** ;
Bismaléimide [matériau composite].

BMR : **Bearingless main rotor** ;
Rotor principal sans articulation.

BOMP : **Bill of material processor** ;
Traitement automatique des listes de matériel.

BPC : **Barometric pressure control** ;
Correcteur barométrique.

BRGW : **Brake release gross weight** :
Masse totale au lâcher des freins.

BSCU : **Brake steering control unit** :
Dispositif de contrôle des freins et de la séquence de roulage sur piste.

BSS : **British standard specification** ;
Normes standardisées britanniques.

BSS : **Broadcasting-satellite service** ;
Services de télédiffusion par satellites.

BTH : **Beyond-the-horizon [BTH] radar** ;
Radar de repérage de cibles au-delà de l'horizon.

BTM : **Brake temperature monitor** ;
Indicateur de température des freins.

BUFF : **« Big Ugly Fat fellow » [humorous name given to the long-range, heavy American bomber B-52]** ;« Grand et gros type minable » [surnom humoristique du bombardier lourd à long rayon d'action américain B-52].

BUMPF : **Brake, undercarriage, mixture, pitch, flaps** ;Vérification des freins, de l'atterrisseur, de la richesse du mélange, de l'angle d'incidence et des volets.

BVR : **Beyond visual range** ;
Au-delà de la portée visuelle.

C

C3 : Command, control and communication ;
Commandement, contrôle et communications.

CAA : Civil Aviation Authority ;
Direction Générale de l'Aviation Civile [GB].

CAATS : Computer assisted aircraft trouble shooting ; Système informatisé de détection de pannes avion.

CAB : Computer-aided balancing (CAB) system ;
Système d'équilibrage assisté par ordinateur.

CAD : Computer-aided design ;
Conception assistée par ordinateur (CAO).

CAD/CAM : Computer-aided design and manufacture ; Conception et fabrication assistées par ordinateur (CFAO).

CAM : Computer-aided manufacture ;
Fabrication assistée par ordinateur (FAO).

CAP : Combat air patrol ;
Patrouille de combat aérien.

CARMAO : Chinese Airworthiness Research and Management office ;
Homologue chinois du Bureau Véritas.

CAS : Calibrated airspeed ;
Vitesse propre corrigée.

CAS : Close air support (CAS) mission ;
Mission d'appui tactique rapproché. Mission CAS.

CAS : Collision avoidance system ;
Système anti-collision.

CAS/BAI : Close air support/battlefield air interdiction (CAS/BAI) mission :
Mission d'appui tactique rapproché et d'interdiction du champ de bataille.

CAT : Computer-assisted tomography ;
Tomographie assistée par ordinateur.

CATH-M : Common anti-tank helicopter with mast mounted sight ;
Hélicoptère anti-char commun [franco-allemand] à viseur monté sur mât.

CAVOK : Ceiling and visibility OK ;
Plafond et visibilité OK.

CBO : Cycles between overhaul ;
Cycles entre révisions.

CBT : Computer-based training ; Entraînement au pilotage assisté par ordinateur.

CCQ : Cross-crew qualification [pilots transfered to another type of aircraft] ; Qualification simplifiée [pilotes tranférés d'un type d'avion à un autre].

CCV : Configurated control vehicle ;
Contrôle automatique généralisé (CAG).

CCV : Control configured vehicle ;
Commande automatique généralisée (CAG). Contrôle automatique généralisé.

CCW : Counterclockwise ; En sens inverse des aiguilles d'une montre.

CD : CD nozzle : Convergent-divergent exhaust nozzle :
Tuyère convergente-divergente.

CD : Coefficient of drag ;
Coefficient de traînée (Cx).

CDI : Course deviation indicator ; Indicateur de déviation de cap. Dérivomètre.

CDR : Critical design review ;
Revue critique de définition.

CDU : Control and display unit ;
Boîte de commande et d'affichage.

CDU : Control display unit ;
Boîte de commande et d'affichage.

CEDAP : Cockpit emergency directed action program [detection and identification of faults in controls, systems and engines] ; Système de détection et d'identification informatisé des anomalies de fonctionnement [commandes, systèmes et moteurs].

CEM : Channel electron multiplier ;
Multiplicateur d'électrons.

CEP : Circular error probability ;
Probabilité d'erreur circulaire.

CFAR : Constant false alarm rate ;
Taux constant de fausses alarmes.

CFC : Carbon-fibre composites ; Matériaux composites à base de fibres de carbone.

CFDIU : Centralized fault detection interface unit ; Système centralisé enregistreur des données de fonctionnement des équipements et de détection des pannes.

CFDS : Centralized fault display system ; Système de visualisation centralisée des pannes.

CFR : Contact flight rules ;
Règles de vol à vue du sol.

CFR : Contact flying rules ;
Conditions du vol à vue.

CFR : Crash fire rescue
Véhicule de sécurité incendie.

CFRP : Carbon-fibre reinforced plastic ;
Matière plastique renforcée par fibres de carbone.

CFT : Conformal fuel tank ;
Réservoir auxiliaire semi-encastré muni d'un système d'emport de bombes ou de missiles.

CG : Center of gravity ;
Centre de gravité. Centrage.

CG : CG caution light :
Voyant lumineux de centrage.

CG : CG limits : Limites de centrage.

CGCC : Center of gravity control computer ;
Calculateur de contrôle automatique de la position du centre de gravité.

CGI : Computer-generated imagery ; Système de génération d'images par ordinateur.

CGIVS : Computer-generated image visual system ; Système de visualisation de l'environnement par images synthétiques [simulateur de vol].

CIAS : Calibrated indicated airspeed ; Vitesse lue corrigée. Vitesse indiquée corrigée.

CIAS : Corrected indicated airspeed ; Vitesse lue corrigée. Vitesse indiquée corrigée.

CID : Controlled impact demonstration ; Essai d'impact contrôlé.

CIDS : Cabin intercommunication data system ; Système de gestion des communications de bord [annonces aux passagers, diffusion d'ordres, etc.].

CIP : Contingency intermediate power ; Puissance intermédiaire d'urgence.

CIT : Compressor inlet temperature ; Température entrée compresseur.

CITS : Central integrated test system ; Ensemble central de surveillance des systèmes de bord.

CL : Coefficient of lift ; Coefficient de portance (Cz).

CLASS : Coherent lidar airborne shear sensor ; Détecteur embarqué de cisaillement du vent par lidar cohérent.

CL/CD : Efficiency of wing ; Finesse de l'aile (Cz/Cx).

CLDP : Convertible laser designation pod ; Pod convertible de désignation laser.

CMC : Constant-mach cruise ; Croisière à Mach constant.

CMU : Communication management unit ; Equipement de gestion des communications.

CND : Clip-on night device ; Dispositif de visée nocturne.

CNI : Communications, navigation and identification (CNI) system ; Système de communication, navigation et identification.

COAT : Corrected outside air temperature ; Température corrigée de l'air ambiant.

COBE : Cosmic background explorer [USA] ; Satellite d'étude de la formation et de la structure du cosmos [USA].

COF : Columbus orbital facility ; Module d'expériences en microgravité de la station Columbus.

C of A : Certificate of airworthiness ; Certificat de navigabilité (CDN).

C of C : Certificate of compliance ; Certificat de conformité.

C of M : Certificate of maintenance ; Certificat de maintenance.

COIN : Counter-insurgency helicopter ; Hélicoptère anti-guérilla.

COLDS : Common opto-electronic laser detection system ; Système de localisation des émissions de faisceaux laser.

COM : Crew operation manual ; Manuel de l'équipage (ME).

CONUS : Continental US area [satellite telecommunications network]) ; Partie continentale des Etats-Unis [circuit de télécommunications par satellites].

CPC : Cabin pressure computer ; Calculateur pression cabine.

CPCS : Cabin pressure control system ; Système de contrôle de la pression cabine.

CPL : Commercial pilot licence ; Licence de pilote professionnel.

CPU : Central processing unit ; Unité centrale d'ordinateur.

CRC : Cyclic redundancy check ; Vérification cyclique de redondance.

CRDF : Cathode-ray direction finder ; Radiogoniomètre à oscilloscope.

CRFS : Crash-resistant fuel system ; Circuit carburant à l'épreuve des chocs.

CRISP : Counter-rotating integrated shrouded propfan ; Propfan double caréné.

CRM : Cockpit resources management ; Système de gestion des ressources humaines au cours du pilotage.

CRO : Cathode-ray oscilloscope ; Oscilloscope cathodique.

CRP : Counter-rotation propeller ; Propfan contrarotatif.

CRPMD : Combined radar and projected map display ; Affichage combiné cap et image radar.

CRS : Computer reservation system ; Système de réservation par ordinateur.

CRT : Cathode-ray tube ; Tube cathodique. Ecran de visualisation.

CSD : Constant speed drive ; Entraînement à vitesse constante.

CSI : Cycles since installation ; Cycles depuis la pose.

CSS : Cockpit system simulator ; Simulateur de cockpit.

CSV : Cycles since last shop visit ; Cycles depuis la dernière visite en atelier.

CTOL : Conventional take-off and landing ; Décollage et atterrissage classiques.

CTR : Controlled twist rotor ;
Rotor à vrillage d'extrémité de pale.

CTRV : Crew transport and rescue vehicle ;
Véhicule de transport et d'évacuation d'urgence des stations orbitales.

CTS : Course to steer ; Route optimale à suivre.

CTV : Crew transport vehicle [Earth/orbital station/Earth] ; Capsule de transport de personnel [Terre/station orbitale et retour].

CTVS : Cockpit television sensor ;
Capteur de télévision de poste de pilotage.

CVR : Cockpit voice recorder ;
Enregistreur de conversation dans le cockpit.

CW : Clockwise ;
Dans le sens des aiguilles d'une montre.

CWIN : Cockpit weather information needs ;
Système aéroporté de centralisation et de visualisation des données météorologiques émises par les stations terrestres.

CWP : Central warning panel ; Panneau avertisseur central. Panneau central d'alarmes.

CWS : Control wheel steering ;
Pilotage transparent.

D

DABS : Discrete address beacon system ;
Radar secondaire mode S.

DAC : Double annular combustor (DAC) engine ; Réacteur à chambre de combustion annulaire double.

DAIS : Digital avionics information system ;
Affichage numérique d'informations.

DARC : Direct access radar channel ;
Canal radar à accès sélectif [affichage sur écrans de contrôle du trafic aérien].

DARIN : Display, attack, ranging and inertial navigation ; Système de navigation par inertie associé à un collimateur tête haute et à un indicateur cartographique.

DASE : Digital automatic stabilization equipment ; Équipement de contrôle automatique des commandes.

DASH : Drone anti-submarine helicopter ; Hélicoptère téléguidé de lutte anti-sous-marine.

DATAR : Detection and tactical alert of radar ; Dispositif de détection et d'avertissement d'émissions radar.

DAVI : Dynamic anti-resonant vibration isolator ; Amortisseur de vibrations du siège pilote [hélicoptère].

DBS : Direct TV broadcasting by satellite ;
Télévision directe par satellite (TDS).

DC : Direct current ; Courant continu (cc).

DCMU : Digital color map unit ; Indicateur cartographique couleur de type numérique.

DECS : Digital engine control system ;
Système numérique de régulation moteur.

DECU : Digital engine control unit ;
Système numérique de contrôle moteur.

DEEC : Digital electronic engine control ;
Système de régulation électronique numérique du groupe propulseur.

DEM/VAL : Demonstration and validation ;
Démonstration et validation.

DEPRT : Digital engine pressure ratio transducer ; Capteur numérique d'EPR.

DEW : Directed energy weapon ; Arme à énergie dirigée disposée sur un grand satellite.

DEW : Distant early warning (DEW line) ;
Réseau de stations radar terrestres d'alerte lointaine [Canada].

DF : Digital finding ; Radiogoniométrie.

DF : Direction finding ; Radiogoniométrie.

DFA : Delayed flaps approach ;
Sortie des volets retardée.

DFDAU : Digital flight data acquisition unit ;
Dispositif numérique de collecte des données de vol relatives à la sécurité de l'avion.

DFDR : Digital flight data recorder ;
Enregistreur numérique de données de vol.

DFDS : Digital fire detection system ;
Détecteur numérique d'incendie moteur.

DGPS : Differential global positioning system [precision approaches] ;
Système de positionnement mondial différentiel [approches de précision].

DLC : Data link control ; Contrôle de liaison.

DLC : Direct lift control ;
Commande directe de portance.

DLIR : Downward looking infra-red (DLIR) camera [sighting, target acquisition and laser guidance] ; Caméra IR aéroportée à visualisation verticale vers le bas [visée, acquisition de cibles et guidage laser].

DLT : Diagnosis lost time ;
Temps perdu avant découverte de la panne.

DME : Distance measuring equipment ;
Dispositif de mesure de distance.

DMG : **Digital map generator** ;
Générateur cartographique numérique.

DMH : **Decimeter height-finder** ; Radar de sol
[pour déterminer l'altitude des avions].

DMM : **Digital multimeter** ;
Multimètre numérique.

DMU : **Data management unit** ;
Dispositif de traitement des données de vol
collectées par le DFDAU.

DOA : **Dominant obstacle allowance** ; Marge
de franchissement de l'obstacle dominant.

DOC : **Direct operating cost** ;
Coût d'exploitation direct.

DOD : **Department of Defense** ;
Ministère de la Défense [USA].

DOE : **Department of Energy** ;
Ministère de l'Energie.

DOE : **Department of Environment** ;
Ministère de l'Environnement.

DP : **Detail part** ;
Pièce primaire. Pièce élémentaire.

DRO : **Digital readout** ; Affichage numérique.

DRS : **Data relay satellite** ;
Satellite-relais de données.

DSL : **Design service life** ;
Potentiel théorique de durée de service.

DSN : **Deep-space network** ;
Réseau de communications entre la Terre et
l'espace lointain (NASA).

DSP : **Defense support program** ;
Satellite militaire [USA].

DUPRIN : **Ducted propfan investigations** ;
Programme d'étude des soufflantes canalisées.

DVA : **Dynamic vibration absorber** ;
Absorbeur de vibrations dynamiques.

DVI : **Direct voice input** ;
Système d'entrée vocale directe.

DVM : **Digital voltmeter** ;
Voltmètre à affichage numérique.

DVO : **Direct voice output** ;
Système de sortie vocale directe.

DZ : **Dropping zone** ; Zone de parachutage.

E

E3 : **Energy efficient engine** ;
Moteur à faible consommation spécifique
[programme NASA].

EADI : **Electronic attitude director indicator** :
Indicateur électronique directeur d'attitude.

EAI : **Electronic attitude indicator** ;
Indicateur électronique d'attitude.

EAP : **Experimental aircraft programme** ;
Avion britannique de démonstration et d'essai
des technologies prévues pour l'EFA.

EARS : **Electronically agile radar system** ;
Antenne radar fixe à balayage électronique.

EAS : **Equivalent airspeed** ;
Vitesse équivalente au sol.

E.BEAM : **Electron beam whose shifting is
computer-aided [manufacture of integrated
circuit masks]** ; Faisceau d'électrons dont les
déplacements sont gérés par ordinateur [fabri-
cation de masques pour circuits intégrés].

ECAM : **Electronic centralized aircraft monitor** ; Ecran d'affichage de messages d'alarme
et de la check-list associée.

ECCM : **Electronic counter-countermeasures** ;
Contre-contre-mesures électroniques (CCME).

ECG : **Electro-chemical grinding** ;
Attaque électrochimique.

ECM : **Electro-chemical machining** ; Polissage
électrochimique. Usinage électrochimique.

ECM : **Electronic countermeasures** ;
Contre-mesures électroniques.

ECM : **Engine condition monitoring** ;
Surveillance de l'état des moteurs.

ECMO : **Electronic countermeasures officer** ;
Officier de contre-mesures électroniques.

ECMRITS : **Electronic countermeasures resistant information transmission system** ; Système de communications radioélectriques
discrètes résistant au brouillage.

ECR : **Electronic combat and reconnaissance
(ECR) version** ; Version "guerre électronique
et reconnaissance".

ECU : **Engine control unit** ; Dispositif de régulation numérique du moteur.

EDU : **Engine diagnostic unit** ;
Dispositif de détection et d'enregistrement de
l'état du moteur.

EEC : **Electronic engine control** ; Système de
régulation électronique numérique à pleine autorité [moteur].

EELV : **Evolved expendable launch vehicle** ;
Lanceur spatial non-réutilisable amélioré.

EEW : **Equipped empty weight** ; Masse à vide
équipé.

EFA : **European fighter aircraft** ; Avion de combat européen [GB; Allemagne; Espagne; Italie].

EFIS : **Electronic flight instrument system** ; Ensemble d'instruments de vol électroniques.

EGADS : **Electronic ground-automatic destruction sequencer [destruction of flying rockets]** ; Destruction automatique de fusées en vol à partir du sol (Dispositif électronique de).

EGT : **Exhaust gas temperature** ; Température de sortie des gaz d'échappement.

EGT : **Exhaust gas temperature (EGT) indicator** ; Indicateur d'EGT.

EGT : **Exit gas temperature** ; Température de sortie des gaz.

EHA : **Electro-hydrostatic actuator** ; Actionneur électro-hydrostatique.

EICAS : **Engine indication and crew-alerting system** ; Système de contrôle des paramètres moteur et d'alerte équipage.

EIRP : **Equivalent isotropic radiated power** ; Puissance isotrope rayonnée équivalente (PIRE).

EIS : **Engine instrument system** ; Système d'instruments moteur.

ELAC : **Elevator aileron computers** ; Calculateurs de profondeur et d'aileron.

ELFIN : **European laminar flow investigation (ELFIN) programme** ; Programme de recherches européen sur les problèmes relatifs à l'écoulement laminaire naturel.

ELG : **Electrolytic grinding** ; Attaque électrolytique.

ELINT : **Electronic intelligence** ; Engins, satellites ou avions espions.

ELS : **Electronic library system** ; Système de documentation électronique.

ELT : **Elapsed time** ; Délai d'exécution [d'une opération].

ELT : **Emergency locator transmitter** ; Emetteur/localisateur de détresse.

ELU : **Engine limiter unit** ; Ensemble électronique limiteur de couple et de température de tuyère.

ELV : **Expendable launch vehicle** ; Lanceur non-réutilisable.

ELVT : **Ejector lift/vectored thrust** ; Ejecteur aérodynamique/poussée orientée.

EMI : **Electro-magnetic interference** ; Interférence électromagnétique.

EMS : **Emergency medical service (EMS) helicopter** ; Hélicoptère d'assistance médicale d'urgence.

ENC : **Easy nav computer** ; Calculateur de navigation simplifié.

ENP : **Estimated normal payload** ; Charge marchande normale estimée.

EO-FLIR : **Electro-optical forward looking infra-red (EO-FLIR) pod** ; Nacelle optronique.

EOS : **Earth observation satellite** ; Satellite d'observation de la Terre.

EOTADS : **Electro-optical target acquisition and designation system** ; Système optronique d'acquisition et de désignation de cibles.

EPA : **Energetic particle analyser** ; Compteur de particules énergétiques. Instrument de mesure de l'énergie des électrons et des protons et de leur distribution dans l'espace.

EPI : **Elevation-position indicator** ; Radar indicateur de distance et de position.

EPNdB : **Effectively perceived noise decibels** ; Nombre de décibels effectivement perçus.

EPR : **Engine pressure ratio** ; Rapport de pression moteur.

EPS : **External power supply** ; Alimentation électrique de parc.

EPU : **Emergency power unit** ; Groupe de secours.

ER : **Extended range** ; A rayon d'action augmenté.

ERBM : **Extended range ballistic missile** ; Missile balistique à rayon d'action augmenté.

ERINT : **Extended range interceptor technology [USA]** ; Programme d'étude d'antimissiles balistiques tactiques [USA].

EROPS : **Extended-range operations** ; Exploitation de long-courriers au-dessus des océans.

ERS : **Earth resources satellite** ; Satellite d'observation et de localisation des ressources naturelles de la Terre.

ERS-1 : **ESA remote sensing satellite mission n° 1 [a satellite designed to study and evaluate the Earth's agricultural and geological features]** ; Satellite de télédétection destiné à l'étude et à l'évaluation des particularités agricoles et géologiques de la Terre [mission n° 1 du satellite de l'ESA].

ERS-2 : **ESA remote sensing satellite mission n° 2 [ERS-1 upgraded version]** ; Satellite de télédétection destiné à l'étude des dimensions de l'ozonosphère [version modernisée d'ERS-1].

ESA : **European Space Agency** ; Agence Spatiale Européenne.

ESHP : **Equivalent shaft horsepower** ; Puissance équivalente sur l'arbre.

ESM : **Electronic support measures** ; Mesures de renseignements électroniques (MRE).

ESR : **Electronically scanning radar** ; Radar à balayage électronique.

ESRP : **European supersonic research program (ESRP) [France, UK, Germany]** ; Programme de recherches européen en vue de la réalisation d'un avion de transport supersonique [France, GB, Allemagne].

ESSS : External stores support system ;
Système d'emport de charges externes.

ETA : Estimated time of arrival ;
Heure d'arrivée prévue.

ETD : Estimated time of departure ;
Heure de départ prévue.

ETF : Engine test facility ;
Installation d'essais de moteurs.

ETM : Engine trend monitoring ;
Surveillance des tendances du moteur.

ETOPS : Extended-range twin-engined operations ; Exploitation de bimoteurs long-courriers au-dessus des océans.

ETW : European Transonic Windtunnel ;
Soufflerie transsonique européenne.

EURECA : European retrievable carrier [a European recoverable instrument-carrying platform designed to conduct biological and metallurgical experiments in microgravity] ; Plate-forme européenne porte-instruments récupérable destinée à des expérimentations biologiques et métallurgiques en microgravité.

EUROFAR : European future advanced rotorcraft (EUROFAR) programme [a research programme for designing a « convertible » aircraft, i.e. taking off and landing like a helicopter and flying like a plane] : Programme de recherches en vue de la réalisation d'un appareil "convertible" [c'est-à-dire décollant et atterrissant comme un hélicoptère et volant comme un avion].

EUROFLAG : European future large aircraft group (EUROFLAG) programme [a study programme for designing the transport plane due to replace the C-130 and C-160] ; Programme d'étude de l'avion de transport prévu pour remplacer les C-130 et C-160.

EVA : Extra vehicular activity [any job or repair carried out by an astronaut outside a spacecraft] ; Activité extra-véhiculaire [tout travail effectué par un astronaute à l'extérieur d'un vaisseau spatial].

EVAS : Emergency visual assurance system ;
Système d'amélioration de la vision en cas de fumée dans le cockpit.

EVM : Engine vibration monitoring ; Dispositif de surveillance des vibrations du moteur.

EVS : Enhanced vision system ; Système d'amélioration de la vision par mauvais temps.

EW : Electronic warfare ;
Moyens de guerre électronique (MGE).

EWO : Electronic war officer ;
Officier de guerre électronique.

EWO : Electronic warfare operator ;
Opérateur de guerre électronique.

EWS : Early warning satellite ;
Satellite d'alerte avancée.

F

FAA : Federal Aviation Administration ;
Bureau Fédéral de l'Aéronautique [USA].

FAC : Flight augmentation computer ; Calculateur d'optimisation de la gestion du vol.

FAC: Forward air control (FAC) mission ;
Mission de contrôle aérien avancée.

FADEC : Full-authority digital engine control ; Système de régulation électronique numérique à pleine autorité du moteur.

FAF : Faf price : Fly-away factory price :
Prix [d'un avion] départ usine.

FANS : Future air navigation system :
Projet de système de navigation aérienne par satellites.

FAR : Federal Aviation Regulations ; Réglementation fédérale de l'aviation civile [USA].

FAST : Fan and supersonic turbine ;
Turbine supersonique avec soufflante.

FAST : Fuel and sensor tactical (FAST) pod ;
Conteneur logeant du carburant et de nombreux capteurs [caméra, équipement radar, détecteur].

FATS : Fuselage acoustic test system ;
Cellule d'essais destinée à tester en vraie grandeur les effets de la fatigue sur le fuselage.

FAW : Forward area warning ;
Radar d'approche.

FBL : Fly-by-light ; Système de navigation avec transmission par fibres optiques.

FBL : Fly-by-light (FBL) controls ;
Commandes de vol optiques.

FBO : Fixed-base operator ;
Station-service aéronautique.

FBS : Fixed base simulator ;
Simulateur de vol [fixe].

FBS : Fly-by-speech (FBS) programme ;
Programme de développement d'un système aéroporté de commandes de vol actionnées par la voix du pilote.

FBW : Fly-by-wire (FBW) airliner ; Avion de ligne à commandes de vol électriques.

FBW : Fly-by-wire (FBW) controls ; Commandes de vol électriques.

FCC : Flight control computer ; Calculateur de contrôle du vol.

FCDC : Flight control data concentrator ; Concentrateur des données de commandes de vol.

FCEP : Flight control electronic package ; Ensemble électronique de commandes de vol.

FCMC : Fuel control management computer ; Calculateur de gestion et de contrôle du carburant.

FCMS : Fuel control and monitoring system ; Système aéroporté de gestion du transfert de carburant en vol.

FCOM : Flight crew operating manual ; Manuel d'utilisation [destiné au personnel navigant technique].

FCPC : Flight control primary computer ; Calculateur primaire de commandes de vol.

FCR : Fire control radar ; Radar directeur de tir. Radar de conduite de tir.

FCS : Flight control system ; Système de commandes de vol.

FCSC : Flight control secondary computer ; Calculateur secondaire de commandes de vol.

FCU : Flow control unit ; Régulateur de débit. Régulateur carburant.

FDAU : Flight data acquisition unit ; Boîtier de détection des données de vol.

FDIU : Flight data interface unit ; Interface de transmission de données de vol.

FDR : Flight data recorder ; Enregistreur des paramètres de vol. Boîte noire [de couleur orange].

FESTIP : Future European space transport infrastructure programme [a study programme for Hotol, Sanger and Aerospatiale hypersonic plane projects] ; Programme d'étude des projets HOTOL, SANGER et avion hypersonique Aérospatiale.

FEWS : Follow-on early warning system ; Satellite d'alerte avancée de la nouvelle génération (1997).

FF : Free flight ; Vol libre.

FFAR : Folding fin aircraft rocket ; Roquette aéroportée à empennage repliable.

FFCC : Forward-facing crew cockpit ; Poste de pilotage « tout à l'avant ».

FFRL : Forward-facing recognition lights ; Feux d'identification par l'avant.

FFS : Full flight simulator ; Simulateur de vol [mobile].

FFT : Fast Fourier transform ; Transformée de Fourier rapide. Transformée simplifiée de Fourier.

FH : Frequency hopping ; Saut de fréquence.

FHP : Fractional horsepower ; Puissance inférieure à 1 cv.

FIC : Flight information center ; Centre d'information de vol.

FIMA : Future international military/civil airlifter [a project aimed at the replacement of Hercules C-130 and Transalls at the turn of the century] ; Projet d'avion de transport militaire/civil [destiné à remplacer les HERCULE C-130 et TRANSALL au début des années 2000].

FIR : Flight information region ; Région d'information de vol.

FIRAMS : Flight incident recorder and monitoring set ; Equipement de surveillance et d'enregistrement des incidents de vol.

FIS : Fast ion sensor ; Capteur d'énergie des ions contenus dans le vent solaire.

FIT : Failure in time ; Unité de fréquence de défaillances horaires.

FL : Flight level ; Niveau de vol.

FLA : Future large aircraft [scheduled to replace C-130 and C-160 early next century] ; Avion gros-porteur européen [destiné à rempacer les C-130 et C-160 au début du XXIe siècle. Voir FIMA, EUROFLAG].

FLAME : Future laser atmospheric measurement equipment ; Projet d'équipement de mesure de l'atmosphère.

FLASH : Folding light acoustic system for helicopters ; Antenne acoustique légère et repliable pour hélicoptères.

FLIR : Forward-looking infra-red ; Système de détection par l'avant aux rayons infrarouges.

FM : Flight manual ; Manuel de vol (MV).

FMC : Flexible machining cell ; Cellule d'usinage souple (CUS).

FMC : Flight management computer ; Ordinateur de gestion de vol.

FMC : FMC aircraft : Fully mission capable ; Avion prêt à remplir sa mission [USA].

FMCS : Flight management computer system ; Calculateur de gestion de vol.

FMCW : Frequency modulated continuous wave ; Onde continue à fréquence modulée [altimètre radar].

FMGC : Flight management guidance computer ; Calculateur de guidage et de gestion de vol.

FMGS : Flight management and guidance system ; Système de gestion du vol et de guidage automatique.

FMI : Flexible modular interface ; Sous-ensemble servant d'interface entre le véhicule porteur et le récepteur RSP.

FMS : Flight management system ; Système de gestion de vol.

FOB : **Forward operating base** ;
Base opérationnelle avancée.

FOBS : **Fractional orbital bombardment system** ; Système de bombardement orbital fractionnel.

FOD : **Foreign object damage** ;
Dégâts causés par des corps étrangers.

FOG-M : **Fiber optic guided missile** ;
Engin piloté par fibre optique.

FOHMD : **Fiber-optic helmet-mounted display** ; Dispositif de visualisation par fibre optique monté sur casque.

FOM : **Flight operation manual** ;
Manuel des opérations en vol.

FOV : **Field of view** ;
Champ de vision [instruments optiques].

FPCS : **Flight path control set** ; Dispositif de commande de la trajectoire de vol.

FPDI : **Flight path deviation indicator** ;
Indicateur de dérive.

FPDS : **Feasibility and pre-definition study** ;
Etude de prédéfinition et de faisabilité.

FPL : **Full power level** ; Pleine puissance.

FQIS : **Fuel quantity indication system** ;
Système indicateur de quantité de carburant.

FRR : **Flight readiness review** ;
Revue d'aptitude au vol.

FSD : **Full-scale development** ;
Mise au point finale.

FSED : **Full-scale engineering development** ;
Développement technique final.

FSS : **Fixed satellite service [ground stationary transceiver]** ; Services fixes par satellites [récepteurs et émetteurs au sol stationnaires].

FSS : **Flight service station** ;
Station d'informations de vol.

FSS : **Floor supporting structure** ;
Structure support de plancher.

FSW : **Forward swept wing** ;
Voilure à flèche négative.

FTD : **Flight training device** ;
Dispositif d'entraînement au vol.

FTEPS : **Fault-tolerant electrical power system** ; Système d'alimentation électrique à l'épreuve des pannes.

FTL : **Flight-time limit** ; Temps de vol limite.

FWC : **Flight warning computer** ;
Calculateur central d'alarmes.

G

GA : **Go-around** ;
Remise des gaz [après atterrissage manqué].

GAM : **GPS-aided munition** ;
Munition guidé par GPS.

GAM : **Ground-to-air missile** ; Missile sol-air.

GAM : **Guided aircraft missile** ;
Missile guidé air-air.

GATS : **GPS-aided targeting system** ;
Système de visée par GPS.

GBR : **Ground-based radar** ; Radar terrestre.

GCA : **Ground-controlled approach** ;
Approche guidée du sol. Percée en GCA.

GCAS : **Ground collison avoidance system** ;
Système avertisseur de proximité du sol.

GCI : **Ground-controlled intercept** ;
Station terrestre de guidage et de contrôle.

GCU : **General control unit** ;
Boîtier de régulation générale.

GCU : **Generator control unit** ;
Régulateur d'alternateur.

GDC : **Graphic display controller** ;
Contrôleur d'écran graphique.

GEM : **Ground equipment manual** ;
Manuel d'outillage et équipement au sol.

GEMS : **Global environment monitoring system [operating through observation satellites]** ; Système de surveillance de l'environnement à l'échelle planétaire [par satellites d'observation].

GEO : **Geostationary Earth orbit** ;
Orbite géostationnaire.

GFCS : **Gunfire control system** ;
Radar directeur de tir.

GGM : **Ground-to-ground missile** ;
Missile sol-sol.

GIPSY : **General integrated publication system** ; Système de gestion de la documentation relative à l'entretien de l'Airbus A 320.

GLASS : **Ground-launched anti-ship system** ;
Missile de croisière.

G-LOC : **G-loss of consciousness [supersonic aircraft pilots]** ; Perte de conscience dûe à la force d'accélération [pilotes d'avions supersoniques].

GLONASS : Global satellite navigation system ; Système de navigation aérienne par satellites [CEI].

GLOW : Gross lift-off weight [spacecraft] ; Poids total au décollage [véhicule spatial].

GLS : Global landing system ; Système d'atterrissage de précision [basé sur le GPS].

GMTBF : Guaranteed mean time between failure ; Moyenne garantie des temps de bon fonctionnement.

GNSS : Global navigation satellite system ; Système mondial de navigation par satellites.

GOES : Geostationary operational environmental satellite ; Satellite météorologique en orbite géostationnaire.

GOME : Global ozone measuring experiment ; Système de détection de la quantité d'ozone dans la stratosphère et la troposphère.

GPA : Gas path analysis [checking the thermodynamic conditions] ; Analyse de la veine gazeuse [vérification de l'état thermodynamique].

G-PALS : Global protection against limited strikes (G-PALS) system [USA] ; Système de protection à l'échelle mondiale contre les attaques limitées de missiles balistiques tactiques [USA].

GPC : Global portable computer ; Calculateur portatif d'établissement du plan de vol.

GPI : Ground position indicator ; Radar indicateur de position.

GPL : Glide path landing ; Atterrissage radioguidé.

GPS/NAVSTAR : Global positioning system ; Système de navigation aérienne par satellites.

GPU : Ground power unit ; Groupe de parc. Groupe électrogène de piste.

GPWS : Ground-proximity warning system ; Système avertisseur de proximité du sol.

GS : Ground speed ; Vitesse au sol. Vitesse par rapport au sol.

GSAP : Gunsight aiming point camera ; Camera de collimateur.

GSE : Ground support equipment ; Matériel de servitude au sol.

GSO : Geostationary satellite orbit ; Orbite des satellites géostationnaires.

GTO : Geostationary transfer orbit ; Orbite de transfert géostationnaire.

GTOW : Gross take-off weight ; Masse totale au décollage.

GW : Gross weight ; Masse totale [d'un avion].

H

HADAS : Helmet airborne display and sight ; Dispositif de visualisation des données de navigation, de pilotage et de tir monté sur le casque.

HADC : Helicopter air data computer ; Calculateur anémobarométrique d'hélicoptère.

HAH : High-altitude helicopter ; Hélicoptère de haute altitude.

HALE : High-altitude long-endurance (HALE) system ; Système d'observation à haute altitude et d'autonomie élevée par aéronef sans pilote [projet].

HALROP : High altitude long range observation platform ; Plate-forme fixe de haute altitude destinée à l'observation de la Terre.

HAPI : Helicopter approach path indicator ; Indicateur de pente d'approche d'hélicoptère.

HARM : High-speed anti-radiation missile ; Missile antiradar [USA].

HARP : Helicopter airworthiness review panel (HARP) report [drawn up at the CAA request to improve commercial helicopters inflight safety] ; Rapport HARP [établi à la demande de la CAA pour améliorer la sécurité en vol des hélicoptères commerciaux.

HARS : Heading and attitude reference system ; Système indicateur d'attitude et de direction.

HARV : High-alpha research vehicle ; Avion de recherches sur les vols à grande incidence.

HAS : Hardened aircraft shelter ; Abri « durci » pour avions de combat.

HAS : Heading and altitude sensor ; Centrale de cap et de verticale.

HATP : High angle of attack technology program ; Programme d'étude des paramètres relatifs au vol à incidence très élevée [NASA].

HATS : Helicopter attack system ; Système d'attaque d'hélicoptère.

HDD : Head-down display ; Visualisation tête basse.

HEDI : High endoatmospheric defense interceptor ; Missile d'interception endoatmosphérique [USA].

HELMS : Helicopter multi-function system ; Système d'aide à la navigation et à l'atterrissage pour hélicoptères.

HEO : Highly eccentric orbit ; Orbite très excentrique.

HFDF : High-frequency direction finding ; Radiogoniométrie ondes courtes.

HFDS : Head-up flight display system ; Système de visualisation tête haute.

HFVT : Hybrid fan/vectored thrust ; Soufflante hybride/poussée orientée.

HIMAT : High maneuverable aircraft technology [a joint NASA-USAF research program in the technology applicable to the development of air superiority aircraft of the 1990s-2000s] ; Avions de supériorité aérienne des années 1990-2000 [programme conjoint NASA-USAF pour l'étude de la technologie applicable au développement des —].

HIP : Hot isostatic pressing ; Pressage isostatique à chaud.

HIR : Helicopter instrument rules ; Règlement de vol aux instruments [hélicoptère].

HIRS : Helicopter infra-red system ; Système de navigation et de surveillance IR pour hélicoptère.

HISOS : Helicopter integrated sonic system ; Système de détection acoustique à longue portée pour hélicoptère.

HLH : Heavy lift helicopter ; Hélicoptère de transport lourd.

HLRS : Helicopter long range sonar ; Sonar d'hélicoptère à longue portée.

HLWE : Helicopter laser warning equipment ; Equipement de bord avertisseur d'émissions laser [hélicoptères].

HMD : Helmet-mounted display ; Viseur/visuel monté sur casque.

HMD/LOSL : Helmet-mounted display/line-of-sight locator ; Viseur/visuel de casque et localisateur de ligne de visée.

HMS/D : Helmet-mounted sight/display ; Viseur/indicateur monté sur le casque.

HMU : Hydromechanical unit ; Dispositif de régulation du moteur.

HORUS : Hypersonic orbital return upper stage [a recoverable, unmanned spacecraft designed to put a 15-ton payload into a low earth orbit] ; Avion spatial récupérable non habitable, destiné à placer une charge utile de 15 tonnes en orbite terrestre basse.

HOTAS : Head out and hands on throttle and stick [latest concept of systems control] ; Regard vers l'extérieur et mains sur la manette des gaz et le manche [conception moderne de commande des systèmes].

HOTOL : Horizontal take-off and landing launcher [manned, reusable space shuttle] ; Navette spatiale habitée réutilisable à décollage et atterrissage en position horizontale [GB].

HOWD : Helicopter obstacle warning device ; Dispositif de signalisation d'obstacles pour hélicoptères.

HP : High pressure ; Haute pression (HP).

HP : Horsepower ; Cheval-vapeur [1HP=1,014 CV].

HPC : High pressure compressor ; Compresseur haute pression.

HRR : Heat release rate ; Débit calorifique.

HS : Heading selector ; Sélecteur de cap.

HSCT : High-speed commercial transport ; Projet américain d'avion de transport commercial à grande vitesse [Mach 2,5 et +].

HSI : Horizontal situation indicator ; Indicateur de situation (ou d'attitude) horizontale.

HSI : Hot-structure inspection ; Inspection des parties chaudes d'un moteur.

HSRP : High speed research program [NASA] ; Programme de recherche sur les vitesses supersoniques [NASA].

HSS : High-speed steel ; Acier rapide.

HSS : High-strength steel ; Acier à haute résistance.

HST : Hypersonic transport ; Avion de transport hypersonique [Mach 5 et +].

HTTB : High technology test bed ; Banc d'essai volant [avion d'expérimentation en vol d'équipements de haute technologie].

HTV : Hypersonic test vehicle ; Engin d'essais hypersoniques.

HUC : Head-up checklist ; Afficheur-lecteur de consignes de vol.

HUD : Head-up display ; Visualisation tête haute. Viseur tête haute. Collimateur de pilotage tête haute.

HUDWAC : Head-up display weapon aiming computer ; Calculateur de navigation et d'attaque à affichage tête haute.

HUMS : Health and usage monitoring system ; Système de surveillance de l'état du moteur, du fonctionnement de la turbine et des éléments de la transmission [hélicoptère].

HUSS : Helicopter underslung spray system ; Système de pulvérisation à l'élingue.

HVAR : High-velocity aircraft rocket ; Fusée aéroportée à grande vitesse.

HVM : Hyper-velocity missile ; Missile supersonique aéroporté [USA].

HVR : Helicopter visual rules ; Règles de vol à vue pour hélicoptères.

I

IAL : **Instrument approach and landing** ;
Approche et atterrissage aux instruments.

I and CO : **Installation and check-out** ;
Installation et mise au point.

IAPS : **Integrated avionics processor system** ;
Système de traitement et d'enregistrement des informations fournies par les capteurs.

IAS : **Indicated airspeed** ; Vitesse au badin. Vitesse indiquée. Vitesse anémométrique.

IAS : **Indicated airspeed (IAS) hold** ;
Vitesse tenue.

IATA : **International Air Transport Association** ; Association du Transport Aérien International.

ICAA : **International Civil Airport Association** ; Association Internationale des Aéroports Civils.

ICAO : **International Civil Aviation Organization** ; Organisation de l'Aviation Civile Internationale (OACI).

ICBM : **Intercontinental ballistic missile** ;
Missile balistique intercontinental.

ICMS : **Integrated countermeasures system** ;
Système intégré de contre-mesures.

ICNIA : **Integrated communication/navigation/identification avionics** ;
Système de communication/navigation/identification intégré.

ICS : **Intercommunication system** ; Interphone.

IDM : **Inductive debris monitor** ;
Détecteur de particules par induction.

IDS : **Integrated dynamic system** ;
Système d'entraînement rotor [hélicoptère].

IDS : **Interdictor strike (IDS) version** ;
Version "attaque au sol".

IFF : **Identification friend or foe** ;
Identification ami ou ennemi.

IFF : **IFF aerial** ; Antenne IFF.

IFF : **IFF transponder** ; Interrogateur IFF.

IFR : **Instrument flight rules** ;
Règles de vol aux instruments.

IFS : **Integrated flight system** ;
Système d'instruments de vol intégrés.

IFSD : **In-flight shut-down (IFSD) rate** ;
Taux d'extinction des réacteurs en vol.

IFTC : **Integrated flight trajectory control** ;
Gestion intégrée de la trajectoire de vol.

IFWC : **Integrated flight weapon control** ;
Gestion intégrée du système d'armes en vol.

IGE : **In ground effect** ;
Dans l'effet de sol (DES).

IGS : **Instrument guiding system** ;
Système de guidage aux instruments.

IGV : **Inlet guide vane** ; Aubage de prérotation. Aubage directeur d'admission.

IHAS : **Integrated helicopter avionics system** ;
Système d'avionique d'hélicoptère centralisé.

IHP : **Indicated horsepower** ;
Puissance indiquée en chevaux.

IIR : **Imaging infra-red** ; Imagerie thermique.

IIS : **Integrated instrument system** ;
Système IIS.

IISA : **Integrated inertial sensor assembly** ;
Senseur inertiel intégré.

ILS : **Instrument landing system** ;
Système d'atterrissage aux instruments.

IMC : **Instrument meteorological conditions** ;
Conditions météo de vol aux instruments.

IMEP : **Indicated mean effective pressure** ;
Pression effective moyenne nominale.

IMN : **Indicated Mach number [MMR corrected from instrument error]** ; Nombre de Mach indiqué [MMR corrigé de l'erreur instrumentale].

IMU : **Inertial measurement unit** ;
Unité de mesure inertielle (UMI).

INEWS : **Integrated electronic warfare system** ; Système intégré de guerre électronique aéroporté.

INS : **Inertial navigation system** ;
Système de navigation inertielle.

INTELSAT : **International telecommunication satellite** ; Organisation internationale de gestion des télécommunications intercontinentales par satellite.

IOAT : **Indicated outside air temperature** :
Température indiquée de l'air ambiant.

IOC : **Initial operating capability** ;
Qualification opérationnelle initiale.

IPC : **Illustrated parts catalog** ; Catalogue illustré des pièces de rechange avion (CIPA).

IPL : **Illustrated Parts List** ;
Liste illustrée des pièces de rechange.

IPS : **Instrument pointing system [precision pointing system for astronomical telescope on board space vehicles]** ; Système de pointage de précision des télescopes équipant les véhicules spatiaux de recherches astronomiques.

IPS : Internal pipe size ;
Calibre intérieur de tuyau.

IRAS : Infra-red astronomy satellite ;
Satellite d'observation astronomique IR.

IRBM : Intermediate range ballistic missile ;
Missile balistique de portée intermédiaire.

IRCCM : Infra-red counter-countermeasures ;
Contre-contre mesures IR.

IRCM : Infra-red countermeasures ;
Contre-mesures IR.

IRLS : Infra-red linescan ;
Capteur IR à balayage linéaire.

IRR : Integral rocket ramjet ;
Statoréacteur à moteur-fusée intégré.

IRRAD : Infra-red radar ; Radar à IR.

IRS : Inertial reference system ;
Système de référence à inertie.

IRSTS : Infra-red search and tracking system ; Système de recherche/poursuite IR.

ISA : International standard atmosphere ;
Atmosphère standard internationale. Atmosphère ISA.

ISA : International Standardization Association ;
Association Internationale de Normalisation.

ISDN : Integrated service data network ;
Réseau intégré de transmission de données.

ISO : Infra-red space observatory [launched on November 17, 1995] ;
Satellite d'observation astronomique dans l'infrarouge [lancé le 17 novembre 1995].

ISO : International Standardization Organization ;
Organisation Internationale de Normalisation.

ISS : International space station [Columbus programme] ; Projet international de station spatiale habitée [programme Columbus].

ISSR : Independent secondary surveillance radar ;
Radar de surveillance secondaire indépendant.

ITARS : Integrated terrain access and retrieval system ;
Système de mémorisation et d'actualisation des caractéristiques du terrain survolé.

ITC : Illustrated tool catalog ;
Catalogue illustré des outillages.

ITEM : Illustrated tools and equipment manual ; Manuel illustré des outillages et équipements (MIOE).

ITOW : Improved TOW (ITOW) missile [fitted with a remotely controlled explosion device] ; Missile TOW amélioré [muni d'un dispositif d'explosion à distance].

ITT : Internal turbine temperature ;
Température intérieure de turbine.

ITT : Internal turbine temperature (ITT) gauge ; Indicateur de température intérieure de turbine.

IUE : International ultraviolet explorer (IUE) probe ; Sonde d'étude et d'exploration du rayonnement ultraviolet.

IUS : Inertial upper stage [for orbit insertion of military satellites] ;
Etage supérieur de lanceur [pour mise en orbite de satellites militaires].

IVSI : Instantaneous vertical speed indicator ;
Variomètre IVSI.

IWS : Integrated weapon system ;
Système d'armes intégré.

J

JAA : Joint Aviation Authority ;
Homologue européen du FAA américain.

JAFE : Joint advanced fighter engine ;
Moteur destiné au chasseur tactique des USA.

JAN : Joint army and navy specifications :
Spécifications JAN.

JAR : Joint airworthiness requirements ;
Règlements de navigabilité conjoints.

JAST : Joint advanced strike aircraft ;
Avion de combat de conception avancée.

JATO : Jet-assisted take-off ;
Décollage assisté par fusée.

JC : Jack connection ;
Connexion par jack et douille.

JP : Jet propellant ; Propergol pour réacteur.

JPATS : Joint primary aircarft training system [USAF and US NAVY] ;
Programme de sélection du futur avion d'entraînement de base [USAF et US NAVY].

JPT : Jet pipe temperature ;
Température d'échappement tuyère.

JPTS : Thermally stable jet propellant ;
Propergol thermostable pour réacteur.

JSTARS : Joint surveillance and target attack radar system [a system made up of an airborne synthetic aperture radar designed to detect and track on-ground mobile targets] : Radar aéroporté à ouverture synthétique [assurant la détection et la poursuite d'objectifs mobiles au sol].

JTACMS : **Joint tactical missile system** ;
Missile antichar [portée 70 km].

JTIDS : **Jam-resistant terminal integrated digital system [for combat aircraft and ground tactical command stations]** :
Système intégré de transmission de données numériques résistant au brouillage [pour avions de combat et centres terrestres de commandement tactique].

JVC : **Jet vector control system** ;
Système d'orientation de la poussée.

K

KCAS : **Knots calibrated airspeed** ;
Vitesse propre corrigée en noeuds.

KEAS : **Knots equivalent airspeed** ;
Vitesse propre équivalente en noeuds.

KEPD : **Kinetic energy penetrating destroyer** ;
Missile aéroporté à énergie cinétique.

KEW : **Kinetic energy weapon** ; Arme à énergie cinétique disposée sur un petit satellite.

KIAS : **Indicated airspeed in knots** ;
Vitesse indiquée exprimée en noeuds.

KIPS : **Thousand instructions per second** ;
Mille instructions par seconde [ordinateur de bord].

KKV : **Kinetic killer vehicle** ;
Engin tueur à énergie cinétique.

Kn : **Knot** ; Noeud [1852 m/h].

KOPS : **Thousand operations per second** ;
Mille opérations par seconde [ordinateur de bord].

KPH : **Kilometer per hour** ;
Kilomètre à l'heure.

Kt : **Knot** ; Noeud [1852 m/h].

KTAS : **Knots true airspeed** ;
Vitesse vrai (VV) en noeuds.

kW : **Kilowatt** ; Kilowatt (kW).

L

L : **Lift** ; Portance (Cz).

LABS : **Low-altitude bombing system [allowing to keep clear of shock waves]** ;
Technique de largage de bombes permettant de lâcher les bombes à basse altitude et d'échapper aux ondes de choc.

LADD : **Low altitude drop delivery** ;
Système de bombardement à basse altitude.

LAF : **Load alleviation function** ;
Atténuation des charges de rafale.

LAH : **Light attack helicopter** ;
Hélicoptère d'attaque léger.

LAMPS : **Light airborne multipurpose system** ; Véhicule aérien léger polyvalent.

LANA : **Low-altitude night attack (LANA) system** ;
Système d'attaque de nuit à basse altitude.

LANTIRN : **Low-altitude navigation and targeting IR at night** ; Système infrarouge de navigation et de désignation d'objectifs à basse altitude de nuit.

LAPES : **Low-altitude parachute extraction system** ; Système d'extraction de parachute à basse altitude.

LARC : **Low altitude ride control** ; Système de contrôle des turbulences atmosphériques.

LARS : **Laser-aided rocket system** ;
Téléguidage de fusées par laser.

LAS : **Load alleviation system** ;
Dispositif d'atténuation des charges.

LASH : **Light anti-submarine helicopter** ;
Hélicoptère léger de lutte anti-sous-marine.

LASR : **Low-altitude surveillance radar** ;
Radar mobile de détection d'hélicoptères en vol stationnaire et d'avions rapides à basse altitude. Radar de veille à basse altitude.

LASS : **Low-altitude surveillance system** ;
Système aéroporté de surveillance à basse altitude.

LAST : **Laser target designator (LAST) pod** ;
Nacelle d'illuminateur laser.

LB/SEC : **Mass flow rate in pounds/second** ; Débit massique en livres/secondes.

Lb.S.T. : **Static thrust in pounds** ; Poussée au point fixe en livres.

LCA : **Light combat aircraft** ; Avion de combat léger.

LCC : **Life cycle cost** ; Coût total d'utilisation. Coût de cycle de vie.

LCD : **Liquid crystal display** ; Affichage à cristaux liquides.

LCM : **Launched cruise missile** ; Missile de croisière embarqué.

LCN : **Load classification number** ; Indice de charge des pistes.

L/D : **Lift-to-drag ratio** ; Rapport portance/traînée. Finesse aérodynamique.

LDA : **Landing distance available** ; Distance d'atterrissage disponible.

LDC : **Low dead center** ; Point mort bas.

LECOS : **Light electronic control system** ; Système électronique de commandes de vol par fibres optiques.

LEM : **Lunar exploration module** ; Module d'exploration lunaire.

LEO : **Low earth orbit** ; Orbite terrestre basse [entre 300 et 800 kilomètres d'altitude].

LEP : **Light exoatmospheric projectile** ; Missile antimissile balistique.

LERX : **Leading edge root extension** ; Extension de bord d'attaque de voilure.

LEVF : **Leading edge vortex flap** ; Volet tourbillonnaire de bord d'attaque.

LFDF : **Low-frequency direction finding** ; Radiogoniométrie sur ondes longues.

L/G : **Landing gear** ; Train d'atterrissage. Atterrisseur. Train.

LGB : **Laser-guided bomb** ; Bombe à guidage laser.

LH2 : **Liquid hydrogen** ; Hydrogène liquide.

LH2 : **LH2 tank** ; Réservoir d'hydrogène liquide.

LHX : **LHX [US attack and reconnaissance helicopter of the '90s]** : Hélicoptère d'attaque et de reconnaissance des années 90 [USA].

LIDAR : **Light detection and ranging** ; Système de télédétection optique.

LINS : **Laser inertial navigation system** ; Système de navigation inertielle par faisceau laser.

LLLTV : **Low light level television** ; Télévision à faible niveau de lumière.

LLWSAS : **Low level wind shear alert system [a network of anemometers surrounding the airport to be protected and indicating the force and direction of the wind]** ; Réseau d'anémomètres entourant l'aéroport à protéger indiquant la force et la direction du vent.

LNAV : **Lateral navigation** ; Navigation transversale.

LOAL : **Lock-on after launch (LOAL) missile** ; Missile dont l'autodirecteur se verrouille sur la cible après le lancement.

LOBL : **Lock-on before launch (LOBL) missile** ; Missile dont l'autodirecteur se verrouille sur la cible avant le lancement.

LOC : **Localizer** ; Radioalignement de piste. Localizer.

LOC/VOR : **Localizer/visual omni-range (LOC/VOR) receiver** ; Récepteur LOC/VOR.

LOCA : **Loss-of-coolant accident** ; Accident causé par perte de fluide de refroidissement.

LOH : **Light observation helicopter** ; Hélicoptère d'observation léger.

LOHAP : **Light observation helicopter avionics package** ; Unité avionique d'hélicoptère d'observation léger.

LO-HI-LO : **Low altitude launch, boost, climb, cruise and terminal dive onto the target (LO-HI-LO) mission [missile launching]** ; Mission "bas-haut-bas" [largage du missile à basse altitude, accélération, montée, croisière et piqué sur la cible].

LOI : **Limit oxygen index** ; Indice limite d'oxygène.

LORAN : **Long-range air navigation** ; Radionavigation aérienne à longue portée. Loran.

LOT : **Low-observables technology** ; Technologie de la "furtivité".

LOTAWS : **Laser obstacle terrain avoidance warning system** ; Système laser de détection d'obstacles à proximité du terrain d'atterrissage.

LOVE : **Automatic logistics vehicle** ; Véhicule logistique automatique.

LOX : **Liquid oxygen** ; Oxygène liquide.

LOX : **LOX purge valve** ; Clapet de purge de l'oxygène liquide.

LOX : **LOX tank** ; Réservoir d'oxygène liquide.

LP : **Low pressure** ; Basse pression.

LPC : **Low pressure compressor** ; Compresseur basse pression.

LPI : **Low probability of intercept (LPI) control** ; Commande de mise en veilleuse de l'émetteur de bord.

LPT : **Low pressure turbine** ; Turbine basse pression. Turbine BP.

LRC : **Long-range cruise** ; Croisière longue distance.

LRNS : **Long range navigation system** ; Système de navigation à longue distance.

LRSOM : **Long-range stand-off missile** ; Missile à longue portée autonome après son lancement.

LRU : Line replaceable unit ;
Elément remplaçable en escale. Equipement de remplacement en escale.

LSS : Local speed of sound ;
Vitesse ambiante du son.

LST : Low specific thrust (LST) engine ;
Moteur à faible poussée spécifique.

LTA : Light transport aircraft ;
Avion de transport léger.

LTDS : Laser target designator set ;
Système à laser de désignation d'objectifs.

LTE : Loss of tail rotor effectiveness ;
Défaut d'efficacité du rotor de queue.

LTH : Light transport helicopter ;
Hélicoptère de transport léger.

LUF : Lowest usable frequency ;
Fréquence minimale utilisable.

LUIS : Laser ultrasonic inspection system ;
Système de contrôle des structures composites par ultrasons.

LVA : Large vertical aperture (LVA) antenna ;
Antenne à grande ouverture dans le plan vertical [radar secondaire].

LWF : Light-weight fighter ;
Avion de chasse léger.

M

MAC : Mean aerodynamic chord ; Corde aérodynamique moyenne. Profil moyen.

MACS : Multi-application control system ;
Système de régulation pour moteur.

MAD : Magnetic airborne detector [an anti-submarine magnetic device] ; Détecteur de bord magnétique anti sous-marins.

MAD-BIRD : Magnetic anomaly detector ;
Magnétomètre de détection d'anomalies. "Oiseau".

MAHRS : Microflex attitude and heading reference system ;
Centrale inertielle de cap et d'attitude.

MAIA : Multi airborne integrated avionics (MAIA) system ;
Système électronique de bord intégré.

MAP : Mean aerodynamic pressure ;
Pression aérodynamique moyenne.

MAPS : Modular azimuth position system ;
Système modulaire d'alignement en azimut.

MARS : Multiple action raid simulation (MARS) system ; Système de projection de cibles pour simulateurs de combats aériens.

MASH : Manned anti-submarine helicopter ;
Hélicoptère anti-sous-marin piloté.

MAST : Medium altitude supersonic target ;
Engin-cible supersonique réutilisable évoluant à altitude moyenne [USA].

MATE : Modular automatic test equipment ;
Equipement modulaire de test automatique.

MAW : Mission-adapted wing ;
Réglage rapide et automatique de la voilure.

MAWS : Missile approach warning system ;
Système avertisseur d'alerte missile.

MCBR : Mean cycle between removals ;
Moyenne des cycles entre déposes.

MCDU : Multi-function control and display unit [a flight management system showing the equipment condition as supplied by the CFDIU] ; Système de gestion du vol indicateur de l'état des équipements tel qu'il est fourni par le CFDIU.

MCOPS : Million of complex operations per second ;
Million d'opérations complexes par seconde.

MCP : Maximum continuous power ;
Puissance maximum continue (PMC).

MCUR : Mean cycle between unscheduled replacement ; Moyenne des cycles entre remplacements non planifiés.

MD : Maximum demonstration mach in dive ;
Mach maximum de démonstration en piqué.

MDC : Miniature detonating cord (MDC) canopy breaker ;
Cordon détonant de rupture de verrière.

MDT : Mean downtime ;
Moyenne des temps d'immobilisation.

MEC : Main engine control ;
Régulateur carburant.

MECO : Main engine cut-off ;
Arrêt du moteur principal.

MECU : Main engine control unit ;
Bloc de contrôle du moteur principal.

MEO : Medium Earth orbit ;
Orbite terrestre moyenne.

MEOS : Monitoring engine oil system ;
Système de détection de perte d'étanchéité et de degré d'usure des moteurs.

MEP : Mission equipment package ;
Ensemble des équipements de mission.

MER : Multiple ejector rack ;
Ejecteur multiple.

MEW : Manufacturer's empty weight ;
Masse à vide indiquée par le constructeur.

MFCP : Multi-function control panel ; Panneau de commande des fonctions multiples.

MFD : Multi-function display ;
Ecran multifonction.

MFHBF : Mean flight hours between failure ;
Intervalle moyen entre défaillances en vol.

MFP : Main fuel pump ;
Pompe carburant haute pression.

MFTW : Maximum design fuel transfer weight ; Masse maximale de calcul pour transfert de carburant.

MFW : Maximum design flight weight ;
Masse maximale de calcul de l'avion en vol.

MGGB : Modular guided glide bomb ;
Bombe planante guidée modulaire.

MH : Magnetic heading ;
Route magnétique. Cap magnétique.

MHV : Miniature homing vehicle ;
Projectile terminal du missile ASAT.

MIDS : Multi-function information distribution system ; Système de répartition d'informations multifonction.

MIPS : Maintenance information and planning system ; Système informatisé de gestion et de planification de la maintenance.

MIRACL : Mid-infra-red advanced chemical laser ; Laser chimique à grande puissance.

MIRTS : Modularized infra-red transmitting set ; Emetteur IR modulaire.

MIRV : Multiple independently targeted reentry vehicle ; Missile à ogives multiples guidées séparément.

MLG : Main landing gear ;
Train d'atterrissage principal.

MLRS : Multiple-launch rocket system ;
Système de lance-roquettes multiple.

MLS : Microwave landing system ;
Système d'atterrissage tous temps fonctionnant sur micro-ondes à 84 GHz.

MLU : Mid-life update ; Modernisation d'un avion parvenu à la moitié de sa vie.

MLW : Maximum design landing weight ;
Masse maximale de calcul à l'atterrissage.

MLW : Maximum landing weight ;
Masse maximale à l'atterrissage.

MM : Maintenance manual ;
Manuel d'entretien (ME).

MMC : Metallic-matrix composite ;
Composite à matrice métallique (CMM).

MMIC : Microwave monolithic integrated circuit ; Circuit intégré monolithique à hyperfréquences.

MMIRA : Multi-mission intermeshing rotor aircraft ;
Hélicoptère polyvalent à rotors intercalés.

MMMS : Multi-mission management system ;
Système de gestion de missions multiples.

MMO : Maximum operating mach number ;
Nombre de Mach maximal d'utilisation.

MMR : Machmeter reading ;
Indication non corrigée du machmètre.

MMS : Mast-mounted sight ;
Viseur de nuit monté sur mât [hélicoptère].

MMSA : Multi-mission surveillance aircraft ;
Avion de surveillance polyvalent.

MNE : Mach never exceed ;
Mach à ne jamais dépasser.

MNE : Never exceed mach number ;
Mach à ne jamais dépasser.

Mne : Maximum permissible indicated Mach number ;
Nombre de Mach maximum admissible.

MNO : Maximum operating limit mach number ; Mach maximum en utilisation normale.

Mno : Normal operating Mach number ;
Nombre de Mach en utilisation normale.

MNPS : Minimum navigation performance system ;
Zone aérienne réservée aux avions dotés d'équipements de navigation performants.

MOBIDIC : Modular bird with dispensing container ; Missile air-sol à dispersion.

MOC : Maintenance operation center ;
Centre de maintenance.

MOD : Ministry of defence [GB] ;
Ministère de la Défense.

MOU : Memorandum of understanding ;
Protocole d'accord.

MPD : Multi-purpose display ;
Ecran multifonction.

MPH : Statute mile per hour ;
Milles terrestres [1609 m] par heure.

MPLH : Multi-purpose light helicopter ;
Hélicoptère léger polyvalent.

MRBD : Maintenance review board document ; Document définissant les modalités de maintenance d'un type d'avion.

MRCA : Multi-role combat aircraft ; Avion de combat multirôle. Chasseur polyvalent.

MRF : Multi role fighter [USA] ;
Avion de chasse multirôle [USA].

MRH : Main rotor hub ;
Moyeu de rotor principal (MRP).

MRP : **Maximum range power** ;
Régime pour rayon d'action maximum.

MRT : **Mean repair time** ;
Durée moyenne de répartition.

MRT : **Multi-radar tracking** ;
Poursuite multiradar (PMR).

MRTT : **Multi-role tanker transport** ; Avion de transport et de ravitaillement multirôle.

MRW : **Maximum ramp weight** ;
Masse maximale au départ de l'aire de stationnement. Masse parking.

MSI : **Maintenance significant item** ;
Elément important d'entretien.

MSL : **Mean sea level (MSL) pressure** ;
Pression au niveau moyen de la mer.

MSL : **Mean service life** ;
Durée de vie moyenne.

MSOW : **Modular stand-off weapon** ;
Missile modulaire aéroporté de type "stand-off" [1990/95].

MSS : **Mobile satellite service** ;
Services mobiles par satellites.

MSSA : **Multi-sensor surveillance aircarf** ;
Plate-forme volante de surveillance à détecteurs multiples.

MSTP : **Manned space transport programme** ;
Programme de transport spatial habité.

MTBA : **Mean time between maintenance actions** ;
Moyenne des temps entre actions d'entretien.

MTBD : **Mean time between defects** ;
Temps moyen entre défauts.

MTBF : **Mean time between failure** ;
Moyenne des temps de bon fonctionnement.

MTBF : **Mean time between failures** ;
Temps moyen de bon fonctionnement.

MTBO : **Mean time between overhauls** ;
Temps moyen entre révisions.

MTBP : **Mean time between premature removals** ; Moyenne des temps entre déposes prématurées.

MTBR : **Mean time between removals** ;
Moyenne des temps entre déposes. Temps moyen entre déposes.

MTBS : **Mean time between scraps** ;
Moyenne des temps entre rebuts.

MTBUR : **Mean time between unscheduled removals** ; Moyenne des temps entre déposes non planifiées.

MTDE : **Modern technology demonstration engine** ; Moteur de démonstration de technologie moderne.

MTF : **Mid-tandem fan, [dual-core, variable cycle fan jet]** ; Réacteur à double corps, soufflante centrale, double flux et cycle variable.

MTI : **Moving-target indicator** ; Détecteur de cibles mobiles. Suppresseur d'échos fixes.

MTOD : **Mean time of delay** ;
Moyenne des temps de retard.

MTOGW : **Maximum take-off gross weight** ;
Masse maximale au décollage.

MTOW : **Maximum design take-off weight** ;
Masse maximale de calcul au décollage.

MTS : **Maintenance training simulator** ;
Simulateur d'entraînement à la maintenance.

MTT : **Machine tool terminal** ;
Poste machine-outil (PMO).

MTTF : **Mean time to failure** ; Moyenne des temps d'apparition des défaillances. Temps moyen entre deux défaillances.

MTTR : **Mean time to repair** ;
Moyenne des temps de travaux de réparation.

MTTS : **Multi-task training system** ;
Simulateur de vol polyvalent.

MTUR : **Mean time between unscheduled replacement** ; Moyenne des temps entre remplacements non planifiés.

MTW : **Maximum design taxi weight** ;
Masse maximale de calcul au roulage.

MVSRF : **Man-vehicle systems research facility [a flight simulation facility designed to study man-vehicle relationship]** ;
Simulation de vol destinée à l'étude des relations homme-machine (installation de).

MZFW : **Maximum design zero fuel weight** ;
Masse maximale de calcul sans carburant.

N

NACA : National Advisory Committee on Aeronautics ; Comité Consultatif National pour
l'Aéronautique [USA].

NACES : Navy air crew ejection system ;
Siège éjectable [utilisé dans l'Aéronavale
américaine].

NASA : National Aeronautics and Space Administration ; Administration Nationale de
l'Aéronautique et de l'Espace. NASA [USA].

NASO : Non-acoustic systems operator [mari-
time surveillance] ;
Opérateur des systèmes non acoustiques de
bord [surveillance maritime].

NASP : National Aerospace plane [an American project aiming at the manufacture of a
future commercial aircraft called "Orient
Express" with a range of 12,000 km and
carrying 300 passengers at Mach 5. Its military version could reach a speed of 25,000
KPH] ; Avion Aérospatial National [projet
américain prévoyant la réalisation du futur
avion civil "Orient Express" capable de transporter 300 passagers sur 12.000 kilomètres à
Mach 5 et de sa version militaire dont la vitesse pourrait atteindre 25.000 kilomè-
tres/heure].

NAV/COM : Navigation and communication
(NAV/COM) officer ; Officier chargé de la
navigation et des communications.

NAVWAS : Navigation and weapon-aiming
system ; Système de navigation et de pointage
des armes de bord.

NBC : Nuclear, biological, chemical ;
Nucléaire, biologique, chimique.

NC : Numerically controlled ;
A commande numérique.

NCU : Navigation computer unit ;
Calculateur de navigation.

NCW : Non-crimp woven (NCW) fabric ;
Matériau composite tissé.

ND : Navigation display ; Ecran de visualisation
des paramètres de navigation.

NDB : Non-directional beacon ;
Radiophare omnidirectionnel.

NDRB : Non-directional radio beacon ;
Balise radio omnidirectionnelle.

NDT : Non-destructive test ;
Essai non destructif.

NEFA : New European fighter aircraft [sche-
duled to replace EFA] ; Nouvel avion de
combat européen [destiné à remplacer l'EFA].

NEXRAD : Next generation weather radar ;
Radar météorologique de la prochaine génération [USA].

NFH : NATO frigate helicopter ;
Version navalisée de l'hélicoptère NH 90.

NGT : New generation trainer ; Avion d'entraînement de la nouvelle génération.

NGV : Nozzle guide vane ; Aube de distributeur
de turbine. Aube directrice.

NH 90 : NATO helicopter 90 program [roll-
out on September 29, 1995] ;
Programme conjoint [France, Allemagne, Italie, Pays-Bas] prévoyant la mise en service en
1995 d'un hélicoptère de transport européen
[sortie d'usine le 29 septembre 1995].

NHA : Next higher assembly ;
Ensemble supérieur attenant.

NIS : Nato identification system ;
Système d'identification de l'OTAN.

NLA : New large airplane [USA/Airbus Indus-
trie] ; Nouvel avion long-courrier de très
grande capacité [USA/Airbus Industrie].

NLA : Non-listed assembly ;
Ensemble hors nomenclature.

NLF : Natural laminar flow (NLF) pod ;
Pod à écoulement laminaire naturel.

NLG : Nose landing gear ;
Train d'atterrissage avant.

NM : Nautical mile ; Mille marin [1852 m].

Nmi : Nautical mile ;
Mille marin. Mille nautique [1852 m].

NMS : Navigation management system ;
Système de gestion de la navigation.

NOAA : National Oceanic and Atmospheric
Administration (NOAA) satellite ;
Satellite météorologique et d'étude de l'envi-
ronnement [USA].

NOE : Nap-of-the-earth (NOE) flight ;
Vol tactique. Vol rasant.

NOTAM : Notice to airmen [information related to any special occurrence likely to be
met during a flight] ;
Avis aux aviateurs [renseignements relatifs à
toute condition particulière susceptible d'être
rencontrée au cours d'un vol].

NOTAR : NOTAR system : No tail rotor system [replacement of the tail rotor by a fan
at the rear part of the fuselage ejecting air
through a side outlet] : Rotor de queue remplacé par une soufflante éjectant l'air par un
orifice latéral [à l'arrière du fuselage].

NOx : Nitrogen oxide [polluting agent] ;
Oxyde d'azote [polluant].

NPR : Noise power ratio ;
Rapport de densité de bruit.

NPRM : Notice of proposed rule-making ;
Avis de projet de réglementation.

NRA : New regional aircraft ;
Nouvel avion de ligne régional.

NRV : Non-return valve ; Clapet antiretour.

NTZ : No transgression zone [a space of at least 2000 ft between two runway center-lines] ; Espace entre deux axes de piste [non inférieur à 2000 pieds].

NVG : Night-vision goggles ;
Lunettes de vision nocturne (LVN) montées sur le casque du pilote.

O

OAMS : Orbit attitude and manœuvre system ; Système de manœuvre et de maintien d'orbite [satellite].

OAS : Offensive avionics system ;
Système numérique d'avionique offensive.

OAT : Outside ambient temperature ;
Température ambiante extérieure.

OBC : On-board computer ; Calculateur de bord. Ordinateur embarqué.

OBCO : On-board cargo operation ; Système de détermination de la masse et du centrage.

OBI : Omni-bearing indicator ;
Indicateur automatique d'azimut. Indicateur de relèvement VOR.

OBIGGS : On-board inert gas generating system ; Système de génération de gaz inerte embarqué.

OBOGS : On-board oxygen generation system ; Système de génération d'oxygène embarqué.

OBS : Omni-bearing selector ;
Sélecteur omnidirectionnel d'azimut.

OCL : Obstacle clearance limit ;
Hauteur limite de franchissement d'obstacles.

OCR : Optical character recognition ;
Reconnaissance optique de caractères.

OCU : Operational conversion unit ; Unité de transformation du personnel navigant.

OD : Outside diameter ; Diamètre extérieur.

OEW : Operational empty weight ; Masse à vide en ordre d'exploitation (MVOE).

OGE : Out of ground effect ;
Hors effet de sol [hélicoptère].

OGV : Outlet guide vane ;
Aubage directeur de sortie.

OHV : Overhead valve (OHV) engine ;
Moteur à soupapes en tête.

OLW : Operational landing weight ;
Masse à l'atterrissage en ordre d'exploitation.

OMS : On-board maintenance system ;
Calculateur de maintenance embarqué.

OOO : Out of order ; En dérangement.

OPSIS : Operational sight integrated system ; Système de visée intégré au casque du pilote.

ORB : Omnidirectional radio beacon ;
Radiophare omnidirectionnel.

OREX : Orbiting reentry experiment ; Véhicule de rentrée dans l'atmosphère terrestre.

ORU : Orbit replaceable unit ;
Conteneur destiné à loger les matériaux à traiter en milieu spatial.

OSO : Offensive systems officer ;
Officier chargé des systèmes offensifs.

OSO : Orbiting solar observatory ;
Satellite d'observation du Soleil.

OTH : Over-the-horizon (OTH) radar [surface wave or sky wave] ;
Radar à couverture au-delà de l'horizon visuel [à onde de surface ou à onde de ciel].

OTH-B : Over-the-horizon backscatter ;
Système radar de détection au-delà de l'horizon de missiles de croisière.

OTHT : Over-the-horizon targeting ;
Désignation d'objectifs transhorizon. Repérage d'objectifs au-delà de l'horizon.

OTOW : Operational take-off weight ;
Masse au décollage en ordre d'exploitation.

OTPI : Over target position indicator ;
Indicateur embarqué de position d'objectif.

OTS : Orbital test satellite ;
Satellite pour services fixes.

OTV : Orbital transfer vehicle ;
Véhicule de transfert orbital.

OWE : Operational weight empty ;
Masse à vide en ordre d'exploitation.

P

PA : Public address (PA) system ;
Sonorisation de cabine passagers.

PADMS : Productibility-based automated design and manufacturing system ; Système informatique automatisé de conception et de fabrication basé sur la productibilité.

PAM : Payload assist module [used to put telecommunication satellites into orbit] ; Etage supérieur de lanceur [pour mise en orbite des satellites de télécommunications].

PAM : Pulse amplitude modulation ;
Modulation d'impulsions en amplitude.

PAPI : Precision approach path indicator ;
Indicateur de trajectoire d'approche.

PAR : Precision approach radar ;
Radar d'approche de précision.

PATCO : Professional air traffic controllers organization ;
Organisation professionnelle des contrôleurs de la circulation aérienne [USA].

PATS : Precision automated tracking system ;
Système à laser de poursuite de précision.

PBDI : Position bearing and distance indicator ; Indicateur de distance et de position.

PBSI : Push-button system indicator ;
Bouton-poussoir à voyant incorporé.

PCB : Plenum chamber burning ;
Dispositif de chauffe du flux froid dans la chambre de tranquillisation.

PCD : Pitch-center diameter ;
Diamètre de perçage.

PDCS : Performance data computer system ;
Système de gestion de l'économie du vol. Calculateur d'optimisation des performances.

PDES : Pulse Doppler elevation scan [used to determine the target altitude] ;
Radar aéroporté à balayage vertical [détermination de l'altitude de l'engin détecté].

PDI : Pictorial deviation indicator ;
Indicateur panoramique.

PDNES : Pulse Doppler non elevation scan [moving target detection] ;
Radar aéroporté à balayage en direction du sol [détection d'engins mobiles].

PDP : Project definition phase ;
Phase de définition du projet.

PDR : Preliminary design review ;
Révision d'étude préliminaire.

PDS : Passive detection system ;
Système de détection passif.

PECS : Power elevator control system ;
Système de commande hydraulique du gouvernail de profondeur.

PENETRATE : Passive enhanced navigation with terrain-referenced avionics ;
Système intégré de navigation avec référence cartographique.

PEU : Processing electronic unit ;
Unité de traitement électronique.

PFD : Pilot flight display ; Ecran de pilotage.

PFD : Primary flight display ; Ecran de visualisation des paramètres primaires de vol.

PFRS : Preliminary flight rating stage ;
Phase d'évaluation préliminaire en vol.

PFRT : Preflight rating test ; Essai de qualification pour vol [USA] [turbomoteurs avant essais au banc volant].

PGP : Pulsed glide path ; Système d'atterrissage radioguidé par impulsions.

PGSE : Peculiar ground support equipment ;
Matériel spécialisé d'essais au sol.

PHI : Position and homing indicator ;
Calculateur de route.

PID : Passive identification display ;
Dispositif d'identification passif.

PIND : Particle impact noise detection (PIND) test ; Méthode de contrôle non destructif de composants électroniques.

PIO : Pilot's induced oscillations ; Oscillations sur l'axe de tangage. Pompage piloté.

PIP : Performance improvement program ;
Programme d'amélioration des performances [USA]

PLASI : Pulsed light approach system indicator ; Feu pulsé de guidage d'approche.

PLRS : Position location reporting system ;
Système de détermination des positions sur le terrain.

PLS : Personal launch system [USA] ; Navette spatiale américaine destinée au transport du personnel des stations orbitales.

PLSS : Precision location strike system ;
Système aéroporté de localisation et d'attaque de précision des radars ennemis.

PMC : Power management computer ;
Calculateur de gestion de la poussée.

PMS : Performance management system ;
Calculateur de performances.

PMS : Progressive maintenance schedule ;
Programme de maintenance progressive.

PNCS : Performance navigation computer system ; PDCS amélioré.

PNDB : Perceived noise decibel ;
Niveau de bruit perçu.

PNVS : Pilot night vision system ;
Aide au pilotage de nuit.

POC : **Proof of concept** ;
Démonstration du bien-fondé de la conception. Modèle de démonstration.

PODS : **Portable data store** ;
Unité portable de recueil de données.

POH : **Pilot operating handbook** ;
Manuel d'utilisation du pilote.

PPB : **Parts provisioning breakdown** ;
Liste détaillée d'approvisionnement de pièces.

PPF : **Polar platform** ;
Plate-forme polaire [programme Columbus].

PPI : **Plan position indicator** ;
Radar panoramique. Radar PPI.

PRF : **Pulse repetition frequency** ;
Fréquence de répétition d'impulsions [radar].

PSIA : **Absolute pressure in pounds/sq.in** :
Pression absolue en livres par pouce carré [1 PSIA = 0,07 kg/cm2].

PSK : **Phase shift keying** ;
Manipulation de phase.

PSP : **Programmable signal processor** ;
Processeur programmable de signal [radar].

PSSA : **Pilot's stick sensor assembly [for aircraft fitted with FBW controls]** ; Dispositif de restitution des sensations du pilotage destiné à équiper les avions munis de CDVE [commandes de vol électriques].

PSU : **Passenger service unit** ;
Bloc service passagers.

PTC : **Positive temperature coefficient** ;
Coefficient de température positif.

PTIT : **Power turbine inlet temperature** ;
Température à l'entrée de la turbine.

PTU : **Power transfer unit** ; Groupe de transfert.

PVI : **Pilot-vehicle interface** ;
Interface pilote/avion.

PVS : **Pilot vision system** ;
Système de vision du pilote.

PWI : **Proximity warning indicator** ;
Avertisseur de proximité.

PWS : **Proximity warning system** ;
Système d'avertissement de proximité.

Q

QAC : **Qualification agreement certificate** ;
Certificat d'agrément d'équipements d'aéronefs.

QAR : **Quick-access recorder** ;
Enregistreur embarqué de données de vol et de maintenance.

QC : **Quality control** ;
Contrôle de qualité. Contrôle de la qualité.

QSRA : **Quiet short-haul research aircraft** ;
Avion expérimental moyen-courrier à faible niveau de bruit.

QSTOL : **Quiet short take-off and landing aircraft** ;
Avion à décollage et atterrissage courts à faible niveau de bruit.

QTOL : **Quiet take-off and landing aircraft** ;
Avion à décollage et atterrissage à faible niveau de bruit.

QWA : **Quarter-wave antenna** ;
Antenne quart-d'onde.

R

RAA : **Radar aircraft altitude calculator** ;
Calculateur-intégrateur de l'altitude de l'avion détecté par radar.

RADAR : **Radio detection and ranging** ;
Système de télédétection par ondes radioélectriques.

RADS : **Rotor analysis development system** ;
Système de surveillance de l'état des rotors.

RAM : **Radar-absorbent material** ; Matériau absorbant les ondes émises par les radars.

R and D : **Research and development** ;
Recherche et mise au point. Recherche et développement.

RAS : **Radar-absorbent structure** ; Structure absorbant l'énergie émise par les radars.

RAS : **Rectified airspeed** ; Vitesse corrigée.

RAT : **Ram air temperature** ; Température de l'air dynamique.

RAT : **Ram air turbine** ; Turbine à air dynamique.

RATO : **Rocket-assisted take-off** ; Décollage assisté par fusée.

RBD : **Retro before delivery** ; Rattrapage avant livraison.

RC : **Rate of climb** ; Vitesse ascensionnelle (VZ).

RCC : **Reinforced carbon/carbon** ; Matériau composite carbone/carbone renforcé.

RCP : **Rated cruise power** ; Puissance nominale de croisière.

RCS : **Radar cross-section** ; Surface équivalente radar (SER).

RCS : **Reaction control system [a trim control system used in slow or hovering flights]**; Système à réaction de commande d'assiette en vol lent ou stationnaire [avion à atterrissage vertical].

RCS : **Rudder control system** ; Système de commande du gouvernail de direction.

RDSS : **Radio determination satellite service** ; Radiorepérage par satellite.

RDSU : **Radar display sub-unit** ; Indicateur radar de CRPMD.

RDTE : **Research, development, test and evaluation** ; Recherche, mise au point, essai et évaluation.

REU : **Recorder electronic unit** ; Dispositif électronique d'enregistrement.

RFI : **Radio frequency interference** ; Interférence de fréquence radio.

RFP : **Request for proposals** ; Appel d'offres.

RGU : **Rate gyro unit** ; Bloc gyrométrique

RGV : **Rotating guide vanes** ; Aubes d'entrée rotatives.

R/H : **Right hand** ; A droite. De droite.

RH : **Reheat** ; Postcombustion (PC). Réchauffe.

RHAWS : **Radar homing and warning system** ; Système de détection d'alerte radar et d'autoguidage.

RHI : **Range-height indicator** ; Indicateur altitude-distance.

RIFT : **Reactor in-flight test** ; Essai de réacteur en vol.

RIO : **Radar interception officer** ; Opérateur d'interception radar.

RISC : **Reduced instruction set computer** ; Processeur à jeu d'instructions réduit.

RLA : **Rotary launcher assembly** ; Lanceur rotatif aéroporté [bombes, missiles].

RLG : **Ring laser gyro** ; Gyrolaser annulaire [navigation inertielle].

RMA : **Radar manoeuvering area** ; Zone de manoeuvre radar.

RMI : **Radio magnetic indicator** ; Indicateur radiomagnétique. Indicateur combiné de position ADF/VOR.

RMM : **Remote monitoring and maintenance (RMM) system** ; Système de télésurveillance et télémaintenance.

RMP : **Radio management panel** ; Panneau de commande des équipements de radiocommunication.

RNAV : **Area navigation system** ; Système de navigation de zone.

RPL : **Rated power level** ; Poussée dans le vide du SSME.

RPM : **Revolutions per minute** ; Nombre de tours/minute. Régime.

RPM : **Revolutions per minute (RPM) control** ; Régulation tachymétrique [turbo].

RPM : **Revolutions per minute (RPM) indicator** ; Indicateur tachymétrique.

RPRV : **Remotely piloted research vehicle** ; Avion expérimental télépiloté du sol.

RPV : **Remotely piloted vehicle** ; Engin télépiloté. Drone télépiloté.

RRA : **Radar reflective area** ; Surface équivalente radar (SER).

R-RIM : **Reinforce-reaction injection molding** ; Moulage par réaction avec renforts.

RSO : **Reconnaissance systems operator** ; Opérateur des systèmes de reconnaissance.

RSO : **Rotating shut off (RSO) coupling** ; Raccord à sphère d'obturation (RSO).

RSP : **Receiver signal processor** ; Récepteur du FMI.

RSRA : **Rotor systems research aircraft** ; Hélicoptère de recherches.

RSU : **Radio select unit** ; Panneau sélecteur de fréquences radioélectriques.

RTH : **Rescue transport helicopter** ; Hélicoptère de recherche et de sauvetage en mer. Hélicoptère SAR.

RTM : **Resin transfer moulding [manufacture of moulded composite materials parts]** ; Injection de résine sur renfort [fabrication de pièces en matériaux composites moulés].

RTO : **Rejected take-off** ; Position interdisant le décollage [sur sélecteur de freinage automatique].

RTOL : **Reduced take-off and landing** ; Distances de décollage et d'atterrissage réduites.

RTS : **Radar tracking station** ; Poste de poursuite radar.

RVR : **Runway visual range** ; Système de mesure de la visibilité le long de la piste. Portée visuelle de piste (PVP).

RWR : **Radar warning receiver** ; Détecteur d'émissions radar.

RWS : **Radar warning system** ; Système aéroporté avertisseur d'alerte radar.

S

SA : **Safety altitude** ; Altitude de sécurité.

SAAHS : **Stability augmentation and attitude hold system** ; Système augmentateur de stabilité et de maintien d'assiette.

SABA : **Small agile battlefield aircraft [a British project for a very maneuverable plane designed to fight against helicopters and combat aircraft flying at a low altitude over the battlefield]** ;
Petit avion très manoeuvrable prévu pour lutter contre les hélicoptères et les avions de combat évoluant à basse altitude au-dessus du champ de bataille [projet britannique].

SAC : **Strategic air command** ; Commandement des forces aériennes stratégiques [USA].

SAGE : **Semi-automatic ground environment [computerized identification of an unknown flying machine and possible initiation of electronic countermeasures]** ; Ordinateur d'identification d'un engin volant inconnu et dirigeant les contre-mesures éventuelles.

SAINT : **Satellite interceptor** ;
Intercepteur de satellites.

SAM : **Surface-to-air missile** ; Missile sol-air.

SAMRAM : **Surface-to-air medium-range active missile** ; Version mer-air de l'AMRAAM.

SAR : **Search and rescue** ;
Recherche et sauvetage.

SAR : **Synthetic aperture radar** ;
Radar à ouverture synthétique. Radar à synthèse d'ouverture.

SAS : **Stability augmentation system** ;
Système de stabilisation artificielle [pilote automatique]. Dispositif servo-amortisseur.

SASM : **Supersonic anti-ship missile** ;
Missile supersonique antinavire [USA].

SAT : **Static air temperature** ;
Température de l'air statique.

SATCOM : **Satellite communication** ;
Communications par satellite (COMSAT).

SBW : **Swept-back wing** ;
Aile à flèche positive (AFP).

SCAS : **Stability control augmentation system** ; Système d'augmentation du contrôle de la stabilité.

SCAT : **Scout/attack configuration** ;
Configuration reconnaissance/attaque.

SCI-CLONE : Ordinateur de traitement programmé de l'information [simulateur de vol].

SCT : **Supersonic commercial transport [USA, UK, France]** ; Avion de transport commercial supersonique[USA, GB, France].

SDAC : **System data analog computer** ; Concentrateur de données.

SDCU : **Smoke detection computer unit** ;
Calculateur de gestion du système de détection d'incendie.

SDFOV : **Simultaneous dual field-of-view (SDFOV) system** ; Système d'imagerie thermique à double champ de vision.

SDI : **Strategic defense initiative [American project cancelled in May 1993]** ;
Initiative de défense stratégique (IDS). Programme américain de défense spatiale. « Guerre des Etoiles ». « Paix des Etoiles » [projet américain abandonné en mai 1993].

SEC : **Spoiler elevator computers** ;
Calculateurs de profondeur et des spoilers.

SEI : **Space exploration initiative [USA]** ;
Programme d'exploration spatiale américain.

SELCAL : **Selective call [on-board receiver tuned in on the call frequency]** ;
Appel sélectif [le récepteur de bord de l'avion appelé reste accordé sur la fréquence d'appel].

SEMA : **Special electronic mission aircraft** ;
Avion spécial pour missions électroniques.

SENSO : **Sensor operator** ;
Opérateur de capteurs.

SEP : **Specific excess power** ;
Excédent de puissance spécifique.

SEP : **Spherical error probability** ;
Probabilité d'erreur sphérique.

SFC : **Specific fuel consumption** ;
Consommation spécifique de carburant (Cs).

SFCN : **Short fixed core nozzle** ;
Nacelle à tuyère courte.

SFRJ : **Solid-fuel ramjet** ;
Statoréacteur à poudre.

SFW : **Swept-forward wing** ;
Aile à flèche négative (AFN).

SHARE : **Satellite for health and rural education [a programme launched in 1985 to promote the development of medical aid and education in the Third World countries]** ;
Satellite pour la santé et l'éducation rurale [le programme SHARE a été lancé en 1985 pour favoriser le développement de l'aide médicale et de l'enseignement dans les pays du tiers monde].

SHARP : **Stationary high altitude relay platform** ; Plate-forme fixe de haute altitude destinée à la transmission de signaux radio [Canada].

SHORAD : **Short-range air defense system** ; Système de défense aérienne du champ de bataille.

SHORAN : **Short range (SHORAN) navigation system** ; Système de détermination de position d'un avion sur courte distance.

SHP : **Shaft horsepower** ; Puissance sur l'arbre.

SHUD : **Smart head-up display [symbol generation, fire control, approach, navigation, air-to-ground, air-to-air]** ; Viseur électronique tête haute de conception avancée à fonctions multiples [génération de symboles, conduite de tir, approche, navigation, air-sol, air-air].

SICBM : **Small intercontinental ballistic missile** ; Petit missile balistique intercontinental à deux ogives.

SID : **Standard instrument departure** ; Procédure de départ aux instruments imposée par le Contrôle de la Circulation Aérienne.

SIGMET : **Significant meteorological message** ; Message relatif aux phénomènes météorologiques dangereux pour la navigation.

SIR : **Shuttle integrated radar** ; Radar navette intégré [NASA].

SLAM : **Stand-off land attack missile** ; Missile d'attaque au sol dont le tir s'effectue à distance de sécurité.

SLAM-ER : **Stand-off land attack missile – expanded response –** ; Missile d'attaque au sol dont le tir s'effectue à distance de sécurité, à performances améliorées.

SLAMMR : **Side-looking airborne modular multimission radar** ; Radar embarqué polyvalent à balayage latéral.

SLAR : **Side-looking airborne radar** ; Radar embarqué à balayage latéral.

SLAT : **Supersonic low-altitude target [2.5 Mach target missile flying at a low altitude, designed to test the means of defense of US ships]** ; Engin-cible supersonique [2,5 Mach] évoluant à basse altitude, destiné à tester les moyens de défense des navires américains].

SLP : **Space limited payload** ; Charge marchande au maximum de la capacité.

SLR : **Side-looking radar** ; Radar à visée latérale.

SLRR : **Side-looking reconnaissance radar** ; Radar de reconnaissance à balayage latéral.

SMA : **Special mission aircraft** ; Avion pour missions spéciales.

SMC : **Sheet molding compound** ; Moulage de préimprégnés.

SMC : **Standard mean chord** ; Corde aérodynamique moyenne.

SMCS : **Separation, monitoring and control system** ; Système électronique de contrôle de séparation de deux avions.

SMS : **Stores management system** ; Dispositif de mise en oeuvre des munitions.

S/MTD : **Short take-off and landing/maneuver technology demonstrator [a demonstrator aircraft able to take-off and land between the craters of a bombed runway]** ; Démonstrateur capable de décoller et d'atterrir entre les cratères d'une piste bombardée.

SMTD : **Stol/maneuver technology demonstrator** ; Programme d'étude de plusieurs caractéristiques importantes de l'ATF.

SMTI : **Selective moving target indicator** ; Indicateur sélectif d'objets mobiles [radar]. Système éliminateur par sélection d'images parasites [radar].

SN : **Shop number** ; Numéro d'usine.

SOAP : **Spectrometric oil analysis program** ; Programme d'analyse spectrométrique de l'huile.

SOHC : **Single overhead camshaft** ; Simple arbre à cames en tête.

SOHO : **Solar and heliospheric observation (SOHO) programme [launched on December 2, 1995]** ; Satellite d'iobservation héliosphérique et solaire [étude des basses fréquences et du vent solaire, lancé le 2 décembre 1995].

SOS : **Sight optical system** ; Système de visée optique [hélicoptère].

SOSTAS : **Stand-off surveillance and target acquisition system** ; Système de surveillance et d'acquisition d'objectifs fonctionnant à distance de sécurité.

SPFDB : **Superplastic forming and diffusion bonding** ; Formage superplastique et assemblage par diffusion.

SR : **Single rotation** ; Propfan simple [par opposition au contrarotatif].

SRA : **Surveillance radar approach** ; Approche au radar de surveillance.

SRAM : **Short-range air-to-ground missile** ; Missile air-sol à courte portée.

SRAM : **Short-range attack missile** ; Engin tactique.

SRARM : **Short-range anti-radiation missile** ; Missile antiradar à courte portée [mise en service 1995].

SRB : **Solid rocket booster** ; Fusée d'appoint à poudre. Accélérateur à poudre.

SRL : **Space radar laboratory** ; Laboratoire radar spatial.

SRM : **Structural repair manual** ; Manuel de réparations structurales (MRS).

SRS : **Speed reference system** ; Système de référence de vitesse indicateur de l'assiette optimale de la vitesse ascensionnelle.

SRSOM : Short-range stand-off missile ;
Missile éjecteur de sous-munitions à distance de sécurité.

SRU : Shop replaceable unit ;
Equipement remplaçable en atelier.

SSB : Single-sideband (SSB) transmission ;
Emission sur BLU [bande latérale unique].

SSBJ : Supersonic business jet [first flight scheduled for 1994] ; Jet d'affaires supersonique [premier vol prévu pour 1994].

SSI : Structurally significant item ;
Elément important de structure.

SSME : Space shuttle main engine ;
Moteur principal de la navette spatiale [USA].

SSO : Sun-synchronous orbit ;
Orbite héliosynchrone.

SSPS : Second-stage propulsion system ;
Système de propulsion du deuxième étage.

SSR : Secondary surveillance radar ;
Radar de surveillance secondaire.

SST : Supersonic transport ;
Avion de transport supersonique.

SSTO : Single-stage to orbit ;
Navette monoétage à ascension directe.

SSTS : Space surveillance and tracking system ; Système spatial de surveillance et de poursuite.

SSUP : Space station users panel ;
Groupe d'utilisateurs européens de la "Space Station" [programme Columbus].

STAR : Standard terminal arrival route ;
Procédure d'arrivée aux instruments imposée par le Contrôle de la Circulation Aérienne.

STB : Starboard ; Tribord. Droite.

STC : Supplemental type certification ;
Certification STC.

STIRS : Strapdown inertial reference system ;
Système inertiel à composants liés.

STOL : Short take-off and landing (STOL) aircraft ; Avion à décollage et atterrissage courts (ADAC).

STOVL : Short take-off and vertical landing (STOVL) aircraft ; Avion à décollage court et atterrissage vertical (ADC/AV).

STR : Sustained turn rate ;
Taux de virage stabilisé.

STS : Space transport system ; Navette spatiale.

SWS : Stall-warning system ;
Système avertisseur de décrochage.

T

TABM : Tactical antiballistic missile ;
Missile antimissile et antiavion.

TABS : Total avionics briefing system ;
Ensemble de planification de missions.

TACAN : Tactical aerial navigation ;
Système de navigation [azimut-distance] UHF. Navigation aérienne tactique. Tacan.

TACAN-DME : Tactical aerial navigation-distance measuring equipment ; Dispositif de mesure de distance associé à un VOR.

TACC : Tactical air control center ;
Centre de contrôle aérien tactique.

TACCO : Tactical co-ordinator [maritime surveillance] ;
Membre de l'équipage chargé de la coordination tactique [surveillance maritime].

TACMS : Tactical missile system ;
Missile tactique éjecteur de sous-munitions.

TACTERM : Tactical terrain matching ;
Système de navigation pour hélicoptère.

TADG : Three-axis data generator ; Centrale de cap et de verticale. Centrale gyroscopique.

TADS : Target acquisition and designation sight ; Détection, acquisition et poursuite de cibles.

TAF : Terminal air forecast ; Service de prévisions météorologiques d'aéroport.

TAI : Thermal anti-icing ;
Dégivrage thermique.

TALS : Tacan approach landing system ; Système d'aide à l'approche et à l'atterrissage.

TANS : Tactical air navigation system ;
Unité calculatrice de données de navigation.

TARPS : Tactical air reconnaissance pod system ; Pod de reconnaissance aérienne tactique.

TAS : Tracking adjunct system ;
Système de guidage auxiliaire.

TAS : True airspeed ;
Vitesse vraie. Vitesse propre.

TASC : Touch-activated simulator control ;
Commande de simulateur de vol à touches.

TASM : Tactical air-to-surface missile ;
Missile tactique air-sol.

TAV : Trans-atmospheric vehicle [an American project for an aircraft flying at Mach 25] ; Avion suborbital capable de voler à Mach 25 [projet américain].

TBM : **Tactical ballistic missile** ; Missile balistique tactique.

TBO : **Time between overhauls** ; Intervalle entre révisions. Potentiel entre révisions.

TBSR : **Time between scheduled replacement** ; Intervalle entre remplacements planifiés.

TBSV : **Time between scheduled shop visits** ; Moyenne des temps entre visites planifiées en atelier.

T/CAD : **Traffic/collision alert device** ; Equipement anticollision aéroporté.

T/CAS : **Traffic alert and collision avoidance system** ; Système anticollision embarqué.

TCC : **Thrust control computer** ; Calculateur de contrôle de la poussée.

TCU : **Thermal cueing unit** ; Unité d'indications thermiques.

TDA : **Threat display and avoidance** ; Affichage des menaces et évitement.

TDAS : **Test data analysis system** ; Module d'analyse des données expérimentales obtenues au cours d'essais en vol.

TDC : **Top dead-center** ; Point mort haut.

TDI : **Target-doppler indicator** ; Détecteur par effet Doppler.

TDRS : **Tracking and data relay satellite** ; Satellite de relais de transmission de données.

TDS : **Tactical data system** ; Système indicateur de données tactiques.

TDWR : **Terminal Doppler weather radar** ; Radar météorologique d'aéroport [détection des microrafales].

TEAM : **Turbine engine analysis and management (TEAM) program** [turbine engine maintenance and repair] ; Programme TEAM [maintenance et dépannage de moteurs à turbine].

TEHP : **Thrust equivalent horsepower** ; Puissance équivalente à la poussée.

TEL : **Tool and equipment list** ; Liste des outillages et équipements [LOE].

TEM : **Thermal expanded metals** ; Expansion métallique à chaud.

TEMS : **Turbine engine monitoring system** ; Système de surveillance du fonctionnement des moteurs.

TEREC : **Tactical electronic reconnaissance (TEREC) system** ; Système de reconnaissance électronique tactique.

TERPROM : **Terrain profile matching system** ; Système de navigation et de suivi de terrain autonome embarqué [GB].

TET : **Turbine entry temperature** ; Température entrée turbine [turboréacteur]. Température maximale atteinte devant la première roue de turbine.

TEWS : **Tactical electronic warfare system** ; Système de guerre électronique tactique.

TF : **Terrain following** ; Suivi de terrain.

TFE : **Turbofan engine** ; Réacteur à double flux.

TFM : **Tactical flight management** ; Gestion du vol tactique.

TFR : **Terrain-following radar** ; Radar d'avion pour basse altitude.

TGB : **Transfer gearbox** ; Boîtier de renvoi d'angle.

TGSM : **Terminally-guided sub-munition** ; Sous-munition à guidage terminal.

TGT : **Turbine gas temperature** ; Température gaz turbine.

TGW : **Terminally guided warhead** ; Ogive à guidage terminal.

THAAD : **Theater high altitude area defense** ; Système d'interception de missiles balistiques à haute altitude [par missiles sol-air d'une portée supérieure à 150 km].

THSA : **Trimmable horizontal stabilizer actuator** ; Vérin de plan horizontal réglable.

TIA : **Type inspection authorization** ; Certificat TIA [agrément des données techniques du constructeur].

TIALD : **Thermal imaging airborne laser designator** ; Equipement aéroporté de visée thermique et de désignation laser.

TIAS : **Target identification and acquisition system** ; Système d'acquisition et d'identification de cibles.

TICM : **Thermal imaging common module** ; Système d'observation infrarouge modulaire.

TIFS : **Total in-flight simulator** [a flying test-bench designed to analyse flight performance and airborne systems] ; Banc d'essai volant destiné à l'étude des qualités de vol et des systèmes de bord.

TINS : **Thermal imaging navigation set** ; Equipement de navigation à imagerie thermique.

TISEO : **Target identification system electro-optical** ; Système électro-optique d'identification de cibles.

TIT : **Turbine inlet temperature** ; Température entrée turbine.

TJE : **Turbojet engine** ; Turboréacteur.

TJS : **Tactical jamming system** ; Système de brouillage tactique.

TLSS : **Tactical life support system** ; Combinaison de vol anti-g.

TLSS : **Total life support system** [a pressure flying suit to ensure protection against laser, nuclear radiation and NBC agents] ; Combinaison de vol pressurisée [protection contre le laser, le flash nucléaire et les agents NBC].

TM : Thematic mapping ;
Cartographie thématique.

TMC : Thrust modulation computer ;
Calculateur d'affichage de la poussée.

TMMS : TOW mast-mounted sight ;
Viseur de mât pour missile TOW.

TMN : True Mach number ; Nombre de Mach
vrai [IMN corrigé de l'erreur de position].

TMS : Thrust management system ;
Dispositif de contrôle de la poussée.

TMS : Traffic monitoring system ;
Système de contrôle du trafic aérien.

TO : Technical order ; Mémento technique.

TO INHI : Take-off inhibition ;
Système de neutralisation des alarmes au cours
du décollage.

TOB : Take-off boost ;
Suralimentation au décollage.

TOC : Total operating cost ;
Coût d'exploitation total.

TODA : Take-off distance available ;
Distance utilisable au décollage.

TOGA : Take-off/go-around ;
Décollage/remise des gaz.

TORA : Take-off run available ; Longueur de
roulement utilisable au décollage.

TOS : Transfer orbit stage ; Etage supérieur du
lanceur [pour mise en orbite de transfert].

TOSS : Take-off safety speed ;
Vitesse de sécurité au décollage [VSD].

TOW : Take-off weight ; Masse au décollage.

TOW : Tube-launched optically-tracked wire-
guided(TOW) missile ; Missile TOW [lancé
par tube, à pilotage optique et filoguidé].

TPIS : Tire-pressure indicating system ;
Système indicateur de la pression des pneus.

TPM : Tire-pressure monitor ; Système de surveillance de la pression des pneus.

TPS : Turbulence predictor system ;
Système de prédiction de turbulences.

TRAC : Telescopic rotor aircraft ;
Hélicoptère combiné à rotor télescopique.

TRACE : Test-equipment for rapid automatic
check-out and evaluation ; Matériel d'essai
pour vérification automatique rapide et évaluation des circuits électriques et électroniques.

TRAM : Target recognition and attack multi-
sensor (TRAM) turret ;
Tourelle aéroportée équipée de plusieurs capteurs [identification et attaque d'objectifs].

TRF : Turbine rear frame ;
Carter sortie turbine.

TRH : Tail rotor hub ;
Moyeu de rotor arrière [MRA].

TRN : Terrain-referenced navigation (TRN)
system [joining INS and radar altimeter to
optimize flight path] ; Système de navigation
à référence topographique [associant l'INS et
l'altimètre radar pour optimiser la trajectoire
de vol].

TRS : Tactical reconnaissance squadron ;
Escadrille de reconnaissance tactique.

TRSB : Time-referenced scanning beam ;
Système d'atterrissage à faisceau battant à référence de temps. MLS à référence de temps.

TRW : Tactical reconnaissance wing ;
Escadre de reconnaissance tactique.

TSD : Tactical situation display ;
Ecran de situation tactique.

TSI : Time since installation ;
Intervalle depuis pose.

TSN : Time since new ;
Temps de fonctionnement.

TSO : Time since overhaul ;
Intervalle depuis révision.

TSR : Terminal surveillance radar ;
Radar de surveillance de région terminale.

TSS : Tethered satellite system ; Satellite relié
par un câble à une navette spatiale.

TSTO : Two-stage to orbit ;
Navette à deux étages à ascension directe.

TTH : Tactical transport helicopter ;
Hélicoptère de transport tactique.

TTL : Torque and temperature limiter ;
Limiteur de couple et de température.

TTR : Time to repair ;
Temps passé au dépannage.

TVC : Thrust vector control ;
Commande de contrôle de poussée.

TVOR : Terminal visual omnirange ;
VOR de région terminale.

TWE : Threat warning equipment ;
Equipement de détection d'alerte.

TWR : Tower ; Tour de contrôle.

TWT : Travelling-wave tube (TWT) amplifier ; Amplificateur à propagation d'ondes
[radar].

U

UAM : Underwater-to-air missile ;
Missile sous-marin-air.

UARS : Upper atmospheric research satellite ;
Satellite d'étude de la haute atmosphère.

UAV : Unmanned aerial vehicle [reconnaissance, target acquisition] ; Avion sans pilote [reconnaissance, repérage d'objectifs].

UAV : Unmanned air vehicle ;
Aéronef sans pilote.

UBE : Ultra bypass engine ;
Propulseur de type propfan.

UDC : Upper dead center ; Point mort haut.

UDF : Unducted fan ;
Soufflante non carénée. Hélice transsonique.

UDMH : Unsymmetrical dimethyl hydrazine [used for spacecraft propulsion] ;
Diméthyl-hydrazine dissymétrique [propulsion des engins spatiaux].

UFO : Unidentified flying object ; Objet volant non identifié. OVNI. Soucoupe volante.

UHB : Ultra high bypass (UHB) engine ;
Moteur à soufflante non carénée, ou propfan.

UHCA : Ultra high capacity aircraft ;
Avion long-courrier de très grande capacité.

UHF : Ultra-high frequency ; Ultra-haute fréquence [bande des 1000 MHz].

UIC : Upper flight information center ;
Centre supérieur d'information de vol.

UIR : Upper flight information region ;
Région supérieure d'information de vol.

ULH : Ultra-light helicopter ;
Hélicoptère ultraléger.

ULH : Unit light helicopter ;
Hélicoptère léger d'observation.

ULM : Ultra light motorized ;
Ultra-léger motorisé. ULM.

ULMS : Underwater long-range missile system ; Missile à longue portée lancé par sous-marin.

ULSA : Ultra low sidelobe antenna [a radar antenna limiting the dispersion of the energy radiated] ; Antenne ULSA [antenne radar limitant la dispersion de l'énergie rayonnée.

UM : Unaccompanied minor [a child travelling by plane in the care of the crew] ;
Enfant non accompagné effectuant un trajet aérien sous la surveillance du personnel de bord.

URR : Ultra-reliable radar ; Radar ultrafiable.

U/S : Unserviceable ; Inutilisable. Hors d'usage.

USAF : United States Air Force ;
Armée de l'air [USA].

USB : Upper surface blowing ; Soufflage d'extrados de voilure [par jet de réacteur].

USB : USB flap ;
Volet d'extrados soufflé [par jet de réacteur].

USCG : US Coast Guard ; Garde-côte [USA].

USMC : US marine corps ;
Corps des « Marines » [USA].

USTOL : Ultra short take-off and landing ;
Avion à décollage et atterrissage ultra-courts.

USW : Ultra-short wave ; Onde ultra-courte.

UTC : Universal time coordinated ;
Temps universel coordonné (TUC).

UTT : Utility tactical transport ;
Avion de transport tactique militaire.

UTTAS : Utility tactical transport aircraft system ; Appareil de transport aérien tactique.

V

V1 : Critical engine failure speed ;
Vitesse critique.

V1 : Take-off decision speed ;
Vitesse de décision au décollage.

V'1 : Failure recognition speed ;
Vitesse de reconnaissance de panne.

V2 : Minimum take-off safety speed ;
Vitesse de sécurité au décollage.

V3 : Stalling speed ; Vitesse de décrochage.

VA : Design manoeuvering speed ;
Vitesse de calcul en manoeuvre. Vitesse théorique de manœuvre.

VAC : Voltage alternating current ;
Tension du courant alternatif.

VACBI : Video and computer based instruction ; Formation du personnel basée sur l'ordinateur et la vidéo.

VAL : Visual approach and landing ;
Approche et atterrissage à vue.

VAMP : **VHSIC avionic modular processor [USA]** ; Unité de calcul du programme d'avionique modulaire américain Pave Pillar.

VASIS : **Visual approach slope indicator system** ; Indicateur visuel de pente d'approche.

VBV : **Variable bypass valve** ; Vanne de décharge.

VC : **Design cruising speed** ; Vitesse de calcul en croisière.

VC : **VO coder** ; Cryptophonie.

VD : **Design diving speed** ; Vitesse de calcul en piqué. Vitesse limite en piqué.

VDC : **Voltage direct current** ; Tension du courant continu.

VDI : **Visual-doppler indicator** ; Radar à lecture directe.

VDR : **Variable diameter rotor** ; Rotor à diamètre variable.

VDU : **Visual display unit** ; Ecran de visualisation.

VE : **Value engineering [award granted to manufacturers cutting production costs while respecting quality and safety standards or incentive bonus granted to the author of a technical innovation].**: Distinction décernée aux industriels réduisant les coûts de production [sans nuire à la qualité et aux normes de sécurité]. Prime d'encouragement accordée à l'auteur d'une innovation technique.

VEB : **Vehicle equipment bay [satellite launcher]** ; Casier à équipements [lanceur de satellite].

VEP : **Vehicle evaluation payload [Japanese-built H2 rocket]** ; Capsule satellisée destinée à évaluer et à transmettre les données relatives au comportement et aux performances de son lanceur [fusée japonaise H2].

VERTOL : **Vertical take-off and landing** ; Avion à décollage et atterrissage verticaux (ADAV).

VERTREP : **Vertical replenishment service** ; Ravitaillement en mer par ADAV.

VF : **Flap limiting speed** ; Vitesse de calcul avec volets en position atterrissage.

VFE : **Flap extended speed** ; Vitesse maximum avec volets sortis (VFE).

VFR : **Visual flight rules** ; Règles de vol à vue.

VFRAP : **Visual flight rules approach** ; Approche conforme aux règles de vol à vue.

VG : **Variable geometry** ; Géométrie variable.

VHF : **Very high frequency** ; Hyperfréquence.

VHPIC : **Very high power integrated circuitry** ; Circuits intégrés ultra-puissants [GB].

VHSIC : **Very high speed integrated circuitry** ; Circuits intégrés ultra-rapides [USA].

VIFF : **Vector in forward flight** ; Orientation de la poussée en vol horizontal.

VLA : **Very light aircraft** ; Avion très léger.

VLCH : **Very large commercial helicopter [a Sikorsky project, 100 passengers, in the year 2000]** ; Gros hélicoptère de transport civil des années 2000 [projet Sikorsky, 100 passagers].

VLCT : **Very large commercial transport [a super-jumbo jet with a range of 13,500 km]** ; Super gros-porteur à réaction [rayon d'action : 13 500 km].

VLE : **Landing gear extended speed** ; Vitesse avec train sorti (VLE).

VLF : **Vectored-lift fighter** ; Avion de chasse à décollage vertical.

VLF : **Very low frequency** ; Très basse fréquence.

VLO : **Landing gear operating speed** ; Vitesse maximum de sortie du train (VLO).

VLO : **Velocity landing gear operation** ; Vitesse maximum de sortie du train (VLO).

Vmax : **Velocity maximum** ; Vitesse maximale.

VMC : **Minimum control speed** ; Vitesse minimum de contrôle.

VMC : **Visual meteorological conditions** ; Conditions météorologiques du vol à vue.

VMCA : **Minimum single-engined control speed** ; Vitesse minimale de contrôle sur un moteur.

VMO : **Velocity maximum operating** ; Vitesse maximum d'utilisation.

VNE : **Velocity never exceed** ; Vitesse à ne jamais dépasser. Vitesse limite.

VNO : **Normal operating limit speed** ; Vitesse maximum d'utilisation normale.

VOR : **Very high frequency omnidirectional range system** ; Système composé de radiophares omnidirectionnels à très haute fréquence.

VOR : **Visual omni-range** ; Radiogoniomètre d'approche. Radiophare omnidirectionnel.

VRA : **Rough air speed** ; Vitesse maximale en atmosphère turbulente.

VRBM : **Variable-range ballistic missile** ; Missile balistique à portée variable.

VREF : **Velocity reference** ; Vitesse de référence en approche.

VS : **Stalling speed** ; Vitesse de décrochage (VS).

VS1 : **Constant RPM, specified configuration speed** ; Vitesse de configuration croisière, décollage et approche (VS1).

VSA : **Variable stability aircraft** ; Véhicule de recherches.

VSAT : **Very small aperture terminal [high speed data transmission]** ; Terminal à très petite ouverture [transmission de données à grande vitesse].

VSCF : **Variable speed constant frequency** ; Système de génération électrique.

VSI : **Vertical speed indicator** ; Variomètre.

VSO : **Constant RPM, L/G and flap extended speed** ;
Vitesse de configuration atterrissage (VSO).

VSRA : **Variable stability and response airplane** ; Avion à stabilité variable.

VSS : **Variable stability system** ;
Système de stabilité variable.

V/STOL : **Vertical/short take-off and landing (V/STOL) aircraft** ; Avion à décollage et atterrissage verticaux/courts.

VSV : **Variable stator vanes** ;
Stator à incidence variable.

VSWR : **Voltage standing wave ratio** ;
Taux d'ondes stationnaires (TOS).

VTOHL : **Vertical take-off and horizontal landing** ;
Décollage vertical et atterrissage horizontal.

VTOL : **Vertical take-off and landing** ; Avion à décollage et atterrissage verticaux (ADAV).

Vx : **Best angle of climb** ;
Angle de montée optimal.

Vy : **Best rate of climb** ;
Taux de montée optimal.

Vz : **Vertical velocity** ; Vitesse verticale.

W

WAAS : **Wide area augmentation system** ;
Système de transmission d'informations aux avions en vol par satellites et stations terrestres.

WAC : **Weapon-aiming computer** ;
Calculateur de pointage des armes de bord. Calculateur de tir.

WARC : **World Administrative Radio Conference** ; Conférence Administrative Mondiale des Radiocommunications.

WARHUD : **Wide-angle raster-video head-up display** ; Collimateur tête haute à champ de vision étendu.

WASS : **Wide area surveillance system** ; Système de surveillance de zones très étendues.

WAT : **Weight-altitude-temperature limitations** ; Limites masse-altitude-température.

WBM : **Weight and balance manual** ;
Manuel des masses et centrages (MMC).

WBS : **Weight and balance system** ;
Système embarqué de détermination des masses et du centrage.

WBS : **Work breakdown structure** ;
Plan de structure. Organigramme technique.

WDC : **Weapon delivery computer** ;
Calculateur de gestion du système d'armes.

WDM : **Wiring diagram manual** ;
Manuel des schémas de câblage.

WDNS : **Weapon delivery and navigation system** ; Système de navigation et de tir.

WIP : **Work in progress** ; Travail en cours.

WLP : **Weight limited payload** ;
Charge marchande limite.

WM : **Static weight on main L/G** ;
Masse statique sur l'atterrisseur principal.

WMO : **World meteorological organization** ;
Organisation météorologique mondiale.

WN : **Static weight on nose gear** ;
Masse statique sur l'atterrisseur avant.

WOT : **Wide-open throttle** ; A plein gaz.

WOWS : **Wire obstacle warning system** ;
Système de détection de lignes de force près du terrain.

WPT : **Waypoint** ; Balise fictive.

WSO : **Weapons system operator [crew member responsible for the navigation and airborne electric equipments]** :
Membre de l'équipage responsable de la navigation et de la mise en oeuvre des instruments électriques de bord.

WTF : **Wing tip fences** ;
Petites ailettes d'extrémité d'aile.

WWW : **World weather watch** ;
Veille météorologique mondiale.

X

Xmitter : Emetteur.

XMTR : Emetteur-récepteur.

XST : **Experimental stealth technology (XST) aircraft** ; Avion de démonstration des technologies de la furtivité

Y

YAG : **Yttrium aluminium garnet (YAG) laser** ; Laser à grenat d'yttrium-aluminium. Laser YAG.

Y/D : **Yaw damper** ;
Amortisseur de lacet.
Contrôleur d'embardée.

Z

ZFW : **Zero fuel weight** ; Poids total sans carburant. Masse totale sans carburant.

ZLL : **Zero length launch ["firing" of the aircraft from a nuclear shelter]** ;
Lancement à course nulle ["tir" de l'avion à partir d'abri nucléaire].

ZPI : **Zone position indicator** ; Radar de veille.

Achevé d'imprimer par
MESSAGES
111, rue Nicolas-Vauquelin – 31100 TOULOUSE
Dépôt légal : novembre 1996